KB137628

오닐·셰익스피어·쇼의 문학세계

조용재
문학박사
원광대학교 영어영문학과 교수, 대한영어영문학회 회장(역임), 워싱턴대학교 객원교수(2005년)
한국영어영문학회, 한국셰익스피어학회, 한국현대영미드라마학회, 한국드라마학회, 대한영어영문학회, 한국현대영어영문학회, 신영어영문학회, 국제 셰익스피어 학회 및 오닐 학회 회원 및 임원
저서: 『드라마 총론』, 『영미문학과 동양정신』(공저), 『미국희곡의 이해』, 『영국희곡의 이해』
역서: 조지 버나드 쇼의 『워렌 부인의 직업』, 『전쟁과 영웅』, 『바람둥이』, 『캔디다』
유진 오닐의 『수평선 너머』, 『유진 오닐 단막극』
논문: 「유진 오닐의 작품에 나타난 소속추구의 양상 연구」, 「오닐과 쇼의 희곡 연구: 여성의 역할」, 「오닐과 쇼의 희곡 연구: '배후의 힘'과 '생명력'」, 「셰익스피어 작품(4대 비극)과 오닐 작품의 비교 연구」 외 다수

오닐 · 셰익스피어 · 쇼의 문학세계

초판 1쇄 발행일 2019년 11월 25일
조용재 지음

발행인 이성모
발행처 도서출판 동인
주 소 서울시 종로구 혜화로3길 5 118호
등 록 제1-1599호
TEL (02) 765-7145 / FAX (02) 765-7165
E-mail dongin60@chol.com
ISBN 978-89-5506-815-3
정 가 26,000원

오닐
셰익스피어
쇼
의
문학세계

THE LITERARY WORLD OF EUGENE O'NEILL, WILLIAM SHAKESPEARE AND GEORGE BERNARD SHAW

조용재 지음

도서출판 동인

시작하는 글

저자는 1989년 「유진 오닐의 작품에 나타난 소속추구의 양상 연구」라는 박사학위논문을 시작으로 30여 년에 걸쳐 오늘날까지 주로 유진 오닐, 윌리엄 셰익스피어, 조지 버나드 쇼, 셰익스피어와 오닐의 비교, 그리고 오닐과 쇼의 비교와 관련하여 연구논문과 저서와 번역서를 쓰고, 대학 강단에서 학생들을 교육해 오고 있다.

연구논문은 「'배후의 힘'의 관점으로부터의 접근: 『오셀로』와 『모든 신의 아이들에게는 날개가 있다』 읽기」를 포함하여 오닐, 셰익스피어, 그리고 쇼와 관련된 논문 30여 편이 있다. 저서는 『드라마총론』, 『영국희곡의 이해』, 『미국희곡의 이해』, 『영미문학과 동양정신』(공저)이 있다. 그리고 번역서는 쇼의 『전쟁과 영웅』, 『워렌 부인의 직업』, 『바람둥이』, 『캔디다』와 오닐의 『수평선 너머』, 『유진 오닐 단막극』이 있다.

『오닐 · 셰익스피어 · 쇼의 문학세계』는 30여 년 동안 저자가, 영문학도로서 반드시 공부해야 할 대표적이고 중요한 영미극작가들의 작품, 즉 오닐의 작품, 셰익스피어의 작품과 오닐의 작품의 비교, 그리고 오닐의 작품과 쇼의 작품의 비교에 관하여 연구하고 저술하며 가르친 내용을 작가별, 그리고 주제별로 체계를 세워 정리한 책이다. 이 책은 총 5편 19장으로 구성되어 있다.

제1편은 오닐 · 셰익스피어 · 쇼의 생애와 문학세계의 개관이다.

제2편은 오닐의 문학세계이다. 제1장은 『수평선 너머』, 『느릅나무 그늘의 욕정』, 그리고 『밤으로의 긴 여로』를 중심으로 가정비극에 나타난 분열과 통합을,

『상복이 어울리는 엘렉트라』를 중심으로 운명비극을 논한다. 제2장은 『위대한 신 브라운』을 중심으로 가면의 역할을, 『위대한 신 브라운』과 『끝없는 나날』을 중심으로 이중 자아와 가면 기법을 논한다. 제3장은 『백만장자 마르코』를 중심으로 동양사상을, 『라자루스가 웃었노라』를 중심으로 니체 사상을 논한다. 제4장은 『존스 황제』, 『느릅나무 그늘의 욕정』, 그리고 『밤으로의 긴 여로』를 중심으로 제의적 접근을 한다. 제5장은 『느릅나무 그늘의 욕정』을 중심으로 마더 콤플렉스와 부자갈등의 극복을, 『기묘한 막간 희극』과 『잘못 태어난 자를 비추는 달』을 중심으로 구원의 어머니상을 논한다. 제6장은 『수평선 너머』와 『털보 원숭이』를 중심으로 진정한 자아 찾기와 죽음을, 『밤으로의 긴 여로』를 중심으로 초월을 논한다.

제3편은 셰익스피어와 오닐의 문학세계로 셰익스피어의 작품과 오닐의 작품을 비교하고 분석한다. 제1장은 셰익스피어의 『햄릿』과, 오닐의 『잘못 태어난 자를 비추는 달』과 『밤으로의 긴 여로』를 중심으로 과거의 유령을 논한다. 제2장은 셰익스피어의 『햄릿』과 오닐의 『상복이 어울리는 엘렉트라』, 그리고 셰익스피어의 『오셀로』와 오닐의 『모든 신의 아이들에게는 날개가 있다』를 중심으로 '배후의 힘'을 논한다. 제3장은 셰익스피어의 『맥베스』와 오닐의 『존스 황제』를 중심으로 '공포'의 양상을 논한다. 제4장은 셰익스피어의 『리어왕』과 오닐의 『얼음장수 오다』를 중심으로 사랑과 죽음과 구원을 논한다. 제5장은 셰익스피어의 『햄릿』과 키드의 『스페인 비극』을 중심으로 '복수'의 양상을 논한다. 제6장은 셰익스피어의 『햄릿』, 『오셀로』, 『맥베스』, 『트로일러스와 크레시다』와 이상(李箱)의 『12월 12일』, 『오감도』, 『지주회사』, 『실화』, 『휴업과 사정』, 『종생기』, 「광녀의 고백」, 『동해』, 『날개』, 「파첩」을 중심으로 셰익스피어의 이상에 대한 영향을 논한다.

제4편은 오닐과 쇼의 문학세계로 오닐의 작품과 쇼의 작품을 비교하고 분석한다. 제1장은 오닐의 『수평선 너머』, 『털보 원숭이』, 『느릅나무 그늘의 욕정』, 『밤으로의 긴 여로』와, 쇼의 『인간과 초인』, 『성(聖) 조안』, 『악마의 사도』, 『바바라 소령』을 중심으로 오닐과 쇼의 작품에 나타난 중요한 주제인 '배후의 힘'과

'생명력'을 논한다. 제2장은 오닐의 『수평선 너머』, 『느릅나무 그늘의 욕정』, 『털보 원숭이』, 『모든 신의 아이들에게는 날개가 있다』와 쇼의 『인간과 초인』, 『바바라 소령』, 『워렌 부인의 직업』, 『캔디다』를 중심으로 오닐과 쇼의 작품에 나타난 중요한 주제인 '여성의 역할'을 논한다.

제5편은 문학세계의 함의(含意)로 지금까지 논한 제2편 오닐의 문학세계, 제3편 셰익스피어와 오닐의 문학세계, 그리고 제4편 오닐과 쇼의 문학세계의 각 장(章), 또는 각 절(節)에 나타난 함축적 의미를 정리한다.

이 책의 의의는 오닐의 작품의 단독 연구도 그 의의가 있겠지만, 특히 셰익스피어의 작품과 오닐의 작품, 그리고 오닐의 작품과 쇼의 작품의 비교연구는 많은 흥미와 의의가 있다고 생각한다. 그리고 이 책의 함축적인 의의는 제5편 문학세계의 함의에 있다 할 것이다. 앞으로 이 책이 유진 오닐, 윌리엄 셰익스피어, 그리고 조지 버나드 쇼를 연구하는 후학들에게 도움이 될 수 있기를 기대한다. 다만, 문학작품의 특성상 동일 작품의 경우 내용이 중복될 수 있으니 중복되는 내용에 구애받지 말고 각 장, 또는 각 절의 '해당 주제'에 초점을 맞춰서 맥락을 이해하기를 바란다.

끝으로 쇼의 『전쟁과 영웅』, 『바람둥이』, 『캔디다』와 오닐의 『유진 오닐 단막극』에 이어, 금번 『오닐 · 셰익스피어 · 쇼의 문학세계』를 기꺼이 출판해 주신 도서출판 동인의 이성모 사장님과, 이 책의 편집을 위해 많은 노력과 정성을 기울여주신 송정주 편집자님께 깊은 감사를 드린다.

2019년 9월

신용서실에서

저자

차례

PART • 1
오닐 · 셰익스피어 · 쇼의 생애와 개관

제1장

생애

제1절 유진 오닐

유진 오닐(Eugene O'Neill 1888-1953)은, 그가 임종 순간에 주먹을 불끈 쥐고 내뱉은 말이자 그의 비문(碑文)이 된 "호텔 방에서 태어나-맙소사-호텔 방에서 죽다!"라는 표현처럼, 그야말로 일생 동안 끝없는 방랑의 삶을 살았던 작가이다. 오닐은 오랫동안 유럽의 예술적 도덕적 판박이의 굴레를 벗어나지 못하고 있던 미국 드라마를 세계 드라마를 주도하는 자리로까지 끌어올린 장본인이다. 실로 독자적이며 순수한 미국 드라마는 바로 그로부터 시작되었다 해도 과언이 아니다.

1915년 이후 미국 드라마에서 가장 두드러진 경향은 사실주의, 사회적 풍자, 사회적 항의 및 유럽 드라마의 지나친 기교의 모방 등이었다. 이 모든 경향들의 영향을 한 몸에 받고 이 시대의 새로운 미국 극작가들의 중심적 인물로 등장한 이가 바로 오닐이었다. 그는 비단 미국 드라마의 중심적 존재일 뿐 아니라 세계의 드라마를 주름잡는 주요 작가의 하나였다. 그는 클라이드 피취(Clyde Fitch)나 윌리엄 본 무디(William Vaughn Moody)까지만 하더라도 아직 미국 문학의 대종(大宗)을 이루지도 못하고 아주 좁은 드라마적 전통 속에서 벗어나지 못하고 있었다. 오닐의 작품은 그의 두드러진 독창성과 그의 재능에 작용한 외부세계의 지적 환경의 영향을 잘 나타내주고 있다.

그에게 영향을 미친 당시의 외부세계의 지적 환경은 세 가지 요인으로 집약할 수 있는데 첫째는, 시어도어 드라이저(Theodore Dreiser), 셔우드 앤더슨(Sherwood Anderson), 싱클레어 루이스(Sinclair Lewis), H. L. 멘켄(H. L. Mencken) 등을 배출한 드라마 이외의 향토적 문학혁명이고 둘째는, 좀 때늦은 감은 있지만 입센(Ibsen)과 입센 뒤에 나온 유럽 극작가들의 영향이며 셋째는, 오닐 자신도 함께 시작한 「소극장」 운동이라 하겠다. 이들 요인 가운데서 향토적 문학혁명은 토착적인 사실주의 경향과 유럽의 지나친 기교주의의 모방이라는 일견 모순되는 경향들을 내포하고 있어 그 자체가 복합적인 요인으로 작용하고 있다. 여기서는 그의 독창성, 말하자면 유럽의 드라마적 전통에 의해 다듬어지고 미국의 실험적 극장에서 발전의 기회를 얻었던 그의 개인적 여러 경향에 대해 집중적으로 논하기로 한다.

1888년 뉴욕의 어느 호텔 방에서 유랑 극단을 이끌고 미국 전역을 누비고 다니던 아버지 제임스 오닐(James O'Neill)과 독실한 가톨릭 신자인 어머니 엘라 퀸란 오닐(Ella Quinlan O'Neill) 사이에 태어난 유진 오닐은 어쩌면 태어날 때부터 삶의 참뜻을 찾아 헤매는 영원한 나그네로 운명 지워졌는지도 모른다. 아버지 제임스는 셰익스피어 연극배우로 출발했다가 극단의 존속을 위한 상업적 이유로 당시에 인기를 끌었던 낭만적 멜로드라마인 『몬테 크리스토 백작』(*The Count of Monte Cristo*)의 주역으로 평생을 지내게 되어 심한 좌절감에 싸여 있었다. 어머니는 배우인 남편을 따라다니는 끝없는 유랑에 지쳐 있었고 더구나 그 사이 둘째 아들까지 잃게 되자 그 죄책감 등으로 모르핀 중독자가 되어 현실의 괴로움을 잊고 있었다. 오닐 본인은 그러한 양친을 따라 극장의 무대 뒤를 전전하며 어린 시절을 보냈으니 그 우울한 분위기가 훗날 오닐의 인품과 작품을 물들인 비극적 경향의 배경이 되고 있다.

학령에 이르자 오닐은 여기저기 가톨릭의 기숙사 학교에 넣어졌으나 정처 없는 유랑에서 이제는 가족과 떨어져 있게 되어 그의 고독감은 더욱 심화되기에 이른다. 이즈음 어머니의 모르핀 중독을 알게 된 그는 후일 『끝없는 나날』(*Days Without End* 1933) 속에서 밝히고 있듯이 기도를 통하여 어머니를 구하려 하였으나 그 시도가 무위로 돌아가자 그는 지금까지의 소박한 '사랑과 자비의 신이 복수와 징벌의 신'으로 바뀌어가는 것을 느끼며 마침내 신앙을 버리고 다니던 가톨릭 학교마저 그만두게 된다. 그리하여 종교와 인습에 대한 공공연한 반항을 시작한 그는 열네 살에 비종파적이며 자유롭고 실제적인 동부의 가장 훌륭한 예비학교 중 하나인 베츠 아카데미(Betts Academy)에 들어가게 되고 거기서 비로소 물을 얻은 고기처럼 공부와 사색과 활동에 마음껏 활개를 펴게 된다. 가정적인 분위기 속에서 개성과 능력의 개발에 목적을 둔 이 학교에서 4년 동안의 생활은 정처 없던 그에게는 고향과도 같았으며 또한 평생을 두고 유일하게 알찬 고등교육과정이 되기도 하였다.

그 뒤에 프린스턴 대학에도 1년 다녔지만 심한 장난 때문에 정학을 당하고 뉴욕에 나와 잠시 동안 우편주문 판매점에서 일하기도 하였으며, 이 무렵 알게 된 유명한 무정부주의자 벤자민 터커(Benjamin Tucker)의 소개로 프리드리히 니체(Friedrich Nietzsche)를 탐독하고 심취하게 된다. 그러다가 그의 본래의 반항적인 기질이 발동하고 또한 그가 읽었던 잭 런던(Jack London), 조셉 콘래드(Joseph Conrad), 루디야드 키플링(Rudyard Kipling)의 영향도 있어 그는 온두라스에서 금광을 캐는 일을 위해 1909년 샌프란시스코에서 첫 항해를 떠난다. 물론 여기에는 결국 그의 첫 부인이 된 캐슬린 젠킨스(Kathleen Jenkins)와의 사이를 떼어놓으려는 아버지 제임스의 계략도 들어 있었지만 어찌 되었든 그렇게 시작된 항해가 그의 방랑 기질에 불을 붙여 온두라스에서 여섯 달을 지낸 뒤 뉴욕으로 돌아와 다시 노르웨이 배를 타고 이번에는 본격적인 선원으로서 부에노스아이레스까지 가게 된다. 부에노스아이레스에서 영국 배를 타고 뉴욕으로, 뉴욕에서 다시 미국 배를 타고 대서양을 건너 영국으로 가서 뉴욕으로 되돌아온 것이 1911년이니 부에노스아이레스와 뉴욕 부둣가에서의 술과 허기와 싸구려 여인숙의 참담한 하루살이 생활을 포함한 2년 동안의 선원 생활의 경험이 훗날 45편의 작품 가운데 전적으로 또는 부분적으로 바다의 얘기를 다룬 작품이 13편이나 되고 바다에 관계된 인물을 주인공으로 다룬 작품이 6편이나 되는 풍요한 열매를 맺게 하는 밑거름이 되었다.

뉴욕으로 돌아온 그는 닥치는 대로 이런저런 일을 하다가 마침내는 아버지 제임스의 극단에서 단역을 맡아 잠시 동안 극단을 따라 전전하게 된다. 1912년 캐슬린과 이혼하고 같은 해에 뉴런던의 신문 「텔리그래프지」(*Telegraph* 誌)의 기자 겸 칼럼니스트로 일하게 되며 그해 말에는 폐병을 앓게 되어 이듬해에 5개월 동안 요양원 신세를 지게 된다. 이 5개월은 방황하고 파괴하는 자에서 창조하는 자로 오닐 인생의 양상을 근본적으로 바꾸어 놓는 크나큰 전환점이 된다. 그는 강요된 이 무위의 생활 속에서 여태까지 그렇게도 그가 피해 다녔던 자신과의 대면을 하지 않을 수 없게 되고 또한 집중적인 독서를 통해 베데킨트(Wedekind), 스트린드베리(Strindberg), 입센은 물론 마르크스(Marx), 크로포트킨(Kropotkin)에 이르기까지 광범한 섭렵을 할 수밖에 없게 되었던 것이다. 그리하여 요양원에서 나와 회복기에 접어든 한 해 동안에 그는 비로소 첫 단막극 7편을 쓰게 된다. 이 작품들로 아버지의 인정을 받은 그는 1914년 하버드 대학에서 유명한 조지 피어스 베이커(George Pierce Baker) 교수의 극작 강좌를 수강하게 된다.

1915년 여름 매사추세츠 주의 프로빈스타운에 휴가 온 일단의 그리니치 빌리지(Greenwich Village) 연극인들이 마침 그곳에 살고 있던 오닐을 알게 되어 다음 해 여름 그곳의 어물창고를 개조한 임시 극장에서 그의 단막극 『동방 카디프를 향하여』(*Bound East for Cardiff* 1913)를 공연한 것을 계기로 그는 다시 극장으로 되돌아오게 된다. 같은 해인 1916년 가을 이 프로빈스타운 그룹은 뉴욕으로 옮겨가 마구간을 개조한 소극장 프로빈스타운 플레이하우스(Provincetown Playhouse)를 열고 1924년까지 『카리브의 달』(*The Moon of the Caribbees*), 『긴 귀항 항로』(*The Long Voyage Home*), 『환상(環狀)지대』(*In the Zone*)와 같은 그의 거의 대부분의 단막극들의 공연은 물론 『황제 존스』(*The Emperor Jones* 1920), 『털보 원숭이』(*The Hairy Ape* 1922), 『모든 신의 아이들에게는 날개가 있다』(*All God's Chillun Got Wings* 1924)와 같은 장막극의 초연도 도맡아 하게 된다. 이 무렵 뉴욕에서 그는 단편소설 작가인 아그네스 볼튼(Agnes Boulton)을 만나게 되어 1918년 그의 두 번째 결혼을 한다. 이리하여 이미 뉴욕에서 인정을 받기 시작한 오닐은 1920년 그의 작품으로서는 브로드웨이의 첫 공연인 『수평선 너머』(*Beyond the Horizon*)의 대성공으로 퓰리처상을 받는다. 1920년에서 1922년 사이에 그의 작품 활동이 봇물처럼 터져 『황금』(*Gold*), 『애나 크리스티』(*Anna Christie*), 『황제 존스』, 『차이』(*The Diff'rent*), 『최초의 인간』(*The First Man*), 『털보 원숭이』, 『샘』(*The Fountain*)과 같은 무려 7편의 장막극을 완성하게 된다.

1920년엔 아버지 제임스가, 1922년에는 어머니 엘라가, 그리고 그 이듬해인 1923년엔 그의 어두운 인생관에 커다란 영향을 미친 형 제이미(Jamie)가 차례로 죽어간다. 작가인 아내와의 결혼생활도 그의 신작 『결합』(*Welded* 1923)에 반영되어 있듯이 긴장과 피로의 연속이었다. 1924년 그의 사생활을 위협하는 뉴욕의 사교계를 버리고 가족과 함께 버뮤다로 은신한 그는 『백만장자 마르코』(*Marco Millions*)와 『위대한 신 브라운』(*Great God Brown*) 두 편을 쓰기 시작하고 이듬해인 1925년엔 그의 외딸 우나(Oona)를 낳게 된다. 아그네스(Agnes)와의 사이에는 이미 1920년에 낳은 셰인(Shane)이라는 아들이 하나 있었다. 1928년 그는 『라자루스가 웃었노라』(*Lazarus Laughed*)와 『기묘한 막간 희극』(*Strange Interlude*)을 발표하고 1929년 미국으로 돌아와 예일 대학에서 명예박사학위를 받는다. 이어서 그는 아그네스와 이혼하고 1922년 『털보 원숭이』의 공연 연습에서 처음 만난 여배우 카를롯타 몬테레이(Carlotta

Monterey)와 1929년 파리에서 결혼하고 뚜르(Tour)의 외딴 섬에서 정착하게 된다. 거기서 3부작 『상복이 어울리는 엘렉트라』(*Mourning Becomes Electra*)를 집필한 그는 1931년 그의 작품의 공연을 위해 미국으로 돌아올 때까지 그곳에 머물게 된다. 미국에 돌아온 그는 1934년 소유욕과 물질주의에 병든 가족의 역사를 다룬 일종의 연쇄극(cycle drama)인 『자아를 상실한 가진 자들의 이야기』(*A Tale of Possessors Self-dispossessed*)를 쓰기 시작하였으나 완성하지 못하고 그중에서 『시인 기질』(*A Touch of the Poet* 1935-1942)과 『더욱 장엄한 저택』(*More Stately Mansions* 1953)의 두 편만을 남겼을 뿐이다. 1936년 8월 오닐은 노벨문학상을 받게 되지만 그 뒤로 1943년까지는 오랜 병환과 육신의 부자유와 싸우면서 그의 마지막 대작들을 발표하게 된다. 『얼음장수 오다』(*The Iceman Cometh* 1939), 『밤으로의 긴 여로』(*Long Day's Journey into Night* 1941)와 『잘못 태어난 자를 비추는 달』(*A Moon for the Misbegotten* 1943)과 같은 이 시기의 작품들은 모두 침울하고 숨김없는 그의 과거에의 회고들이라 하겠다. 1943년 이후 계속 악화된 건강으로 말미암아 오닐은 1953년 11월 마침내 보스턴의 한 호텔에서 영면하게 된다.

오닐은 정녕 미국이 낳은 가장 중요한 극작가 중 한 사람임에 틀림이 없다. 그는 다른 미국 극작가들과는 달리 현대생활을 다루면서도 그 속에 고전적 비극의 효과를 성취하려는 집념에 찬 시도로 일관하였다. 그러한 목적을 추구하기 위하여 그는 오히려 현대사회의 사회적, 정치적 여건들이나 풍습의 독특한 특징들에 대한 비판 따위는 아랑곳하지 않았다. 그는 분명히 위대한 드라마는 반드시 인간과 신과의 관계, 아니면 인간과 인간 이외의 힘과의 관계를 다루어야 한다는 소신을 관철한 금세기 최대의 독보적 극작가 중 하나임이 명백하다고 하겠다.

제2절 윌리엄 셰익스피어

윌리엄 셰익스피어(William Shakespeare 1564-1616)는 비단 엘리자베스 시대 극작가들 가운데서 가장 위대하고 가장 중심적인 존재일 뿐만 아니라, 세계의 연극사상에서도 가장 크고 높은 봉우리의 하나라고 하겠다. 말하자면, 그동안 발전해왔던 영국드라마가 셰익스피어에 이르러 그 절정을 이룬다고 보아야 할 것이다. 그는 위대한 천재성을 지녔을 뿐만 아니라 작가로서의 훈련과 인간적인 발전을 위한 노력 또한 그에 못지않았음을 엿볼 수 있다. 그는 당시의 다른 작가들과 마찬가지로 처음에는 배우로, 다음에는 고전극의 개정자로, 그리고는 독립된 극작가로 단계적인 발전과정을 밟아가면서 대중의 기호를 연구하고 그들의 생각과 감정을 몸에 익히고, 릴리(Lyly), 그린(Greene), 말로(Marlowe) 등 그의 선구자들이 시도한 비결을 모두 터득함으로써 바로 대중관객이 원하는 것을 가장 정교한 형식으로 다듬어서 그들에게 주었던 것이다.

셰익스피어의 초기 삶에 관해서는 다음 몇 가지의 기록이 있을 뿐 별로 알려진 것이 없다. 잉글랜드의 오지인 워릭셔(Warwickshire)는 영국에서도 으뜸가는 아름다운 고장으로 알려져 있으며 그 한 가운데로 에이븐(Avon)강이 흐르고 그 강 허리쯤에 스트래트퍼드 온 에이븐(Stratford-on-Avon)이란 조그만 마을이 자리 잡고 있다. 셰익스피어로 말미암아 전 세계적으로 이름난 이 마을의 조그만 교회의 교적부에 윌리엄 셰익스피어가 1564년 4월 26일에 세례를 받은 기록이 있다. 당시의 관례로 아기가 태어나면 사흘째 되는 날에 세례를 받게 되어 있었으므로 그의 생일은 따라서 4월 23일로 받아들여지고 있다. 그의 아버지 존 셰익스피어(John Shakespeare)는 이웃마을 농부의 아들로 1551년 이곳 스트래트퍼드로 건너와 곡물상인 등으로 번창하여 이 마을의 부시장(alderman)과 집달관(bailiff: 지금의 시장) 등 요직을 두루 거쳤다.

1557년경 워릭셔의 지주이자 부농이며 오래된 가톨릭 집안인 로버트 아든(Robert Arden)의 딸 메어리(Mary)와 결혼하여 8남매를 가졌는데 그 중 셋째이자 장남이 바로 윌리엄(William)이다. 윌리엄의 소년시절에 관한 기록은 없으나 아버지의 사회적 지위나 재산 형편으로 보아 중등학교(grammar school 그래머 스쿨: 과거 영국에서 공부를 잘하는 11~18세의 학생들이 다니던 학교)에서 교육을 받은 것으로 짐작되고 있지만 그가 열네 살 되던 해 아버지가 빚을 지고 파산하는 바람에 그도 학교를 그만두고 취직한 것으로 추측된다. 그가 벤 존슨(Ben Jonson)의 평대로 '적은 라틴어와 더 적은 희랍어'(small Latin and less Greek)를 배우게 된 것도 이 시절로 짐작되며, 그 뒤 어떠한 직업을 가졌느냐에 대해서도 훗날 그의 작품에 나타난 인생경험의 엄청난 넓이와 다양함에 비추어 억측과 이론이 구구하다. 1582년 11월 27일 셰익스피어는 18세의 나이로 이웃 쇼터리(Shottery) 마을의 부농의 딸인 여덟 살이나 연상인 앤 해서웨이(Ann Hathaway)와 결혼한 기록이 있다. 당시의 우스터 주교(Bishop of Worcester) 발행의 특별 혼인 허가서로 이 결혼식을 서둘러 이룬 흔적이 있으며 그로부터 5개월 뒤인 1583년 5월 26일에는 첫 딸 수산나(Susanna)의 세례기록이 있고, 2년 뒤인 1585년 2월 22일에는 쌍둥이 남매인 햄넷(Hamnet)과 주디스(Judith)의 세례기록이 있다. 이상이 셰익스피어의 초기 전기에 나타난 공식적인 기록의 전부라 하겠다.

셰익스피어가 처음으로 런던에 나타난 것이 언제인지는 알려져 있지 않지만, 그의 이름이 런던에서 처음으로 언급된 것은 1592년 로버트 그린(Robert Greene)에 의해서였다. 이때가 셰익스피어의 나이 28세였음으로 그간 그의 인생에서 가장 요긴한 경험을 쌓았을 7년의 세월이 커다란 공백으로 메워지지 않고 있어 여기서도 그가 하였음직한 일에 대한 짐작과 이설(異說)이 분분하다. 다만 그린이 죽기 전에 같은 대학 재사파(大學 才士派(University Wits): 영국의 엘리자베스 조(朝) 시대의 케임브리지, 옥스퍼드 양 대학 출신인 일군

(一群)의 극작가, 소논문 집필자들에게 붙여진 이름: 로버트 그린, 존 릴리(John Lyly), 토마스 내쉬(Thomas Nash), 조지 필(George Peele) 등]들에게 경고하기 위하여 발행하였다는 팸플릿(pamphlet: 안내 책자) 속에서 셰익스피어를 "우리의 깃털로 장식한 한 신흥 까마귀"(an upstart crow, beautified with our feathers)라고 시기에 찬 혹평을 한 것으로 보아 셰익스피어가 이미 런던에서 기성작가의 시기의 대상이 될 정도로 극작가로서 이름을 날리기 시작하고 있었음을 짐작할 수 있다. 그린은 또한 같은 구절 속에서 셰익스피어를 '잡역부 요하네스'(Johannes factotum) 또는 '모든 직업 고용인'(Jack-at-all-trades)이라고 꼬집고 있는 것을 보면 셰익스피어는 당시에 극작가로뿐만 아니라 배우와 시인으로도 이름이 나있었음을 짐작할 수 있다. 결국 셰익스피어는 런던에서 극장일에 종사하고 있었으며 처음에는 극장 주변에서 이것저것 잡일을 돕다가 곧 배우가 되고 이어서 극작에 손대기 시작해 대체로 1590년까지에는 이미 상당한 자리가 잡힌 듯하다. 1590년에서 1592년 사이에 처음으로 연대기극(chronicle play)인 『헨리 6세』(*Henry VI*) 3부작을 내놓은 그는 1593년에 소네트(sonnet: 10개의 음절로 구성되는 시행 14개가 일정한 운율로 이어지는 14행시)로 된 그의 첫 장시 「비너스와 아도니스」(*Venus and Adonis*)를, 1594년에는 두 번째 장편 서사시인 「루크리스의 능욕」(*Rape of Lucrece*)을 내놓아 시인으로서도 선풍적인 인기를 얻어 그의 명성이 확립되기에 이른다. 이로부터는 헨슬로(Henslow)의 「수첩」(Diary), 「대서인 기록」(代書人 記錄 Stationers' Register), 또는 그 밖의 문헌에 셰익스피어에 관한 기록이 많아 그의 배우생활이나 창작활동 등을 분명하게 추적할 수 있다. 1595년까지는 그가 배우로 속해 있던 궁내장관 극단[Lord Chamberlain's Company: 1603년 이후에는 왕립극단(King's Players)이 됨]의 주주가 되었고 1599년 이후엔 글로브 극장(The Globe Theatre: 599년 런던에 세워진 셰익스피어 극의 초연 극장)의 경영자가 되었다. 이같이 그는 극작가, 배우, 연출가, 시인에다가 극장 경영자까지 겸한 당대의 가장 다

재다능한 연극계의 거장이었던 것이다. 그의 인생 후기에는 주로 소송과 투자의 기록이 많아 소송을 좋아하던 아버지에게서 물려받은 기질과 이재(理財)에 밝은 그의 일면을 보여주고 있다. 1596년에 가문[家紋 a coat of arms: 한 가문(家門)의 표지(標識)로 정한 문장(紋章). 한 집안의 계보나 권위 따위를 상징하는 것으로 옛날 유럽의 귀족 사회나 일본 등에서 흔히 볼 수 있음]을 하사 받아 집안을 귀족계급(gentleman)으로 올려놓은 그의 아버지 존 셰익스피어는 1601년에 죽고, 어머니 메리 아든(Mary Arden)은 1608년에 세상을 떠났다. 1611년 셰익스피어는 런던에서 영광에 찬 연극 활동을 청산하고 고향 스트래트퍼드 온 에이븐으로 금의환향하여 몇 해 동안 조용한 여생을 보낸 뒤 1616년 4월 23일 스트래트퍼드 교회의 교적부에 그의 장례 기록을 남기고 동교회의 성단 바닥에 묻혔다. 그의 부인 앤도 1623년 8월 6일 『더 퍼스트 폴리오』(*The First Folio*: The 1623 published collection of William Shakespeare's plays)로 알려진 남편 셰익스피어의 작품전집의 출간을 3개월 앞두고 세상을 떠났다.

제3절 조지 버나드 쇼

조지 버나드 쇼(George Bernard Shaw 1856-1950)는 19세기에서 20세기에 이르는 동안 영국드라마에서 가장 위대한 존재 중 한 사람이었다. 1892년 『홀아비의 집』(*Widowers' Houses*)으로 극작 경력을 시작한 그는 반세기가 넘는 세월을 연극 제작에 종사하면서 영국 연극 사상 가장 오랜 기간 동안 가장 많은 작품을 내놓음으로써 현대의 가장 주요한 극작가로서의 자리를 굳히는 데 성공하였다. 그의 말년인 1950년 미완성 작품인 5장(scenes)짜리 『그녀가 하지 않겠다는 이유』(*Why She Would Not*)를 합쳐 장막과 단막 도합 63편의 희곡은 모두 같은 수준은 아닐지 모르지만 그 재담이 지닌 신선미와 활기는 오늘날 아무도 따르지 못하고 있다고 하겠다. 그는 작품 외에도 비평가로서

『입센주의의 정수』(*The Quintessence of Ibsenism* 1891. revised 1893)을 내어 영국에서의 입센(Ibsen)의 이해와 영향에 커다란 공헌을 하였으며, 또한 그가 1895년에서 1898년까지 「새터데이 리뷰」(*Saturday Review*)의 드라마 비평가로서 매 주마다 투고한 기사들을 모아 1931년에 낸 『90년대 극장』(*Our Theatres in Nineties*)은 당시의 연극에 대한 가장 훌륭한 비평으로 손꼽히고 있다.

쇼 작품의 기조는 바로 지성과 반란이라 하겠다. 그는 감상적이거나 낭만적인 것은 뭐든지 그릇된 것으로 배격하고 이성의 명령에 반대되는 것은 어떠한 것도 용납하지 않았으며 지각없는 대중이 우상으로 삼는 것은 무엇이든지 사정없이 파괴하였다. 그의 사회주의는 사회의 낙오자에 동정이나 하는 그런 감정적인 것이 아니라 인간이 삶을 영위하면서 저지르는 수많은 우행(愚行)을 무엇보다도 사회적 상황을 뒤바꿔놓음으로써 치유해보자는 노력이었다. 말하자면 사회의 뒷면을 그리면서 언제나 그 속에 깃든 우화나 교훈을 들어내 보여주는 것이었다. 따라서 뭐든지, 이를테면 문학, 예술, 의학, 종교, 정치, 인종차별, 사회적 기준 등 모든 것을 그의 신랄한 붓끝에 올려 난도질했다. 그는 현대의 가장 위대한 악의 파괴자이며 우리는 또한 바로 그 파괴로부터 보다 새롭고 건설적인 사상으로 인도되는 것이라 하겠다.

쇼는 정확한 풍자(satire)를 무기로 재치와 명답(repartee)과 역설을 좋아하던 당시의 관중을 매혹시켰다. 그는 타협과 관용을 몰랐으며 붓끝은 가차 없었고 치명적인 상처를 입혔다. 그도 대부분의 풍자작가들처럼 처음에는 다소간 정상적인 현실세계에서 차츰 환상의 세계로 옮아갔다. 가령 그의 풍자적인 맥은 『바람둥이』(*The Philanderer*: 초연 1898. 초판 1905)와 『캔디다』(*Candida* 1895)에서 시작하여 『안드로클레스와 사자』(*Andronicles and the Lion* 1913)를 거쳐 『예루살렘의 잉카』(*The Inca of Jerusalem* 1917), 『므두셀라로 돌아가라』(*Back to Methuselah* 1921)에 이르기까지 점진적인 발전을 보여주고 있지만 그는 자신이 풍자한 대상 속에도 직간접으로 참여하고 있는 일이 많아 연극사나 사상사에서 그의 위치를 단적으로 표현하기란 불가능한 일이라 하겠다. 쇼만큼 그 진가에 대해 이견이 분분한 극작가도 드물다. 수많은 비평가들이 그에 대해 저마다 각기 다른 심오한 견해들을 밝혀온 바 있지만, 오직 세월만이 연극의 발전에서 그가 차지한 독특한 자리에 앉혀줄 수 있을 것이다.

쇼의 두드러진 특징은 작가로서의 투철한 통찰력(vision)이다. 그의 투시는 중도에서 그만두는 일 없이 언제나 끝까지 파고들며 두려움 같은 것은 전혀 몰랐다. 그의 작품에서 가장 큰 구성요소는 사물의 뿌리까지 파고들어 그 쇠망과 붕괴의 원인을 캐내는, 그 누구도 흉내 낼 수 없는 투시력이라 하겠다. 다른 이들이 시든 싹이나 따주고 소독약이나 뿌려주는 반면, 쇼는 옮겨 심거나 흙을 바꿔주기를 원하는 것이다. 문학적으로도 신랄한 발언으로 짜인 새로운 극적대사를 만들어냈을 뿐 아니라 성격묘사(characterization)에도 새로운 원칙을 제공해주었다. 그는 이성의 지시에 따라 성격을 묘사하는 방법을 보여주었다. 이를테면 마음 약하고 수줍은 여주인공 대신 지적이고 대담한 여인을, 강력한 주인공 대신 힘없고 의지도 약한 자를, 환상적이고 모범적인 성직자 대신 군복과 장화가 더 어울리는 목사를, 있을 법하지 않은 악당 대신 스스로 사교계의 앞잡이인 자들을 그려냈다. 또한 환상과 현실을 융합시키는 새로운 방법을 보여주었으며, 언제나 새로운 연극적 방식들을 실험했다. 특히 그의 작품 속에서 연극적 본질을 손상하지 않고 무대지시나 서문을 통해 문학을 살려냈다. 이른바 문학적인 드라마(literary drama)를 재건해냈다. 그러나 극작가가 이같이 서문이나 무대지시를 통해 자신의 생각을 표현하면 흔히 작중인물을 통해 그러한 생각을 표현하려는 섬세하고도 어려운 작업을 회피하게 되거나 또는 공연에는 전혀 부적당한 장면들을 소개하게 되기 마련인데 쇼도 후기에는 바로 이 같은 결함을 면하지 못하고 있다. 하지만 그의 많은 작품이 영국 극장의 항구적인 레퍼토리(repertory: 특정한 극단이 몇 개의 연극을 교대로 공연하는 형식)가 되어 있음은 두말할 나위가 없다.

제2장

문학세계의 개관

제1절 유진 오닐

유진 오닐의 작품은 끊임없는 실험의 연속이었다. 문체도 하나로 일관하지 않고 여러 문체를 두루 시도했으며 철학도 하나가 아닌 여러 철학을 다루었다. 말하자면 1915년에서 1930년 사이에 일어난 여러 지적 운동이 낳은 거의 모든 연극 형식을 다 실험해 보았다고 해도 과언이 아니다. 가령 『수평선 너머』의 자연주의를 비롯하여, 『황제 존스』(1920)의 상징주의, 『차이』(1920)의 프로이트학설, 『털보 원숭이』(1922)의 표현주의, 사회문제극인 『모든 신의 아이들에게는 날개가 있다』(1924), 『위대한 신 브라운』(1926)의 가면 사용, 『기묘한 막간 희극』(1928)의 독백과 의식의 흐름(stream-of-consciousness)의 수법, 성서극인 『라자루스가 웃었노라』(1928), 『상복이 어울리는 엘렉트라』(*Mourning Becomes Electra* 1931)의 희랍신화, 『얼음장수 오다』와 『밤으로의 긴 여로』의 모든 극적 속임수나 무대 기구 사용의 배제 등에 이르기까지 실로 그 형식은 다양하기 이를 데 없다. 이 같은 실험은 흔히 타고난 특기인 성격묘사를 흐리게 하기도 하지만 그의 뛰어난 무대효과의 재능과 합쳐 어쩌면 하잘것없이 되어 버렸을지도 모를 소재로 훌륭한 드라마를 만들어냈다. 그러나 그의 작품들 가운데 세월의 시련을 이겨낸 작품들은 거의 대부분이 성격 묘사가 두드러진 사실적 드라마들임은 두말할 나위가 없다.

1. 오닐의 주요한 주제

(1) 자연 환경의 냉혹함이라 하겠는데 대개는 바다나 뉴잉글랜드의 황량한 자연을 다루고 있다. 말하자면 자연은 인간을 시험하여 그를 철저하게 폭로하거나 그의 실상을 확대시킨다는 생각이다.

(2) 물질주의와 원초적인 형태의 부에 대한 인간의 탐욕이다.

(3) 가장 성공한 주제로서 인간의 정체(identity)의 문제, 말하자면 인간의 외관 아래 숨겨져 있는 진정한 자아(true self)를 찾는 문제라 하겠다.

2. 오닐의 작품시기

(1) 제1기: 습작시기

이 시기의 작품은 그가 세상에 내놓기 꺼려하여 사장된 경우가 많다. 1914년 『갈증과 기타의 단막극들』(*Thirst and Other Plays*)이란 제목으로 발표한 『갈증』(*Thirst* 1916), 『거미줄』(*The Web* 1913/14), 『경고』(*Warnings* 1913/14), 『무모』(*Recklessness* 1913/14), 『안개』(*Fog* 1917)와, 그가 죽은 뒤 1958년에야 햇빛을 보게 된 『노예상태』(*Servitude* 1913/14), 『낙태』(*Abortion* 1913/14) 등 다섯 편을 합쳐 도합 열 편 안팎의 단막극이 이 시기에 속하는데 괄목할만한 특징이 있는 작품이 없는 시기라 하겠다.

(2) 제2기: 극작가로서 인정을 받기 시작한 시기

주로 바다를 주제로 한 단막극을 내놓았는데 당시에는 순수한 사실주의로 간주되었으나 최근에는 낭만적 특질에다 감상적인 면까지 가미되어 있는 것으로 풀이되고 있다. 『글랜케언호의 극들』(*S. S. Glencairn Plays*)이란 제목으로 발표된 네 편의 단막극, 즉 죽어가는 선원의 얘기인 『동방 카디프를 향하여』, 집으로 돌아가려는 선원의 꿈이 부두가의 술집에서 산산조각 나버리는 『긴 귀향항로』, 태업과 파괴 분자로 고발된 선원의 신상 비화가 폭로되는 『환상(環狀) 지대』(1917), 카리브해안의 어느 항구에서의 요란한 술타령인 『동방 카디프를 향하여』와 고래 기름에 미쳐버린 선장의 얘기인 『섬』(*Ile* 1917), 황금에 눈이 어두워 아버지와 아들이 함께 파멸되는 『황금』[처음에는 『십자가가 가리키는 곳』(*Where the Cross is Made* 1918)으로 나옴]과 같은 작품들이 이 시기에 속한다.

(3) 제3기: 세계드라마의 주도적인 작가로서의 전성기

1920년에서 1924년 사이에 나온 장막극들이 이에 속한다. 그간 단막극으로 솜씨를 닦은 오닐은 첫 장막극 『수평선 너머』로 퓰리처상을 받게 된다. 이 작품은 인간의 꿈이 '배후의 힘'(Force behind)이라는 불가항력 때문에 파멸되고 마는 숙명론적인 연극이다. 그는 사랑이 폐병으로 죽어가는 젊은 여인의 목숨을 구할지도 모른다는 지푸라기 같은 희망을 다룬 『지푸라기』(*The Straw* 1921)와, 앞에서 언급한 『황금』같은 작품들을 낸 뒤, 매춘부의 구원을 다룬 『애나 크리스티』로 다시 퓰리처상을 받게 된다. 그가 사실주의에서 벗어나 쓴 첫 작품이 표현주의적이며 상징주의적인 『존스 황제』이다. 미신과 공포의 충격에서 인간이 붕괴되어가는 과정을 그린 이 드라마는 어느 웨스트 인디언 섬의 정글 속에서 벌어진다. 인간의 정체(identity) 문제를 다룬 『차이』와 『최초의 인간』을 낸 뒤 순수 표현주의 연극 『털보 원숭이』를 발표하였다. 표현주의란 인간의 마음 상태를 그대로 무대 위에 표현하는 기법으로 사건을 정상적인 방관자의 객관적인 눈으로 표현하지 않고 사건 속에 휘말려든 참가자의 왜곡된 눈을 통해 본 그대로 표현하는 것이다. 이 극도 경박한 물질주의와 기계화된 문명에 뿌리 뽑힌 인간정체의 상실과 그로 인해 소속을 잃은 현대인의 소외감을 표현주의 기법으로 철저하게 파헤치고 있다. 이어서 그는 서로 미워하고 아귀같이 다투면서도 헤어지지 못하는 극작가와 여배우의 결혼생활을 다룬 스트린드베리 스타일의 드라마 『결합』, 흑인 남

편과 백인 아내가 서로 상대편 종족 속에서 자신의 정체를 찾는 흑백 혼인을 다룬 『모든 신의 아이들에게는 날개가 있다』, 평생을 '젊음의 샘'(Fountain of Youth)을 찾다가 신비스런 계시로 자신의 삶과 운명을 되찾고 죽어가는 주인공을 그린 『샘』(1925)을 계속 내놓았다. 이 시기의 작품 가운데서 가장 훌륭한 작품은 그의 진정한 비극 중 하나인 『느릅나무 그늘의 욕정』이다. 이것은 청교도 정신이 기반을 이루는 19세기 뉴잉글랜드의 시골 농장을 배경으로 사랑과 육욕과 물욕이 뒤얽힌 엄격하게 사실주의적인 극이다. 저녁노을에 시작하여 아침노을에 끝나는 이 극은 농가(農家)를 감싸고 있는 느티나무를 비롯한 여러 상징들과 더불어 작가의 깊은 인간애가 스며있어 이른바 '절망적인 희망'(hopeless hope)의 여운을 남겨 주는 대표적인 예라 하겠다.

(4) 제4기: 범우주적인 시기

1925년부터 10년 동안에 나온 여덟 편의 작품이 이에 속한다. 거창한 문제들과 과장되리만큼 이상주의적인 개념들을 엄청난 길이의 장편 속에 담아낸 이 작품들은 무대 효과에 의존하는 경우가 많은 것이 특징이다. 『백만장자 마르코』는 마르코 폴로라는 인물을 중심으로 서방의 물질주의와 세계의 여러 종교 사이의 불합리한 논쟁을 비난하는 삽화적인 풍자극이다. 『위대한 신 브라운』은 또 하나의 실험극으로서 주인공인 디온 앤소니(Dion Anthony)의 내면생활과는 정반대되는 외면의 공적 생활을 가면을 사용하여 정신분석학적으로 파헤치고 있다. 『기묘한 막간 희극』은 오닐에게 세 번째 퓰리처상을 안겨준 일종의 정신분석학적 연구라 하겠다. 이른바 의식의 흐름 기법을 도입하여 방백과 독백으로 등장인물의 생각과 동기를 관중에게 전달해 주는 이 극은 신경증세가 있는 여주인공 니나 리즈(Nina Leeds)의 남성 편력을 파헤치고 있다. 『발전기』(*Dynamo* 1929) 또한 『기묘한 막간 희극』과 마찬가지로 방백과 의식의 흐름 기법을 사용하여 전통적인 종교에 대한 신앙이 상실된 자리에 인간이 대신 세운 그릇된 신을 다루고 있는 상징적인 극이라 하겠다. 『상복이 어울리는 엘렉트라』는 아이스킬로스(Aeschylus)의 3부작 『오레스테이아』(*Oresteia*)를 바탕으로 한 남북전쟁 뒤의 뉴잉글랜드를 무대로 펼쳐지는 3부작이다. 옛 희랍 전설을 현대 가정에 적용하여 프로이트 식으로 번안 각색한 이 드라마는 간통과 모친살해와 근친상간의 얘기를 엮어 가면서 집안이 몰락해가는 과정을 파헤치고 있다. 『아아, 황야』(*Ah, Wilderness* 1933)는 어린 시절에 대한 향수적인 회상을 담은 다분히 자서전적인 희극으로서 16세의 리차드 밀러(Richard Miller)를 중심으로 그의 사춘기적인 고뇌와 지식의 탐구와 현실세계의 경험을 통한 성장 과정을 다루고 있으며, 『끝없는 나날』은 가면을 사용한 자신의 악의 분신(the alter ego)에 의해 파멸로 이끌려간 주인공 존 러빙(John Loving)이 마침내 그리스도를 통해 새 삶을 얻는다는 줄거리로 다분히 오닐의 어린 시절의 신앙생활을 반영하고 있다.

(5) 제5기: 1935년 이후의 마지막 시기

비록 건강 때문에 많은 작품이 나오지는 못했으나 그의 생애에서 가장 훌륭한 작품들이 쓰인 시기이다. 이 시기에는 무대효과를 위한 실험들은 볼 수 없고 다시 순수 사실주의로 되돌아가고 있다. 『얼음장수 오다』는 이 시기의 작품 가운데 유일하게 그의 생전에 공연된 작품으로, 싸구려 술집에 기생하는 낙오자들의 패배감과 환상, 절망과 과대망상을 포근한 인간애로 감싸고 있다. 『밤으로의 긴 여로』는 오닐에게 네 번째의 퓰리처상을 안겨준 마지막 대작이다. 그 자신의 어린 시절을 바탕으로 하여 고통을 받는 가족을 그린 이 극은 1912년 8월 어느 날 안개에 덮인 타이론 가(Tyrone 家)에서 벌어지는 약 18시간 동안의 고통스런 하루의 생활을 다룬 자서전적 작품이다. 이 하루 동안에 이 집안 식구들은 저마다 자신의 실패와 죄악을 직면하게 되고 좌절감과 공허감 속에 하루를 마무리하게 된다. 『잘못 태어난 자를 비추는 달』은 자서전적인 『밤으로의 긴 여로』의 속편 격으로 오닐의 친형 제이미(Jamie)의 얘기를 바탕으로 하고 있다. 이밖에도 뉴잉글랜드의 한 고가(古家)인 하트퍼드(Hartford) 집안의 역사를 기록한 11편의 연쇄극으로 계획된 『자아를 상실한 가진 자들의 이야기』 가운데 『시인 기질』(*A Touch of the Poet*)과 『더욱 장엄한 저택』(*More Stately Mansions*)의 두 편이 남아 있는데, 이 극들은 물질적인 이득 추구가 빚어내는 파괴적인 힘을 표현하고 있다.

제2절 윌리엄 셰익스피어

윌리엄 셰익스피어가 정확하게 언제부터 작품을 쓰기 시작했는지 분명치 않지만, 『헨리 6세』 3부작의 제1부를 내놓은 것으로 짐작되는 1590년경으로 간주되고 있다. 이로부터 그는 2편의 장시와 37편의 희곡을 완성하였다. 소재는 당시 경향에 따라 주로 역사, 신화, 전기, 옛 희곡, 중세의 로맨스들, 그 밖의 소재 등에서 따왔으며 희곡의 종류도 당시의 유행에 따라 희극, 사극, 비극의 셋으로 고루 시도하고 있다. 그는 자신의 작품을 모아 출판하거나 원고를 보존하려는 생각은 전혀 하지 않고 여러 극장의 무대감독들에게 아무렇게나 맡겨 버린 채 아예 돌보지도 않은 듯하다. 따라서 이들 원고는 배우나 그들 무대감독에 의해 임의로 가필 수정 변경된 흔적이 많은데, 그가 죽었을 때 각 극장에 원고 형태로 남아 있던 작품이 21개나 되었다고 한다. 다른 작품들은 이미 쿼토(Quarto: 사절판) 형태로 출판된 바 있는데 그 중에는 직접 그의 승인을 받은 것도 있을 수 있겠지만 그보다는 속기사의 암기로 필사되어 무단 출판된 해적판도 많았다. 이러한 상황에서 셰익스피어의 두 동료 배우였던 헤밍스(Heminges)와 콘델(Condell)이 '매우 중요한 친구이자 동료'(so worthy a friend and fellow)인 그의 업적을 기리기 위해 이들 원고와 쿼토판을 모아 1623년 11월 처음으로 그의 희곡 전집을 폴리오(Folio:

2절판) 판으로 출판했다. 이것을 이른바 『더 퍼스트 폴리오』(*The First Folio: The 1623 published collection of William Shakespeare's plays*)라고 하는데 37편의 희곡 가운데 『페리클레스』(*Pericles*)만 빠진 36편이 수록되어 있다. 이것은 유일하게 권위 있는 판이기는 하지만 위에서 말한 원고와 4절판(Quartos)을 바탕으로 한데다 오식(誤植, typographical errors)까지 겹쳐 저작 연대를 추정하거나 작품을 분류하는 데는 별로 도움이 되지 않는다. 금세기에 들어와서 셰익스피어의 원본(original text)을 찾아내는 연구가 크게 진전되고 있는 것도 바로 이러한 이유 때문이다. 셰익스피어의 작품연대는 대부분 추정의 결과로 산출된 것이지만 그의 작품은 대체로 4기로 나누어지고 있으며, 각 기마다 뚜렷한 특색을 갖고 있다.

1. 제1기

셰익스피어가 런던에서 극작가로서 처음으로 작품을 쓰기 시작한 때(언제인지 분명치는 않지만)부터 대체로 1594년경까지의 이른바 초기 실험시대를 말하는 것인데 이 시기에는 다른 어느 시기보다는 다양한 종류의 연극이 시도되고 있다. 가령 당시 유행의 희극, 사극, 비극 등 세 종류의 드라마가 다 시도되고 있으며, 이 시기에 속한 작품은 『헨리 VI세 3부작』(*I, II, III Henry VI* 1590-92), 『리차드 3세』(*Richard III* 1593), 『존 왕』(*King John* 1594), 『타이투스 안드로니카스』(*Titus Andronicus* 1591-92), 『실수연발』(*The Comedy of Errors* 1591-92), 『베로나의 두 신사』(*The Two Gentlemen of Verona* 1592), 『사랑의 헛수고』(*Love's Labour's Lost* 1594) 등이다. 여기서 비극은 『타이투스 안드로니카스』뿐인데 이 작품은 말로우(Marlowe)와의 합작설이 있는데다 『리차드 3세』와 더불어 그 잔혹함과 겉만 번드르르한 말(bombast)에 있어서 말로우의 영향이 두드러져 있다. 비극은 어쩌다가 제2기 초에 편입되어 있는 『로미오와 줄리엣』(*Romeo and Juliet*)을 빼놓으면 나머지는 모두 그의 예술적 기술이 완숙에 이르고 인생경험이 풍부해진 제3기에 완성되었다. 사극에서는 그도 당시의 다른 작가와 마찬가지로 처음에는 다른 작가와의 합작으로 옛 희곡의 개작에서부터 시작하여 기술을 익힌 다음 점차로 독자적인 작품으로 옮겨갔다. 『헨리 3세』(*Henry III*) 3부작은 바로 그러한 작품이며 특히 『헨리 6세』 제1부에는 템플 정원(Temple Garden) 장면과 몇 개의 탤벗(Talbot) 장면 외에는 대체로 다른 작가의 첨작으로 간주되고 있다. 영국 역사에서 유명한 장미전쟁(The War of Roses), 즉 왕위계승권을 둘러싼 요크 가(York 家)와 랭커스터 가(Lancaster 家) 사이의 전쟁 얘기를 다룬 이 극에서 셰익스피어는 한 걸음 더 나아가서 그 전쟁의 막판의 양상을 『리차드 3세』에서 그려내고 있다. 이 작품에서도 주제나 성격을 다루는데 있어 말로우의 영향이 뚜렷할 뿐 아니라 특히 그 공포에 있어서는 『타이투스 안드로니카스』와 더불어 『몰타 섬의 유태인』(*Jew of Malta*)이나 『스페인 비극』(*The Spanish Tragedy*)을 능가하고 있어 『리차드 3세』는 이른바 전형적인 악한과 영웅으로서 엘리자베스 시대 드라마에서 가장 인기 있는 주인공의 하나가 되었다. 『존 왕』에서도 말로우의 이른바 '강력한 대사'(mighty line)의 메아리를 얼마든지 찾아볼 수 있다 하겠다. 희극에서는 실험적 윤곽이 더욱 뚜렷이 엿보인다. 『실수연발』은 플라우트수(Plautus)의 희극을 본뜬 것으로서 남녀 두 쌍의 쌍둥이 때문에 일어나는 혼란을 다룬 극인데 작가는 여기서 주로 플롯과 상황의 조작에 관심을 두고 있으며 개성적인 성격보다는 어떤 틀에 박힌 인간형을 다루고 있다. 『베로나의 두 신사』에서는 주로 성격묘사에 관심을 보여주고 있다. 서로 친구인 두 청년, 프로테우스(Proteus)와 발렌타인(Valentine)이 한 아가씨 줄리아(Julia)를 가운데 두고 중세 로맨스적인 과장된 감정과 갖가지 비현실적 모험 속에서 사랑의 대결을 벌이다가 결국은 원점으로 돌아가 발렌타인은 본래의 애인 실비아(Silvia)의 품에 안긴다는 줄거리의, 이른바 낭만적 희극인데 작가는 여기서 처음으로 두 청년과 두 아가씨의 성격을 서로 대조적으로 묘사하는 수법을 사용하고 있다. 『사랑의 헛수고』는 당시의 사회풍조에 대한 일종의 익살풍자극(burlesque)으로 『베로나의 두 신사』와 같은 이야기 플롯(story plot)과는 아주 다른, 이를테면 영국 연극 사상 처음으로 시도되는 일종의 풍속희극(Comedy of Manners)이다. 이것은 셰익스피어가 이룩한 또 하나의 놀라운 업적이며 여기서 훗날 몰리에르(Molière)나 콩그리브(Congreve)에게서 볼 수 있는 우아하고 세련된 하나의 사회를 발견하고 있다. 나바르(Navarre)의 왕은 세 사람의 조신과 더불어 3년 동안 여자를 멀리하고 학문에 정진하기로 맹세하나 프랑스의 공주가 귀부인들을 거느리고 국사를 의논하러 그들에게 오자 그만 그 맹세는 무산되고 저마다 사랑에 빠지고 만다는 얘기인데 복잡하게 얽힌 극적 장면들이 모두 심적 변화를 초래하도록 구성되어 있지만 이 극에서는 주로 위트와 공상(fantasy)이 주요한 특색이라 하겠다. 여기서는 성격묘사나 플롯은 희미해지고 귀족이나 귀부인의 재치 싸움, 소네트(sonnet)를 읊는 궁인들의 뽐내는 어법, 아르마도(Armado)의 터무니없는 호언장담, 홀로페르네스(Holofernes)의 현학적인 라틴어식 영어(Latinized English)와 두운법(alliteration) 등 재치 있는 대화나 절묘한 말재간에 주안점을 두고 있다.

2. 제2기

1595년부터 1601년까지 셰익스피어가 극작 기술을 완전히 터득한 득의의 성장기로, 밝고 안정된 분위기에서 주로 희극이 쏟아져 나온 시기이다. 사극도 이 시기에 만들어진 것은 희극적 요소가 두드러진 작품들이다.

이 시기의 작품으로 희극은 『한여름 밤의 꿈』(*A Midsummer Night's Dream* 1595), 『베니스의 상인』(*The Merchant of Venice* 1596), 『말괄량이 길들이기』(*The Taming of the Shrew* 1596), 『거짓소동』(*Much Ado about Nothing* 1598-99), 『뜻대로 하세요』(*As You Like It* 1599-1600), 『윈저의 즐거운 아낙네들』(*The Merry Wives of Windsor* 1599-1600), 『십이야』(*Twelfth Night* 1600-1601) 등이고, 사극은

『리차드 2세』(*Richard II* 1595), 『1부 헨리 4세』(*I Henry IV* 1597), 『2부 헨리 4세』(*II Henry IV* 1598), 『헨리 5세』(*Henry V* 1599) 등이며, 비극은 『로미오와 줄리엣』(*Romeo and Juliet* 1595), 『줄리어스 시저』(*Julius Caesar* 1599) 등이다.

『헨리 4세』의 1, 2부 및 『헨리 5세』는 장미전쟁의 후기를 다루었던 『헨리 6세』의 3부작과 『리차드 3세』에 이어 그 전쟁의 역사의 전반부를 시작부터 다루어 전체를 하나의 연극적 서사시로 읊어내고 있다. 『헨리 4세』의 1, 2부는 전쟁과 반란이 가득한 심각한 줄거리이지만 전체 장면의 반 이상을 차지하고 있는 폴스타프(Falstaff)를 중심으로 한 희극적 요소에 그 특이성이 있다고 하겠다. 또한 이 극은 성격묘사가 정교하여 셰익스피어의 성격창조의 본보기가 되고 있다. 이 역시 셰익스피어의 독보적인 솜씨로서 그는 인물의 성격을 친구나 적이 그 인물에 대해서 하는 말과 그 인물이 자기 자신에 대해 하는 말 및 그 인물 자신의 행동거지라는 세 가지 방법을 통해 그려내는데 그것도 단순히 긴 대사로 묘사해내는 것이 아니라 필요할 때마다 특징을 하나씩 하나씩 쌓아올리는 수법을 쓰고 있다. 그 전형적인 예를 우리는 무모한 사람의 성격구성에서 볼 수 있으며 폴스타프는 그렇게 노정된 모든 성격적인 결함에도 불구하고 그의 지성과 유머감각으로 말미암아 누구에게나 동정을 받는 영원한 희극적 인간상이라 하겠다. 『한여름 밤의 꿈』에서 『십이야』에 이르는 일련의 희극들은 이른바 낭만적 희극이라고 불리는 극들로서 그 비길 데 없는 재기와 탁월한 구성, 아무도 따를 수 없는 재치가 넘치는 대화와 절묘한 성격창조 등으로 일찍이 영국무대에서는 볼 수 없었던 찬란한 꽃을 피운다. 또한 이들 희극에는 심각한 대목들이 들어있어 유머 속에 연민을 자아내는 힘(pathos)이 섞여드는 일이 허다할 뿐 아니라 가령 샤일록(Shylock)의 운명처럼 아슬아슬하게 비극의 언저리까지 육박하는 일도 있다. 이 같은 점들은 이들 희극의 공통된 특징이라 하겠다.

『한여름 밤의 꿈』은 셰익스피어에게 있어서 초기 작품과의 경계선을 그

어줄 만한 획기적인 작품이라 하겠다. 희극정신을 완전히 터득한 그는 고전적인 것과 토착적인 것, 중세와 르네상스를 융화시켜 하나의 플롯 속에 담아내고 있다. 젊은 사랑의 맹목성과 우스꽝스러움을 주제로 한 이 극은 여러 가닥의 얘기를 하나의 플롯으로 엮어 놓은 절묘한 구성을 갖고 있으며 테세우스(Theseus)와 히폴리타(Hippolyta)의 결혼식을 바탕으로 젊은 두 쌍의 연인들을 등장시켜 그들의 관계의 무상한 변화를 통해 젊은 사랑의 감정이 얼마나 이성을 벗어나 있는가를 순수 희극적으로 다루고 있다 하겠다. 거기에다 요정을 등장시켜 젊은이들의 변덕과 감정의 비합리성을 더욱 조장시키고 천민들인 보텀(Bottom) 일행을 등장시켜 주요 행동의 우스꽝스러움을 조명해 내고 있을 뿐 아니라 또한 황홀한 시를 구사하여 초기 작품의 단순한 묘사를 초월하여 자연세계 전체를 아름다운 환상의 세계로 바꾸어 놓고 있다.

『베니스의 상인』은 사랑보다는 우정을 주제로 세 개의 보물상자(caskets)를 선택시킴으로써 결혼의 상대자를 고르는 옛 로마의 얘기와 꾸어준 돈 대신에 1파운드의 살을 도려내려는 악의에 찬 유대인의 차용증서의 얘기를 합쳐 하나의 줄거리로 엮어낸 가장 인기 있는 희극 중 하나이다. 포샤(Portia)는 상자 선택에 의해 여러 구혼자들 가운데서 바사니오(Bassanio)를 고르고, 바사니오는 이 구혼을 위해 샤일록에게서 돈을 빌린다. 샤일록은 바사니오가 돈을 갚지 못하면 바사니오의 둘도 없는 친구이자 자신(샤일록)의 라이벌이며 기독교의 도덕적 가치를 휘둘러 유대인인 자신(샤일록)을 업신여기는 도도한 상인 안토니오(Antonio)의 살을 1파운드 도려낸다는 조건으로 돈을 꿔주지만 결국 안토니오는 파산하여 샤일록에게 목숨을 잃을지도 모르는 위기에 처하게 된다. 이때 판사로 변장한 포샤의 기지로 극적인 해결을 보게 되는데, 거기에다 반지의 교환사건까지 곁들여 희극적 마무리를 더해주고 있다. 플롯만 이렇게 정교한 것이 아니라 성격묘사 또한 일품이어서 등장인물은 모두 장단점을 함께 지닌 살아 있는 인간들이며, 특히 샤일록은 거의 비극적인 차원의 인간형으로서 단순히 동정의 대상이라기보다 함부로 할 수 없는 존엄성까지 지니고 다른 모든 인물 위로 우뚝 솟아 있는 그런 존재라 하겠다.

『말괄량이 길들이기』는 인물을 중심으로 한 발랄하고 효과적인 희극으로서 성품이 드세고 왈패 같은 말괄량이 카타리나(Katharina)가 거칠고 사나운 낭군 페트루치오(Petruchio)를 만나 갖가지 파란곡절을 겪은 끝에 결국은 고분고분해진다는 주 줄거리에다가, 비안카(Bianca)와 그녀의 구혼자들과의 사이에 벌어지는 낭만적인 부 줄거리가 곁들여 있으며 인생이나 성격의 여러 양상을 고의로 왜곡 과장하여 전적으로 익살스런 분위기를 자아내게 하고 있다. 한마디로 이 극은 중산층 희극이라 불리는 『윈저의 즐거운 아낙네들』와 더불어 셰익스피어의 희극들 가운데서도 유독 익살스런 또는 사실적 희극이라고 불린다.

『거짓소동』은 『베니스의 상인』과 같은 유형의 희극으로 비극적 진실을 노정하는 일은 그다지 심하지 않고 다만 낭만적 환상의 분위기는 여전하여 행동은 개연성이 낮고 인물들은 낭만적이며 세련된 감정과 아름다운 언어의 세계 속에서만 살고 있어 비현실적이다. 플롯은 세 가닥의 평행적인 얘기가 하나로 엮어진 복합적인 것으로 한 가닥은 주인공과 클라우디오(Claudio)의 순탄치 못한 사랑얘기이고, 또 한 가닥은 클라우디오와 친구들의 꾸밈으로 베네딕트(Benedick)와 베아트리스(Beatrice)가 서로 사랑하도록 옭아 넣는 얘기이며, 마지막 가닥은 심술궂은 악당 돈 존(Don John)의 주인공에 대한 모략과 음모의 얘기인데 그의 계략은 언제나 순경 도그베리(Dogberry)와 그의 야경꾼 때문에 실패로 돌아간다. 게다가 이 주인공과 클라우디오의 얘기는 다시 왕자를 통한 대리구애(wooing), 돈 존의 모함이 초래한 거짓 사별, 주인공의 소생 등의 세부분으로 나뉘어 대체로 멜로드라마 같은 인상이 짙다.

『뜻대로 하세요』는 영국의 향토적인 분위기가 물씬거리는 희극으로서 셰익스피어는 여기서 기왕의 낭만적 희극에서 익힌 모든 기량을 동원하여 인간의 정신을 좌우하는 기분(mood)이나 우울(melancholy)의 모든 양상을 밝혀내고 있다. 특히 이 극에서 그는 비로소 구식의 목가적 로맨스를 벗어나 사실적 인물들을 그려내는 당시의 새로운 유행의 영향을 보여주고 있다. 지금까지 플롯과 인물에 두루 관심을 쏟게 되고 작품 속에 한두 인물은 그들을 갖가지 상황이나 사람들과 접촉을 시킴으로서 가능한 모든 각도에서 그 성격을 그려내는 경향을 띠게 된다. 제이퀴즈(Jaques)는 바로 이와 같은 변화의 맨 첫 본보기이며 또한 셰익스피어가 그려낸 이른바 우울한 유머의 첫 보기라고 하겠다. 말하자면 그의 기질희극은 바로 이렇게 시작된다. 이밖에도 공작, 로잘린드(Rosalind), 터치스톤(Touchstone) 등 여러 인물의 뚜렷한 성격묘사와 더불어 그 우울한 성찰의 순간들이 점철되어 더욱 돋보이는 명랑하고 행복한 여러 장면들로 말미암아 이 작품은 가장 인기 있는 연극의 하나로 꼽히고 있다.

『십이야』는 일리리아(Illyria)의 바닷가에 표류한 쌍둥이 남매 비올라(Viola)와 세바스찬(Sebastian)이 공작 오시노(Duke Orsino)와 백작부인 올리비아(Countess Olivia) 사이의 사랑의 숨바꼭질 속에 뛰어들어 갖가지 복잡하게 얽힌 사건을 거친 다음 마침내 비올라는 오시노와, 세바스찬은 올리비아와 맺어진다는 전형적인 낭만적 희극이다. 여기에 말볼리오(Malvolio)와 토비 경(Sir Toby), 벨취(Belch)와 마리아(Maria)가 엮어내는 부 줄거리가 곁들여져 사랑의 감정의 가지가지 명암과 위선이 한꺼번에 밝혀진다. 특히 성격묘사도 자만심 강하고 야심 많고 남을 업신여기는 말볼리오의 묘사는 작가가 그린 낭만적 인물 중에서도 일품으로 알려져 있다. 이같이 낭만적 희극의 수법이 무르익는 동안 한편에서는 그의 비극이 나타나고 있었다. 아직은 비극의 본질에 대한 뚜렷한 개념을 찾아볼 수 없었던 초기 멜로드라마적 유혈 공포극인 『타이투스 안드로니카스』와 달리 이 시기의 『로미오와 줄리엣』은 작가로서의 미숙으로 인한 여러 가지 결함에도 불구하고 진정한 연극예술작품으로 꼽히고 있다. 이 작품에는 르네상스의 사상과 감정이 가득 차있고 서정적인 표현도 이따금 절정에 달하고 머큐시오(Mercutio)와 너스(Nurse)의 희극적 기질도 훌륭하게 다루어져 있다. 그러나 셰익스피어가 아직은 진정한 비극적 정신을 형성하지 못했던 시기라 그 서정적인 표현에도 불구하고 로미오와 줄리엣의 사랑은 세속적인 것이며 그의 시에는 감동적인 웅변이 넘쳐흐르지만 아무래도 차원 높은 비극의 개념은 찾아보기 어렵다. 가령 후기의 『맥베스』(*Macbeth*)나 『햄릿』(*Hamlet*)과 같은 정신적 메시지나 심리적 갈등 그리고 거의 신비주의의 경지에까지 이르게 되는 지친 감정 등은 찾아볼 수 없고 다만 서로 어긋난 별(star-crossed)을 타고난 젊은 두 연인이 운명과 우연에 의해 파국적인 결말에 이르게 된다는 점에서는 희랍비극 이래의 운명비극 형식을 띠고 있으나 인간의 삶과 행동을 다스리는 종교적 개념의 어떤 무서운 힘과 인간의 과오가 얽혀들어 자아내는 희랍비극의 심오한 존엄성은 아직 갖추지 못하고 있다. 여기서는 공포와 숭고함이 가득 찬 비극적 정서로 이끌어가는 것이 아니라 맹목적인 우연(chance)이 아무런 잘못도 없는 천진한 두 연인의 결합을 막고 파멸로 몰아감으로써 반감과 불안을 안겨줄 뿐이다.

『로미오와 줄리엣』은 훌륭한 비극이지만 그 이유는 대체로 장면마다 고동치고 있는 감동적인 시 때문이라 하겠다. 『줄리어스 시저』는 노스(North)의 영역판 플루타크(Plutarch) 영웅전에서 직접 소재를 따온 것인데 여기에는 훌륭한 인물묘사도 많고 개념의 일관성도 있지만 중심인물이 애매하다는 흠을 면할 길이 없다. 주인공을 시저(Caesar)로 하자니 중도에서 살해되어 극 전체를 지배하지 못하는 흠이 있고 브루투스(Brutus)를 주인공으로 하자니 언제나 그의 자리를 시저와 나누어 가져야 하는 결함이 있다. 브루투스는 자신이 감당할 수 없는 어려움을 당하는 것이 아니라 딜레마에 빠져 자신에게 가능한 유일한 길을 택하는 것이다. 이것은 다른 비극에서 볼 수 있는 그 엄청난 두려움의 감정을 앗아가기 때문에 그의 몰락을 보고도 진정한 비극적 감정이 일어나지 않게 된다. 그러나 여기서 셰익스피어는 그의 비극개념의 완성을 위해 한 걸음 더 나아가고 있음을 알 수 있다. 그는 성격의 힘에 초자연적인 힘의 영향을 투여하고 있다. 가령 시저와 브루투스는 자신들과 남들의 행동으로 죽음에 이르게 되지만 예언에 의한 시저에 대한 경고나 로마시가에 나타난 유령 따위를 통해서 끊임없이 보이지 않는 엄청난 힘의 현현(顯現, presences)을 암시해주고 있다. 말하자면 여기서 그는 직접적이고 노골적인 표현의 영역에서 예술적이고 섬세한 암시의 영역으로 옮기고 있는 것이다.

3. 제3기

1601년에서 1609년까지의 주로 셰익스피어의 비극이 쏟아져 나온 시기이다. 비록 『트로일러스와 크레시다』(*Troilus and Cressida* 1602)와 『끝이 좋으면 모두 다 좋다』(*All's Well that Ends Well* 1602), 『보복』(*Measure for Measure* 1604), 『페리클레스』(1607-1608) 등의 희극이 끼어 있지만 이 시기를 비극의 시기라고 불러도 무방할 것으로 보인다. 그만큼 이 시기의 셰익스피어의 예술적 관심은 압도적으로 비극에 쏠려 있었으며 인간의 성격적 결함이나 악덕과 같은 인간적 약점들이 자아내는 결과들을 비극으로 표현하는데 골몰해 있었다. 이 시기에는 그의 위대한 비극들, 즉 『햄릿』(1601-02), 『오셀로』(*Othello* 1604), 『리어왕』(*King Lear* 1605-06), 『맥베스』(1606), 『아센즈의 타이몬』(*Timon of Athens* 1607), 『안토니우스와 클레오파트라』(*Antony and Cleopatra* 1607), 『코리올리누스』(*Coriolanus* 1608-09) 등 불멸의 명작들이 모두 쏟아져 나왔다.

이 시기에는 그의 생각이나 느낌이 너무나 깊고 강렬하여 이미 시의 운율이나 음절 제한 따위는 흔히 무시되고 논리적인 표현이나 문법의 틀 따위에서도 벗어나 어떤 놀라운 심상(image)의 세계로 자유롭게 드나들고 언어구사에 있어서도 그 절정에 달했다. 그는 또한 스스로의 새로운 비극의 개념을 갖게 되었으며 거기에는 운명(fate)이 암시되어 있긴 하나 그 운명은 종래처럼 직접 주인공의 파멸을 초래하는 것이 아니고 오직 인간이 자신의 성격적 결함이나 헛된 욕망 따위의 약점(tragic flaw) 때문에 스스로 만들어 내는 것으로 탈바꿈하고 있다. 따라서 이들 주인공들의 운명은 어디까지나 그들 자신의 것이며, 우리는 여기서 소포클레스(Sophocles)의 비극에서 보는 바와 같이 운명과 인간의 약점을 결합시킨 것을 볼 수 있다.

『햄릿』은 중세 덴마크의 민담에 바탕을 둔 르네상스의 복수 유혈극으로 키드(Kyd)의 『스페인 비극』의 직접적인 후계 작품으로 간주되고 있으며, 덴마크의 왕자 햄릿의 복잡하고도 당혹스런 성격이 극의 핵심이다. 아버지의 갑작스런 죽음으로 유학길에서 덴마크로 돌아온 왕자 햄릿은 삼촌이 왕위에 오르고 아직 슬픔도 채 가시지 않은 어머니를 왕비로 삼자 비통과 의혹과 실망 속에서 번민하게 되는데, 마침내 아버지의 유령이 나타나 아우인 삼촌이 자기를 죽이고 왕위를 찬탈한 사실을 밝히고 복수를 부탁한다. 결국 주인공을 포함한 모두 여덟 명의 주요 등장인물이 죽음을 당하게 되어 인생의 무목적성과 무상함을 실감하게 하는 이 살벌한 유혈극은 이미 지나치게 비평의 대상이 되어 왔으며, 복수의 주제는 보다 높은 차원에서 비극을 위해 하나의 핵심적인 목표를 설정해주고 있다. 여기 이 르네상스의 세계 속에서는 고도의 비극적 진행과 더불어 예술과 문학과 비평과 우아한 언어와 철학적 사색들이 자리를 같이하고 풍자와 희극과 익살맞은 주석과 도덕적 성찰에다 죽음과 실성과 자살과 복수 등이 뒤섞여 있어 실로 다양하고 복합적인 호소력을 지니고 있다 하겠다.

『오셀로』는 그 특징적인 요소들이 다른 비극들과는 아주 다르다. 사소한 불만이 동기가 되어 악을 타고난 듯한 부하 이아고(Iago)가 노리고 쳐놓은 올가미에 걸려든 무어(Moor)인 장군 오셀로가 질투의 화신으로 변하여 죄 없는 아내를 부정(infidelity)으로 몰아 죽이게 된다는 줄거리의 이 극은 우선 그 분위기나 주제로 보아 가정극이라는 평을 받고 있다. 그것은 대체로 주요 등장인물이 모두 다른 비극에서처럼 전적으로 왕실 출신의 인물들이나 귀족이 아니기 때문이다. 그러나 질투하는 남편이라는 세속적인 주제를 갖고 결코 단순한 가정극이 아닌 실로 그의 어느 비극에 못지않은 고도의 비극(high tragedy)으로 만들어내고 있다는 데에 셰익스피어의 천재를 새삼 엿볼 수 있는 것이다. 오셀로는 다른 비극의 주인공 못지않은 높은 위상으로 고양되어 극 중에서 군림하고 있는 것이다. 이 극은 셰익스피어의 극 중 가장 시간, 장소, 그리고 행동의 통일(unity of time, place, and action)이 고전에 가깝게 지켜지고 있는 작품이라는 평을 받고 있다. 극의 구성도 주제를 중심으로 집중되고 압축된 것이어서 완벽하다는 정평을 받고 있다. 악이 사랑하는 자의 정열을 통해서 사랑받는 자의 선과 순결을 벌하고 승리를 거둔다는 아이러니는 인생에는 목적도 뜻도 없음을 새삼 느끼게 해주는 것이다.

『오셀로』가 악이 인간의 정욕을 통해서 선과 사랑의 세계를 파괴하는 것을 다룬 것이라면, 『맥베스』는 악이 인간의 권력욕(ambition)을 통해 인간사회의 선과 질서의 세계를 파괴하는 것을 다룬 것이라 하겠다. 장차 왕이 될 운명을 타고 났다는 세 마녀의 예언을 곧이듣고 야심에 불이 붙은 맥베스는 왕을 죽이고 왕위에 올라 의심하는 신하를 차례로 죽여가면서 피비린내 나는 폭정을 펴다가 마침내는 반정군의 칼에 목이 떨어지고 만다는 줄거리의 이 비극에서 우리는 다시 한 번 인생은 아무 뜻도 없고 모든 것이 무의하고 덧없는 것임을 실감하게 되는 것이다. 또한 악마의 앞잡이인 마녀의 예언과 맥베스 부인(Lady Macbeth)의 부추김으로 맥베스가 악해지면 악해질수록 그에 대한 연민의 정이나 동정이 일게 되는 것이 특징이라 하겠는데, 이것은 그가 저지른 악의 심상이 열병처럼 그에게 찾아들고 그의 뛰어난 시적 상상력이 스스로 자기학대의 상징들을 수시로 그려낼 수 있게 해주기 때문이다. 아무튼 『맥베스』는 야심에 병든 용감한 정신의 비극이라 하겠다.

『리어왕』은 노쇠하여 판단이 흐려진 자부심 강한 리어왕이 두 악한 딸의 위선적인 감언이설을 믿고 그들에게 왕국을 나누어 주는 대신 진정으로 자기를 사랑하는 착한 딸의 참말은 미워하여 그녀를 추방해 버리지만 결국에는 은총을 입었던 두 딸에게 버림을 받고 내쫓았던 딸에 의해 구원을 받는다는 줄거리이다. 또 하나의 평행적인 줄거리는 남의 말을 잘 믿는 글로스터(Gloucester) 백작이 서자인 에드먼드(Edmond)의 감언이설에 속아 적자인 에드가(Edgar)가 자기를 죽일 음모를 꾸미고 있다고 믿고 그를 쫓아버리고는 서자를 후계자로 삼지만 결국은 그 서자에게서 배반당하고 쫓아낸 적자에게서 구원을 받는다는 얘기다. 이것은 부 줄거리, 말하자면 일종의 밑줄거리로서 당시에 도덕적 우화로 잘 알려진 주 줄거리가 자칫 단순한 비현실적 민담으로 가볍게 보아 넘겨지지 않도록 받쳐주고 있다 하겠다. 리어는 결국 딸들에게 배반당하고 미친 다음에야 비로소 세상일을 뚫어보는 지혜를 얻게 되고, 글로스터는 두 눈을 뽑히고 장님이 된 다음에야 비로소 세상일을 똑똑히 가려 볼 수 있게 되는 것이다. 마침내 참사랑에 눈을 뜬 리어는 싸늘한 코델리아의 시체를 안고 참 사랑만이 느끼는 극단적인 환희와 고통 속에서 죽어가고 글로스터도 에드가와 화해하는 환상 속에서 죽어간다. 인간의 본질을 분석하고 불순한 교양의 껍질 속에 숨어 있는 인간의 진실을 밝혀주는 이 극은 서사시적인 규모를 갖고 유사이전(prehistoric)의 이교도적인 배경 속에서 전개되지만 그 가치 기준은 물론 기독교 시대의 그것과 다를 바 없다. 또한 이 극은 압축보다는 확산적이며 특히 폭풍의 장면들에서는 거친 상징적인 동작이 시간과 공간의 한계를 초월하고 있는 듯이 보일 정도다.

『안토니우스와 클레오파트라』에서는 사랑이 다시 주요한 주제로 되살아나고, 여자가 남자 주인공과 대등한 역할을 맡게 된다. 너무나 많은 장면들(총 42장)이 전개되어 마치 사극의 방법을 도입한 듯한 이 극에서 셰익스피어는 플루타르크 영웅전의 도움으로 안토니(Antony)의 엄청난 정열과 클레오파트라(Cleopatra)를 묘사하며, 안토니를 매혹시킨 클레오파트라는 로마제국의 운명을 걸고 자기를 사랑하던 안토니가 전쟁에 지고 자결하게 되자 젊지만 냉정한 개선장군 옥타비아누스(Octavianus)의 포로가 되느니 스스로 죽음을 택한다. 언어는 장엄하고 힘에 넘쳐 아름다움이 풍만해 있으며 행동(action)은 감동적이고 독창적이다.

『코리올리누스』에서는 『리어왕』에서처럼 다시 한 번 자부심을 주제로 삼고 있다. 코리올리누스의 몰락을 가져오는 것은 바로 그의 자부심과 평판이나 명성을 사랑하고 민중의 여론을 멸시하는 그의 교만이라 하겠다. 그는 아첨을 철저하게 싫어하면서도 자신에 대한 정당한 평가라고 스스로 믿는 존중을 받으면 자기도 모르게 좋아하게 된다. 이 점에서 그는 무조건 칭찬을 좋아하는 리어와는 다르다 하겠으나 메네니우스(Menenius)의 온건한 충고를 물리친다거나 코리올리누스의 원로원 의원들에 대해 노여움을 마구 쏟아놓는다거나 하는 대목에서처럼 섬세한 마음가짐이 없다는 점에서는 리어와 상통한다고 하겠다. 코리올리누스는 이 시기의 위대한 비극들의 마지막 작품이라 하겠다. 『아센즈의 타이몬』이 있기는 하나 이 극은 앞뒤가 맞지 않는데다가 완성된 다음 누군가에 의해 멋대로 훼손되었음이 분명하여 다른 비극들과 함께 논할 처지가 못 된다.

이상에서 본 셰익스피어의 주요 비극들을 분석하면 그의 비극의 주요한 요소들을 몇 가지로 요약할 수 있다. 첫째, 그의 비극에서는 초기의 『로미오와 줄리엣』의 경우를 빼면 대체로 사랑이 주제에서 밀려나 있다는 것이다. 둘째, 그의 비극은 성격과 운명의 결합을 바탕으로 구축되어 있다. 주인공은 숙명적인 성격상의 약점을 갖고 파멸이 확실한 환경 속에 던져 넣어지는 것이다. 셋째, 폭력적이고 생동감 넘치는 행동이 심적 갈등과 함께 연출된다는 것이다. 가령 『햄릿』이나 『맥베스』도 그 플롯만 생각한다면 멜로드라마에 불과하지만 생각과 감정이 행동과 결합되어 있다는 점에서 그 위대함을 찾아볼 수 있다는 것이다. 넷째, 주인공은 작중의 어떤 인물보다도 탁월한 위치에 놓여 있다는 것이다. 주인공은 결코 말로우의 주인공들처럼 초인은 아니지만 언제나 그의 동료들보다는 압도적으로 높이 솟아 있는 인물이라는 것이다. 이와 같은 셰익스피어의 비극의 특징들은 수많은 추종자들에 의해 모방되었으나 아직 아무도 그의 뒤를 이을 만큼 성공한 작가는 없다 하겠다.

4. 제4기

1610년에서 1613년까지의 완숙기라 하겠다. 이 시기는 셰익스피어에게 있어 인간으로서의 경험과 작가로서의 기량에 통달하여 생각과 말과 뜻이 하나가 되어 더할 나위 없는 균형을 이루었던 시기이다. 그의 작품의 억양은 다시 바뀌어 흔히 극적 로맨스라 부르는 줄거리 속에서 인간의 수난은 여전히 죄와 약점에서 초래되는 것이지만 대체로 악인이 개전하여 선으로 전향함으로써 결국에는 선이 악을 이기는 대단원으로 끝을 맺게 된다. 이것은 인생에서 뜻한 바를 이루고 성공적인 경력을 끝맺으려는 한 예술가가 도달한 화해와 해탈의 경지라 할 것이다.

이 시기에 나온 작품으로는 『심벨린』(*Cymbeline* 1610), 『겨울 이야기』(*Winter's Tale* 1611) 및 『템페스트』(Tempest 1611) 등의 희극과, 사극 『헨리 8세』(*Henry VIII* 1613)가 있다. 이 가운데 『템페스트』는 그의 작가로서의 대단원을 상징하는 작품으로 꼽히고 있다. 정녕 희극이 비극의 암시적인 결말이라면 셰익스피어의 극작가로서의 경력은 희극에서 시작하여 비극을 거쳐 다시 희극으로 이어지면서 이 작품에서 대단원을 연출하고 있다 하겠다. 자연의 이치와 인간사에 통달한 주인공 프로스페로(Prospero)는 그것들을 다스리는 마술의 힘을 발휘하여 잃어버린 왕국을 되찾고 악인은 뉘우치게 하고 사랑하는 자는 맺어주고 죄에 따라 벌하고 속죄와 화해로써 모든 것을 제자리에 되돌려 놓은 다음 마술의 외투를 벗어 바다 깊숙이 던져 넣으면서 그의 마술에 작별을 고한다. 여기에는 인생과 인간사의 전부가 상징되어 있고 등장인물도 모두 추상화된 인간형들이며, 주제도 작가가 초기 작품에서 시도한 여러 주제들을 집약해 놓고 있으며 언어도 마지막 장면에서의 주인공의 마술에의 고별연설 같은 것은 영어가 이룰 수 있는 최고의 경지를 보여주는 것으로 일컬어지고 있다. 이 고별연설은 바로 셰익스피어가 자신의 예술에 고별하는 연설로 간주되고 있다. 왜냐하면 그는 이 극을 마지막으로 런던을 떠나 고향으로 돌아가기 때문이다.

이상에서 셰익스피어의 문학세계를 개관하였다. 한마디로 그는 영국의 활기찬 토박이 드라마(native drama)의 전통을 집대성하고 르네상스의 물결을 타고 들어온 희랍과 로마의 고전주의 요소들을 수용하여 독특한 내용과 형식을 갖춘 영국드라마를 완성시켜 놓았을 뿐 아니라 시에서도 영국 소네트와 무운시(blank verse)의 형식을 완성시켰으며 또한 영어의 자유로운 구사로 말미암아 영어 자체의 무한한 가능성을 개발한 장본인이기도 하였던 것이다. 이상은 물론 개관에 불과하여 상세한 연구는 독자 각자에게 맡길 수밖에 없는 아쉬움이 있으나 그래도 다른 작가에 비해 많은 지면을 할애하게 된 것은 바로 영문학사에서 그가 차지하는 비중이 그만큼 크기 때문이라 하겠다. 특히 영국드라마를 논하는 마당에서는 셰익스피어는 바로 오늘날에 이르기까지 역사상 가장 높은 봉우리임은 두 말할 나위가 없기 때문이다.

제3절 조지 버나드 쇼

조지 버나드 쇼는 『홀아비의 집』(*Widowers' Houses*)과 『워렌 부인의 직업』(*Mrs. Warren's Profession* 초연 1898. 초판 1902) 등 여타의 다른 작품과 더불어 당대의 사회악을 비판하는 이른바 순수 문제극(problem play)에 속하는 작품들을 쓴 작가이다. 『홀아비의 집』은 도시 빈민가에서 셋방살이 하는 가난한 사람들에게서 집세를 착취하여 사리를 채우는 셋방 주인의 근성을 다루고 있지만 쇼는 여기서 낭만주의자들처럼 단순히 악덕 셋방 주인과 학대받는 가난한 사람들의 얘기를 하고 있는 것은 아니다. 그는 현대 문명의 복잡성을 간파하고 빈민가를 개혁하려면 단순한 셋방 주인보다는 더 깊이 사회 그 자체의 뿌리까지 캐내려가야 한다는 것이다. 이상주의자 트렌취(Trench)는 약혼녀 블랑쉬 사토리우스(Blanche Sartorius)의 지참금이 가난한 사람들의 집세에서 나온 돈이라는 이유로 거절하나 자신의 재산도 결국은 같은 종류의 돈이라는 차가운 현실에 부딪히고는 마침내 그도 사토리우스와 공모하여 더 많은 돈을 긁어모을 계획을 세운다. 『워렌 부인의 직업』도 같은 종류의 가차 없는 폭로라 하겠는데 여기서는 매춘을 다루고 있다. 이상주의적 낭만주의나 세속적인 견해들이 이 문제에 씌워 놓은 베일을 하나하나 벗기면서, 쇼는 그것을 이성의 빛으로 비추어내고 일체의 감정이나 감상주의를 배제하고 삶에서 모든 낭만적 허식을 벗겨내고 지성과 논리적 사고에 의한 새로운 유일한 해결책을 찾아내고 있다 하겠다. 『무기와 인간』(*Arms and the Man* 1894)은 전쟁과 낭만적 병정놀이를 다루고 있다. 그는 전쟁에 대한 낭만적인 견해를 공격하고 전쟁이란 결코 영광된 것이 아니라 야만과 술수로 된 지루하고 더러운 것이라 보았던 것이다. 여기서는 애국심 때문이 아니라 직업 때문에 남의 나라 전쟁에 고용되어 싸우는 어느 스위스의 용병 블룬칠리(Bluntschli)의 태도를 통해 영광을 사냥하는 군인의 아마추어 솜씨(amateurism)를 폭로하고 있다. 당시의 런던 관중들에겐 전쟁에서 로맨스를 빼버린다는 것은 바로 용기와 애국심과 조국에의 신뢰를 부인하는 것이나 다름없었다. 『캔디다』(*Candida*)는 가정적인 문제를 다루고 있다. 잘생긴, 좀 나이든 한 여인이 저돌적인 젊은 시인의 숭배를 받게 된다. 박애적인, 정렬적인 목사인 그녀의 남편은 젊은이의 시가 그녀를 앗아갈 것 같은 절망에 빠지나 결국 그녀는 둘 중의 약자인 그녀의 남편을 택하게 된다.

이와 같이 쇼는 군인, 시인, 폭군, 집세 수금자, 박애주의자 등 그 밖의 많은 판에 박힌 전통적인 초상화들을 하나하나 뒤집어 그 표면의 그림과는 정반대되는 그림을 그려냈지만 그 그림들은 모두 오랫동안 칭송되어온 표면의 그림들보다 훨씬 더 실물에 가까운 것들이라 하겠다. 역사적인 인물로는 나폴레옹(Napoleon)과 사랑을 위해서는 전 인생을 바친 영광스런 여인 클레오파트라(Cleopatra)를 택하여 그들을 한결같은 보통의 남자와 여자로 다루고 있다. 『운명을 지배하는 사람』(*The Man of Destiny* 1897)의 나폴레옹은 담대한 눈을 가진 한 젊은 프랑스 여인에게도 쉽게 매혹되는 한 사람의 성공한 대장에 불과하다. 『시저와 클레오파트라』(*Caesar and Cleopatra* 1899)의 클레오파트라는 늙은 유모에게 쥐어 사는 나이 어린 더퍼리 처녀에 불과하며 위대한 정복자 시저도 단지 꾀와 총기로만 여러 시련을 겪어낼 뿐이다. 셰익스피어의 시저는 비극의 주인공이지만 쇼의 시저는 희극에 가득 차 있으며 클레오파트라도 셰익스피어의 낭만적인 성숙한 여인과는 달리 미숙한 소녀일 따름이다. 『인간과 초인』(*Man and Superman* 1903)은 그의 대표적인 작품 중의 하나로 일종의 철학적 희극이라 하겠다. 작가는 여기서 절묘한 환상으로 돈 주안(Don Juan)을 주인공으로 삼고 이 희대의 호색한의 또 다른 진정한 면을 보여주고 있다. 주요 줄거리는 작가의 주요 사상인 '생명력'(Life Force)을 구현하고 있는 전형적인 여성(every woman)인 앤(Ann)이 돈 주안의 화신인 혁명적이며 자유사상가인 잭 태너(Jack Tanner)를 결혼으로 몰아간다는 얘기다. 태너는 앤의 속셈을 속속들이 잘 알고 있지만, 시인이며 그녀를 사랑하는 옥타비우스(Octavius)는 그녀를 하늘이 내려준 천사로만 알고 있다. 앤은 옥타비우스를 마치 고양이 쥐 다루듯 다루고 있지만 실은 태너를 원하고 있다. 태너와 옥타비우스는 정반대의 존재로서 한 사람은 명철한 현대풍의 사람(modernist)이요, 다른 한 사람은 낭만적인 시인이다. 결국 태너는 앤의 올가미에 걸려들어 발버둥을 치면서도 어쩔 수 없이 결혼하게 된다. 이밖에 이 극은 사실주의에 환상적인 요소가 교묘하게 짜여 있다. 태너와 그의 운전기사 스트래커(Straker)가 산 속에서 산적에게 붙들려 두목 멘도자(Mendoza)의 노래를 들으며 잠이 들어 지옥의 돈 주안(Don Juan in Hell)의 꿈을 꾼다. 이 극중극인 꿈속의 지옥에서 우리는 돈 주안, 그를 죽게 한 조각상(Statue)으로 가장한 돈 곤갈로(Don Gongalo), 악마 등과 대화를 나누게 되는데 여기 돈 주안은 정열적인 도덕주의자요, 지적인 삶(생명력)의 철학의 화신이라 하겠다. 여기서 '생명력'이란 남자에게 있어서는 지성(intelligence)과 이성(reason)이오, 여자에게 있어서는 합목적적인 종(species)의 진화를 말하는 것인데, 전자는 후자를 촉진시켜 삶에 새로운 차원을 더하게 된다. 이성은 여자 속에 깃든 '생명력'을 다스리고 그것과 더불어 초인(Superman)을 창조해낸다. 여자 속에 깃든 '생명력'은 생식(procreation)의 목적만을 위해 남자를 이용한다. 여자들은 그 주요 목적인 생식을 낭만적으로 미화하려 하나 돈 주안은 그것을 피하여 '생명력'을 보다 더 잘 다스릴 수 있는 지성을 개발하기 위하여 천국으로 가기로 결심한다. 천국에는 지성과 이성만이 사는 곳이니까. 주안이 떠나자 곤갈로의 딸 앤은 초인을 찾으나 그가 아직 창조되지 않았음을 알고 초인의 아버지가 될 남자를 찾아 나선다. 이 철학적인 '생명력' 주제는 『블랑코 포스넷의 쇼 업』(*The Shewing-Up of Blanco Posnet* 1909) 속에 보다 더 간결하고 효과적으로 표현되어 있다.

쇼는 그 독특한 풍자와 비전을 가지고 인간존재의 헤아릴 수 없이 많은 여러 면을 조명해냈지만 여기서는 그 일부만 언급할 수밖에 없다. 『악마의 사도』(*The Devil's Disciple* 1897)는 단순한 인습으로 굳어버린 청교도적인 신앙에의 풍자다. 청교도 광신자인 어머니에 대한 반발로 기독교를 버리고 스스로 악마의 추종자라고 주장한 주인공 듀전(Dudgeon)은 그 모든 신성모독적인 욕설에도 불구하고 신앙이 깊은 체하는 다른 많은 죄인 무리 가운데서도 유일하게 진정한 신앙의 불길을 간직하고 있음을 보여준다. 반대로 주디스(Judith)의 남편인 목사 앤더슨(Anderson)은 신의 사도로서보다 차라리 군인으로 더 적합함이 밝혀져 군인으로서의 새로운 생활을 시작한다. 『바바라 소령』(*Major Barbara* 1905)은 군수품 제조업자인 부패한 백만장자와 이상주의자인 그의 딸 구세군 소령 사이의 갈등과 그들의 몇 가지 사회에의 공헌을 쇼의 독특한 역설적인 인물묘사 수법으로 그려내고 있다. 『존 불의 다른 섬』(*John Bull's Other Island* 1904)은 아일랜드 문제에 대한 연극적 탐색이라 하겠는데 쇼는 여기서 영국과 애란 양쪽의 편견을 다 희화하고 있다. 말하자면 영국의 섬나라 근성과 애란의 정열과 이상주의에 의해 복잡해진 문제를 순수이성의 빛으로 비춰 보이고 있다. 『의사의 딜레마』(*The Doctors Dilemma* 1906)는 의사직업의 안팎을 역시 순수이성의 싸늘한 탐조등(search light)으로 비춰내고 있다. 『결혼하기』(*Getting Married* 1908) 역시 결혼제도의 모순에 대해 똑같은 빛을 던지고 있다. 『안드로클레스와 사자』(*Androcles and the Lion* 1913)는 인간의 자비와 짐승의 보은을 풀이한 우화극으로 기독교에 대한 장황한 서문과 더불어 종교적 신앙의 본질에 대한 탐색의 목적은 그대로 추구하면서 소극적(farcical) 즐거움도 동시에 안겨주는 작품이라 하겠다. 『피그말리온』(Pygmalion 1913)은 사회적 관습에 대한 훌륭한 연구로 음성학 교수 히긴스(Higgins)가 런던 거리의 꽃 파는 런던내기(cockney) 아가씨 엘리자(Eliza)의 심한 사투리를 고쳐 상류 사교계에서 공작부인으로 행세하게 한다는 줄거리이다. 희랍의 전설적인 조각가 피그말리온이 자신이 상아로 만든 갈라테아(Galatea)라는 미녀의 조각상에 홀려 그것이 살아나기를 기도하자 그 기도가 실현되어 마침내 그녀와 결혼하게 된다는 고사에 바탕을 둔 이 극에서 쇼는 계급차별이란 인위적인 것이며, 그것은 음성학에 의해 단 6개월이면 극복될 수 있는 문제이니 사회와 인류의 희망적인 미래를 위해 계급 사이의 장벽을 무너뜨려야 한다는 그의 사회주의적 철학을 풀이하고 있다. 제1차 대전 기간인 1914년부터 1918년 사이에는 작품 활동이 없다가 1919년 『슬픔의 집』(*Heartbreak House*)으로 쇼는 다시 무대에 복귀하였다. 흔히 체호프

(Chekhov)의 『벚꽃 동산』(*The Cherry Orchard*)에 비교되는 이 작품은 전후 유럽사회의 공허함과 무기력을 풍자한 희극이라 하겠다. 퇴역한 선장 숏오버(Shotover)의 집에 모인 각양각색의 인물들의 덧없이 변하기만 하는 관계를 통하여 숏오버의 반 신비주의에서 양성(sexes)의 싸움에 이르기까지 갖가지 문제에 대한 쇼 특유의 사회적 심리적 일련의 토론과 사업, 정복, 기존도덕 등에 대한 쇼 특유의 신랄한 냉소가 점철되어 있는데 이것들은 모두 그가 전쟁 중에 느끼고 생각했던 것에서 결실한 보다 깊은 통찰력의 소산이라 하겠다. 『므두셀라도 돌아가라』(*Back to Methuselah* 1922)는 그의 가장 훌륭한 작품 중 하나로 이른바 쇼의 현대 성경(Modern Bible)으로 불리고 있다. 다섯 부분(parts)으로 된 이 극은 '생명력'의 본질과 그것이 인간의 운명에 미치는 영향을 보여주기 위해 천지개벽 시대로 거슬러 올라가 에덴동산에서 아담과 이브가 죽음의 사실을 발견하고 그것이 출생에 의해 극복되어, 삶이 그들 자손을 통해 이어지는 것임을 깨닫게 되는 데서부터 시작하여, 생각이 미칠 수 있는 한의 머나먼 앞날의 육신은 없고 순수한 지성과 이성만이 살고 있는 세계에서 삶이 영생을 얻는 데서 끝나고 있다. 말하자면 창조적 진화(creative evolution)에 대한 우화극이라 할 이 작품은 『인간과 초인』의 돈 주안을 중심한 육욕적인 연상은 찾아볼 수 없는 하나의 새로운 신화를 창조해내고 있는 것이다. 『성녀 조안』(*Saint Joan* 1923)은 무식하지만 뛰어난 의지와 지성을 타고난 시골 처녀 잔느 다르크(Joan of Arc)가 영국군을 쳐부수고 프랑스를 승리로 이끈 순수 역사극이다. 쇼는 그녀의 인격에서 모든 초자연적이거나 낭만적인 요소를 제거해버리고 그녀의 통찰력이나 기적들을, 그녀가 현실을 파악하는 직관적인 능력이나 그녀의 역사적인 사명에 결부시키고 있다. 조안은 도핀(Dauphin)을 프랑스 왕위에 앉히고 강화가 아니라 전쟁의 계속을 재촉하다가 마침내 영국군에 포로가 되어 프랑스 종교 재판소에서 마녀로 화형선고를 받는다. 이 극은 종결 부분(epilogue)에서 쇼의 독특한 조롱조의

재치를 다시 엿볼 수 있으며 전체로는 중세의 역사적 분위기에 새로운 빛을 비춰주고 있다 하겠다. 그의 마지막 작품들, 즉 영국의 입헌군주제도에 대한 정치적 풍자희극인 『사과 수레』(*The Apple Cart* 1929), 그의 전후의 환멸을 그린 『너무 진실해서 선(善)이 될 수 없는』(*Too True to Be Good* 1932), 지나치게 돈이 많아서 생기는 문제들, 돈 때문에 생기는 불공평, 돈을 가진 자의 무자비함 등을 다룬 『여류 백만장자』(*The Millionairess* 1936), 현대 유럽의 세 독재자에 대한 환상적인 청문회 얘기인 『제네바』(*Geneva* 1938) 및 그 밖의 작품 등에 대해서는 점차로 논의가 많아지고 있다.

PART • 2

오닐의 문학세계

제1장

가정비극과 운명비극

제1절 가정비극에 나타난 분열과 통합: 『수평선 너머』, 『느릅나무 그늘의 욕정』, 『밤으로의 긴 여로』

유진 오닐은 그의 일생을 통해 극이라는 예술을 매개체로 하여 그 자신이 몸소 체험한 고통을 끊임없이 다루며 여기서 야기되는 갈등과 분열을 극복하기 위한 다양한 화해와 통합의 길을 모색해왔으므로 다수의 작품들에는 자서전적 색채가 상당 부분 내포되어 있다. 그는 일생 동안 강박관념처럼 그를 따라다녔던 가족관계를 직접 또는 간접적으로 그의 작품들을 통해 다루고 있는데, 이러한 그의 작품 성격에 대해 카펜터(Frederic I. Carpenter)는 “어떤 의미에서 오닐의 모든 극적 예술은 자서전적이다. 왜냐하면 그것은 그 자신의 삶과 그의 내적 ‘자아’에 대한 이해로 직관되기 때문이다”(48)라고 의미 있는 지적을 하고 있다. 오닐의 가정비극인 『수평선 너머』(*Beyond the Horizon*)와 『느릅나무 그늘의 욕정』(*Desire Under the Elms*), 그리고 『밤으로의 긴 여로』(*Long Day's Journey into Night*)에 공통적으로 나타난 특징은 가족, 즉 부자, 모자, 부부, 그리고 형제간에 이해와 용서와 사랑보다는 원망, 비난, 증오, 대립, 갈등, 다툼, 이기심, 그리고 물욕으로 인하여 서로가 융화되지 못한다는 사실이다. 등장인물들은 갈등과 증오와 고통 속에서 분열을 겪으며, 그것으로부터 벗어나고자 고백, 처절한 자기대면과 성찰, 다툼, 그리고 심지어 살해와 죽음을 통해 통합을 성취한다.

오닐의 대표적인 가정비극 중 하나인 『수평선 너머』는 바다와 육지, 모험과 안정이라는 상반된 이상 사이의 갈등을 동생 로버트(Robert)와 형 앤드류(Andrew) 사이의 형제간의 갈등, 특히 형제간의 마음속에 내재한 이상 사이의 갈등을 강조하는 총 3막 6장으로 구성된 작품이다. 각 막은 바다가 내려다보이는 농장 언덕의 꼭대기(the top of a hill on the farm overlooking the sea)와 농장 집(the farm house)이라는 두 개 장면으로 구성되어 각각 꿈과 현실을 상징하고 있는데 이것은 리듬, 즉 열망과 상실의 순환을 나타낸다. 이 작품은 현실주의자인 앤드류와 이상주의자인 로버트, 그리고 루스(Ruth)라는 이웃집 아가씨 사이의 삼각관계를 다루고 있으며, 루스가 앤드류 대신 로버트를 선택한 것은 두 형제의 운명을 전도하는 계기가 되고 동시에 그들을 시련과 실패에 이르게 하는 분열의 원인이 된다.

오닐의 "무의식적 자서전"(Gelb 538)이라고 할 수 있는 『느릅나무 그늘의 욕정』은 1850년 뉴잉글랜드의 자갈투성이 시골 농장을 배경으로 아버지인 캐봇(Cabot)과, 첫째 부인의 아들인 시므온(Simeon)과 피터(Peter), 그리고 둘째 부인의 아들인 에벤(Eben) 사이의 농장에 대한 재산권 다툼으로 인한 부자와 형제간의 증오와 대립을, 캐봇의 셋째 부인인 애비(Abbie)와 에벤의 모자간의 재산권 다툼과 육체적 욕망과 사랑을 그린 작품이다. 등장인물들은 서로로부터 단절된 채 지나친 이기심으로 가득 찬 욕망으로 인해 분열한다.

오닐의 "의식적 자서전"(Gelb 538)인 『밤으로의 긴 여로』는 그의 전 가족에 직접적으로 초점을 맞추어 천재가 표현하고자 했던 모든 것을 담고 있는 작품이다. 그는 이때까지 발전시켜 온 일체의 위대한 비극의 주제들을 하나의 사건에 압축시키고 개인적, 예술적으로 그의 전 생애를 결산하고 있다. 이 작품은 그와 미국연극이 이루어낸 최고의 성과를 보여주는 걸작으로 네 사람의 인간유형을 보여준다. 아버지 타이론(Tyrone)은 인기와 흥행수입의 유혹 때문에, 어머니 메어리(Mary)는 여린 심성과 불안정안 결혼생활 때문에, 큰 아들 제이미(Jamie)는 동생에 대한 질투와 부친에 대한 열등감 때문에, 둘째 아들 에드먼드(Edmund)는 충족되지 못한 부모의 사랑과 소외감 때문에 좌절과 패배감에 빠진다. 등장인물들은 각각 재산, 마약, 술, 허무주의에 탐닉할 수밖에 없게 되고 이것은 분열의 주된 원인으로 작용한다.

1. 분열의 원인과 전개

『수평선 너머』의 분열의 원인은 두 형제와 삼각관계에 있는 루스가 진실성이 결여된 충동적인 사랑의 고백을 하고, 그리하여 로버트와 앤드류 형제가 그들의 본성에 어긋나는 선택을 하게 됨으로써 야기되는 소위 운명의 전도 또는 위치의 전도이다.

"시인의 기질"(a touch of the poet 81)의 소유자인 로버트는 그가 오랫동안 꿈꾸어오던 꿈을 찾아 수평선 너머의 미지의 세계를 향한 3년 동안의 여행을 위해 농장을 떠나기로 한다. 그러나 출발 전날 오후 루스는 로버트가 시를 낭송하듯이 들려주는 그의 어린 시절 꿈들에 관한 나지막하고 음악적인 목소리에 매료되고, 또한 그의 낭만적이고 아름다운 수평선 너머의 꿈에 관한 이야기를 듣고 일시적인 충동에 사로잡힌 나머지 그녀가 진정으로 사랑하는 사람은, 로버트와 정반대되는 유형이자 "흙의 아들"(a son of the soil 82)이라고 할 수 있는 앤드류가 아니라(91) 로버트라고 말한다. 또한 그녀는 머리를 쳐들고 떨리는 미소를 지으며 그의 두 눈을 들여다보면서 "나도 오빠를 계속해서 사랑해 왔어요"(I've loved you right along. 91)라고 고백한다. 그러자 그는 변경할 수 없는 결심을 드러내고 행복과 희망에 가득차서 그녀를 강렬하게 껴안으며 "오, 루스, 우리의 사랑은 어떠한 먼 꿈보다 감미로워!"(Oh, Ruth, our love is sweeter than any distant dream. 92)라고 대답한다. 이것은 사랑과 꿈을 바꾸는, 다시 말해 사랑을 위해서 꿈을 포기하는 결정적인 대사이다. 그녀의 진실성이 결여된 충동적인 사랑의 고백으로 인하여 그가 오랫동안 열망해왔던 수평선 너머의 꿈을 포기한 것은 근본적으로 잘못된 운명의 전도이며, 희생과 죽음 그리고 소속감의 상실을 예견하게 한다. 그가 바다, 꿈, 상상, 자유, 해방, 방랑, 모험, 미, 그리고 신비를 추구하는 이상주의자와 "시인의 기질"의 소유자의 본성을 거부하고 루스와의 사랑을 선택하여 적성과 능력에 맞지 않는 농부의 길을 선택하게 됨은 불행과 죽음을 자초하는 분열의 중요한 원인이 되고 있다.

이러한 로버트와 관련된 분열의 원인은 그의 형 앤드류에게도 마찬가지로 분열의 원인이 되고 있다. 실제적 현실주의자이고 "흙의 아들"이며 건강하고 활동적인 인물인 앤드류는 육지와 가정의 세계에서 소속을 추구한다. 그러나 그와 삼각관계에 있는 로버트와 루스가 결혼하여 농장에 남기를 희망하자 그는 로버트 대신 출항을 결심하는데, 이것은 로버트의 경우와 마찬가지로 비극과 분열의 원인이 되고 있다. 그에게 있어서 선원의 길은 본성에 어긋나는 것이며 더욱이 이러한 선택의 주된 이유가 루스에 대한 실망에서 야기된 원하지 않은 결과로서 실연의 치유를 위한 현실도피의 성향이 농후하기 때문이다. 이러한 사실은 그의 아버지 메이오(Mayo)가 냉담한 분노에 차서 앤드류에게 손가락을 내저으며 내뱉는 대사에서 확인할 수 있다.

> 너는 너 자신의 천성에 어긋나는 길을 가려고 하고, 만약 네가 그렇게 한다면 너는 엄청나게 후회하게 될 거야. 내가 네가 달아나려고 하는 진짜 이유를 모를 줄 아느냐! . . . 너는 네 동생이 너 대신 루스를 차지했기 때문에 네가 꼴이 말이 아니고 화가 났기 때문에 달아나려고 하고.
>
> You're runnin' against your own nature, and you're goin' to be a'mighty sorry for it if you do. 'S if I didn't know your real reason for runnin' away! . . . You're runnin' away 'rcause you're put out and riled 'cause your own brother's got Ruth 'stead o' you (106)

『수평선 너머』에서 분열의 전개는 메이오와 앤드류의 부자간의 돌이키기 힘든 갈등과, 로버트의 농장경영의 실패로 시작된다. 먼저, 아버지 메이오는 하늘이 내린, 장래가 기대되는 훌륭한 농부이고 자신의 후계자라고 굳게 믿었던 큰 아들 앤드류가 루스를 동생 로버트에게 빼앗긴 실연의 충격 속에서 출항을 결심하자 크게 실망하며, 앤드류가 더 이상 그의 아들이 아니라고 소리치면서 "가라—내일 아침—그리고 맹세코—돌아오지 마라—감히 돌아오지 마라—반드시, 내가 살아 있는 한 오지마라—"(You go—tomorrow mornin'—and by God—don't come back—don't dare come back—by God, not while I'm livin'— 108)고 위협하듯이 투덜거리며 극한적인 분노를 드러내는데, 부자간의 갈등이 분열로 전개되고 있음을 알 수 있다. 또 다른 분열의 전개는 로버트가 그의 수평선 너머의 꿈을 루스와의 사랑과 바꾸고 체질에 맞지 않는 농장에 남은 것에 대한 그의 후회와, 로버트와 루스의 결혼생활에서의 극심한 갈등, 그리고 그녀가 그에게 품었던 연정과 기대에 대한 그녀의 실망과 충격으로 이어진다. 결혼 3년 후의 농장은 황폐되고 가족들은 빈곤에 빠지게 되며 메이오 부인(Mrs. Mayo)은 절망적 무관심으로 로버트의 무능을 걱정하고(114), 그 자신도 그가 명백하게 농사일에 부적절하며(123), 농부 체질이 아님을 자인하면서 "난 농부가 아니에요. 난 결코 농부가 되기를 주장하지 않았어요"(I'm not a farmer. I've never claimed to be one. 123)라고 신세타령을 한다. 결국 좌절된 낭만주의자 로버트는 "농장과의 결혼에서 완전한 실패자이고 가난과 가정적 비난에 의해 파괴"(Unger ed. 389)된다. 그는 그가 꿈꾸었던 모든 멋진 먼 이국땅들의 많은 것들을 보고 경험했을 앤드류를 몹시 부러워하며 출항을 하지 못한 것을 후회한다(125). 점차 로버트와 루스의 부부사이에 갈등은 심화되고 그녀는 그와의 결혼을 강하게 후회한다.

만약 내가 당신이 책들로부터 배웠던 당신의 하찮고 부질없는 시 나부랭이에 귀를 기우리는 그러한 바보가 아니었다면! 만약 내가 당신의 진면목—지금의 당신처럼—을 볼 수 있었다면 당신과 결혼하기 전에 자살을 했을 거예요! 우리가 함께 한지 한 달도 되기 전에 난 그걸 후회했어요.

If I hadn't been such a fool to listen to your cheap, silly, poetry talk that you learned out of books! If I could have seen how you were in your true self—like you are now—I'd have killed myself before I'd have married you! I was sorry for it before we'd been together a month. (127)

그녀는 오직 앤드류의 귀향에 모든 희망과 기대를 걸면서 그에게 "난 당신이 필요 없어요. 앤디가 오고 있어요!"(I don't need you. Andy's coming! 127) 라고 의기양양하게 소리친다. 그리고 그녀는 급기야 반항적으로 그와의 결혼생활에서 야기된 갈등과 후회를 극명하게 표출한다.

난 앤디를 사랑해요. 사랑해요! 그리고 그는 날 사랑해요! 그도 날 사랑한다고요! 난 그걸 알아요. 그는 항상 그랬어요! 그리고 당신도 또한 그가 그랬다는 걸 알고 있어요! 그러니 가세요! 가고 싶으면 가라고요!

I do love Andy. I do! I do! I always loved him. And he loves me! He loves me! I know he does. He always did! And you know he did, too! So go! Go if you want to! (128)

그러나 3년간의 선원생활의 경험을 통해 변화된 모습으로 귀향한 앤드류는 그녀의 기대와는 전혀 다르게 농장에 머물면서 농사일을 할 생각이 추호도 없으며 곡물사업을 위해 부에노스아이레스로 갈 계획을 가지고 있다. 특히 그가 그녀에게 과거 그녀에 대한 사랑의 감정을 "모든 그러한 바보 같은 부질없음"과 "내 누이"로 표현함으로써 그녀가 두 손에 얼굴을 묻고 어깨를 전율할 정도로 그녀에게 심한 충격과 실망을 안겨준다.

나는 모든 그러한 바보 같은 부질없음을 오래전에 털어버렸다는 걸 제수씨가 믿어주길 바래요—그래서 지금은—보인단 말이야—그러니까—마치 제수씨가 내 누이였던 것처럼, 내 감정은 그래요, 제수씨.

I want you to believe I put all that silly nonsense back of me a long time ago—and now—it seems—well—as if you'd always been my sister, that's what, Ruth. (139)

『느릅나무 그늘의 욕정』의 분열의 원인은 부자간의 도가 지나친 증오와 대립과 재산권 다툼에서 시작된다. 75세의 캐봇과 35세의 그의 셋째 부인 애비의 부부간, 캐봇과 그의 둘째 부인의 25세 아들 에벤의 부자간, 그리고 계모 애비와 에벤의 모자간의 대립과 재산권 다툼으로 이어진다. 특이 이 중에서 캐봇과 에벤의 부자간, 그리고 애비와 에벤의 모자간의 대립과 재산권 다툼이 그 두드러진 분열의 원인이 되고 있다.

부자간의 증오와 대립과 재산권 다툼에 대해 살펴보면, 캐봇의 첫째부인의 아들들인 시므온과 피터와, 그의 둘째부인의 아들인 에벤은 모두, 이기적이고 전제적이며 청교도적 전통을 대표하는 아버지 캐봇에 대한 반항과 복수심에 충만해 있는바, 캐봇, 시므온, 피터, 에벤, 그리고 애비 모두 "전원 자본주의의 열광적인 대리인"(Garrard 119)으로 농장을 소유하려는 강한 욕망을 간직한 인물들이다. 벌린(Normand Berlin)은 에벤이 마치 『햄릿』(*Hamlet*)에서 햄릿이 "아버지의 복수하는 사람"의 역할을 하는 것처럼, 어머니의 망령을 떨칠 수 없는 "어머니의 복수하는 사람"(75)이라고 주장하는데 그는 복수의 화신으로서 작품 전반에 걸쳐 결정적인 영향력을 행사한다. 농장의 원소유주가 그의 어머니였는데 아버지 캐봇이 이것을 빼앗았을 뿐만 아니라 자신의 어머니를 종처럼 부려 어머니가 고인이 된 지금 무덤 속에서 조차도 영면에 들지 못했다고 생각하는 에벤은 캐봇에 대한 복수를 어느 누구보다도 강하게 벼르고 있다. 그는 형들에게 자신이 피 한 방울까지도 아버지가 아닌 어머니의 자식이고, 어머니의 농장을 아버지가 훔쳤기 때문에 어머니가 돌아가셨으니 이제 농장의 주인은 자신이라고 주장하며, 심지어 "아버지가 돌아가시라고 기도했어요"(I pray he's died. 161)라고 말함으로써 이러한 속내를 강하게 드러내 보인다. 또한 에벤은 캐봇을 "지옥에서 나온 악마"(a devil out o' hell 167)와 "빌어먹을 늙은 당나귀"(the damned old mule 167)라고 부르며, 그의 어머니를 위한 복수의 일환으로 캐봇과 관계가 있었던 창녀 민(Min)과 관계를 갖는데(168), 그가 민을 소유하는 것은 결코 사랑이 아닌 욕정과 복수이고 아들과 아버지 사이의 상징적 근친상간이다.

애비와 에벤의 모자간의 대립과 재산권 다툼은 농장과 집의 소유를 놓고 첨예한 대립양상을 보인다. 에벤이 "이건 우리 어머니 농장이야—그리고 지금은 내 것이고"(this farm was my Maw's, damn ye!—an' mine now! 178)라고 소유욕에 빛나는 눈으로 말하는데 이 대사는 그의 강한 소유욕과 "이기주의"(Goodbody 64)를 대변한다. 그러자 애비는 "집이 필요해서 결혼했어. 그렇지 않으면 뭐 하러 죽어가는 늙은이 하고 결혼하겠어?"(Waal—what if I did need a hum? What else'd I marry an old man like him fur? 178)라고 대답하는데 이러한 두 사람의 대사는 모자간의 대립과 분열의 원인을 잘 나타내준다.

『느릅나무 그늘의 욕정』의 분열의 전개는 애비와 에벤의 근친상간으로 나타난다. 그녀는 "풍요와 사랑의 화신"(Engel 129)이기 때문에 그녀의 이러한 힘이 그녀와 그 사이에 사랑을 가능하게 하는 원동력으로 작용하며 처음에 이들의 사랑은 단순한 욕망에 불과했으나 점차 그와 그녀는 각자의 목적 즉 에벤은 캐봇에 대한 복수를 위해서, 그리고 애비는 캐봇 소유의 농장을 상속받기 위한 아들의 출산을 목적으로 서로의 성적 욕구를 충족시키며(194) 이들의 성적 결합의 장소는 다름 아닌 그의 어머니가 기거했던 방이다. 특히 그는 어머니를 위한 복수뿐만 아니라, 그 혼자만이 농장의 주인이 되기 위해 형들의 농장 몫을 사들이고 창녀 민과 계모 애비까지도 소유하는 강한 물욕과 육욕을 동시에 보여주고 있다. 또 다른 분열의 전개 양상은 아버지 캐봇과 계모 애비 그리고 아들 에벤 사이의 대립이다. 일흔 여섯에 아들을 얻은 캐봇은 축하연을 베풀고 에벤에 대해서 승리의 희열을 느끼면서 농장을 아이와 애비에게 물려주겠다고 하자 부자간의 분열은 심화된다. 그리고 에벤은 그의 아들이 캐봇의 아들로 입적된 사실을 억울해 하며, 애비가 아이를 낳은 궁극적인 동기가 그녀가 그를 끌어들여 아들을 낳아 캐봇의 아들로 만들고 농장을 차지한 후 그를 내쫓을 계책이었던 것으로 오해하고 분개한다(205). 에벤은 형들이 있는 캘리포니아로 가서 돈을 번 후에 농장을 되찾아 애비와 캐봇을 길거리로 팽개쳐서 굶어죽도록 만들겠다고 그의 극한적 복수심을 나타내며(206), 더 이상 헤어날 길 없는 격분과 갈등 속에서 차라리 그를 포함한 애비와 아이 모두가 죽기를 희망하면서 "차라리 태어나지 않았으면 좋았을걸! 지금이라도 죽어버렸으면!"(I wish he never was born! I wish he'd die this minit! 206)라고 고통스럽게 내뱉는다. 이러한 대사는 『수평선 너머』에서 딸 메어리(Mary)의 죽음에 대한 로버트와 루스의 대사(148)와 유사한데, 이것은 현실의 도피처로서의 죽음이 차라리 현재의 고통스런 삶보다 더 나은 상태의 추구임을 의미한다.

『밤으로의 긴 여로』의 분열의 원인은 타이론, 메어리, 제이미, 에드먼드 모두의 이기주의와 타이론의 지나친 물질욕이다. 이 극에 나타난 가정은 메어리의 말대로 서로가 고칠 수 없는 굳은 성격의 소유자들로 구성되어 있다. 가족들은 양보나 이해가 없고 오로지 자기 혼자만 가족들에게 인정을 받고 싶어 하는 성격을 지니고 있다. 아버지 타이론이나 두 아들 제이미와 에드먼드 모두 완고한 고집을 가진 사람들로 자신을 통제하기 보다는 다른 사람을 통제하려 하고 간섭한다. 아버지는 어머니를, 어머니는 아버지를, 형은 아우를, 아우는 형을 서로 사랑하면서도 이해와 양보가 없다. 그들은 사랑과 미움, 이해와 오해, 절망과 고통의 반복으로 비극적인 삶을 살고 있다. 메어리는 환상의 세계로, 제이미는 절망과 빈정거림의 세계로, 타이론은 잘못된 아집의 세계로 가고 있다. 밤으로 향하는 끝이 없는 고통의 심리적 여행은 각 등장인물에게 모두 다르게 나타난다. 메어리에게는 수녀원의 세계로, 타이론에게는 잃어버린 예술적 재능에 대한 회한의 세계로, 제이미에게는 냉소와 절망적 신성모독의 세계로, 에드먼드에게는 초월을 향한 여행이 그것이다. 여행의 목적은 현재의 비극적 상태를 야기 시킨 과거의 무엇을 찾는 것이다. 이들은 서로 사랑하면서 미워하고 증오하면서 용서하는 이원적 심리상태를 나타내면서 서로 책임을 전가한다.

타이론의 인생의 실패의 원인 가운데 하나는 젊은 시절의 고통스런 삶의 재현에 대한 두려움이다. 이러한 두려움은 가족에 대한 물질적 인색함의 결과로 나타났고 그의 물질적 탐욕은 실로 성격상의 심각한 결점이 되고 있다. 『수평선 너머』와 『느릅나무 그늘의 욕정』에 나타난 '농장'과 같은 물질적 가치가 오닐의 주인공들에게 아무런 구원을 제시하지 못하는 것과 마찬가지로 타이론의 토지와 돈도 가족 구성원에게 소외와 좌절만을 안겨주는 분열의 원인이 될 따름이다. 그는 가족들의 중대한 어려움이 걸린 문제에 직면해서조차 돈을 절약하려고만 했다. 가족들은 메어리의 마약복용과 재발을 그의 책임으로 전가하고 있다. 특히 에드먼드의 출생 시 그가 돌팔이 의사로 하여금 메어리의 출산을 보살피도록 한 사실을 통해 그의 물질욕이 잘 드러나고 있다. 그의 물질적 인색함은 에드먼드에 대해서도 마찬가지다. 그는 결핵에 걸린 에드먼드가 치료비가 싼 주립요양소에 가도록 의사에게 부탁할 정도이다. 지독한 구두쇠인 그의 아집은 온 가족들에게 미움과 경멸의 대상이 되고 있고, 그는 과거의 어려웠던 시절의 강박관념에 사로잡혀 가족과 가정보다는 돈을 더 지키고자 한다. 자기보호적인 타산성과 완고함 때문에 "악의 힘"(Winther 296)이 된 그는 부인 메어리로부터 "가정에서의 분배자 역할"(Long 208)마저 빼앗음으로써 질서의 혼란까지 야기한다.

『밤으로의 긴 여로』에서 분열의 전개는 가족 간의 서로에 대한 원망과 비난과 증오로 나타난다. 아버지 타이론이 가해자의 입장에 있다면 어머니 메어리는 운명적으로 피해자의 입장에 놓이게 된다. 사랑과 이해 그리고 믿음으로부터 단절된 채 현재의 삶에 만족하지 못하는 메어리는 마약과 안개에 의지하여 과거세계에 대한 추억 속에 안주한다. 그녀는 그릇된 자아를 인식하지 못하고 자신도 모르는 유령의 세계 속에 살고 있다. 그녀는 과거에 집착하여 용서와 이해가 없는 고립된 여인으로 방황한다. 그녀의 운명에 대해 노력하지 않고 대화도 하지 않으며 오히려 다른 사람들에게 책임을 전가시키려 한다. 그녀는 안개 속에 숨어있기를 바라는데 안개는 그녀에게 "현실세계에 대한 위장이자 떳떳치 못한 도피의 상징"(Tiusanen 293)이 되고 있으며 그녀의 도피는 나머지 가족들을 더욱더 불행하게 만든다. 이러한 메어리의 모습은 에드먼드가 타이론에게 메어리에 대한 안타까운 마음을 토로하는 대사에서 잘 나타나고 있다.

> 무엇보다 가장 가슴 아픈 것은 어머니가 그녀의 주변에 허무의 벽을 쌓으시는 거예요. 아니, 그보다도 짙은 안개 속에 숨어버려서 보이지 않게 하는 거죠.
>
> The hardest thing to take is the blank wall she builds around her. Or it's more like a bank of fog in which she hides and loses herself. (139)

그녀는 어머니다운 따뜻한 사랑을 주는데 실패한 오닐 극의 전형적인 여성인 바, 포크(Doris Falk)는 "그녀는 그녀의 아들들이 바라는 대지의 어머니와는 달리 그 반대의 이미지가 되고 있다"(183)고 지적한다.

메어리만큼이나 어둠의 세계를 살아가는 사람은 제이미이다. 그는 언제나 술에 취하여 잠을 자고 있다. 그는 취해 있거나 취하여 잠을 자지 않으면 견딜 수 없는 환상적인 인물이다. 그가 깨어 있을 때의 특유한 냉소는 어머니의 사랑을 박탈당한 데서 오는 아픔의 반응이다. 그는 어머니에 대한 실망과 어머니의 마약중독에 대한 자식으로서의 수치심을 느끼고 있는데 이러한 사실은 그가 동생 에드먼드에게 어머니의 마약중독에 대한 실망을 극명하게 드러내는 다음 대사에서 확인할 수 있다.

> 너보다는 내가 어머니를 잘 알아. 내가 처음 눈치를 챈 때를 잊어버릴 수가 없다. 피하주사를 놓으시는 현장을 직접 봤거든. 창부 아닌 여자가 마약을 쓰리라곤 생각조차 해본 적이 없었어.
>
> I've known about Mama so much longer than you. Never forget the first time I got wise. Caught her in the act with a hypo. Christ, I'd never dreamed before that any women but whores took dope! (163)

그리고 그의 도박과 음주는 그녀의 마약중독의 한 가지 확대현상이고, 그의 동생 에드먼드에 대한 부정적인 감정은 어머니의 사랑을 박탈당한 어린 시절에 이미 싹텄으며, 그가 성년이 된 후에는 어머니의 마약복용에 대한 실망감 속에서 더욱 인생을 비관하기에 이르게 되었다.

온 가족을 불행하게 만들었던 메어리의 마약복용은 근본적으로 에드먼드의 출생에 기인한다. 어머니를 마약중독에 빠지게 했다는 죄의식과 원하지 않은 채 태어났다는 소외감이 그를 사로잡았고 그의 전 생애를 어둡게 만들었다. 그의 출생이 어머니를 지옥으로 몰고 가는 역할을 했다면 그녀 또한 그에게 벗어나기 힘든 죄의식을 심어주었다. 그는 자살을 시도했었고 험난한 선원생활도 자처했다. 그녀의 마약복용이 그의 출생과 관련 있다는 사실을 알고 나서 더욱 더 심화되었다. 그는 인간으로 태어난 것에 부끄러움을 느끼고 삶 자체를 증오하면서 아버지 타이론에게 다음과 같이 말한다.

제가 사람으로 태어난 건 큰 잘못이었어요. . . . 하지만 이제는 나그네가 돼서 안주할 곳도 없고, 진정한 희망도 없고, 아무 짝에도 쓸모없이 죽음을 동경하는 사나이일 뿐이에요.

It was a great mistake, my being born a man. I will always be stranger who never feels at home, who does not really want and is not really wanted, who can never belong, who must always be a little in love with death! (153-154)

에드먼드에게 죽음은 간절한 염원으로 느껴지며 여기에는 우주 속에서 부조리하고 무의미한 인간존재의 의식과 그 의식에 따르는 끊임없는 자기부정이 내포된다.

2. 통합의 계기와 실현

『수평선 너머』에서 통합의 계기는 로버트의 결핵으로 인한 건강 악화로 시작된다. 그의 얼굴과 몸은 수척해졌고 그의 광대 뼈 위에는 새빨간 부분이 선명하게 보이며 그의 두 눈은 열로 뜨겁고 최근 엄청나게 많은 기침과 발작을 하고 있으며 아무리해도 잠을 잘 수 없는 상태이다. 그리고 제일 핵심적인 통합의 계기는 그와 그녀의 행복의 마지막 희망이었던 딸 메어리의 죽음이다. 이것은 그들의 정신과 육체에 더 이상 헤어날 수 없는 충격을 가한다. 그는 충동적으로 몸을 떨고 눈물을 억제하며 "우리의 마지막 희망! 난 내 영혼의 심연으로부터 신을 저주해—만약 신이 있다면!"(Our last hope of happiness! I could curse God from the bottom of my soul—if there was a God! 148)이라고 메어리의 죽음에 관한 격정적인 괴로움을 토로한다. 이에 그녀는 "메어리가 더 잘 됐는지 모르죠—죽은 것이"(Mary's better off—being dead. 148)라고 그를 바라보지 않고서 대답한다. 그러자 그는 "그 문제라면 우리 모두도 그게 더 낫겠지"(We'd all be better off for that matter. 148)라고 우울하게 그녀의 말에 뜻을 함께 한다. 이것은 '죽음에 대한 동경'(death-wish)으로 메어리의 죽음은 로버트와 루스 부부, 특히 수평선 너머의 꿈 대신 루스와의 사랑과 농장을 선택하여 갈등과 실패에 처한 로버트에게 끔찍스러운 충격을 안겨준다. 드라이버(Tom F. Driver)는 오닐이 "죽음에 대한 두려움, 죽음에 대한 낭만적 사랑, 그리고 죽음에 대한 태연한 체념의 세 가지 태도를 가지고 있었으며, 후자의 두 태도를 통해 죽음에 대한 두려움을 일소했다"(Gassner 120 재인용)고 주장하는데 메어리의 죽음은 통합을 향한 중요한 계기가 되고 있다.

이제 로버트는 솔직하게 루스에게 그가 완전한 패배자임을 인정하고 그녀에게 힘든 삶을 살게 한 점에 대해 비난과 증오를 감수하며 미안한 마음으로 그녀가 앤드류를 사랑하지 않을 수 없음을 인정하기에 이른다. 또한 도시로 나아가 그동안 그가 했던 독서가 어떤 쓸모가 있다는 것을 증명하기 위해 글 쓰는 일을 하겠다며 희망에 찬 멋진 새 출발을 다짐함으로써 통합의 계기를 마련한다.

『수평선 너머』에서 통합의 실현은 로버트의 죽음과, 앤드류와 루스의 자아성찰과 각성을 통해서 이루어진다. 산언덕의 검은 그림자는 로버트의 죽음이 엄습해올 때 사라지게 되고 그의 죽음은 그에게 인생에 대한 성찰의 계기를 제공한다. 그는 죽음이라는 희생을 통한 자아발견이라는 새롭고 풍요로운 이상을 체득한다. 그의 죽음은 평화와 소속이며 궁극적으로 지복(至福)이 되고 있다. 그가 죽음의 불가피성을 수용할 때 그 의미는 자명해지며 그는 죽음을 통해 오랫동안 상실해 왔던 그의 참된 자아와 정체를 발견한다. 그는 희망이라는 행복감에 차서 환희에 넘쳐 울려 퍼지는 목소리로 말한다.

> 내가 마침내 행복한 걸 모르겠어—자유로워—자유롭다고—농장으로부터 해방되고—자유롭게 계속해서 떠돌아다닐 수 있지—영원히! . . . 그리고 이번에는 갈 거야!. 그건 자유로운 시작이라고—나의 여행의 출발! 나는 내 여행을 획득했어—해방의 권리를—수평선 너머로!

> Don't you see I'm happy at last—free—free!—freed from the farm—free to wander on and on—eternally! . . . And this time I'm going! It isn't the end. It's a free beginning—the start of my voyage! I've won to my trip—the right of release—beyond the horizon! (167-168)

이러한 극적이고 희망찬 목소리는 죽음이라는 희생을 통한 꿈과 통합의 실현이며 삶은 끝나지 않고 한 경험은 다른 경험의 탄생이기에 로버트의 죽음은 정화이자 재생인바, 보가드(Travis Bogard)는 "그의 죽음은 고통으로부터의 해방과 마땅히 그의 것에 해당하는 재통합이라는 축복에 가깝다"(130)고 주장하는데 이 주장은 이를 잘 뒷받침하고 있다. 오닐의 극에서 소속과 평화는 죽음의 부산물이며 삶은 그 대조적 특성인 고독과 투쟁에 의해서 특징지워지기 때문에 죽음은 "형벌이 아니라 보상"(Tornquvist 18)이다. 또한 로버트는 앤드류에게 그의 본래의 소속처인 농장을 떠난 지난 8년간의 도피생활을 지적하고 다시 농장으로 돌아와 농장을 사랑하는 창조자가 되어 줄 것과 루스를 잊지 말 것을 부탁한다. 그와 그녀에게 각성과 진실한 사랑으로의 환원을 촉구함으로써 통합을 실현한다.

『느릅나무 그늘의 욕정』에서 통합의 계기는 애비에 의한 유아살해이다. 그녀는 에벤이 그들 사이에 태어난 아이가 에벤이 생각하는 것처럼 캐봇으로부터 유산을 받기 위한 목적이 아니라 이 세상 무엇보다도 그를 향한 진실한 사랑이었음을 증명해보이기 위해서 아이의 얼굴 위에 베개를 덮어서 살해한다. 그녀는 제정신이 아닌 상태로 그에게 "내가—내가 그 애를 죽였어, 에벤"(I—I killed him, Eben. 208)이라고 무표정하게 말한다. 벌린은 "그녀는 보다 큰 사랑을 증명하기 위하여 사랑하는 아이를 살해한다. 그녀가 사랑하는 아이를 질식사시킨 것은 역설적으로 그리고 비극적으로 사랑의 진수를 상징한다"(77)고 지적하는데, 이 유아살해는 결정적이고 중요한 통합의 계기가 되고 있다. 그러나 그는 그녀가 그 아이가 캐봇의 자식이 아닌 그의 아이이기 때문에 살해한 것으로 믿고 그녀의 사랑의 고백을 묵살한 채 치안관에게 알린다. 이 과정에서 그는 그녀에 대한 사랑의 감정을 깨닫고 그녀에게 사랑을 고백하며 용서를 구한다. 이러한 유아살해와 관련된 그녀와의 공범인식에 바탕을 한 그의 사랑의 감정은, 그가 그녀에게 치안관이 오기 전에 달아날 것을 제안하자 그녀가 "난 그 죄를 후회하지 않아! 하느님께 그 죄를 용서해달라고 빌지도 않을 거야!"(I don't repent that sin! I hain't askin' God t' fergive that! 213)라고 하느님에게 도전하듯 고개를 들고 내뱉는 그녀의 말과, 이에 대해 그가 "나도 그래—그렇지만 그 죄는 또 다른 죄를 낳았어—당신이 살인을 한 건 나 때문이니까—나도 역시 살인자야"(Nor me—but it led up t' the other—an' the murder ye did, ye did 'count o' me—an' it's my murder, too.)라고 하는 그의 응답에서 확인할 수 있다.

『느릅나무 그늘의 욕정』에서 통합의 실현은 진실한 사랑의 고백을 통한 상호간의 소속추구이다. 에벤은 애비에게 "당신하고 같이 감당할거야, 애비! 감옥엘 가건 죽건 지옥엘 가건 어떻게 되든지! 당신하고 같이 겪으면 적어도 외롭진 않을 거야"(I want t' share with ye, Abbie—prison 'r death 'r hell 'r anythin'! If I'm sharin' with ye, I won't feel lonesome, leastways. 215)라고 말함으로써 그녀에 대한 진실한 사랑을 고백함과 동시에 그녀와 함께 어느 곳이든, 어떠한 형벌이든 전부 감수하겠다고 굳은 의지를 보여준다. 그와 그녀의 이러한 태도는 현실도피가 아니라 적극적인 수용이라는 측면에서 중요한 의미를 갖는다. 두 사람은 사랑은 필연적인 상실이 있을 때만 결실이 있게 된다는 비극적 아이러니를 수용한다. 그들은 그들의 사랑이 초래한 결과를 스스로 책임지고 그들의 운명을 수용함으로써 속죄하고자 하며 현실적 상황의 수용을 통한 자각과 자기완성을 이룬다. 비록 사랑이 그들을 파멸로 이르게 하는 것처럼 보이지만 그들의 재결합을 통해 비극적 삶을 극복한다. 그들의 운명을 피하지 않고 이를 수용하며 그 결과를 책임진다. 그들의 근친상간의 죄는 헌신적인 사랑에 의해 정화되고 그들은 진정한 사랑에 의해 평화와 행복을 찾는다. 그들은 앞으로 전개될 고난에 절망하기보다 진정한 사랑 속에서 소속을 발견한 기쁨에 충만해 있다. 서로의 존재 속에서 삶의 진정한 의미를 발견하고 이를 통해 소외를 극복하며 평화와 소속을 얻는다. 이러한 사실은 이 극에서 에벤이 애비에게 하는 마지막 대사인 "해가 뜨는군, 아름답지?"(Sun's a-rizin'. Purty, hain't it? 216)에서 확인할 수 있으며 두 사람이 손을 잡고 솟아오르는 태양을 황홀히 바라보며 서 있는 태도에서 현실을 떠난 경건함을 엿볼 수 있다. 오닐이 『수평선 너머』에서 육체적인 죽음에 관계없이 로버트에게 밝은 태양을 바라보게 함으로써 영적인 영원한 삶을 허락했고, 『느릅나무 그늘의 욕정』에서 애비와 에벤이 치안관에 의해 끌려가는 순간 두 연인이 손을 잡고 솟아오르는 태양을 황홀히 바라보며 서 있는 태도에서 현실을 떠난 경건함을 찾아볼 수 있는데, 클락(Barret H. Clark)은 "그들이 갈망했던 아름다움을 바위들과 견고한 흙 속에서, 마침내 그들은 그것을 발견했다"(97-99)고 그들의 마지막 모습에 대한 긍정적인 주장을 하고 있으며, 오닐의 극에 있어서 태양은 절망 가운데 솟아나는 희망과 "거듭남"(Baker-White 90)을 나타내는 하나의 상징이 되고 있다.

『밤으로의 긴 여로』에서 통합의 계기는 제이미와 에드먼드의 형제간의 고백과, 타이론과 에드먼드의 부자간의 고백이다. 타이론과 제이미 그리고 에드먼드는 자신들의 죄와 실패와 증오의 사실을 고백하며 이것은 극적으로 이루어진다. 특히 형 제이미의 동생 에드먼드에 대한 애증에 가득 찬 고백은 이 극에서 심리적 갈등을 가장 적나라하게 보여주는 중요한 극적 장면이 되고 있다. 이것은 타이론과 메어리의 부부간의 자기합리화적인 고백과는 달리 과거의 삶이 아닌 현재의 삶을 다루고 있는 가장 고백다운 고백이라고 할 수 있는바, 카펜터는 형제간의 고백을 가능하게 한 "이러한 갈등의 근원의 발견은 이 극의 진정한 클라이맥스이고 그것은 이해와, 비극적 카타르시스의 최종적 순간을 제공한다"(161)고 그 의미를 부여한다. 그는 에드먼드에게 그의 동생에 대한 질투, 그리고 에드먼드의 출생으로 인해 메어리가 마약 복용을 시작하게 된 것에 대한 원망을 솔직하게 고백한다.

> 난 네가 성공을 해서 나하고 비교될 때 내 꼴이 하찮게 보이는 것이 싫었어. 네가 실패하기를 바라고 있었단 말이야. 난 늘 널 질투했지. 넌 어머니의 아기! 아버지의 귀염둥이였으니까. 그런데 말이다, 네가 태어나자 어머닌 마약을 시작하셨어.

> Never wanted you succeed and make me look even worse by comparison. Wanted you to fail. Always jealous of you. Mama's baby, Papa' pat! And it was your being born that started Mama on dope. (165-166)

그리고 이어서 에드먼드에 대한 애증과 심지어 복수의 감정을 고백한다.

> 그러나 오해는 마라. 난 네가 밉기보다는 좋아. 이렇게 있는 대로 떠들어대는 것이 그 증거지. . . . 내가 하고 싶은 말은 바로 네가 대성공을 거두기를 바란다는 거야. 하지만 안심하진 마라. 널 실패시키기 위해서 무슨 지독한 짓을 할지도 모르니까. 나도 알 수 없어. 난 내 자신이 밉다. 누구한테건 복수를 하고 싶어서 참을 수가 없어. 특히 너한테.

> But don't get wrong idea, Kid. I love you more than I hate you. My saying what I'm telling you now proves it. . . . What I wanted to say is, I'd like to see you become the greatest success in the world. But you'd better be on your guard. Because I'll do my damnedest to make you fail. Can't help it. I hate myself. Got to take revenge. On everyone else. Especially you. (166)

또한 그는 에드먼드에 대한 구원과 쾌유를 염원하는 고백을 한다.

형제를 그로부터 구하나니 이보다 큰 사랑은 없느니라. . . . 넌 훌륭해. 그래야 되지. 내가 만들었으니까. 그러니까 병을 고치고 오란 말이다. 죽으면 안 돼. 남은 건 너밖에 없으니까. 너에게 행운이 있기를.

Greater love hath no man than this, that he saveth his brother from himself. . . . You're a damned fine kid. Ought to be. I made you. So go and get well. Do't die on me. You're all I've got left. God bless you, Kid. (167)

타이론은 4막에 이르러 가면에 가려진 진실을 직시하고 에드먼드에게 다음과 같이 쓸쓸하게 고백한다.

이런 얘긴 아무한테도 털어놓은 적이 없다만, 오늘 저녁엔 마음이 울적한 게 못 견디겠구나. 허세나 부리고 거드름이나 피우는 것은 아무 소용이 없는 짓이야. 헐값으로 산 그 각본이 대성공을 거뒀거든—한 몫 톡톡히 봤지. 손쉽게 돈을 벌 수 있는 기회가 생겼기 때문에 내 일생은 망가진 거야. 그 연극의 노예가 돼버렸다는 사실을 깨닫고는 다른 연극을 해봤지만 이미 때는 늦었더구나.

I've never admitted this to anyone before, lad, but tonight I'm so heartsick I feel at the end of everything, and what's the use of fake pride and pretense. That God-damned play I bought for a song and made such a great success in—a great money success—it ruined me with its promise of an easy fortune. I didn't want to do anything else, and by the time I woke up to the fact I'd become a slave to the damned thing and did try other plays, it was too late. (149)

그는 진실을 직면함으로써 그의 참된 자아가 상실되었음을 깨닫게 된다. 이 고백을 통해서 그가 당대의 명배우 에딘 부스(Edwin Booth)로부터 훌륭한 연기자로 칭찬을 받았고 성공적인 미국의 신진배우들 가운데 한 명으로 간주되던 과거 전성기 시절의 추억 속에 그의 소속을 추구하고 있었음을 확인할 수 있다. 그리고 에드먼드는 타이론에게 그가 무아의 경지에서 경험한 자유의 세계를 다음과 같이 고백한다.

> 과거도 미래도 없는 평화와 조화의 소박한 기쁨 속에서, 자신의 생명과 인류의 생명보다도 위대한 그 무엇 속에서 생명 그 자체가 된 거예요. 신이 됐다고 해도 좋아요. . . . 태양이 되고 뜨거운 모래가 되고 파도에 몰리면서 암석에 밀착해 있는 해초가 되는 거예요. 성자가 되어 지상 최고의 행복의 환영을 보는 것 같았어요. 눈에 보이지 않는 손에 의해서 들어 올려 진 만물의 베일과도 같았죠. 순간, 신비가 보이고 신비가 보이면 자신도 신비가 되는 거예요.

> I belonged, without past or future, within peace and unity and a wild joy, within something greater than my own life, or the life of Man, to Life itself! To God, if you want to put it that way. . . . Became the sun, the hot sand, green seaweed anchored to rock, swaying in the tide. Like a saint's vision of beatitude. Like the veil of things as they seem drawn back by an unseen hand. For a second you see—and seeing the secret, are the secret. (153)

그는 과거도 미래도 없는 평화와 조화와 소박한 기쁨 속에서 생명과 인류의 생명보다도 위대한 생명 그 자체, 즉 신이 된 경험을 한다. 이것은 황홀한 해방의 순간이며 인간의 욕구에서 벗어난 체험이다. 하늘과 바다 위에 채색된 꿈과 같이 조용히 퍼져가는 새벽을 바라보며 현실의 비극적 고통을 벗어난 새로운 세계를 경험한다. 그는 자신이 태양이 되고 뜨거운 모래가 되고 파도에 밀리면서 암석에 밀착해 있는 해초가 되는 경험을 한다. 성자가 보는 행복의 환영 같은 것을 본다. 이 고백은 그에게 귀중하고 가치 있는 축복의 시간을 제공한다. 자연과 술에 취해 자연과 인간이 하나가 되는 순간이다.

『밤으로의 긴 여로』에서 통합의 실현은 형제간 또는 부자간의 진실한 고백과 자아성찰에 근거한 서로에 대한 깊은 이해와 용서와 사랑, 그리고 에드먼드의 초월을 통해서 이루어진다. 제이미는 그 자신이 고백을 통하여 맑게 정화될 때 비로소 그가 가지고 있는 사랑을 전할 수 있음을 잘 알고 있다. 에드먼드의 회생을 위한 기도도 정화된 영혼을 소유할 때 비로소 가능하기 때문이다. 그가 에드먼드에게 고백한 후에 그와 에드먼드는 상호화해와 관용의 관계가 되며 그는 에드먼드가 그를 용서하고 있음을 안다. 가족의 냉혹한 현실을 직면할 수 있기 때문에 이제 그들은 환상을 버리고 희망 속에서 밝음으로의 여로를 시작한다. 그것은 두 형제 사이의 서로를 향한 이해와 용서와 사랑의 빛이며 그동안 타이론 가문을 지배해온 절망을 극복하는 새벽의 여명이 되고 있다. 카펜터는 두 형제 사이 일어나는 고백의 순간을 "이극의 진정한 클라이맥스이고 이것은 이해와 카타르시스의 최종적 순간을 제공한다"(161)라고 평함으로써 그 의미와 중요성을 강조한다. 제이미는 고백을 통해 깨달음을 얻고 깊은 밤을 지나 새로운 미래를 향한 통합을 실현할 수 있게 된다. 그리고 에드먼드는 타이론의 과거에 대한 진실한 고백을 들은 후, "말씀 잘 하셨어요, 아버지. 그 말씀을 들으니까 이제 훨씬 더 잘 아버지를 이해할 수 있게 되는군요"(I'm glad you've told me this, Papa. I know you a lot better now. 151)라고 감동해서 공감으로 가득 찬 눈으로 타이론을 보며 말한다. 그는 아버지에 대한 연민을 느끼며 아버지를 괴롭혔던 자신을 반성한다. 오닐은 이러한 고백이야말로 신에 대한 인간의 고백임과 동시에 인간관계에 있어서도 인간이 자신의 죄를 인정함으로써 용서받고 새로운 모습으로 살아가게 된다는 점을 강조하고 있다. 에드먼드가 그의 가족들이 처한 비극적 상황에서 보다 초연한 자세로 이해심을 갖는 것은 사랑 때문이다. 그는 가족들이 각자의 잘못을 고백할 때마다 가족들을 이해하고 긍정하면서 기쁨을 얻는다. 가족들을 이해하고 용서하고 사랑하며 밝은 눈으로 인생을 조망한다. 타이론, 제이미, 에드먼드 모두가 각자의 과거에 대한 자아성찰을 통해 각자에게 내재된 과거의 증오와 원망과 비난을 진실하게 고백함으로써 서로를 이해하고 용서하고 사랑하게 되며 이를 통해 통합을 실현하기에 이른다.

제2절 운명비극: 『상복이 어울리는 엘렉트라』

유진 오닐(Eugene O'Neill)과 마찬가지로 희랍 드라마에 탐닉했고 저명한 고전학자였던 그의 장남, 유진 글래드스톤 오닐 주니어(Eugene Gladstone O'Neill Jr.)는 희랍비극들, 즉 희랍적 의미에서 운명의 개념이, 그의 아버지에게 지대한 영향을 주었다고 선언하였다(Bowen 299 재인용). 오닐은 『뉴욕 트리번 지(誌)』(*New York Tribune*)에 보낸 편지에서 그에게, "비극은 비극적이라는 것만으로도 그 자체가 진리인, 의미심장한 미를 간직하고 있다. 그것은 생의 의미이자 희망이다"(Cargill eds. 104 재인용)고 말하고 있다. 그리고 1년 후의 인터뷰에서 그의 비극적 비전에 대한 가장 완벽한 공식화를 다음과 같이 설명하고 있다.

> 사람들은 나의 작품들 속의 비극을 말하면서, 그것을 마치 비극적 본질의 어떤 것에 흔히 적용되는 말들 즉 "천하고," "침울하고," "염세적"이라고 칭하고 있다. 그러나 내 생각으로 비극은 희랍인들이 그것에 부여한 의미를 가지고 있다. 비극은 그들에게 고양(高揚)과 삶, 그리고 더 많은 생명의 충동을 안겨주었다. 비극은 그들에게 보다 심오한 정신적 각성을 불러일으켰고, 그들을 상존(常存)의 사소한 탐욕으로부터 해방시켰다. (Mullett 118 재인용)

오닐은 희랍비극이 탁월한 예술적 본보기라는 견해의 소유자였다. 그는 희랍의 고전비극들이 극장이자 동시에 사원에서 공연되었기 때문에 현대 생활에서 완전히 부족하다고 보았던 종교적 정신을 내포하고 있다고 보았다. 그는 1926년 친구인 마누엘 콤로프(Manuel Komroff)에게 보낸 편지에서 희랍비극에 대한 강한 애착을 표출하고 있다.

> 3년 또는 4년 후에 나는 희랍비극을 원문으로 읽고 즐길 수 있네. 현대적 삶, 그리고 드라마가 지나치게 지독히 눅눅하고 천박하게 느껴질 때마다, 희랍비극 속에 깊고 차분하게 침잠하여 내 영혼을 위한 장엄한 안식처를 추구할

것이네. (Gelb 699 재인용)

오닐은 그의 삶 속에서 충분한 소속감을 거의 느끼지 못했으며, 그가 보는 현대적 삶의 진화는 가재식(式) 다양성, 즉 과거 희랍의 영광으로부터 동시대적 삶의 공허한 가치로의 퇴행이었다. 현대적 삶 속에 희랍정신을 재창조하는 것이 그가 극작가로서 그리고 한 인간으로서 설정한 목표였다. 그는 한 개인이 아닌, 니체가 아이스큘로스(Aeschylus)와 소포클레스(Sophocles)의 희곡에서 전달되고 있는 것을 발견한 '생명력'(Life Force)인, 신비하고 디오니소스(Dionysus)적인 경험을 그의 작품을 통해 현대 관객에게 전달하기를 희망했다. 그는 "나의 작품에 가장 많은 영향을 끼친 것은 모든 시대의 드라마, 특히 희랍비극에 대한 나의 지식이다"(Nethercot 248 재인용)라고 말한 바 있다.

오닐의 주요 주인공들은 대부분 오이디푸스 콤플렉스(Oedipus complex), 성적 도착, 신경과민, 강박관념, 퇴행, 죽음의 본능 등 이상심리의 덫에 걸리게 되고, 그의 아일랜드 혈통에서 비롯되는 선입관, 즉 한 가족의 운명이 개인적, 집단적 과거의 유산에 뿌리를 두고 있다는 전제와 결합되어 비극적 운명관의 주조를 형성한다(Floyd p. xx). 가족 내에 대를 이어 내려오는 저주와 그 횡포를 그린 『상복이 어울리는 엘렉트라』(*Mourning Becomes Electra*)에 착수하기 전 그가 제기한 의문은 근대에서의 심리와 운명의 상관성이다. 그는 "신과 초자연적 응보(應報)에 대한 신뢰를 갖지 못한 현대의 총명한 관객이 수용하고 감동 받을 수 있는 그러한 희곡 속에, 희랍적 의미의 운명에로의 현대 심리적 접근을 이끌어내는 일"(Sheaffer 336 재인용)을 시도하고자 했다. 희랍의 운명개념을 유전과 심리적 결정론의 현대 개념으로 전환하고자 했다.

1. 비극적 운명의 대립

오닐의 『상복이 어울리는 엘렉트라』는 "희랍비극에서 고찰될 수 있는 초자연적 응보에 바탕하여 심리적 운명성을 찾으면서"(Floyd 382) 제시된다. 이 심리적 운명성을 증거하는 것이 마농(Mannon)저택의 "부조화스러운 백색가면" 같은 외관과, 마농인물들이 공통으로 소유한 "가면 같은 얼굴"이다. 선조로부터 내려오는 청교도적 운명감은 구원 가능성을 알고자 하는 욕구에 차 있던 신자들에게 악의 원리만을 심어주어 인간의 타락과 절망만을 강조하고 많은 사람들을 신경증의 상태로 이끈다. 이것은 신의 선민들에게 오만과 독선을 심어주었던 청교도주의의 심리적 운명성이다. 죄를 지은 자에게는 철저하게 구원의 가능성이 배제되고 일단 타락하면 영원한 저주만이 있을 뿐인 이러한 신앙체제는 영혼탐색과 아울러 내면심리 및 의식세계에의 집착을 유발시키고, 여기에서 죽음과 성(性)에의 편집광적인 현상이 생겨난다. 그리고 신의 부재와 증오 및 증오의 계율에 의해 야기되는 극심한 죄의식은 마침내 파멸로 이어진다. "속죄도 구원도 사전에 배제된 운명론"(Michel 41)은 죽음으로 종결될 수밖에 없는 바, 오닐에게 청교도주의는 무엇보다도 자연스런 생명력의 억압과 죽음에의 집착을 의미하고 있었고 마농 성(性)은 바로 이와 같은 관점의 응집인 것이다. 이러한 청교도적 유산은 『상복이 어울리는 엘렉트라』의 무대배경에서 잘 드러난다.

일몰 직전 지고 있는 태양의 부드러운 햇빛이 저택 앞면을 바로 비추고, 하얀 현관과 그 안쪽의 잿빛 돌벽 위에 반짝반짝 서리처럼 어른거리고 있다. 그 때문에 원주의 흰색, 거무스레한 잿빛 벽, 열린 녹색 빈지문, 잔디와 관목의 녹색, 소나무의 녹색과 검은색이 한층 돋보인다. 하얀 원주가 그 안쪽 잿빛 벽에 검은 무늬의 그늘을 내리고 있다. 일층 창문이 분노에 찬 섬광 같은 햇빛을 반사하고 있다. 신전풍의 현관은 어두운 잿빛의 추함을 감추기 위해 저택에 씌워진 어울리지 않는 흰 가면 같이 보인다. (5)

마농 저택은 흰 대리석으로 지어져 회칠한 무덤, 즉 추악한 면을 숨기는 위선과 허위를 상징한다. 이것은 외관상 엄격한 청교도주의 신봉자인 마농가(Mannon 家)의 내면적 갈등을 은닉하면서 계속될 비극적 심리적 운명성을 시사하고 있다. 백색가면인 마농 저택은 주변의 푸른 정원 및 녹지와 대조되고 마농인물들의 "가면 같은 얼굴"은 여주인공들의 "구리빛 금발"과 대조된다. 그 결과 흑과 백 또는 디오니소스-크라이스트(Dionysos-Christ)로 대표되는 병립구조가 이 작품에서 보다 함축적으로 심화되고 있다. 그것들이 지닌 가면성은 마농인물들을 공통으로 지배하고 목숨을 건 그들의 탈출 시도마저 허용치 않는 심리적 운명성의 근원이자 총체이다. 또한 이러한 환경에서 거주하는 마농 가는 청교도주의적 양심, 긍지, 억압, 그리고 절제의 기반 위에 서있기 때문에 생의 긍정, 사랑, 낭만을 철저히 배격한다.

마농 성의 대립은 선대 에이브 마농(Abe Mannon) 때에 있었던 저택의 신축에서부터 비롯된다. 에즈라(Ezra)의 어린 누이동생을 돌보던 낮은 신분의 캐나다 출신 마리(Marie)와 에즈라의 숙부 데이비드(David)의 연애 사건 후, 부도덕한 사련(邪戀)의 현장이었다는 이유로 기존 건물을 헐고 에이브가 새로 지은 이 저택은, 표면상으로는 마농 가의 도덕적 권위와 사회적 우월성의 표상이지만, 실제로는 애욕과 질투를 감추기 위한 가면에 지나지 않는다.

죽음어린 저주의 근원을 이루는 에이브의 데이비드 및 마리 추방은 다음 대에서 결혼초야 에즈라가 그의 아내 크리스틴(Christine)에게 행한 성적 폭력으로 반복되는 여성적 생명력의 핍박을 뜻한다. 그리고 옛 건물을 허문 뒤 새로 지은 마농 저택은 잘못된 질서의 수립 및 횡포에 따른 심리적 운명성의 표상이자 거짓된 권위와 독선에 의한 생명력의 감옥이다. 마농 저택의 외관이 지닌 희랍신전의 양식과 그 전면 회색의 벽에 생겨나는 검은 기둥 그림자가 각각 나타내는 것이 그것이며, "분노에 찬 섬광 같은 햇빛"에 힘입어 백색가면성은 그 속에 담겨진 운명의 내용성에 심리학적인 특성을 보다 확실하게 부각시켜 준다.

마리의 분노와 질투가 에이브에게뿐만 아니라, 그녀를 어머니처럼 여겼던 에즈라에게까지 계승되고, 데이비드에 이은 마리의 비참한 종말이 그녀의 마지막 호소를 거절한 에즈라의 비정함 때문이었다는 사실에서 이 건물은 대립과 죽음을 반복시키는 운명성의 배경이 된다. 에이브와 마리의 대립은 본질상 신분의 차이가 아니라 그들이 각기 대표하는 두 세계의 상충적 이질성에 근거하고 있다. 에이브에서 에즈라로 이어져, 크리스틴이 말한대로 청교도의 어두운 추악성을 감추는 가면에 가리워진 마농 성(性)은 저택 안 거실에 걸린 선조들의 초상에 그 내용이 압축되어 있다. 마녀사냥 시대의 냉혹한 목사, 워싱톤 부대의 장교, 식민지 시대의 부유한 선주 등의 모습을 한 마농 가의 선조들은 전형적인 청교도 선민(選民)들로서 청교도적 의식이 지니고 있는, "삶을 부정하는 불모성"(Siever 123)을 상징하고 있다.

브란트의 출현과 에즈라의 귀환으로 마리 성(Marie 性)과 마농 성(Mannon 性)의 대결은 표면화된다. 브란트는 마농의 혈통을 받아 "가면 같은 얼굴"에 마농 가의 인물들을 닮았으면서도, 마농에 대한 반감 때문에 어머니 마리의 성을 빌려 자신의 성을 바꾼 뒤 복수를 위해 마농 저택에 찾아온다. 그는 얼굴 특징으로 인해 자신의 신분과 의도가 노출되자, "난 어머니의 죽음에 대해 (에즈라)에 대한 복수를 어머니의 유해에 맹세했단 말야"(27)라고 선언하고, 라비니아(Lavinia)가 그를 천한 하녀의 아들이라 비웃자, 박차고 일어나 위협하듯, "닥쳐! 제기랄!—그렇지 않으면 네가 여자라는 사실을 잊어버리겠어—마농 가의 것들은 누구도 어머니를 모욕해선 안 돼— . . . 더러운 마농 가의 피가 흐르는 것이 내게는 오직 하나의 수치야!"(25)라고 소리친다. 어머니의 죽음에 대한 죄책감과 애정, 어머니를 끝내 핍박한 에즈라에의 원한 때문에 더욱 철저하게 마농이기를 거부하는 그는 남해섬(South Sea Isles)의 이미지를 작품에 도입하고 마농 저택 주변에 잠복해 있던 마리 성을 일깨우는 오닐의 마지막 디오니소스이다. 그는 크리스틴은 물론 라비니아에게까지 여성의 관능적 욕구를 일깨우고, "가면 같은 얼굴"을 통해 그동안 잊혔던 과거 사건을 되살려내 삶과 죽음의 순환 같은 디오니소스적 기능을 발휘한다.

『상복이 어울리는 엘렉트라』에 나타난 대립은 마농 성과 마리 성의 대립이다. 출신성분, 외모, 성격 등 모든 점에서 에이브와 다른 특징을 지닌 마리는 권위와 탐욕, 자만과 위선 등 죽음으로 이어질 수밖에 없는 청교도주의의 운명성에 대조되는 순수와 젊음, 쾌활과 정직을 대변하고, 순화된 디오니소스적 생명력을 상징한다. 그녀는 마농의 남성들로부터 성적 고난과 죽음을 겪고 희생된 후, 아들 브란트(Brant)를 통해 재생되어 발아, 성장, 쇠퇴, 죽음이라는 계절적, 생명적 리듬을 나타내는 녹색식물(Tornqvist 66)과 젊은 순수성, 행복, 사랑의 상징인 꽃들(Tornqvist 66)로 무대 위에 되살아난다. 그녀는 백색가면인 마농 저택의 남성적 권위에 대응하는 자연의 여성적 힘이다.

마농 성이 그 구성원들이 "가면 같은 얼굴"로 의식화된다면, 마리 성은 크리스틴, 라비니아 등 여자들의 구리빛 금발과 짙은 감청빛 눈으로 성격화된다. 풍성한 성적 함축을 지닌 구릿빛 금발(Alexender 929)은 오닐의 이전 작품에서 루스(Ruth), 애나(Anna), 애비(Abbey), 베아트리즈(Beatriz), 시벨(Cybel), 니나(Nina) 등 여주인공과, 『애나 크리스티』(*Anna Christie*)의 바다, 『샘』(*The Fountain*)의 원시림, 『느릅나무 그늘의 욕정』(*Desire Under the Elms*)의 느릅나무 등에 암시되어 왔던 여성적인 생명력을 응축하고 있다. 그리고 "깊고 푸른 대양"과 "축복 받은 남해의 섬"의 이미지를 작품에 도입시키는 짙은 감청빛 눈은 『수평선 너머』(*Beyond the Horizon*) 이후 오닐의 모든 주인공들이 수평선 너머에서 채우고자 했던 꿈과 이상 세계, 죽음을 통하지 않고는 도달이 불가능한 피안의 세계를 연상시킨다.

2. 운명으로서의 죽음

『상복이 어울리는 엘렉트라』에서 마농 저택이 "회칠한 무덤," "묘"(74) 등으로 불린다는 사실이나, 전쟁에서 돌아온 에즈라가 크리스틴에게 하는 고백, "죽음이 삶을 생각나게 하는 거야. 그때까진 오직 삶이 죽음을 생각나게 했을 뿐이었거든! . . . 이런 사고방식이 마농 가 사람들 버릇이야"(53-54)와, 에즈라의 죽음에 문상 온 힐(Hill) 목사부인의 언급, "운명일지도 몰라요. 당신 기억하시죠—마농 가 사람들에 대해 항상 말하곤 하셨죠—거만한 사람은 오래가지 못하고, 언젠가는 하나님이 죄 많은 오만함을 벌하실 거라고"(69) 등에서 마농인물들에게 지워진 죽음의 본능의 실증을 찾을 수 있다. "회칠한 무덤"인 마농 저택의 백색가면성과 그 구성원들의 "가면 같은 얼굴"은 죽음의 본능을 통해 인간에게 작용하는 죽음의 가면이다.

에즈라의 죽음은 그가 진흙 속에 박힌 낡은 막대기(94)라는 전장에서의 별명처럼 고착된 마농 성으로부터 빠져나오지 못한 결과이다. 그는 결혼초야 이후 그들 부부간에 있어왔던 갈등의 진정한 이유는 물론 크리스틴의 반대를 무시하고 아들 오린(Orin)을 전쟁터로 끌어내면서 야기시킨 문제의 심각성도 이해하지 못한다. 그는 아내와의 빈 간격을 해소하기 위해 청교도적 권위에 열중함으로써 오히려 더욱 심한 마농 성에 침잠하게 되고 끝내 죽음의 본능의 늪에 박힌 낡은 막대기 상태에서 크리스틴에게 독살된다. 이 늪은 에즈라 살해를 라비니아에게 들킨 뒤 크리스틴이 브란트에게 하는 변명, "그렇게 주의 깊게 계획을 세웠는데, 어째서 그렇게 돼버리고 말았지?"(110)와, 이에 대한 브란트의 대답, "내 그럴 줄 알았지! 어쩐지 그런 예감이 들었어!"(110)에서 보듯이, 그들 모두의 심리에 작용하는 운명성이다. 그리고 "증오의 감정으로 이 집을 세우고 나서부터 계속 이 집에서는 좋지 않은 기운이 붙어 있었어요. 그것이 점점 늘어났지요—"(136)라는 늙은 하인 세스(Seth)의 말로 설명되고, 죄와 벌의 법칙(150)이라는 오린의 인식으로 규정되는 마농 성이다. 에즈라의 죽음은 태어나는 건 죽음의 시작이라는 식으로 밖에 삶을 인정하지 않는 마농의 횡포를 증거한다. 에이브와 같은 철저한 가면성만이 마농일 수 있을 뿐, 데이비드와 마리에서 보았듯, 그로부터의 이탈에는 죽음의 처벌만이 있을 뿐인 바, 에즈라 또한 동일한 결과를 맞고 있다. 이 사실은 브란트와 크리스틴에게도 반복된다.

브란트의 죽음은 또한 그가 어쩔 수 없는 마농 성의 계승자이기 때문이다. 그는 한때나마 마리를 버려둠으로써 에이브, 데이비드, 에즈라 등 다른 마농 가의 인물들이 저질렀던 과오를 행하고, 동시에 그들처럼 마리에서 크리스틴으로 이어지는 모성집착에 유인당하는 마농의 상층구조를 반복하여 "가면 같은 얼굴"의 저주로부터 벗어나지 못한다. 따라서 희랍적 구원에의 비전도 사실상 종결되고, 달빛 속의 따뜻한 대지, 야자수를 스쳐가는 무역풍, 자장가 같은 노래를 읊조리며 산호초 위를 흐르는 파도, 평화와 망각 등 브란트가 도입시켰던 남해섬의 이미지는 그 힘을 잃게 된다. 육체의 힘으로 마리 성을 실현시키기에는 그의 몸속에 너무 깊이 잠복된 마농 성을 지녔던 브란트는 철저하게 마농이고자 한 라비니아의 덫에 걸려 죽은 뒤, 복수의 손길로 끝까지 남아 마지막 마농인 라비니아의 파멸을 확인하는 거세된 디오니소스가 되고 있다.

크리스틴의 자살은 "회색칠 무덤"에서 살아온 자신의 삶에 대한 부정이며, 투쟁의 포기가 아니라 운명에의 굴복의 거부를 의미한다. 동시에 "가면 같은 얼굴"을 통해 그녀 자신의 의식의 일부가 되어버린 마농 성으로부터의 처절한 자기구출의 시도이다. 마농 성으로부터 벗어날 수도, 되살려진 자신의 관능 욕구를 억제할 수도 없음을 확인한 그녀는 그 상충의 희생물이 되기보다는 그녀 스스로 행할 수 있는 유일한 도전행위로 자신을 희생시키고 있다. 포터(Thomas E. Porter)에 따르면, 이 작품의 의의는 플롯에서 생겨나는 것이 아니라, 심리적 강박관념과 청교도적 정신관념 사이의 대립에서 생겨난다(50). 그리고 로렌스(Lawrence)에 따르면 우리의 내부에서 정신적 의식이 피의 의식을 소멸시킨다(91). 이렇게 볼 때 청교도적 정신 관념이자 정신적 의식인 마농 성과 심리적 강박관념이자 피의 의식인 마리 성의 대립 속에서 어쩔 수 없이 크리스틴은 현재 속에 재현되는 과거의 운명어린 저주인 마농 성의 희생이 되고 있다.

브란트의 죽음이 크리스틴의 죽음으로 이어지고, 오린은 라비니아와 함께 남해섬으로의 긴 여행을 떠나지만 그 곳은 이미 "낙원"(24)으로서의 신비한 힘을 잃고 거대한 진공이자 환영에 불과했음이 드러난다. 브란트와 크리스틴의 죽음으로 생명의 투쟁, 의식의 투쟁, 완전해지고자 하는 영혼의 투쟁을 잃은 까닭에 남해섬은 이교도로 변화되기에는 너무나 마농적인 오린에게 공허한 환영의 세계가 되고 있을 뿐이다. 1년 후, 그는 "안에 들어가려는 찰나 뭔가 무시무시한 것이 붙잡는 것 같은 느낌이 들지 않아?"(137)라는 대사처럼 유령의 집이 된 마농 저택에 돌아온다. 그러나 그는 그의 부친에게 그처럼 두드러졌던 동상 같은 특성과 마농 공통의 "가면 같은 얼굴" 모습만을 더욱 드러낸 채, 극심한 죄의식과 라비니아에의 변태적인 욕정에 사로잡혀 죽음의 그늘 속으로 침잠한다. 라비니아는 마침내 "비겁자가 아니라면 자살했을 거야!"(166)라고 그를 분기(憤氣)시키고, 오린은 "그래! 그거야말로 정의의 심판이야! . . . ―어머니가 거기서 날 기다려줄 거야―"(166)라 외친 후 이층으로 뛰어가 권총으로 자살한다. 마농의 저주가 죽음을 그 최종목표로 하고 있다는 사실과 연관시켜 볼 때, 죽음은 그에게 남겨진 유일한 선택이다.

에즈라, 크리스틴, 브란트, 오린 등 다른 마농 가(家)의 인물들과 같이 숙명적으로 정신적, 성적 문제들(Bogard 347)을 지니고 있으면서도, 이들과 달리 라비니아만이 최종 성찰에 도달하는 것은 그녀만이 마농 성과 마리 성의 숙명적 대립은 물론 반생명력으로서의 전자가 갖는 독단성과, 생명력으로서의 후자가 갖는 맹목성을 발견하기 때문이다. 죽음을 부르는 마농의 횡포와 복수를 추구하는 마리의 집념을 조화시킬 수 없게 된 그녀는 마농 저택의 모든 창문을 폐쇄하고 주변의 꽃들마저 제거할 것을 세스에게 지시하여 마농 성과 마리 성을 공히 절멸(絶滅)시킨다(178-179). 다른 사람들과 달리 라비니아는 이와 같은 운명을 인식하고 죽음을 운명에의 굴복으로 파악한다. 그녀에게 마농 저택에서의 자기유폐는 과거는 물론 현재 속에 실재하는 일체의 마농 성에 대한 최후의 마농으로서 책임행위이자 도전이다. 인간을 분열된 성격으로 만드는 내·외부의 두 힘 사이에서 고통을 겪는 그녀는 심리적 운명체임과 동시에 자신의 삶을 운명 속에 투입하는 피운명체이기도 하다.

라비니아는 피터(Peter)를 아담(Adam)이라고 부르는 순간 잠재의식을 깨달으면서, 그녀가 피터에게서 찾았던 것이 단지 도피에의 환상이었으며, 마농가의 저주가 단순히 선조들의 비행에서가 아니라 그로부터 지속되어온 자신의 심리현실에서 비롯된 것이었음을 인식한다. 그리고 남해섬에서 벌였던 원주민과의 정사도 "가면 같은 얼굴" 아래 은폐된 브란트에의 욕정이었으며, 마농 성으로부터 탈출할 수 없듯이 브란트가 대변했던 디오니소스의 복수로부터도 벗어날 수 없음을 알게 된다. 그녀가 행해왔던 모든 행동이 크리스틴에의 질투와 브란트에의 욕정에서 유발되었던 것이며, 크리스틴의 불륜 이래 그녀가 강조해왔던 정의와 명예 또한 위선과 오만이라는 마농 죄악의 가면에 지나지 않았던 것이다. 그 때문에 그녀는 브란트가 지적했던 대로 크리스틴의 죽은 이미지에 불과했고 그녀 자신이 죽음을 반복시킨 저주의 집행자였다. 그녀의 다음 대사는 이 작품의 최종적인 의의를 극명하게 밝혀준다.

> 내가 마농 가 마지막 사람이니까. 난 내 자신의 손으로 벌을 받을 거야! 죽은 자들과 이 집에서 함께 산다는 것은 죽음이나 감옥보다도 더 무서운 정의의 심판이지! 난 아무데도 가지 않아! 누구도 만나지 않아! 햇빛이 들어오지 못하도록 덧문에 못을 박아 닫아두겠어. 죽은 자와 함께 살며 그들의 비밀을 지키겠어. 그 비밀이 날 괴롭히게 되겠지. 그러는 사이에 저주도 청산되고 마농 가 마지막 인간의 죽음을 허락 받는 거야! (178)

마농인물들은 삶이 소모된 죽음과 같은 삶에서 깨어나려고 분투하는 과정에서 상징적, 도덕적 승리를 획득한다. 오닐은, 등장인물들 특히 라비니아를 통해서, 불굴의 의지로 삶을 추구하는 그녀의 열정과, 종국(終局)에는 꿈의 허상을 직시하고 비극적 인식을 얻는 과정을 적나라하게 표출시킴으로써, 주인공의 파멸이 단순히 파멸에 그치지 않고 자기인식으로 이어진다는 비극의 역설적 의미를 설파하고 있다. 라비니아가 보여준 허상을 배제한 현실 직시는 인간의 운명에 대한 가장 고통스럽지만 가장 영웅적인, 환상이 없는 총체적 물러남이고 문을 닫고 집안으로 들어가는 그녀의 모습은 죽음에서 생명, 미침에서 온전, 절망에서 희망, 증오에서 사랑을 도출하는 오닐 작품의 중요한 주제를 잘 나타내주고 있다.

제2장

가면

제1절 가면의 역할: 『위대한 신 브라운』

가면은 고대로부터 현대에 이르기까지 제의(祭儀, rite)와 연극의 전통을 객관화시키는 매체이자 위장성과 상상력을 표현하고 심리적 이면을 드러내는 수단으로 종교적 예술적 본능을 구체화시켜 온 문화유산이다. 가면은 오닐의 극작 전반에 걸쳐 연극의 전통, 실험성, 그의 세계관, 인간심리에의 관심을 표현하는 가장 중요한 수단이다. 가면은, 쉬레이어(Lothar Schreyer)에 따르면, 얼굴뿐만 아니라 인간의 본질을 감추는 인간의 외적 베일이며 특히 무대에서는 생각을 형태와 색깔로 표현하는 시적 발산인 바(Valgemae 121 재인용), 이로 인해 가면이 외부에는 인격 자체로 받아들여지고 있다. 가면은 그 자체가 매우 강력한 종교적 극적 역할을 할 뿐 아니라 융(G. K. Jung) 이후 심리학적 의의를 얻음으로써 예술적 염원과 개인적 욕구라는 유진 오닐의 두 목표를 동시에 충족시킨다는 점에서 이에 대한 연구는 그와 그의 작품세계를 이해하기 위한 첩경이 된다. 가면에 대한 그의 애착이야말로 그의 개인적 삶과 작품에 있어서 지배적인 주제이다(Falk 222).

개인적 욕구와 예술적 염원을 결합하는 수단으로서의 가면에 대한 인식은 오닐의 전 작품들에 공통된 주제를 이루고 있고, 때로는 실제 가면으로, 때로는 가면 같은 얼굴이나 안개, 숲, 건물 등의 가면성으로 제시되며 끊임없이 그의 작품에 반복되어 나타난다. 나아가 가면은 오닐의 작품세계의 중심을 이루게 되며, 가면에 대한 그의 인식과정은 그의 작품이 이룬 변모와 발전과정에 일치하면서 그의 작품세계에 개연성과 필연성을 부여한다.

『위대한 신 브라운』(*The Great God Brown*)에서 가면은 네 사람의 중심인물, 즉 디온 앤소니(Dion Anthony), 윌리엄 브라운(William A. Brown), 마가렛(Margaret), 그리고 시벨(Cybel)에 의해 각각 사용되고 있다. 이 중 디온은 네 살 무렵에 외부의 횡포로부터 그를 보호하기 위하여 "악한 소년 판"(Bad Boy Pan)의 얼굴을 한 가면을 쓰기 시작하여 혼자 있을 때와 창녀인 시벨 앞에서를 제외하고는 벗지 않는다. 브라운은 디온이 죽자 디온의 가면을 도용하여 디온의 행세를 함과 동시에 나중에는 상실되어 가는 그의 정체성을 대외적으로 유지하기 위해 또 하나의 가면을 쓰지 않을 수 없게 된다. 디온의 부인이자 브라운의 끈질긴 연모의 대상인 마가렛은 생활의 궁핍과 불행을 감추고 여유와 행복을 위장하는 가면을 집 밖에서 사용한다. 그리고 직업창녀이자 풍요의 여신(Earth Mother)격인 시벨은 창녀의 가면을 이용하여 그녀의 두 얼굴을 필요에 따라 구분하고 있다.

1. 디온 가면: 정신적 대립과 갈등

디온 가면(Dion Mask)의 생성원인과 과정은 갈등에 찬 삶의 긴 고통 끝에 죽음에 이른 디온 앤소니가 친구이자 적인 윌리엄 브라운에게 내뱉는 2막 3장의 대사(295)를 통해서 디온 가면이 디온 앤소니의 페르소나(persona, 외적 인격, 가면을 쓴 인격)인 판(Pan)으로 출발하고 있음을 알 수 있다. 디온 앤소니, 윌리엄 브라운, 마가렛 등의 고등학교 졸업기념 무도회가 열리고 있는 밤, 해변을 무대로 한 장면에서 "어둡고 영적이며, 시적이고 열정에 들뜬 신경과민적이며 삶에 대한 천진난만하고 종교적인 믿음에 절망적일 만큼 무방비한" 본 얼굴에 밀착된 디온 가면은 "무분별하고 도전적이며 쾌활한 냉소와 육감적인 젊은 판의 표정"(260)을 보여준다. 이 두 얼굴의 상반된 표정에 나타나 있는 것처럼 등장 처음 순간부터 디온 앤소니의 성격을 명료하게 노출하고 그의 정신을 특징짓는 것은 "디온"(Dion=Dionysus)과 "앤소니"(Anthony=St. Anthony)로 대변되는 니체의 병치구조이다. 이 점에 대해서 오닐 자신도 디오니소스로 대표되는 삶에 대한 창조적, 이교적 수용은 성 앤소니로 대표되는 피학적, 반생명적 기독교 정신과 영원한 투쟁을 벌인다고 쓰고 있다(Gelb 580 재인용). 디온 앤소니는 두 상반된 정신을 그의 가면과 본 얼굴로 각각 보여주며, 이 중 가면이 디온에 해당한다.

디온 앤소니는 서막의 독백(264)에서 그의 디오니소스적인 이중성의 고통을 밝히고 있다. 고등학교를 졸업하고 성인의 문턱에 선 그의 이러한 고통이 "악한 소년 판"에 불과했던 "디온"의 디오니소스적 본성을 강화시키고, 소년적인 감수성을 나타내는데 지나지 않았던 "앤소니"를 기독교적 고행자로 발전시키는 출발점이 된다. 디온 가면이 구현하는 "디온"이 "앤소니"와 완전히 분화를 이루는 것은 서막에서 마가렛이 그녀의 사랑을 확인함으로써 삶의 환희와 용기를 얻고자 한 "앤소니"를 거부한 뒤이다. 디온 앤소니는 진정한 생의 근원으로서 영원히 괴로운 자, 모순에 넘치는 자인 디오니소스를 가면으로 채택함으로써 그의 운명에 하나의 역할을 부여하고 있는 것이다. 디오니소스 대두에 따른 "위대한 판(Great Pan)은 죽었다!"(267)라는 선언이 뜻하고 있는 것이 바로 그것이다.

"위대한 판은 죽었다!"는 이중의 의미를 갖는다. 하나는 디온 가면의 "디온"이 마가렛에의 본능을 일깨워 받는 순간에 표면화된 판 페르소나의 소년적인 낙천성이 인간 본성의 열등하고 약한 부분인 그림자로 전환됨으로써 악마화를 준비한다는 점이다. 페르소나와 깊은 관계를 갖고 있는 그림자는 동물적 본성들로 이루어진 것으로 이것이 외부로 투사될 때 악마나 적이 되며 활기 있고 열정적인 동물적 본능을 가지는 경우 성격에 3차원적 특성을 부여하고 전인(whole man)을 완성시키는데 도움이 되는 것으로 알려져 있다(Hall & Lindzey 123-4). 동시에 원시적이고 용인될 수 없는 충동의 저장소로서 에너지의 근원이자 생태적 동인의 원천이며 보이지 않고 사회화되지 않은 자아의 근원인 프로이트(Sigmund Freud)의 원본능(id)과 유사한 융의 개념으로 디오니소스적 특성과 유사하다. 다른 하나는 판의 죽음을 모든 이교신들의 멸망에 결부시켜 예수 그리스도의 부활로 받아들인 기독교적 관점에서 볼 때(Radice 183), "앤소니"가 의식화됨과 동시에 디오니소스를 상대로 성 앤소니적 투쟁, 즉 극기에 의한 악마와의 투쟁에 들어간다는 점이다. 이것은 보편적 중요성을 갖는 이념적 투쟁의 개시를 뜻한다(Tornqvist 125).

디온 가면의 메피스토펠레스(Mephistopheles, 악마)화는 판의 사망으로 자아의 사적인 면에 침투된 그림자로 변했던 "디온"이 리비도의 대두에 힘입어 피학적, 반생명체적인 기독교 정신의 상징이었던 "앤소니"가 행하는 억압을 이겨내기 위해 채택한 수단이었음을 다시 한 번 확인하게 된다. 세월이 지나면서 "앤소니"가 마치 순교자나 성자처럼 되는데 반하여 "디온"이 무서우리만큼 추악한 모습으로 변하는 것은 위 과정의 정도를 말해준다. 그 추악성에도 불구하고 마가렛이 "디온"을 사랑하는 것은 그의 생명력 때문이며 윌리엄 브라운이 그를 거부할 수 없는 것 또한 그 때문이다.

이 사실은 생명력의 두 측면인 마가렛 및 시벨, 디온 앤소니와의 관계를 통해서도 설명된다. "디온"은 그 악마성에도 불구하고 영원한 소녀로서의 여성인 마가렛에게 사랑 받고 보호되며 세 아들들에 의해 그 영속성을 보장받지만, "앤소니"는 풍요의 여신인 키벨레(Cybele)의 화신인 시벨에게서 일시적 휴식을 얻을 뿐 기독교와 이교사상이라는 근본적인 이질성을 용해시킬 어떠한 육체적 결합도 이루지 못한다. 시벨의 생명력과 창녀로서의 육체성도 속이 텅 비고 초라한 외적 사실들로만 삶을 이루는 물질주의 신화－성공－의 비전 없는 반신(demi-god)(Gelb 580)인 윌리엄 브라운에게 저지당해 고착된다.

디온 가면을 벗은 "앤소니"는 끝내 완전한 승리도 구원도 얻지 못한 채 죽음을 맞고 "디온"은 디온 가면을 통해 새로운 힘을 얻는다. 이것은 디온 가면의 페르소나 성(性) 아래 억압되어 있던 그림자가 자기완성을 위해 완전하게 의식화되고 표면화됨을 의미한다. 디온 앤소니의 최후는 니체의 사상을 빌리면, 생의 쇠퇴를 상징하는 예수 그리스도와 생의 활성화를 상징하는 디오니소스의 대결이라는 내적 필연성에서 오는 결과이다(니그 163).

외면상으로 디온 가면은 극적 도구로서 디온 앤소니에 의해 주도되는 전반부와 윌리엄 브라운을 중심으로 한 후반부를 연결하여 통일한다. 그러나 내면 상으로는 "디온"이라는 독립된 정신을 나타내는 디온 가면은 "앤소니" 및 "브라운"과의 대응관계를 통해 어떻게 하여 정신이 낙타가 되고 낙타가 사자가 되며, 사자가 마침내 어린이가 되는가에 관한 정신의 세 가지 변화에 대해 말해주겠다고 한 니체의 교설에 따라(Nietzsche 1966, 54), "인간"이었던 "디온 브라운"의 영혼을 변화시키고 발전시켜주는 주체이자 동시에 객체가 되고 있다. "디온 브라운"이 그 생애에 걸쳐 겪는 고통은 "갈래갈래 찢긴 디오니소스"를 "생이 비극적 환호 속에 드높아가고 끊임없이 새롭게 스스로를 탄생시켜 가는 모습"(야스퍼스 109 재인용)으로 생각한 니체의 관점을 보여주는 것이며, 디온 앤소니와 윌리엄 브라운이라는 낙타와 사자 단계를 거쳐 마침내는 순진과 망각, 새로운 시작, 유희, 스스로 돌아가는 바퀴, 첫 움직임, 신성한 긍정(Nietzsche 1966, 55)인 어린이로 돌아가기 위해서 겪지 않을 수 없는 과정이다. 이것이 곧 디오니소스적인 재생이기 때문이다.

디온 가면은 모래 위에 그림을 그리던 네 살 난 디온 앤소니를 괴롭혔던 외부세계 그 자체만큼이나 모순과 비밀을 지닌 채, 적대적인 "앤소니" 및 "브라운"과의 악마화도 불사하는 투쟁을 벌였으며, 이 투쟁의 구체적인 육체의 삶과 죽음을 통해 실현되었던 것도 그것이 분명한 인격성에 근거를 두고 있기 때문이다. 가면의 착용여부에 따른 개체성의 변화나, 디온 앤소니의 죽음

후 디온 가면을 이용한 윌리엄 브라운의 변신, 특히 신성이 결핍되어 있었던 브라운 가면이 버려지자 시체로 간주되었던 사실과는 달리, 디온 가면은 윌리엄 브라운의 죽음 이후까지 종막(epilogue)에서 보듯이 실질적인 생명력을 보유하고 있다는 점 등은 모두 위의 사실에 근거를 두고 있다. 작품의 전반부에서 그렇듯이 운명의 예속물이기를 거부하는 창조자이면서도 후반부에서와 같이 영원한 생명의 순환 속에 스스로를 투입시켜 나타나는 피창조물이기를 선택하는 점에서도 디온 가면이 갖는 인격의 실증성을 찾을 수 있다.

디온 앤소니의 죽음을 통해 "앤소니"를 극복한 "디온"이 그 기능과 역할을 본격적으로 확대하는 것은 작품의 후반부가 시작하면서부터 이다. 디온 앤소니가 죽자 그와 서로 찾던 반쪽(Ben-Zvi 260)을 이루었던 윌리엄 브라운은 시체를 숨기고, 남편을 찾아 뒤쫓아 온 마가렛 앞에 디온 가면을 쓰고 나타남으로써 디온으로 변신한다. 윌리엄 브라운의 디온 가면 착용은 전반부에서 생성되고 확산되었던 디오니소스의 본성이 그의 육체에 이입되었음을 뜻한다. 그리고 그로 인해 이루어지는 변신은, 최후의 순간에 디온 앤소니의 얼굴에서 벗겨지던 디온 가면이 그 디오니소스적 활기와 열정을 이용하여 무질서했던 리비도(libido)를 순화시킴에 따라 그림자가 정화된 생명력으로 전환된다. 디온 앤소니와 윌리엄 브라운은 동일한 인격의 상호보완적인 양면성으로 각각 정신성과 육체성을 상징한다. 두 사람은 같은 나이에 마가렛을 사랑하고 시벨과 관계를 맺고 있으며, 일에 있어서도 서로 힘을 합할 때 완전해질 뿐 아니라 각각 서로에게 경제력과 창조력을 의존하고 있으며 상호 간에 "형제"(287), "거울"(298)이 되고 있다.

이 변신은 그러나 윌리엄 브라운의 생활을 이중으로 만들고 그에게 심한 어려움을 안겨준다. 디온 앤소니를 회사에서 해고시킨 것으로 발표하고 사무실에서는 윌리엄으로, 일과 후에는 디온 앤소니로 살게 된 그는 두 개의 생활을 엄격하게 구분하고자 하지만 일 개월이 지난 후에 그 한계를 깨닫게 되며 디온 앤소니가 없이는 브라운 사무소의 명성과 신용을 유지할 수 없음을 알게 된다. 결국 그는 작업 시 숨어서 디온 가면의 힘을 빌지 않을 수 없게 되고 이에 따라 "디온"과 "브라운"의 표면상의 균형마저 깨진다. 디온 가면의 "디온" 성이 점차 윌리엄 브라운의 의식에 침투되어 그에게 고통과 갈등을 야기하고 그 결과 3막 1장이 되면 그가 처음에 보여주었던 그의 얼굴과 똑같은 가면, 즉 자신에 찬 성공의 가면을 만들어 고통에 일그러진 그의 얼굴을 감추고 기존의 사회적 역할을 유지하기 위한 수단으로 사용하고 있음을 보게 된다.

고통을 통해 의식을 갖게 된 윌리엄 브라운은 "디온"과 "브라운" 중 하나를 선택하지 않을 수 없음을 인식하여 가면의 비밀을 밝히고 "브라운"으로서의 자신을 마가렛에게 인정받고자 시도한다. 그러나 브라운 가면이 그녀에게 철저하게 거부되자 마침내 그의 죽음을 선언한다(305). 여기서 그 죽음이 선언되는 것은 "디온"의 창조적 생명력을 도용했던 육체성의 상징이자 니체가 초극되어야 할 어떤 것(Nietzsche 1966, 41)이라고 말한 것과 동질의 것인 "브라운" 성이다. 그리고 죽음을 선언하는 것은 고통에 찬 내적 투쟁을 유발시키고 현실에서의 패배, 또는 몰락만을 전제로 해서 승화되는 비극적 비전 또는 영겁회귀의 상징으로서 윌리엄 브라운의 공허한 영혼에 몽상가의 의식을 이입시킨 디온 가면의 디오니소스이다.

"브라운"으로 되돌아가고자 한 도덕적, 현실적인 방법을 포기하고 "디온"으로 태어나고자 한 우의적, 궁극적 방법을 택함으로써 높은 낭만적 열망을 갖는 몽상가가 된 그는 마침내 "디온"의 생명력을 빌려 그의 이름으로 발표하고자 했던 거짓된 이중성의 상징인 의사당 설계도면을 찢어버린 후, 브라운 가면을 벗어 던지고 대신 디온 가면을 쓴다. 버려진 브라운 가면은 사람들에게 윌리엄 브라운의 시체로 간주되어 운구되고 그는 살인범 디온 앤소니로 인정되어 경찰의 추적을 받는다.

경찰에 앞서 시벨이 달려오고 디온 가면의 모든 비밀을 알게 된 그녀가 윌리엄 브라운 앞에서 처음으로 풍요의 여신으로서의 얼굴을 드러냄으로써 그들 사이에 있었던 모든 불신의 벽이 무너지고 새로운 인식이 가능해 진다. 시벨에게 "디온 브라운"이라고 불리고 스스로를 윌리엄 브라운의 유해라고 부르는 그는 그녀의 도피권고를 거절한다. 그는 경찰의 일제 사격에 맞아 쓰러지고 시벨에 의해 다시 디온 가면이 벗겨진 다음 그녀의 품에서 주기도문을 외우며 최후를 맞는다(322). 구원받은 자가 된 윌리엄 브라운이 죽고 나자 시벨은 몸을 펴고 허공을 응시하며 깊은 고통으로 영원한 생명의 찬가를 노래한다(322). 이것은 디온 앤소니와 윌리엄 브라운의 삶과 죽음을 영원한 생명의 순환 속에 포함시키는 사건들의 피할 수 없는 반복, 희망과의 약속의 힘(Ben-Zvi 266)이라 할 수 있는 영겁회귀사상의 찬가이다.

디온 가면을 살해하여 현실을 인정하고서 겪는 윌리엄 브라운의 우의적인 죽음은 그 의미가 좀 더 분명해진다. 인간을 노예화시키는 기쁨에의 갈망과 인간을 육체로부터 해방시키는 고통에의 욕구 사이에서 끊임없이 찢기고 있기 때문에 인간이 불쌍하다는 몽상가 논리(Valency 430)에 따라 마가렛과의 관계에서 기쁨과 고통을 겪고 자기의지에 의해 디온 가면을 극복함으로써 윌리엄 브라운은 초극될 수 있었던 것이다. 그리고 그의 죽음은 이러한 디온 가면의 신비를 표현하고 있다.

2. 마가렛과 시벨 가면: 전형적 역할의 전도

마가렛은 서막의 고등학교 졸업기념 무도회에서 브라운을 친구로서, 디온을 연인으로서 사랑한다. 디온과의 관계에서 그녀가 자식답게 그리고 어머니답게 행동하고, 성적 측면에서 인습적인 밝은 여주인공과 최소의 유사한 특징을 지닌다. 그러나 그녀는 매번 어두운 여주인공의 특성을 보여주며 가면을 쓰지 않는다. 그녀는 브라운에게, "디온이 나의 아빠야—오! . . . 나는 디온여사가 될 거야. 디온—디온의 아내—그리고 그는 나의 디온—내 자신의 디온—나의 작은 소년—나의 아이!"(264)라고 말하기 전에 가면을 벗는다. 그녀는 또한 그녀와 디온이 그들의 처음 낭만적 조우를 할 때도 가면을 쓰지 않았다. 그 조우가 비록 낭만적으로 여겨질지라도 성적인지 아닌지는 완전히 명백하지는 않다. 그러나 브라운이 디온으로서 그녀에게 다가가고 다시 그녀가 가면을 벗을 때 그녀는 이 경우 다른 어느 때보다 더 성적이다.

마가렛은 서막에서 브라운에게 경의를 표하며 밝은 여주인공으로서 활약한다. 그녀는 도달하기 어려울 정도로 이상적이다. 그녀의 이상은 성적이지만, 그 만족의 불가능은 그녀를 연애에 참여하는 것 이상으로, 우아한 사랑의 낭만적 대상으로 만든다. 무대지시에서 브라운은 마가렛에게 굴복된 사람으로 "마가렛이 들어오고, 겸허하게 그녀를 숭배하는 빌리 브라운이 뒤따른다"(262)라고 묘사된다. 그들 관계의 원동력에 힘입어, 우리는 이 지문으로부터 밝은 여주인공의 모범과 중세적 기원을 나타내는 성모 마리아와 또는 숙녀를 향한 성적 감정이 없는 우아한 사랑을 추론할 수 있다.

서막에서 마가렛은 또한 밝은 여성으로서 그녀의 특징 중 일부 양상들을 디온에게 드러내고 있다. 이것들의 대부분은 청교도주의 특성을 내포한다. 그녀는 디온이 그의 가면을 벗을 때, 그를 인정하거나 또는 심지어 그를 알아차리기를 거절하고, 그 순간에 그녀는 즉각적으로 그녀의 가면을 쓴다. 마가렛에게 디온은 가면으로서 존재할 수 있을 뿐이다. 그녀는 그의 개인적 자아를 그녀의 이상에 맞도록 억제시켜야만 한다. 그녀는 성욕에 관한 개인적 표현을 억제함으로써 청교도주의 아버지들의 전통에 그녀 자신을 둔다. 그리고 그녀는 디온과 낭만적 시간을 갖은 후에 성욕으로부터 야기된 죄의식을 인정하며 "나는 부끄러워요"(267)라고 한다.

1막의 첫 장에서 마가렛은 밝은 여주인공, 즉 남자들이 사회적 금기의 위험을 겪음이 없이 어울릴 수 있는 여성의 역할을 택했다. 본래 그녀는 그녀의 성욕을 잃었다. 그녀는 이제 세 아들이 있고 성적 파트너라기보다는 더 어머니답고 더 주부답다. 사회적으로 인정받는 아내로서, 그녀는 이제 경제적으로 책임감 있고 아름답지만, 성적인 측면에서 유혹적이고 성숙하며 모성적이지 않다. 무대지시에 따르면 그녀가 유행 따라 옷을 입지만 그 옷은 "마치 고쳐 만들었고 평상복처럼 보여야"(270) 한다. 이것은 그녀가 호감을 주지만 너무 유혹적으로 보여서는 안 된다는 의미이다. 디온의 도박으로 인하여 그녀는 최소의 자존심을 유지하기 위하여 가족의 재정을 통제해야만 했다. 돈의 신중한 관리는 청교도주의 윤리의 또 다른 특징이다. 그녀가 디온과 대화하고 있을 때 오닐의 마가렛에 대한 묘사는 그들의 결혼이 딱딱하고 거의 성적이지 않다는 것을 보여준다: "억지의 즐거움으로," "선입관에 사로잡혀," "억지의 농담조로," "지루하게," "억지의 확신으로"(270-271). 그들의 관계는 결혼의 의미를 상실했다. 그녀는 남편 디온에게, 그가 자존심을 접고 "나를 위해서가 아니고—당신 자신을 위해서—그리고, 무엇보다도 아이들을 위해서"(272) 직업을 가져야 한다고 말한다. 그녀의 아이들과 가족이 그녀의 제일의 관심사이지 그녀 자신이 아니다. 착하고 밝은 여주인공으로서 그녀는 그녀의 인생을 어머니와 아내의 역할에 초점을 맞춘다.

2장에서 마가렛은 디온의 자리 확보를 시도하기 위해서 브라운에게 접근한다. 여기서 그녀는 그녀 가족의 복지에 관한 관심을 드러내는데, 이것은 밝은 여주인공의 또 다른 속성이다. 그녀는 브라운에게 마치 그가 그녀의 귀여운 아이인양 "빌리"(Bylly)라고 애칭을 사용하여 말을 건다. 더욱이 그를 향한 그녀의 언어는 "나의, 하지만 빌리 브라운은 굉장해지고 있어요!"(274)라며 아주 겸손하다. 그는 우아한 연인으로부터 사춘기 전의 오이디프푸스적 소년으로 전락한다. 브라운에게 있어서 그녀는 그가 성적으로 획득할 수 없는 어머니이다.

3장에서 시벨은 어두운 역할을 하는 여성으로 소개된다. 오닐은 그녀를 프리지아(Phrygia)의 위대한 대지의 여신 키벨레(Cybele)의 이름을 따 명명한다. 시벨은 처녀신뿐만 아니라 풍요의 여신이다. 로마인들은 떠들썩한 연중 축제를 개최했는데, 키벨레가 처녀성을 유지하기 위해, 방혈(放血)과 사제들의 무성(無性, unsexing)을 포함했다(Frazer 263-301). 시벨은 매춘부인데, 그것은 오닐의 작품에서 어두운 여주인공으로서 흔히 볼 수 있는 직업이다. 그녀의 응접실 벽지는 "봄의 경작하지 않은 밭"(228)의 인상을 준다. 벽지와 거무죽죽한 장식은 그녀가 그러한 속성의 소유자임을 연상하게 한다. 그녀는 잠재적으로 풍요롭지만 그녀 자신을 표현할 기회가 허용되지 않았다. 무대 지시들은 그녀를 "관능적인, 금발의, 풍만한 가슴과 넓은 엉덩이를 가진 여자"(278)로 묘사하고 있다. 일반적으로 어두운 여자 주인공은 금발이 아닐지라도 주인공을 위한 대리모적 인물로 제시되고 있다. 그리고 그녀 방의 피아노 연주기는 "어머니-엄마" 메들리를 연주한다. 그녀는 어두운 여주인공의 표준적 속성을 갖고 있다. 그녀는 관능적으로 유혹한다. 주인공을 위해서 그녀는 모성적이다. 그녀는 잠재적으로 풍요롭다. 그리고 실제로 디온으로 하여금 그의 가면을 벗도록 용기를 부여하는 사람은 다름 아닌 바로 그녀이다. 이러한 관계에 대한 흥미로운 비틂(twist)의 근원은 성적으로 예정된 것이 아니라 상대적으로 순수한다는 사실에 기인한다. 그녀는 디온이 그녀의 발 위를 지나가는 것을 발견한다. 그녀는 어두운 여주인공의 역할을 충족시킨다. 그러나 그녀의 디온과의 관계는 그들 사이의 성관계가 아니라 디온으로 하여금 그 자신을 표현하도록 하는 그녀의 총명성과 능력에 초점이 맞춰진다.

2막에 즈음하여 비록 벽지가 "심홍색과 자주색 꽃들과 과일들"(284)을 담고 있을 지라도 시벨이 "봄의 경작하지 않은 밭"이라는 더 이상의 암시가 없다. 그녀는 보다 관능적으로 화해서 "풍요의 여신의 요지부동한 우상"(284)에 비유된다. 그리고 그녀의 성적 모성적 인상을 보다 더 강조하기 위하여 "어머니-엄마" 메들리는 계속된다. 그녀는 브라운에게 성적, 모성적 인물로 작용하고, 그는 그녀를 그의 은밀한 여인으로 받아드린다. 또한 그녀는 디온에게도 마찬가지로 작용하며, 디온은 그녀와의 관계를 지속한다. 비록 시벨이 두 남자들에게 어떤 성적 의미를 부여하지만, 각각에 대한 그녀의 접근과 역할은 다르다. 그녀는 먼저 디온에게 가면을 벗고, 그때는 대개 음악이 연주된다. 그러나 브라운의 경우 그녀는 화려하고 매춘부적인 가면을 쓰고 있고, 음악은 꺼져 있다. 어두운 여주인공으로서, 그녀는 디온의 지적, 모성적, 성적, 그리고 심리적 욕구를 충족시키며, 마지막에는 그로 하여금 그의 외면적 가면을 제거하도록 한다.

시벨은 여자임에도 불구하고 그녀의 독립과 자치를 요구한다. 그녀는 디온에게 "단지 (브라운이) 나를 그렇게 오래 기다리게 하기 때문에, 그는 남편처럼 행동할 필요가 없어요. 또는 내가—"(285)라고 말한다. 브라운은 시벨(가면을 씀)과 그녀의 누이(가면을 벗은 시벨)를 정부보다는 더 아내 같은 밝은 여주인공으로 만들기 원하고, 아니면 최소한 디온으로부터 그들을 구해내고자 한다. 그녀는 브라운을 판독할 수 있는 여자다. 그녀는 브라운에게, "당신은 그의 아내(마가렛)를 사랑하지요"(289)라고 단호하게 말한다. 사실상, 그녀는 그가 디온을 포함해 마가렛의 전 가족을 사랑한다는 사실을 알아낸다.

시벨과 디온의 관계는 변한다. 그녀는 그들 둘이 가면을 벗었을 때 디온에게 모성적이다. 그러나 그가 가면을 쓸 때 다르게 반응한다. 그녀가 가면을 벗을 때 그녀는 "우상처럼"(287-8) 행동하고 움직인다는 사실이 무대지시로 반복된다. 우상의 미소는 어두운 여주인공의 보다 거칠고 보다 이교적인 양상을 보여준다. 디온은 그녀에게 그가 마가렛을 우상화했다고 고백하고, 그녀를 소유할 수 없는 밝은 여주인공으로 삼는다: "나는 마가렛을 사랑합니다. 나는 나의 아내가 누구인지를 모르겠습니다"(286). 디온에게 마가렛은 더 이상 사람이 아니고 우상이다.

2막 2장에서 마가렛은 모성적인 모습으로 디온을 위로하려고 시도하지만 그녀의 위로는 뜻밖에 겸손으로 화한다. 디온은 "아니오, 나는 남자요, 외로운 남자란 말이요!"(292)라고 반응한다. 그는 그녀의 모성적인 말을 거절하지만 그 때 가면을 벗고 그녀에게 고백한다.

> 오 여인이여—내 사랑—나는 내 병든 자존심과 잔혹함 속에서 죄를 지었소—나의 죄를 용서하오. . . . 나를 용서하오! (그는 무릎을 꿇고 그녀의 옷 끝에 키스를 한다.) (292)

디온은 어두운 여주인공의 모성적 애정을 거절하고 그녀가 밝은 여주인공과 고백자가 되기를 애원한다. 그러나 그녀는 그에게 사면을 부여하지 않는다. 마가렛은 보다 더 어두운 여주인공으로 화한다. 그녀는 디온이 필요로 하는 종교적 양상을 거부한다.

2막 3장에서 브라운은 디온의 가면을 착용함으로써 디온으로 가장한다. 가면을 쓴 마가렛은 "빌리"에게 그녀가 디온을 찾고 있다고 말한다. 브라운은 그가 그의 이상화된 마가렛을 보호하고, 디온을 그녀에게 화해시키며 (디온으로서) 그가 그의 성적 욕구를 만족시키기 위해 기회를 만들려고 했던 것보다 더, 디온을 훌륭한 사람으로 칭찬하기 시작한다. 브라운이 디온으로서 돌아올 때, 그는 가면을 쓰지 않은 마가렛에게 열정적으로 키스를 하는데, 그것은 그녀의 욕망을 야기한다.

> 아니, 디온? 부끄럽지 않으세요? 당신은 오랫동안 내게 그런 식으로 키스하지 않았잖아요! (301)

그녀는 어두운 여주인공의 성적 욕망과 밝은 여주인공의 죄의식에 대한 각성 사이에서 갈등한다. 성적 욕망은 여기서 보다 강조된다. 3장의 끝 무렵에서 그녀는, "매우 행복하게 느끼기 시작해요, 디온—매우 행복하게"(301)라고 말한다.

3막에 이르러 브라운은 그의 얼굴, 그의 가면, 그리고 디온의 가면의 세 가지 잠재적 얼굴들을 갖는다. 그는 마가렛에게 고백과 함께 그의 여위고 일그러진 얼굴을 보이려고 노력하지만 그녀는, “당신 미쳤어요? 얼굴이—끔찍스러워요. 아프세요! 의사를 부를까요?”(305)라고 반응한다. 그녀는 디온이 그녀에게 고백하는 것을 거절한다. 이제 그녀는 브라운의 같은 요구를 거절한다. 그녀가 떠난 후에 브라운은 그의 가면에, “너는 죽었다, 윌리엄 브라운, 부활의 희망 저편으로 죽었다!”(305)라고 말한다. 디온은 마가렛이 그의 고백을 듣기를 거절한 후에 육체적으로 죽는다.

3막의 3장에서 마가렛은 보다 더 성적으로 화하고 어두운 여성의 특질을 드러내지만 브라운은 그녀로부터 뒷걸음질 친다. 그녀는 남자를 유혹하는 여인이 된다. 마가렛이 그에게 (디온의 마스크를 쓰고 있는) 열정적으로 키스를 한 후 그는 죄의식 속에서 뒷걸음질 친다. 그는 그때 “강열하고 반항적인 열정으로”(308) 그녀에게 키스하지만 잠시 후 그녀로부터 팔을 빼고 만다. 그런 직후에 젊잖게 그녀에게 키스한다. 브라운은 성적으로 “예의 바른” 남편으로서 그녀에게 반응하는 방법에 관하여 자신과 갈등한다. 한편, 마가렛은 브라운(디온으로서)을 소유하기 위해 “당신은 내가 오랫동안 놓쳤던 연인이자, 내 남편이자, 또한 내 얘죠”(309)라며 애쓴다. 그녀는 그의 여인, 아내, 그리고 어머니가 되기를 원한다.

4막의 첫 장은 브라운이 고백하고, 마가렛이 그를 거절하는 또 다른 기회를 제공한다. 그는 “죽게 될 사람은 다름 아닌 브라운이지요. . . . 나는 다시는 당신을 사랑하지 않을 거예요! . . . 나도 그러한 어리석음 때문에 무덤에 가까이 있지요”(315)라고 말한다. 마가렛은 브라운이 말하고 있는 것을 명백하게 이해할 수 없지만 심지어 그녀는 노력조차 하지 않는다. 그녀는 그의 언급을 취중 실언으로 치부한다. 그녀는 밝은 여주인공의 억압적인 본성을 표출한다. 브라운(디온으로서)과 더불어 어두운 여주인공의 성적 본성을 드러낸다. 그녀는 열정적으로 그에게 키스를 하고 나서, 그가 일을 그만두고 집으로 가게 구슬린다. 이러한 긴장의 한복판에서 브라운은 절제를 상실하고 디온으로서 그의 미래를 파괴하면서 디온의 건축계획들을 훔친다. 그리고 그는 그의 다른 미래를 파괴하면서 브라운이 죽었다고 선언한다. 마가렛은 그 계획들을 집어 드는 데, 그녀는 현재의 곤경보다는 그녀의 미래와 금전적 안정에 더 마음을 쓴다.

4막의 마지막 장면은 다시 시벨에 초점이 맞춰진다. 그녀는 가면을 한 상태로 "우상의 깊고 객관적인 침착성"(320)을 하고서 브라운의 서재로 들어온다. 그녀는 최초로 브라운과 단 둘이 있는 상태에서 우상과 풍요의 인물로 비유된다. 이 지점에서 시벨은 브라운과 디온의 가면이 하나라는 사실을 발견하고 그녀의 가면을 벗는다. 그녀는 브라운에게 더 이상 어두운 여주인공이 아니라 그의 고백을 들어주고 그를 보호하며, 아니면 최소한 그를 위로할 이성적 여인이 될 수 있다. 그는, (소년처럼 그리고 순진하게) "내가 빌리야"라고 말하고, 그녀는 그 말에 대해 "어머니 같은 달램"(320)으로 반응한다. 그녀는 어머니를 향한 브라운의 욕구를 충족시킨다. 그녀는 또한 그의 고백을 들은 후 그가 어떠한 선택을 남겨놓고 있는가에 대해 기꺼이 말한다.

그 장면의 마지막 부분은 두 여인들의 밝고 어두운 천성이 명백하게 드러난다. 브라운이 총에 맞은 후 마가렛이 디온의 설계도를 그녀의 무릎에 가지고 있는 반면, 시벨은 그를 그녀의 무릎에 두고 있다. 이러한 대조는 두 여인에 대한 날카로운 현시이다. 시벨은 어두운 여주인공으로 설정되었지만 주인공을 보살피는 유일한 사람이다. 마가렛은 밝은 여주인공으로서 설정되었지만 도대체가 상황을 이해하고 있는 것으로 보이지 않는다. 그녀는 단지 무산된 계획들을 움켜잡고 있다. 브라운은 죽기 전에 시벨에게 그녀를 "어머니"로서 두 차례 말을 걸고, 그녀는 "풍요의 우상처럼"(323) 묘사된다. 그녀의 마지막 행동은 브라운의 몸에 키스하는 것이며 "항상 봄은 다시 생명을 잉태시키나니"(322)라고 말한다. 그녀가 풍요의 여신 시벨이다. 마가렛은 불모의 밝은 여주인공이며 그녀는 디온의 빈 가면에 키스한다.

종막은 마가렛의 불모성을 강조한다. 그녀는 세 명의 젊은 아들들의 어머니이다. 그녀는 짧은 서막에서 여섯 차례나 "어머니"로서 언급된다. "어머니"로서의 마가렛에 대한 언급은 그녀와 아들들 사이의 거리감과, 관계의 형식성을 의미한다. 그녀는 아들들에게는 상실의 존재로 맴돌고, 디온을 가면 형식으로 소유한다.

오닐은 또한 이러한 두 여인들의 특징을 더 드러내기 위하여 조명 기법을 사용하고 있다. 마가렛 관련 장면들에서는 겨우 빠듯한 조명이 있을 뿐, 무대는 어둡거나 어두운 배경을 하고 있다. 서막은 달빛이 비치는 밤으로 설정된다. 1막의 첫 장면은 흐린 날에 발생한다. 1막의 2장에는 단지 하나의 조명이 있을 뿐이다. 2막의 2장은 검은 배경으로 희미하다. 2막 3장의 무대는 하나의 독서용 등이 있다. 3막의 첫 장면 동안 사무실은 아침이다. 마가렛은 3막 3장에서 밤늦게 독서 중이다. 4막의 첫 장면은 해질 무렵이다. 서막처럼 종막도 달빛 아래에서 일어난다.

반면 시벨의 장면들은 모두 주위의 밝음을 강조한다. 1막의 3장에서 조명이 켜있다. 2막의 첫 장은 일몰에 발생하지만 밝은 실내가 강조된다. 4막의 2장은 경찰관들이 치명적으로 부상당한 브라운을 확인할 만큼 충분히 밝은 방에서 일어난다. 오닐은 이와 같이 밝고 어두운 배경을 사용하여 두 여성들의 내면세계를 특징짓는다. 시벨은 무대의 밝음이 시사하듯 전반적으로 긍정적인 역할을 하는 여성이다. 마가렛은 두 명의 남자, 즉 디온과 브라운에게 보다 부정적인 영향을 주고 어둠을 수반한다.

언어 자체를 분석해보면 오닐이 마가렛 보다, 시벨의 묘사와 그녀의 대사를 통해서 그녀의 성격에 대한 보다 완벽한 의미를 우리에게 제공하고 있다는 사실을 확인할 수 있다. 비록 그가 마가렛의 묘사를 위하여 메타포를 사용하지는 않을지라도, 시벨의 묘사에는 풍요의 여신, 동물, 풍요, 그리고 우상의 메타포들을 반복적으로 사용한다: "그녀의 움직임은 동물처럼 느리고 늘쩍지근하다"(278); "그녀는 풍요의 여신의 요지부동한 우상처럼 보인다"(284); "당신, 감상적인 늙은 돼지!"(288); "그녀의 노란 머리카락이 커다란 갈기처럼 매달려있다"(320). 더욱이, 시벨은 브라운과 디온을 이해하는 데 실제적인 통찰력과 총명성을 보여준다. 그녀는 또한 인생, 생존, 그리고 진실에 대한 해박한 지식을 포함하는 독백을 한다. 그녀의 마지막 말은, "누가 죽었느냐"는 경찰관의 질문에 대한 철학적 대답, 즉 "인간"(323)이다. 마가렛의 가장 긴 대사는 단지 여섯 줄이고, 그 내용은 디온에 대한 방어와 간청이거나 아니면 브라운에 대한 공격과 겸손이다. 이와 같이 오닐의 두 여인들에 대한 언어묘사에 있어서 엄청난 불공평은 시벨에 대한 오닐의 의식적인 편파성을 증거한다.

제2절 이중 자아와 가면 기법: 『위대한 신 브라운』, 『끝없는 나날』

유진 오닐은 『노수부』(*The Ancient Mariner*), 『샘』(*The Fountain*), 『모든 신의 아이들에게는 날개가 있다』(*All God's Chillun Got Wings*), 『백만장자 마르코』(*Marco Millions*), 『위대한 신 브라운』(*The Great God Brown*), 『라자루스가 웃었노라』(*Lazarus Laughed*), 『끝없는 나날』(*Days without End*)과 같은 작품들에서 가면을 직접 무대에 등장시킨다. 가면은 그의 작품세계의 중심을 차지한다. 주인공의 모습(persona)이나 그림자를 드러내는 가면은, 외적 또는 내적 구속으로부터 벗어나 자기해방을 얻고자 하는 주인공의 자아와 대립하며 주인공의 전인완성에 장애가 되는 적대자(antagonist)가 된다. 가면으로부터의 해방을 위한 투쟁이 주인공의 내면에서 이루어지고 자기 파괴적이 되는 것은 그 때문이다. 가면에 대한 그의 인식과정은 그의 작품이 이룬 변모와 발전과정에 일치하며 그의 작품세계에 개연성과 필연성을 부여한다. 가면을 사용하여 주인공들의 이중 자아, 즉 외적 자아와 내적 자아의 대조를 시각적으로 표현한다. 특히 그는 가면의 모습을 변화시켜감으로써 내적 갈등의 심화를 나타내고 타인의 가면을 착용하게 하여 성격의 전이를 시도한다. 가면을 벗을 경우 나타나는 시각적 내적 자아는 청각적 독백을 통해 더욱 부각된다.

일인이역(一人二役)의 가면 기법을 사용한 『위대한 신 브라운』은 한 개인의 모습(persona)과 내면적 자아의 구분, 점진적인 성격의 변화, 그리고 인격의 전이를 나타내는 데 가면이 처음으로 사용된 작품으로, 오닐은 이중 자아의 혼란과 갈등, 그리고 융합과 전이를 가면을 통해 표현하고 있다. 그리고 오닐이 그의 실제경험을 바탕으로 그의 소원실현을 위해서 쓴 작품(Leech 94)이라 할 수 있는 『끝없는 나날』에서는 주인공의 양면성을 표현하는 이인일역(二人一役, doppelganger)의 가면 기법을 사용하여 존과 러빙의 역을 담당하는 두 명의 배우를 등장시켜 내적 갈등을 겪고 있는 존 러빙이라는 한 주인공의 이중 자아를 표현한다. 오닐은 이중 자아를 이인일역 기법과 대사형식의 독백의 기법을 사용하여 묘사하고 이러한 기법의 극적 효과를 고양시키고자 가면 기법과 자서전적 소설 기법을 병행하고 있다.

1. 일인이역(一人二役)의 가면: 『위대한 신 브라운』

『위대한 신 브라운』은 서막(Prologue)과 종막(Epilogue) 및 4막으로 구성되어 있다. 이 작품은 인간의 심리적 갈등의 이중성을 중심으로 작품의 플롯이 구성되어 있고(Robinson 124) 가면 사용이 주제의 핵심부분을 이루는 작품이다(Cargill eds. 117 재인용). 이 작품에서 가면은 네 사람의 중심인물, 디온 안소니(Dion Anthony), 윌리엄 A. 브라운(William A. Brown), 마가렛(Margaret), 그리고 시벨(Cybel)에 의해 각각 사용되고 있다. 이 중 디온은 네 살 무렵에 외부의 횡포로부터 그를 보호하기 위하여 '악한 소년 판'(Bad Boy Pan)의 얼굴을 한 가면을 쓰기 시작하여 혼자 있을 때와 창녀인 시벨 앞에서를 제외하고는 벗지 않는다. 브라운은 디온이 죽자 디온의 가면을 도용하여 디온의 행세를 함과 동시에 나중에는 상실되어 가는 그의 정체성을 대외적으로 유지하기 위해 또 하나의 가면을 쓰지 않을 수 없게 된다. 디온의 부인이자 브라운의 끈질긴 연모의 대상인 마가렛은 생활의 궁핍과 불행을 감추고 여유와 행복을 위장하는 가면을 집밖에서 사용한다. 그리고 직업창녀이자 풍요의 여신(Earth Mother)의 이미지의 소유자인 시벨은 창녀의 가면을 이용하여 그녀의 두 얼굴을 필요에 따라 구분한다.

디온 안소니(Dion Anthony)는 디오니소스(Dionysus)와 성 안소니(St. Anthony)의 양면성을 지닌 인물이다. 창조적이고 이교도적인 정열과 극기하는 기독교 정신이 그의 내면에서 영원히 싸우고 있다. 안소니의 이중 자아를 시각적으로 나타내기 위해 사용된 가면이 바로 판(Pan, 牧羊神) 가면이다. 더욱이 가면은 얼굴뿐만 아니라 인간의 모든 본질을 감추는 인간의 외적 베일이며, 무대에서는 생각을 형태와 색깔로 표현하는 시적 발산(Valgemae 121)이어서 가면이 외부에는 인격 자체로 수용된다. 그리고 디온 안소니의 이중성은 매우 복잡하다. 디온과 안소니는 각각 선한 면과 악한 면을 가지고 있어, 디온은 창조적인 면에서 선하나 무절제하고 신을 거부하는 면에서는 악하다. 안소니는 신을 탐구하는 면에서는 선하나 자연적인 욕구를 억누른다는 점에서는 악하다. 그러기에 디오니소스로 대표되는 창조적, 이교적 정신은 성 안소니로 대표되는 피학적 반(反)생명적 기독교정신과 지속적 투쟁을 전개하게 된다(Gelb 580). 창조적인 예술가 디온은 사회와의 갈등에서 냉소적이고 조소적이며 도발적인 외적 자아인 판가면과, 정신적이고 지나치게 예민하며 공포와 소외에 시달리는 내적 자아라는 이중성을 드러낸다(프롤로그 310).

서막과 1막 사이의 7년 동안에 디온은 민감한 내적 자아를 보호하기 위하여 점점 더 가면에 의존하게 된다. 그러나 이러한 노력은 헛되이 끝나고 만다. 그것은 디온의 외적 자아(거짓 자아: 가면)인 판가면과 내적 자아(참 자아: 가면을 벗은 얼굴)인 안소니의 얼굴에 나타난 큰 변화를 보면 알 수 있다. 삶에 대한 천진스런 믿음을 보여주던 안소니의 얼굴은 "더욱 긴장하고 고뇌에 차 있고 . . . 더욱 몰아적이고 금욕적"(more strained and tortured . . . more selfless and ascetic 269)이 되어 삶으로부터 움츠려 든다. 그리고 조소적이고 불안정하며 도전적이던 판가면은 "더욱 반항적이고 조소적으로 되고, 그 냉소에는 예전보다 더 억지로 강인한 듯한 씁쓸함이 있다. 즉 목신 판이 메피스토펠레스적 성질"(more defiant and mocking, its sneer more forced and bitter, its Pan quality more Mephistophelean 269)로 변모한다.

디온의 내적 자아는 기독교적 체념으로 삶에서 움츠려든 성인(聖人)의 모습을 보여주고 동시에 사랑과 평화라는 기독교의 미덕을 보여주기도 한다. 그러나 디온이 기독교적 미덕을 보이게 된 것은 그리스도보다는 시벨의 위안과 사랑에 기인한다고 할 수 있다.

또 다시 7년이 흐른 2막에서 디온은 알콜 중독으로 죽어가고 있으면서도 안소니의 얼굴은 전보다 더 정신적이고 금욕적으로 화한다. 디온이 죽기 직전 브라운에게 용서를 빌 때는 "기독교 순교자의 얼굴"(Christian Martyr's face 284)로 변한다. 한편 그의 판가면은 심한 세파를 겪어 "악마적인 메피스토펠레스의 잔인함과 냉소"(a diabolical Mephistophelean cruelty and irony 285)를 띠게 되며 디온이 죽기 전에는 "진짜 악마"(a real demon 299)를 방불케 한다.

디온이 가면을 쓰게 된 동기, 즉 그에게 이중 자아가 생겨난 동기를 그는 2막 3장에서 밝히고 있다(295). 디온은 창조적인 재능을 거부하고 신을 부정하는 세상에서 정상적인 생활을 할 수가 없어 냉소적인 "악한 소년 판"(Bad Boy Pan 295)의 가면을 쓰고 브라운의 세계에 도전하며 브라운의 잔인성으로부터 자신을 보호하게 된다. 디온은 부모나 브라운에게 이야기를 할 때는 항상 가면을 착용함으로써 자신을 보호한다. 그러나 혼자 있을 때는 가면을 벗고 삶에 대한 공포나 소외감으로 표현되는 내적 자아를 독백의 형식으로 표현한다. 디온과 다음에 이어질 브라운의 관계는 양면적이고 서로 대립적인 이중(double)의 관계이다(Floyd 41). 비창조적이며 물질주의자인 브라운은 외적으로는 자기만족을 견지하나 내면적으로는 죄의식에 시달린다. 브라운이 내적 자아를 억누르고 외적 자아인 인습 순응주의자(conformist)의 태도를 견지하면서부터 그의 행동 속에는 그 자신도 모르는 위선과 허식이 스며들게 된다. 그에게는 가면이 필요 없다. 그 이유는 그의 얼굴 자체가 가면이기 때문이다. 스트롭(Stroupe)은 "브라운이 가면을 쓰기 시작한 것은 디온이 죽고 난 후부터이지만 사실 디온이 죽기 전부터 브라운의 외양은 가면이다"(76)고 지적한다.

디온이 죽자 그가 찾던 반쪽을 이루었던 브라운은 디온의 시체를 숨기고, 남편을 찾아 뒤쫓아 온 마가렛 앞에 디온 가면을 쓰고 나타남으로써 디온으로 변신한다. 그는 디온이 죽은 후 디온 가면을 쓰게 됨으로써 마가렛을 얻게 되고, 또한 항상 선망해왔던 디온의 창조적 재능과 사업상의 성공도 이룬다. 그러나 그가 물려받은 디온의 창조력은 좌절해버린 창조력이라는 점에 문제가 있다. 그는 디온의 가면을 훔친 후 "디온 가면의 악령"(the demon of Dion's mask 314)에 의해 급속도로 민감해지고 점점 더 아이러니컬하게 되어 디온의 경우보다 더 심한 심리적 갈등을 느낀다. 디온과 브라운은 이미 공동운명체로서 서로 분리할 수 없게 되었다. 그러므로 경찰에게 총을 맞고 시벨의 곁에서 죽어가는 인물은 디온 브라운이다. 이 둘의 영혼의 혼합은 디온 안소니와 윌리엄 브라운 모두의 파멸을 초래했지만, 죽음을 통해 마침내 디온 브라운이라는 하나의 개체로 다시 태어날 수 있었다.

창녀 시벨은 대중 앞에서는 무서운 가면을 쓰고 있으나 선한 인간에게는 사랑을 보여준다. 그녀는 디온과 같이 그녀와 동질의 사람을 만나거나 또는 죽어가는 브라운과 같이 사랑을 필요로 하는 사람을 만날 경우 가면을 벗고 그녀의 내적 자아를 보여준다. 2막 1장에서 시벨은 디온이 그녀와 대화를 나누는 중 가면을 자주 벗었다 썼다하면서 그의 내적 갈등을 드러내자 그의 내적 자아를 꿰뚫어보고 그로 하여금 가면을 벗게 하며 그의 공포를 덜어주고 살아갈 힘을 준다. 시벨은 마가렛과는 대조적으로 철학적이고 비단 같은 마음씨를 가진 낭만적인 창녀요 풍요의 여신(Earth Mother)이다. 그녀가 착용하는 가면은 마가렛이 착용한 두 번째 가면, 또는 디온의 판가면처럼 냉혹한 사회로부터 자신을 보호하기 위한 가면이다. 그녀는 냉소적이고 거만스러운 단련된 매춘부(hardened prostitute)의 가면을 착용함으로써 고객과의 거리감을 유지할 수 있다. 그러나 아이러니컬한 것은 그녀의 가면 때문에 더 많은 고객들이 안심하고 찾아온다는 사실이다. 사회는 그녀를 차별대우를 하면서도 애용하는 위선을 범하고 있다.

마가렛은 내면적으로는 가정생활에 시달림을 받으나 외형적으로는 자랑스러운 아내와 어머니의 모습을 하고 있다. 그녀는 『파우스트』(*Faust*)의 마거리트(Marguerite)의 직계이며 영원한 소녀 같은 여자(girl-woman)로서 종족보존에만 관심을 가지고 있다. 그녀는 『위대한 신 브라운』에 나오는 가장 단순하고 본능적이며 피상적인 인물이다. 그녀가 쓴 가면의 모습은 그녀의 아름답고 활기차며 꿈꾸는 듯한 얼굴과 꼭 같다. 그녀는 디온이 가면을 쓰고 있을 때만 그녀의 가면을 벗는다. 그러나 자식들 앞에서는 가면을 쓴다. 그녀는 쾌활하고 소년 같은 판-디온(Pan-Dion)을 사랑하고 있을 뿐 예민하고 상처받기 쉬운 디온을 사랑하지 않는다. 이 사실은 마가렛이 디온을 진정으로 사랑할 수 없다는 것을 의미한다.

2막 2장 끝에서 디온은 서막 이후 처음으로 마가렛에게 말을 건넨다. 디온은 지금까지의 냉소적이고 무책임한 태도를 버리고 그녀에게 공포심과 외로움으로 대표되는 내적 자아를 고백한다. 가면을 벗어버리고 극심한 조소

어린 어조로 말한다. 그리고 그는 그녀에게 꺼져가는 그의 영혼을 구제해 주기를 바란다. 그러나 그녀는 죽은 사람을 대하듯 공포에 떨며 다시 기절하고 만다. 디온이 브라운으로부터 마가렛이 그를 사랑하고 있다는 말을 듣고 기뻐서 가면을 벗어들고 가면에게 "이제 넌 쓸모가 없어! 난 너한테 이겼어!"(You are outgrown! I am beyond you! 266)라고 말한다. 그러나 마가렛이 가면을 벗은 디온을 보고 놀라 고함을 지르자 디온은 즉시 판가면을 쓴다. 잠시 후 디온은 다시 가면을 벗고 그의 참모습을 마가렛에게 보이면서 "난 널 온 마음을 다 바쳐서 사랑해! 날 사랑해줘! 왜 넌 사랑할 수 없는 거야, 마가렛!"(I love you with all my soul! Love me! Why can't you love me, Margaret? 268)이라고 말하며 진정한 사랑을 호소한다. 그러나 마가렛이 여전히 놀라기만 하자 디온은 다시 가면을 쓴다. 그리고 디온은 죽을 때까지 그녀 앞에서 가면을 벗지 않겠다고 결심한다. 이러한 사실은 그녀가 그의 내적 자아를 이해하지도, 이해하려고 하지도 않으려함을 나타낸다.

또 다시 7년이 지난 후 아름다운 마가렛의 얼굴에는 슬픔과 체념의 빛이 역력하다. 이와는 대조적으로 마가렛의 가면은 여전히 대담하고 자신감에 넘치는 표정을 하고 있다. 이때 그녀의 가면은 내적 자아와 외적 자아의 차이점을 확실히 나타내주고 있다. 그녀는 디온과의 어려운 결혼생활상을 브라운에게 보여주기 싫어서 브라운 앞에서도 항상 가면을 쓴다. 그녀는 브라운이 죽은 디온의 가면을 쓰고 나타나서 그녀를 포옹하며 키스하자 그녀가 쓰고 있던 가면을 벗어버린다. 왜냐하면 그녀는 디온에게서 한 번도 받아보지 못한 열렬한 사랑을 브라운-디온으로부터 받은 후로는 더 이상 가면을 쓸 필요가 없게 되었기 때문이다. 그녀가 처음 등장할 때는 내적 자아와 외적 자아이 구별이 없었으나 중년에 접어들면서부터는 삶에 지친 내적 자아의 모습을 자신감이 넘치는 가면으로 감추고 있다.

2. 이인일역(二人一役)의 가면: 『끝없는 나날』

『끝없는 나날』에서 막이 열리면, 중간키에 전통적인 미국형 호남의 용모를 지닌 40세의 존(John)이 그의 사무실에서 소설의 결말처리에 고심해 있다. 그리고 그의 뒤에는 모든 면에서 똑같은 차림을 하고 존의 얼굴모습을 그대로 재현시킨 가면－입술에 냉소에 찬 조롱을 띠고 죽어 사라진 존의 사면(死面)(493-494)－을 쓴 러빙(Loving)이 냉소의 눈길로 존을 응시하고 있다. 차가운 경멸과 냉혹한 야유 등을 끝까지 잃지 않는 러빙은 일관된 모습으로 존과 함께 움직이거나 옆 또는 뒷자리를 지키며, 존의 성실하고 단정한 얼굴과의 대비를 유지시킨다. 인간이 지닌 이중 자아의 문제를 가면에 의한 얼굴의 침식 또는 지배로 파악하고 처리해왔던 이전의 경우와 달리, 여기에서 오닐은 러빙의 가면성을 완전히 독립시켜 대립적인 병치를 보여주고 있다. 이 작품의 특징은, 개인의 이중자아를 가면의 착탈이나 하프 사이즈(half-size)가면과 얼굴 아랫부분의 대비, 또는 가면 같은 얼굴 등으로 표현했던 이전의 수법에서 한 걸음 더 나아가, 존 러빙의 자아를 가면을 쓰지 않은 내적 자아인 존과, 가면을 쓴 외적 자아인 러빙으로 분리하여 무대 위에 양립시킴으로써 그 갈등 주체를 대등한 조건으로 객관화시켰다는 점이다.

존 러빙으로부터의 러빙의 분리는, 부모와 관련하여 기도의 무위성과 신의 비정성(非情性)을 체험하며 이루어지고, 반기독교, 반사회적 지성을 담게 되며 표현의 구체화를 갖추게 된다. 생명의 창조자로서 사랑의 신에 대한 모든 신뢰를 지녔던 어린 존 러빙은 무지하고 편협한 유형이 아닌 독실한 가톨릭교도였던 부모와 그들의 생활에 커다란 위안과 감화를 주던 신앙을 함께 잃은 다음, 그가 믿었던 신이 무한한 사랑의 신(God of Infinite Love)이 아닌 처벌의 신(God of Punishment)이자 복수의 신(God of Vengeance)임을 알고 불신과 배신감에 봉착한다. 부친의 강압적 권위와 브라운의 횡포로부터 자신을 보호하기 위해 가면을 만들어 썼던 『위대한 신 브라운』의 디온 안소니와 달리, 귀와 눈이 멀고 무자비한 신 그리고 사랑을 미움으로 보답하고 믿었던 사람들에게 화풀이를 하는 신(God as deaf and blind and merciless—a Deity who returned hate for love and revenged Himself upon those who trusted Him 511)에 대한 반발로 러빙이 배태되면서 존과 러빙의 분리가 이루어진다.

외적 자아인 존은 관객이나 다른 등장인물들이 볼 수 있고, 그의 말을 들을 수도 있다. 그러나 내적 자아인 러빙은 관객과 존만이 볼 수 있으며 다른 등장인물들의 눈에는 띄지 않는다. 그리고 다른 등장인물들은 러빙의 목소리는 들을 수는 있지만 그것을 러빙이 아닌 존의 목소리로 생각한다. 러빙은 존과 똑같은 외양과 의복을 하고 있고 존의 얼굴모습을 복사한 가면을 착용하고 있다(Tornqvist 131). 존은 이기심이 없는 사랑이나 정신적인 믿음과 같은 '강한 외적인 힘'에 의존하는 자아의 소유자인 반면에, 러빙은 '악하고 파괴적인 힘'을 추구하는 자아의 소유자이다. 존과 러빙의 관계는 선악이 갈등하는 만인(萬人, Everyman: Leech 92, Myers 8)의 모습이다.

존은 파우스트(Faust)에, 러빙은 메피스토펠레스(Mephistopheles)에 비유될 수 있으며, 존과 러빙의 파우스트-메피스토펠레스적 관계는, 존의 불륜과 러빙의 외도를 알고 충격 받은 엘자(Elsa)가 집을 나가 폭우 속을 헤매고 있는 동안, 존 러빙과 베어드(Baird)신부와의 대화(507-508)에서 첨예하게 드러난다. 이 작품에 종교적 구원체제의 틀을 제공하는 베어드신부는 신에 대한 순종과 경의에 차서 삶의 목표를 현세 너머의 곳에 두고 있는 70세 노인으로, 존이 신앙을 잃기 전에 지니고 있던 초월적 영력과 긍정적 수용을 대변한다. 이것은 또한 러빙이 강조해온 부정적 염세주의와 지적 합리주의에 대립하는 정신적 가치로서, 베어드신부가 존에게 들려주는 존을 위한 기도와 관련된 설명은 존이 찾아야 할 구원의 방향을 잘 제시해준다. 존이 찾고자 하는 것은 그가 겪었던 상실감 및 배신감을 보상해 줄, 삶을 위한 새로운 원리와 삶에 대한 새로운 의지와 힘 그리고 삶의 가치를 채워줄 새로운 이상(542)이다.

존과 러빙은 불가분의 관계이기 때문에 항상 함께 등장한다. 러빙은 존의 바로 뒤나 옆에 자리한다. 그렇게 함으로써 러빙이 존을 지배하고 있다는 인식을 관객들에게 각인시킨다. 대체로 존은 러빙의 힘에 눌려 지내며 러빙이 냉소적인 말을 쏟아낼 때도 이를 저지하지 못한다.

러빙의 성격과 역할은, 소설의 주인공으로 하여금 아내에게 불륜을 고백하고 용서받게 하려는 존의 의도에 대해 러빙이 이를 감상적인 결말이라고 비웃으며, 아내를 죽게 하여 고백의 필요성마저 없애는 것이 최선의 선택이라고 주장하는 대목에서부터 확실하게 나타난다. 뚜렷한 확신이 없이 양심에 의존할 뿐인 존에게 "아무것도 없다구—기대할 것도, 두려워할 것도—악마도 없고 신도 없고—전혀 없다구"(There is nothing—nothing to hope for, nothing to fear—neither devils nor gods—nothing at all. 495)라고 주장하는 러빙은 존과 관객에게만 보일 뿐 다른 극중 인물들에게 인식되지 않고, 대사도 존의 말로 받아들여진다. 존 러빙의 제2의 자아를 대변하며 그의 이중 자아를 작품의 중심주제로 확대하고 객체화하는 역할을 하고 있다.

러빙의 의도는 사람을 혐오하거나 파괴시키는 것이다. 그리고 이 과정을 통해 존과 엘자를 죽음으로 유도하여 기독교적 구원명제인 사랑과 생명을 말살시키는 것이다. 러빙은 존을 결혼파괴로 이끌고 죽음이야말로 따뜻하고 어두운 무(無)의 자궁이며 이별의 공포로부터 벗어나 엘자와 함께 하나가 되어 영원히 잠들 수 있는 꿈(562)이라고 존을 설득한다. 러빙은 존과 엘자의 죽음을, 그리고 궁극적으로 이 세계의 절멸을 목표로 삼는다. 러빙은 죽음이야말로 최종적인 해방이며 따뜻하고 어두운 절멸의 평화라는 사실만이 진리라고 주장한다. 그리고 존의 의식 속에 삶의 배후에 숨은 악마성과 삶을 증오하는 어떤 것 그리고 야유의 조소를 터뜨리는 어떤 것(535)을 주입함으로써 존으로 하여금 끊임없는 죽음의 공포에 시달리게 하고 존을 죽음으로 유인한다. 러빙은 현세의 모든 즐거움 특히 사랑을 혐오하고 반그리스도로 행동하며 의식의 다른 절반부분을 자살로 유혹하는 힘을 상징한다(Scrimgeour 37). 러빙은 또한 루시(Lucy)와의 불륜을 유발시킨 유혹자이자 인간과 삶의 무위성을 역설하는 허무주의자이며 스스로 자신을 밝혔던 메피스토펠레스의 현대화된 모습이다. 원시적, 원형적 심리 및 본능의 동물적 영역인 그림자가 인식의 세계에 대두됨으로써 환상에 의해 더 이상 억제할 수 없게 된 결과로 생겨난 악마적인 증오심(Jung 239)이다. 이와 같은 배경 아래 성격화를 이룬 존의 그림자는 차츰 공격적인 영향력을 발휘하며 존을 지배하기 시작하여, 존의 보호자였던 베어드신부가 서부로 떠나고 나자 마침내 존을 악마의 주창자로 이끌게 된다(501-502).

잠재의식적으로 신을 믿고 있는 존은 이러한 러빙의 유혹으로 인하여 항상 심한 내적 갈등을 겪는다. 존과 러빙은 선과 악의 화신이다. 존과 러빙의 내적 갈등은 존과 러빙의 독백에 의해 표현된다. 독백은 존과 러빙의 갈등을 드러내고 이것을 통해 러빙은 존의 부정적 측면임이 드러난다. 존과 러빙이 교대로 하는 말은 독백이자 대사의 형태를 취하기 때문에 한 인물이 하는 독백보다 내적 갈등이 효과적으로 나타난다. 이러한 독백기법은 존이 쓰고 있는 자서전적 소설 기법(Bogard 328)과 결합하여 존의 내적 갈등을 더 잘 나타낸다. 존과 러빙의 갈등은 엘자의 병실에서 최고조에 달한다.

존과 러빙의 갈등과 대립은 엘자와의 만남으로 또 다른 전기를 맞게 된다(504). 엘자는 오닐이 그동안 추구해 온 순화된 여성 이미지를 계승하고 있다. 그녀는 순수한 구원(久遠)의 여성이었던 성모 마리아(Virgin Mary)의 이미지를 소유하여 구원탐색에 지쳐 있던 존에게 어두운 좌절로부터 벗어나 마침내 사랑에서 진리를 찾게 해준다.

러빙의 유혹에 끌려 자살을 결심하는 존을 향해 혼수상태에서 "안 돼, 존－안 된다고!－제발, 존!"(No, John－no!－please, John! 562)이라고 소리치는 엘자의 호소에서, 그녀의 위기가 그의 부정을 용서하지 못하는 분노와 배신감 때문이라면, 그녀의 용서를 얻기 위해서는 신에 대한 용서가 먼저 이루어져야 할 것임을 존은 깨닫는다. 그에 따라, 그의 투쟁대상은 신이 아니라 신에 대한 불신을 가져다준 오만의 산물, 즉 러빙이며, 신에의 귀의만이 그에게 남겨진 유일한 희망임을 알게 된다(562). 여기서 존의 문제는 기독교적 구원을 위한 인간정신의 시험대가 된다. 그리고 이 시험대는 엘자에 의해 존에게 해방을 향한 통로가 된다. 존이 러빙의 저지를 뚫고 밖으로 뛰쳐나간 뒤, 엘자는 반의식상태에서 베어드신부에게 "가련한 존. 정말 죄송해요. 그에게 걱정하지 말라고 말해주세요. 이제 이해한다고. 사랑한다고—용서한다고요"(Poor John. I'm so sorry. Tell him he mustn't worry. I understand now. I love—I forgive. 563)라고 말하며, 존의 부모가 체현했던 사랑과 베어드신부가 대변했던 용서를 기독교적 구원체제 속에 현실화시킨다. 그녀는 언제나 노력하고 끊임없이 애쓰는 사람만을 구원할 수 있다는 구원주제(Goethe 282)를 존을 통해 성취시킨다.

마침내 존은 예수의 십자가상 앞에 서서 승리를 외친다(565-566). 러빙이 헛된 유령이라 부르던 니체적 구원자의 증거였던 웃음과 긍정까지를 완전히 수용함으로써, 뒤쫓아 온 러빙을 십자가 밑에 쓰러뜨리고, 완전한 존 러빙으로 다시 태어난 존은 엘자의 회생을 알리러 온 베어드신부 앞에서 환희와 신비에 찬 음성으로 선언한다.

> 저는 존 러빙입니다 . . . 저는 압니다! 사랑은 영원하다는 걸! 죽음은 사라졌어요! 쉬! 들어보세요! 들리시나요! . . . 삶이 신의 사랑으로 다시 웃고 있어요! 삶이 사랑으로 웃고 있다구요!

> I am John Loving · · · I know! Love lives forever! Death is dead! Ssshh! Listen! Do you hear! · · · Life laughs with God's love again! Life laughs with love! (566-67)

제3장

사상

제1절 동양사상: 『백만장자 마르코』

유진 오닐(Eugene O'Neill)은 노벨상 수상 1년 후인 1937년 캘리포니아 주의 "달의 계곡"(Vallley of the Moon)에 저택을 짓고 "도가"(道家, Tao House)라고 명명했으며, 집과 정원을 철저히 중국풍으로 장식하고 그곳에서 후기 걸작들을 완성했다. "도가"란 가명(家名)은 노자의 신비주의 사상에 대한 그의 지대한 관심에 근거한다. 그는 나단(George Jean Nathan)에게 자랑스럽게 "도가"는 그의 "마지막 집이자 은신처"(Bowen 259 재인용)라고 소개했다. 그리고 카펜터(Frederic I. Carpenter)가 "오닐의 동양사상은 그의 예술에 있어서 가장 중요하고 두드러진 양상이며, 규정하기가 가장 힘들다"(141-142)고 말했듯이 동양사상의 영향은 오닐이 스스로 인정했던 정도보다 훨씬 크고 다양하다.

오닐이 주로 활동을 벌였던 1920년대와 30년대는 미국사에 있어서 특이하고, 어느 정도는 모순에 차있던 기간이다. 20년대가 번영의 열기 속에서 시작되어 증권시장의 붕괴로 끝났다면, 30년대는 대공황의 시련과 함께 시작되어 2차 대전의 공포 속에서 막이 내렸다. 그 초기에 미국은 표면상 과거 어느 때보다 더 강하고 풍요로우며 확신에 차 있는 듯 보였지만 실제로는 정신적인 병폐와 불안이 내재해 있었고 그 중 가장 심각했던 것은 종교적, 도덕적 가치에 대한 신념의 상실이었다.

이들 전통적 가치의 붕괴를 야기한 요인으로 세 가지를 들 수 있다. 1차 세계대전의 파괴적 후유증, 러시아의 공산혁명, 그리고 프로이트 심리학의 대두가 그것이다. 이들은 미국의 극작가나 예술가들에게 자극을 주고, 그들의 작품에 도덕적, 미적 가치의 위기가 반영되어 나타났으며, 철두철미한 실험정신과 탐구의지, 날카롭고 예민한 감수성과 뜨거운 저항의식의 소유자였던 오닐의 작품을 지배하는 기본 주제가 되었던 것도 그것들이었다. 이 과정에서 동양사상은 현대 미국의 정신적 방황과 물질적 가치의 혼란으로부터 벗어나기 위한 수단이자 궁극적 해결책으로 중요한 의의를 갖게 되었다.

사실주의나 표현주의가 갖는 외적, 내적 형식을 넘어 오닐의 작품에 우주적 비전과 인생에 대한 통찰력을 주고, 개인문제의 집착을 극복하고 자신의 경험을 무대실험을 통해 예술적으로 확대시킬 수 있도록 동기와 힘을 준 것은 동양사상이었다. 오락중심의 통속극이나 화려한 흥행물이 주류를 이루던 미국연극에 그가 수준 높은 예술성과 성찰 깊은 사상성을 주었다면, 거기에는 그가 이룬 동양사상이 중요한 역할을 했던 것이며, 이 과정 이후 동양사상은 미국연극의 지평 확대에 크게 작용했다. 그가 『도의 광명』(*Light on the Path*)에서 얻으려 했던 "빛"과, 도교에서 찾으려 했던 "도"(道)는 그뿐만 아니라 미국연극 전체에도 중요한 계기가 되었다.

오닐의 동양사상 수용은 어린 시절부터의 독서경향과 개인적 정서경험이 바탕을 이루고 있다. 로빈슨(James A. Robinson)이 지적했듯이(33), 그가 즐겨 읽었던 니체, 융, 그리스도, 플라톤, 에머슨, 쇼펜하우어, 키플링, 콘라드 등은 동양사상의 통로를 간접적으로나마 열어주었고 어린 시절 오닐이 신앙했던 천주교의 신비적 요소가 동양사상의 신비주의와 평행을 이루었으며, 서구의 근대 낭만주의와 에머슨 이래의 초절주의 또한 동양사상의 지표를 보여주었다. 또한, 1915에서 1916년경 칼린(Terry Carlin)을 만나게 되어 그의 동양사상을 향한 열기는 확실해졌다. 철저한 무정부주의자이자 신비주의자였던 칼린은 오닐에게 신비주의를 이입시킴으로써 그 일환인 동양사상을 접하게 했다. 오닐에게 힌두사상의 소개서인 『도의 광명』을 읽혀 "동양의 지혜"에 입문시키고 동양사상의 "광명"에 탐닉하게 했을 뿐 아니라 니체가 자기화 시킨 바 있는 영겁회귀 사상을 소개했으며, 각종 동양사상에 관한 서적을 탐독시킨 사람이 칼린이었다(Alexander 216-217). 오닐의 동양관은 그를 동양사상에 실제로 입문시킨 칼린에 의해 성격이 규정되었던 것이다.

오닐의 동양은 구체적으로 그가 "중국에 내재하고 수천 년간 지속된 신비한 이상"(Gelb 930 재인용)이라고 거듭 말하였고, "아마도 노자와 장자의 신비주의가 다른 어떠한 동양의 저서보다도 흥미진진하였다"(Bogard and Bryer 401 재인용)고 밝힌 것처럼 중국 지향적이었고, 상징적으로는 수평선 너머의 바다나 먼 피안의 나라로 암시된다. 그는 1928년 극동으로 여행을 떠나면서 "나는 이 동양여행이 나에게 얼마나 대단한 의미를 부여하는지 말할 수 없다. 그것은 그곳에 잠시 살면서 배경의 일단에 심취하고자 하는 나의 생의 꿈이었다. 그것은 나의 미래 작품의 완성과 관련 지워서 무한한 가치가 될 것이다"(Gelb 678 재인용)고 말하였다.

오닐이 1932년 비평가 카펜터(Carpenter)에게 보낸 편지에서 "수년전 나는 동양철학과 동양종교에 관한 상당한 독서를 했다"(Bogard and Bryer 401 재인용)고 고백한 것처럼 동양사상에 관한 많은 책을 읽었다. 그의 동양사상에 대한 관심이 처음으로 표출된 작품은 『수평선 너머』(*Beyond the Horizon*)이다. 주인공 로버트 메이오(Robert Mayo)는 "멀리 떨어진 미지의 미, 내가 읽었던 책들 속에서 나를 유혹하는 신비와 마술"(85)이라고 그의 이상을 수평선 너머를 가리키며 꿈꾸듯이 말하고 있는데, 오닐은 동양을 이상화하고 있다. 또한 『샘』(*The Fountain*)에서 불교와 이슬람교, 『위대한 신 브라운』(*The Great God Brown*)에서 열반과 윤회, 『라자루스가 웃었노라』(*Lazarus Laughed*)에서 정은(靜隱, serenity)과 해탈한 부처, 『상복(喪服)이 어울리는 엘렉트라』(*Mourning*

Becomes Electra)에서 피안의 세계와 낭만과 해방의 세계, 『얼음장수 오다』(*The Iceman Cometh*)에서 동양과 서양의 최종적인 화해를 묘사하고 있다.

오닐의 『백만장자 마르코』(*Marco Millions*)는 동양과 서양의 만남을 다룬 작품이다. 동양사상을 기준으로 서양사상을 비판한다. 불교, 도교, 힌두교, 유교의 동양사상을 통해서 물질적 세계보다는 정신적 세계, 구분보다는 통일을 강조하는 데 역점을 둔다. 『백만장자 마르코』는 동양의 우화적 환상을 서방세계에 심어주고 콜럼버스에게 동방 항해의 충동을 준 장본인인 마르코 폴로(Marco Polo)의 여행경로를 따라 전개된다. 이 작품은 원나라 초대 황제 쿠블라이 칸(Kublai Kaan), 손녀 쿠카친(Kukachin)이 등장하며, 13세기 말 중국을 배경으로 한다. 오닐은 이 작품을 통하여 중국을 발견하려는 꿈을 실현한다. 그는 중국으로의 항해를 원했고, 어려서부터 인도와 극동지역에 대한 꿈을 품고 있었다(Alexander 16, Sheaffer 310). 이 작품의 중심주제는 서막에 적절하게 암시되어 있다. 인도 국경에 근접한 페르시아의 광활한 평원에 서 있는 한 나무 아래에서 세 사람의 중세 상인들과 기독교도, 마니교도, 불교 신자가 우연히 만나 각자의 입장에 따라 그 나무의 종교적 중요성에 관한 논쟁을 벌인다. 이 나무는 굵게 자라 가지가 사방으로 뻗치고, 무성한 잎사귀는 짙고 시원한 그늘을 이루고 있다. 그리고 거기에는 봉헌물, 천조각, 팔찌, 장신구, 그리고 양초가 널려 있다. 두 그루의 나무는 각각 불모성과 창조력을 상징한다. 불교 상인은 이 나무는 석가가 이를 쑤시고 버린 나무 가지가 뿌리를 내리고 이렇게 거목이 되었다고 설명하며 기적의 능력을 강조한다(349). 반면에 기독교 상인은 그 나무는 인류 원조 아담의 지팡이였던 것인데 구약시대에는 모세가 그것으로 사막에서 바위를 두드려서 물이 나오게 했고, 그 후 땅에 꽂아 놓았는데 이 나무가 되었으며, 신약시대에 와서는 예수가 못 박힌 십자가가 이 나무를 베어 재료로 만든 것이라 한다(349).

오닐에게 이 나무는 기독교적이고, 불교적 기원과 관련되는 성스러운 것이고, 기적 · 창조 · 보존 그리고 신성의 상징적 실체다. 기독교 신화에서 나무는 모세의 지팡이보다 에덴동산의 선악과수(善惡果樹)가 더욱 전형일 것이다. 하느님이 금기한 과실을 먹고 아담과 이브는 그들이 헐벗은 것을 알게 되었다고 하였으니 기독교적 깨달음은 "헐벗은 것"에 대한 인식이요, 그 인식은 인간의 원조에게 나뭇잎으로 그들의 성(性)을 가리게 하였다. 오늘날의 서양문명이 성에 대한 과도한 관심 그리고 그것의 표현과 노출, 나아가서 탐닉을 그 특징의 하나로 삼고 있는 것은 그 기원에서부터 히브리사상의 깊고 강력한 영향으로 여겨진다. 이에 비하면 봉헌물들이 걸려 있는 평원에 서있는 나무는 불교적이고 고행 뒤에 "깨달음"을 체험시키는 "정각수"(正覺樹)이다. "깨달음"은 인간 존재의 불가피한 고통으로부터의 해방이다. 이점에서 오닐이 더 불교적 신비주의를 원용한 것으로 여겨진다.

『샘』에서 제시된 것처럼 동양사상의 도움을 입어 삶의 의미를 찾고자 한 오닐의 열망은 『백만장자 마르코』에서 보다 심도 있게 극화된다. 이 작품은 원대(元代) 중국의 명상적 정신주의 및 우주관과, 서양의 파괴적 물질주의 및 현세관을 대비시킨 풍자극일 뿐만 아니라 역사와 로맨스가 혼합된 풍속극이다. 베니스의 상인 마르코의 유물론과, 원의 황제 쿠블라이의 유심론을 중심으로, 서양인과 동양인, 서양종교인 기독교와 동양의 여러 종교들이 선명한 대조를 이룬다. 그리고 "이국적인, 서구에서 온 이상하고 신비스런 꿈의 기사"(388)로 비친 마르코에 대한 쿠카친 공주의 연정과 갈등 속에 동양과 서양의 화합될 수 없는 이질성이 극명하게 표출된다. 이들의 대립관계는 음과 양의 관계로 연관시켜 비교할 수 있다. 남성, 합리성, 적극성의 양을 상징하는 마르코는 둔감하여 수동성과 영적인 힘을 대표하는 음을 상징하는 쿠카친의 사랑을 알아차리지 못한다. 그녀의 사랑은 음양의 결합과 비슷한 매력을 느끼게 한다. 이 두 인물은 또한 상호 침투적이다. 살아남은 그는 그녀의 사후(死後)에도 계속 출세한다. 그러나 그녀는 사후에도 사랑으로 인해

생을 발견한다. 그의 둔감은 그녀의 정열을 받아들이지 못하고, 결국 그녀는 사랑으로 인해 죽지만 그는 물질적으로 성공한다. 이는 음과 양의 순환운동이 양은 주기적으로 시발점으로 돌아가고, 음이 그 극에 달하면 양에게 자리를 내준다는 태극도의 원리에 따른 예라 할 것이다.

『백만장자 마르코』의 최종 장면은 상보적 양극성이라는 도교적 주제와 생의 환상적 본질을 결합한다. 이 장면에서 음양의 상징성은 시각적으로 표현된다. 쿠카친의 시신이 들어오기 전 가면을 쓴 아홉 명의 늙은 가수들이 등장하는 것(433)이 그것이다. 선두에 선 노인들의 복장은 검정색 바탕에 흰색 띠로 가장자리를 장식했고, 뒤이어 들어오는 소년소녀들의 의복은 흰색 바탕에 검은 띠를 둘렀다. 이런 의상의 상보적 대칭은 만다라에 나오는 대칭과 닮았다. 만다라에는 음과 양을 상징하는 검고 밝은 반원(半圓)이 각각 상대를 보완하여 그려져 있기 때문이다. 노인과 소년소녀들의 의복이 상호 보완해주듯 생과 사도 도(道)의 순환 속에 조화한다. 그리고 황제의 마지막 연설은 도교사상을 연상케 한다. 장자처럼 황제도 생사는 우리가 일반적으로 믿고 있는 바와 정반대일 수도 있음을 암시한다. 즉 쿠카친의 죽음은 반대로 그녀의 살아 있음을 뜻하며 칸의 살아 있음은 죽음을 의미할 수도 있다.

마르코와 쿠카친 두 사람은 『애나 크리스티』(*Anna Christie*)에서 크리스(Chris)와 맷(Matt)처럼 함께 항해를 떠난다. 『애나 크리스티』에서의 항해는 개인적 차이를 잊고 어떤 초월적 힘 속에 모든 선원들을 은밀히 결합함을 뜻한다. 그러나 『백만장자 마르코』의 항해는 마르코와 쿠카친이 각각 보다 크고 동일한 통합과정에 참여함을 뜻한다. 이들의 차이는 거대한 우주적 주기(週期)에 의해 통일될 수 있음을 암시한다. 동양적 특질을 지닌 그녀의 죽음은 생과 사가 동일 과정 속에서 유전하는 대립물로 여기는 동양에서는 승패라는 단순한 이원적 구분을 허용하지 않는다. 그녀가 서구문명으로 상징되는 그에 의해 패배 당한다고 보는 이런 피상적 이원론 뒤에는 또한 통일을 추구하는 신비주의자 오닐과 노장사상이 내재하고 있다. 마르코를 짝사랑하는 쿠카친이 읊는 시에는 도덕경의 내용이, 죽음을 다룬 최종 장면에는 장자사상이 인용되어 있다. 또한 주요 등장인물들은 그들의 개성이나 상호관계를 통해 도(道)의 화해적 순환을 나타낸다.

쿠블라이와 더불어 칸의 제국에서 가장 도덕적 인물은 추 인(Chu Yin)이다. 그는 매사에 평정한 마음과 초연함을 유지한다. 그가 하는 말은 노자나 장자의 사상을 연상시킨다. 처음으로 황제를 알현한 당돌하고 거만한 서양인 청년을 두고 그는 황제에게 마르코로 하여금 그의 소신대로 처신하도록 내버려두라고 권고한다. 이 권고는 지혜라 하는 것은 인간이 자연의 질서에 순응할 때 자연적으로 얻어진다(萬物將自化 化而慾作)는 도가의 명제에 일치한다. 변화가 자연의 본질적 특성이므로 서양인 마르코를 그 변화 가운데 두면 그가 어떤 인간의 유형인가는 밝혀지는 것이 아니냐는 것이다. 쿠카친의 페르시아 행 항해를 안내한다는 명목으로 중국을 떠나가려는 마르코를 칸이 살해하겠다고 했을 때 이 도교의 현자인 추 인은 "귀인은 자아를 무시합니다. 현인은 행동을 무시합니다. 그런 분의 진실은 행동 없이 행합니다"(The noble man ignores self. The wise man ignores action. His truth acts without deeds. 401)라고 말하는데 이는 바로 현자는 행함이 없이 그의 일을 수행하고 말함이 없이 그의 가르침을 준다는 『도덕경』 2장과 『장자』 소요유(逍遙遊) 6장을 연상시킨다. 『도덕경』에서는 이를 "무위"(無爲)라 하거니와 노자는 이를 성인이 "무위"의 태도로써 세상사를 처리하고 말없는 교화를 실행한다고 설명한다. 여기서 "무위"는 "자연에 어긋나는 행위를 삼가는 것"이란 뜻이다. 즉 "무위"는 아무 일도 하지 않으면서 침묵을 지키는 것을 뜻하지 않는다. 모든 것을 그것이 자연스럽게 하는 바대로 허용해주면 그 본성은 충족될 것이라는 주장이다. 자연에 어긋나는 행동을 삼가고 사물의 본성에 거스르지 않는다면 그 때 도와 일치하고 조화를 이루게 되고 노자의 말대로 그것이 바로

"무위자연"(無爲自然)의 도로서, "무위"로 모든 것이 성취될 수 있다는 것이다.

『백만장자 마르코』의 마지막 장은 대회귀(大回歸)의 의식이다. 칸 황제는 이 회귀의식을 집전한다. 울리는 조종(弔鐘)은 1막 2장에서 로마 교황이 새로이 선출되었음을 알리는 종소리를 울린다. 쿠카친의 죽음도 새로운 탄생이다. 이는 장자사상에서의 회귀의 동인(動因)이다. 만물은 변용하고 성숙하며, 쇠잔하고 다시 시발점으로 돌아오는 것이다. 그래서 죽음은 회귀다. 다시 시작으로 돌아오는 것이다. 인간의 삶은 자연의 순환 중의 한 현상이고, 죽음은 항해로부터의 귀향이다. 쿠카친의 항해의 끝남은 그녀의 사랑과 삶의 끝남을 의미한다. 그녀에게 사랑은 바로 삶의 본질이기 때문이다. 그래서 그녀는 죽어서 다시 출항했던 항구, 즉 고국으로 돌아온 것이다. 물론 회귀의 이미지와 관련되는 것은 불교의 윤회론(輪廻論)이다. 그러나 이 윤회론은 근본적으로 인과응보와 관련되는 것으로서 일종의 순환을 의미하는 것이고 보면, 『백만장자 마르코』에서의 회귀 또는 윤회는 노자적이라 하겠다. "모든 것은 본래로 돌아온다"(Legge 107 재인용)라고 노자는 말했다. 모든 살아 있는 것은 죽음이라는 자연적이고 불가피한 순환과정에서 피할 수 없다. 그래서 이 작품의 마지막에서 "아무리 긴 인생도 지나고 보면 순간에 지나지 않고 그래서 기쁨의 지혜를 알기에는 그것은 너무 짧으며 오로지 슬픔을 알고 살기에는 너무 길다"(Life at its longest is brief enough. Too brief for the wisdom of joy, too long for the knowledge of sorrow. 436)라고 원나라 사관은 탄식한다.

『백만장자 마르코』에서 칸 황제와 추 인 현인의 생사관(生死觀)도 도교사상에 근거하고 있다. 장자는 "우리는 조용한 잠에서 태어나 적멸(寂滅)의 각성으로 죽는다"(Legge 250)라고 말했는데 추 인도 공주의 죽음을 비탄해하는 황제에게 "인생이란 아마도 두 각성 사이에서 나쁜 꿈으로 가장 현명하게 간주될 것입니다"(Life is perhaps most wisely regarded as a bad dream between two awakenings. 402)라고 위로한다. 인생무상이요, 존재하는 것은 변하며 따라서 생하고 멸하는 것도 없이 오로지 꿈만이 있다는 노자사상은 유전과 변화가 자연의 근본 모습이라는 불교사상과도 일치하고 그것들이 이 작품에도 반영되고 있다. 이는 마르코와 작별하기 전 쿠카친의 애가(哀歌), "나는 아니다. 삶이다. 구름이 태양을 가린다. 어떤 삶을 산다. 태양이 다시 빛난다. 어떤 것도 변하지 않았다. 세월이 시들어 먼지가 된다. 새로운 이슬방울이 풀잎을 싱그럽게 한다. 어딘가에 이런 꿈이 꾸어지고 있다"(417)에도 나타나 있다. 이것은 힌두교와 불교의 꿈과 이승에 대한, 도교적 연결을 시사한다.

쿠카친은 그녀가 아니고 꿈이 그녀였으며 깨어나 현실임을 깨닫는다. 구름은 태양을 가리지만 다시 햇빛은 구름을 쫓고 빛난다. 삶과 죽음도 해와 구름과 같아, 자연적 순환에 불과하다. 그래서 지금 어둡게 하는 것이 이제 밝음을 나타내기 위함이다. 이것이 도다(一陰一陽之道)(Wilhelm 297 재인용). 마지막 절, "어딘가에서 이 꿈은 꾸어지고 있다"(Somewhere this dream is being dreamed. 417)는, 『도덕경』의 인생은 무상이요 존재하는 것은 변하며 따라서 생하고 멸하는 것도 없이 오로지 꿈만 있다는 구절, "상대가 꿈꾸고 있다고 말하는 내 자신도 꿈꾸고 있다"(I who say that you are dreaming am dreaming myself.)(Legge 197)를 반영한다. 이는 장자의 유명한 "나비 꿈"의 우화와 연관된다. 장자는 환상과 실제와의 관계를 통해서 현상세계의 변전무상(變轉無常)을 설파했다. 쿠카친의 "내가 아니다"의 꿈은 바로 장자의 "꿈"이다.

오닐은 쿠블라이 황제와 불교를 관련시키고자 했던 것으로 여겨진다. 작품의 많은 곳에서 쿠블라이의 언행은 불교적 가르침을 따르고 있다. 인간존재의 고뇌와 좌절이라는 실존적 상황에 관심을 둔 싯다르타 고타마(Siddharta Gautama)의 사상은 쿠블라이 황제가 공주의 죽음을 계기로 명상하는 "죽음의 의미"에서 발견된다. 그는 공주의 관 네 모서리에서 경을 읽는 유교, 도교, 불교 그리고 이슬람교 도승들에게 죽음이 무엇이냐고 묻는다. 도가의 승려는 "가장 싫어하는 것"(greatest evil 434)이라고 대답하고, 유교는 "이 세상에 대해서도 다 알지 못하는데 어찌 저 세상사를 알 수 있을 것이냐"(434)고 대답한다. 이는 『논어』의 선진편(先進篇)에 나오는 말에 근거한 것이다. 로빈슨은 이 작품에 등장하는 인물 중에서 쿠블라이 황제야말로 가장 도덕적 인물이라고 지적한 바 있지만(Robinson 113, Stroupe 137), 오닐의 유교에 대한 이해와 관심이 쿠블라이 황제의 성격묘사에 영향을 미쳤다고 보는 것이 타당할 것이다. 불교 승려에게 "그대의 자기 극복이 자아의 가장 위대한 극복자를 극복할 수 있는가?"(Can your self-overcoming overcome that greatest overcomer of self? 434)라고 묻는 말은 해탈로 죽음이라는 "대고"(大苦), 즉 고해(苦海)를 극복할 수 있는가 라는 불교적 질문이다. 불교에서는 인생에 생 · 노 · 병 · 사의 고통이 있고 그 중 죽음이 가장 큰 고통이라는 것이다. 그러나 쿠블라이 황제는 죽음이 삶보다 더 아름다움을 깨닫는다. 그것은 바로 노장사상의 "부정의 원리"와도 관련된다. 삶의 궁극적 가치가 그것의 절대적 부정에서 비롯되는 것이라면 황제에게 손녀 쿠카친의 죽음은 최상의 미(美)인 것이다.

죽음은 삶의 집착으로부터 해방된 자유이며, 그 자유를 통해서 사람은 진정한 삶을 인식하게 된다. 그것이 바로 해탈이다. 따라서 해탈은 평화를 가져온다. 죽은 쿠카친의 영원한 침묵의 미소는 명상에 잠겨있는 붓다의 상과 연계된다. 쿠블라이의 깨달음은 신비적 체험이다. 그러면서도 황제는 상대적 가치를 동시에 수용하고 포용하는 인물로 묘사되어 있다는 점에서 그는 도교적 인물이기도 하다. 황제는 서양의 남성적 합리성 그리고 도전성과, 동양의 여성적 수동성 그리고 직관을 동시에 지니고 있다. 이 상반된 요소를 상보적인 관계로 만들어 자기 안에서 조화를 이루는 경우를 고대 중국인들은 현인과 천자(天子)의 이미지로 연관시켰고 쿠블라이 황제가 바로 이를 상징함은 명확하다. 장자에 따르면 이런 사람은 고요함으로 해서 현자가 되고, 움직임으로 해서 왕이 된다(靜而聖 動而王). 쿠블라이 황제는 웅대한 제국의 통치자이면서도 권력의 무상함을 명상하기 위해 제나두(Xanadu)로 피정

(避靜)한다. 이런 면은 그의 삶에서 적극성과 소극성, 공적인 것과 사적인 것, 실용과 정신간의 상보적 통일과 조화를 의미한다.

종말에서 쿠블라이 황제는 이 세상에서 가장 사랑하고 소중했던 공주 쿠카친의 시신을 붙들고 "그래서, 귀여운 쿠카친—그래서, 귀여운 꽃—너는 돌아왔구나—그들이 너를 보호해줄 수가 없었더냐—너는 지독한 향수병에 시달렸던 모양이구나—넌 돌아오고 싶었구나—짐의 마지막 날을 기쁘게 해주기 위해서— . . . 짐은 네가 집에 돌아온 것을 환영한다. 귀여운 꽃! 네가 집에 돌아온 것을 환영한다"(438)며 비탄해하며 자신도 평범한 노인으로 돌아가 손녀가 "돌아온 것," 고향으로 돌아온 것, 본향(本鄕)에 귀향한 것을 오히려 반기며 오열한다. 대제국의 황제로 천자요 상제(上帝)인 그가 깨달은 지혜는 사랑과 자비다. 사랑과 자비는 천상의 윤리로 별처럼 영원히 빛나는 가치다. 죽음은 현상적 자아의 적멸이면서도 근원으로의 회귀다. 그래서 쿠카친은, 살아 있는 것은 그녀가 아니라 삶이요 죽는 것은 그녀가 아니라 삶(I am not. Life is. 417)임을 인식하게 된다. 따라서 현상세계에서의 죽음이란 일시적 현시(顯示)요 악몽이다. 아름다움은 죽음에서 살아나고 사자(死者)의 미소는 영원한 침묵으로 생자(生者)의 언어를 막고 무한한 인내로 지혜를 남겨준다.

제2절 니체 사상: 『라자루스가 웃었노라』

유진 오닐(Eugene O'Neill)의 작품에는 그의 기독교적 배경과 서구 사상가의 영향이 지속적으로 나타난다. 『위대한 신 브라운』(*The Great God Brown*)과 『라자루스가 웃었노라』(*Lazarus Laughed*)에는 기독교, 니체(Nietzsche), 융(Jung)의 사상이, 그리고 『기묘한 막간 희극』(*Strange Interlude*)에는 쇼펜하우어(Schopenhauer)와 프로이트(Freud)의 사상이 나타난다. 이들 서구 사상가들은 오닐에게 시간, 개성, 궁극적 실재 등의 문제에 대한 다양한 사상적 원천을 제공했다. 특히 융의 개성유형이론은 『라자루스가 웃었노라』의 성격묘사에 영향을 주었고, 니체의 차라투스트라(Zarathustra)와 디오니소스(Dionysus)는 이 작품에 나오는 주인공 라자루스(Lazarus)의 모델이 되었다.

오닐은 신앙의 상실과 함께 기존 가치관이나 그의 인생에 대한 기대를 완전히 포기하게 된다. 이는 그의 영혼과 전 생애를 건 긴 투쟁의 시작이었다. 유일한 정신적 지주였던 기독교 신에 실망하여 삶을 부정적으로 인식하고 방황과 하급 선원생활, 그리고 부에노스아이레스(Buenos Aires), 뉴욕(New York)의 부두가, 그리고 그리니치빌리지(Greenwich Village)에서의 무절제한 방탕생활 속에서 생존의 이유를 찾던 그는 그를 버렸던 "신"에 도전하게 되었으며, 그 결정적인 계기가 되었던 것은 니체의 차라투스트라 사상이었다.

오닐은 1936년 노벨상 수상 소감에서 니체의 영향이 지대했음을 고백하고(Gelb 814 재인용), 『차라투스트라는 이렇게 말했다』(*Thus Spoke of Zarathustra*)는 그가 읽었던 다른 어떠한 책보다도 지대한 영향을 주었다고 언급했다(Gelb 121). 또한 그의 두 번째 아내 아그네스 볼튼(Agnes Boulton)에 따르면 이 책은 그에게 성경이었으며, 침대머리에 두었을(Gelb 121) 정도로 니체에 심취했음을 확인할 수 있다. 이처럼 니체가 그에게 미친 영향은 절대적인 것이었다. 그는 『차라투스트라는 이렇게 말했다』에서 "순종하는 목자에 대한 증오를 표현하는 신랄한 말들뿐만 아니라, 인간의 장엄성에 대한 열광적 통찰력, 그의 가톨릭 신앙에 대한 산만한 깨진 조각을 대신할 의미심장한 우주"(Alexander 103 재인용)를 발견했다. 그는 18세에 프린스턴(Princeton)에서 처음 이 작품을 읽은 후 일생 동안 탐닉하게 되는데, 기독교를 "윤리적 문제와 관련되어 만들어진 바 있었던 가장 터무니없는 변동의 집합"(*The Birth of Tragedy* 10)이라고 규정했던 니체가 그에게 준 영향은 낡은 기독교 신의 죽음과 이를 대체하는데 실패한 현대과학 및 물질주의 사이의 공백과 상실감 속에서 새로운 구원의 가능성을 찾고자 하는 노력으로 나타났다.

니체의 『차라투스트라는 이렇게 말했다』는 그로 하여금 그의 인생철학을 발견하게 하는 계기가 되었으며, 그의 사상 정립에 결정적 영향을 주었다. 그에게 초인과 영겁회귀 사상에 관한 많은 영감을 주었으며, 그의 작품 곳곳에 이러한 체취가 깊게 스며있다. 또한 『비극의 탄생』(*The Birth of Tragedy*)은 그에게 희랍의 디오니소스적 요소, 삶의 긍정적 자세, 가면극, 코러스, 그리고 무대효과 등 극 구성의 여러 기법들을 제공하였다. 이처럼 그의 작품의 사상적 지주는 바로 니체라는 사실에 재론의 여지가 없으며 그는 니체의 사상적 토대 위에서 그 나름대로의 독창적인 비극 세계를 구축하고 있다. 그의 작품 속에 깔려 있는 니체 사상은 그의 문학세계를 이해하는데 있어 기본적이고 중요한 바탕이 되고 있다.

『라자루스가 웃었노라』는 표현주의, 신비주의, 초자연주의 등 오닐이 시도했던 온갖 종류의 경향이 함께 어울려 배경을 이루고, 무대예술로서 연극이 갖는 연극 본래의 제의정신(祭儀精神)을 재현코자 한 그의 희랍의 꿈이 니체의 사상에 힘입어 폭발하듯 발산된다. 이 작품을 통해 디오니소스제(祭)에서 연극의 원류를 찾아 현대의 정신적 불모성을 해결하고자 한다. 이 의도가 가면, 코러스, 제의적 무대구성 등 고대적 형식과, 니체 사상과 정신분석학 이론 등 근대적 내용의 접합으로 펼쳐져 오랫동안 느껴온 정신적 결핍을 해부하고 있다. 이 작품은 삶의 영원한 변화에 관한 라자루스의 열띤 연설과 그에 따른 웃음, 합창, 춤 등의 순환적 활동을 위주로 구성된다. 과정의 찬양, 등장인물들의 본능적이고 디오니소스적 통일성에 대한 몰아적 수용, 라자루스의 성격 등에서 니체의 영향을 확인할 수 있다. 라자루스는 니체가 주장하는 사랑, 자부심, 웃음, 초인에 의해서 창조될 수 있는 가치관을 설파하고 있다. 이 작품에 나타난 니체의 핵심 사상의 구현은 라자루스가 "영원한 변화와 성장"이라고 말하는 초인과 영겁회귀를 향한 인간의 위대성이다.

『라자루스가 웃었노라』가 완성된 직후인 1927년 5월 오닐은 유명한 연극사가요 연극평론가였던 퀸(Arthur Hobson Quinn)에게 보낸 편지에서 "죽음의 두려움이 모든 악의 근원이자, 모든 인간의 실수로 인한 불행의 원인입니다. 라자루스는 죽음이란 결코 없으며, 오직 변화만이 있다는 사실을 알고 있습니다. 그는 그러한 두려움이 없이 재생합니다. 그의 웃음은 그것의 완전함과 영원함에 있어서 삶에 대한 승리에 찬 긍정입니다. . . . 그의 웃음은 디오니소스적 의미에서 환희의 직접적 표현입니다"(Quinn 252)라고 말하였는데, 이것은 이 작품에 대한 오닐의 의도를 정확하게 시사하고 있다. 죽음의 공포를 인간의 모든 불행과 죄악의 근원으로 보고 이를 부정함으로써 삶을 긍정하고 영원한 생명의 환희를 얻고자 하는 뜻이 본격화되고 오랜 구원에의 꿈이 완성된 것은 이 작품이다.

『라자루스가 웃었노라』에서 오닐은 초인과 영겁회귀의 니체사상에 지대한 관심을 보였다. 그는 이 작품에서 라자루스가 죽음에서부터 재생하는 순간을 극화시켰다. 이것은 곧 니체의 영겁회귀 사상의 구현이다. 라자루스는 범인들과는 다른 초인이 되어 이 세상에 되돌아 온 것이다. 니체의 차라투스트라가 초인의 예비 인간으로 이 세상을 순례했다면, 오닐의 라자루스는 초인이 되어 세상을 순회하며 초인과 영겁회귀 사상을 설파했다고 볼 수 있다. 신의 죽음을 주장한 니체는 기독교에 한없는 저주를 보냈으며, 그에 의하면 신의 죽음 때문에 인간의 삶이 무의미할 수는 없으며 오히려 참된 인간의 삶이 요구된다. 새로운 세상의 삶을 위해 중요한 것은 바로 새로운 인간의 창조다. 즉 아픔과 고통을 이겨내고 자기 극복과 가치 변혁을 할 수 있는 강한 의지를 가지고 낡은 가치를 과감히 허물어 버릴 수 있는 인간의 창조이다. 니체는 이러한 새로운 디오니소스적 인간을 초인(Ubermansche), 즉 인간을 능가한 초인(*Thus Spoke of Zarathustra* 64)이라고 일컬었다.

초인이 갖추어야 할 덕목은 바로 세상의 하찮은 모든 것으로부터 초월하는 것이다. 니체는 『차라투스트라는 이렇게 말했다』에서 인간의 세 가지

유형, 즉 무거운 짐을 지고 사막을 가는 "낙타," 자유를 획득하여 사막의 주인이 되기를 원하는 "사자," 그리고 천진무구, 망각, 새로운 시작, 스스로 돌아가는 바퀴, 유희, 첫 움직임, 신선한 긍정인 "어린이"(*Thus Spoke of Zarathustra* 54-55)가 되는 과정을 말하고 있다. 이 중에서 마지막 과정인 "어린이" 같은 천진성을 지니고, 모든 것을 초월하는 웃음을 웃고, 삶에 긍정적 자세를 갖는 자가 바로 오닐의 라자루스이다. 오닐이 라자루스를 "빛의 아들"(*Lazarus Laughed in Nine Plays* 410)이라고 언급한 것과, 니체가 초인을 "이러한 '광채'(lightening)가 '초인'(overman)이다" *Thus Spoke of Zarathustra* 128)고 언급한 것을 통해 니체의 초인과 라자루스는 같은 인물임을 알 수 있다. 또한, 라자루스의 삶의 과정을 하나의 모험의 과정이라고 한다면 그런 모험의 과정이 끝난 다음 사자가 라자루스의 상처를 핥는 장면은 니체의 초인이 갖는 상징성을 상기시킨다(*Thus Spoke of Zarathustra* 438). 오닐은 라자루스가 보통 인간과는 다른 점을 부각시키기 위해 그의 머리가 광채로 빛나고 몸은 부드러운 빛을 발하고 있는 것으로 묘사하고 있다. 광채를 띠고 있는 자태와 웃음의 상징들은 『차라투스트라는 이렇게 말했다』의 "더 이상 목자(牧者)는 없다. 더 이상 인간도 없다. 인간은 변했다. 광채를 발하고, 웃음을 웃는 모습으로. 이제 인간은 지구에서 결코 과거에 웃었던 것처럼 웃지 않는다! 오 나의 형제들이여, 나는 더 이상 인간의 웃음소리가 아닌 웃음소리를 들었노라"(*Thus Spoke of Zarathustra* 272)라는 구절을 연상시킨다. 오닐은 라자루스를 예수처럼 교사(翹思)하지 않았다. 그는 모든 종교를 대변할 구세주를 원했다. 그런 이유로 그는 비교 종교와 신화를 읽었다. 기독교 영향의 감소는 상대적으로 니체의 영향이 증대됨을 뜻하며, 죽었다가 부활한 라자루스는 죽음에 대한 불안을 극복했고, 따라서 내재적이고 기뻐할 줄도 아는 신을 따르게 된다. 인간 누구에게나 있는 잠재적 신 또는 초인에 대한 라자루스의 믿음은 라자루스와 차라투스트라가 서로 비슷함을 보다 분명히 하고 있다.

인간의 위대성은 어떠한 신도 인간을 구제할 수 없음을 인식하는데서 출발한다고 라자루스는 말한다. 결국 인간 자신이 신이 되어야 한다는 것이다. 인간은 스스로가 만든 모호한 관념의 노예에서 벗어나야만 위대하다는 라자루스의 주장은 차라투스트라의 주장을 그대로 대변하고 있다(418 *Thus Spoke of Zarathustra* 163, 166). 『라자루스가 웃었노라』에서 라자루스가 제시한 해결책은 인간이 악을 초월하여 전통적 시간이나 도덕 개념과는 무관한 영역에 도달해야 한다는 것이다. 라자루스는 점점 젊어지며 나이와 시간의 구분을 우둔함의 소치로 본다. 그는 사람들의 일상적 개념과는 다른 시간 개념을 가지고 있다. 그가 도덕으로부터의 해방을 강조하는 것은 니체의 사상과 맥을 같이 한다. 차라투스트라는 인간 각자가 고유의 도덕규범을 만들 것을 촉구한다. 동양의 신비 종교는 전통적 도덕관과 업(業) 자체까지도 해방된 영혼에 더 이상 적용하지 말라고 한다. 니체와 동양의 신비 종교의 요구에 부응하듯 라자루스는 선과 악 같은 일상의 도덕적 구분을 무시한다.

니체가 디오니소스의 생명력을 부여했던 차라투스트라의 초인성을 갖추고 기독교적 의의와 사명을 띤 라자루스는, 기존의 신과 종교에 대한 신념의 상실로 생긴 공백을 채워줄 새로운 구원자이다. 그는 죽음은 존재하지 않고 오직 영원한 삶만이 존재한다고 그를 찾아온 질문자들에게 대답한다. 죽음 다음에 오는 세상, 즉 내세는 죽음에 대한 두려움 때문에 인간 자신이 만들어낸 것이라는 니체의 주장을 암시하고 있다. 니체에 의하면 종교란 결과적으로 삶에 지친 인간들을 "관 속의 삶"(*Thus Spoke of Zarathustra* 157)처럼 만든다. 니체의 종교관을 상기시키는 라자루스는 계속해서 인간이 신을 창조했음을 말하고 인간이 자신 속의 신을 망각하고 있음을 개탄한다. 인간의 승리는 사랑의 구걸과 내세의 두려움이 아니라 자부심을 갖는 떳떳한 삶을 살아가는 것이라고 설파하고 있다(397). 라자루스는 오닐의 니체적 대변자이다.

한편, 오닐은 『라자루스가 웃었노라』에서 라자루스를 니체의 초인의 이상으로 그린 반면, 칼리굴라(Caligular)는 인간에 내재한 모든 나약함을 보여주는 허약한 인간의 표징(表徵)으로 그린다. 약자와 괴물이 동시에 그의 내부에 존재하는데, "두려움"이라는 방법을 이용하여 인간의 지배자가 되는 니체의 주장을 대변하는 인물이다. 반면에 고통 받고 불에 타고 창에 찔려 죽는 라자루스는 초인의 운명을 예언한 차라투스트라의 주장을 성취하는 인물이다. 그는 인간이 만든 규제, 즉 선이라는 것에 의해 심판 받고 파멸된다. 칼리굴라는 인위적 선의 대표자로 진정으로 존경받는 선을 파멸시키는 니체의 주장을 구현하는 인물이다. 칼리굴라에서 본 비극적이고 이원적인 충동은 많은 사람들의 죽음과 미리암(Miriam)의 계속되는 슬픔에서 고찰된다. 그러나 라자루스의 죽음을 거부하는 웃음에는 희극적 일원적 충동이 있다. 라자루스가 죽음을 거부할 수 있는 것은 그가 자아를 초월했기 때문이다. 결국 요체는 생사, 인간과 우주 간의 숨겨진 통일성을 인식하고 죽음이란 존재하지 않음을 깨닫는데 있다. 우주적 관점에서 볼 때 명백한 대립은 사라지고 대립들이 상호 침투하는 일종의 놀이마당이 되는 것이다. 이러한 신성한 우주적 태도는 주인공 라자루스에 의해 작품 전체에 잘 드러나고 있다.

또한 오닐은 『라자루스가 웃었노라』에서 『비극의 탄생』에서 니체가 주장한 인간의 양면적 속성, 즉 디오니소스와 아폴로의 속성에 지대한 관심을 갖는다. 찬란한 희랍 문화의 성취 이면에는 지금까지 우리가 소홀히 취급해온 인간의 또 다른 속성, 즉 디오니소스의 속성이 있음을 니체는 주장하고 있다. 황홀, 도취, 그리고 혼란이라는 인간에 내재한 또 다른 양상이 절제의 아름다움인 아폴로 속성과 결합함으로써 희랍 문화의 성취가 가능했고, 조화로운 삶을 영위할 수 있다는 니체의 주장에 오닐은 전적으로 동감했다. 디오니소스적 본질은 열정, 환희, 광란, 그리고 자아 몰입의 성격을 지니고 있다. 그러므로 디오니소스적 상태는 개별화 원리의 붕괴, 즉 인간에 내재한 아폴로적 속성에 의해 지탱되는 베일과 환상의 가면을 파괴하는 힘을 지니고 있다. 디오니소스적 완성은 디오니소스적인 것과 아폴로적인 것의 결합이며, 이 결합의 과정은 아폴로적 요소와 디오니소스적 본질의 병합이다. 따라서 아폴로적 요소는 결국 디오니소스적 요소를 표현하기 위한 도구가 된다. 라자루스의 디오니소스적 의의는 재생을 이룬 직후 그의 모습에서 발견된다. 포도주처럼 사람을 취하게 하는 웃음을 웃으며 무덤에서 나온 후, 그의 갈색으로 변한 얼굴은 고대 희랍의 신상(神像)을 연상시킨다.

라자루스는 "고양된 영혼의 깊은 곳에서"(401) 울려나오는 웃음을 웃는다. 그에게서 죽지 않는 비결을 얻고자 하는 티베리우스 시저(Tiberius Caesar)의 명령으로 로마로 호송되면서도 그는 철저한 긍정과 환희의 웃음을 잃지 않는다. 그는 로마에서 수많은 군중들이 그 웃음에 열광하며 병사의 칼을 빼앗아 스스로 목숨을 끊었을 때 "자신과 관련된 모든 선입관이 삶의 황홀한 긍정 속에서 사라지고 그 궁극적 성취에 대한 승리를 거두는 심금을 울리는 외침"(426)과 같은 웃음을 웃고, 화형장에서 불에 타 죽는 마지막 순간에는 "삶의 기쁨과 희생에 대한 그 최고의 어조의 황홀한 소환"(477)에 달한 웃음을 웃는다. 그 웃음은 우주와의 조화를 얻은 영혼과 삶의 찬가이다.

라자루스의 승리감에 도취된 웃음은 니체의 예언자적 즐거움을 재창조한다. 니체의 예언자는 모든 비극과 비극적 진지함을 비웃는다. 라자루스의 웃음은 우주가 영원한 변화에 관여하고 있다는 차라투스트라의 인식과 공감하는데서 나온다. 라자루스의 일장대소에서 인간의 정체성이 이 영원한 변화와 연관되고 인간은 무궁한 변화와 성장의 대상임을 알 수 있다. 이 무궁한 성장은 "삶이란 언제나 그 자체를 극복해야 하는 것"(*Thus Spoke of Zarathustra* 125)으로 보는 차라투스트라의 인생관과 맥을 같이 한다. 빛과 광채를 띤 라자루스는 전염병을 옮기듯 다른 사람들에게 그의 웃음을 전파하며, 사람들에게 놀라움과 경탄을 불러일으킨다. 산산조각 난 비극 세계를 통일시키는 상상력의 표현이자, 상실감을 보충해주고 회복시켜주는 그의 웃음

(Watts 79, 82)은 니체가 신성한 존재로 선언한 초인의 상징이다(*The Birth of Tragedy* 27). 뿐만 아니라 그의 웃음은 우리에게 확신에의 필요로부터 해방된 인간적 긍정을 제공함으로써 마침내 죽음을 사라지게 한다(Alderman 135). 웃으며 무덤으로부터 걸어 나온 라자루스는 불길 속에서의 최후의 순간에도, 웃음을 통해 무한성의 자궁으로 귀환하여 삶과 죽음을 일체화시키고 있다.

다음으로, 오닐에게 깊은 감명을 준 니체의 또 하나의 사상은 영겁회귀이다. 니체는 삶의 본질은 혼란이 아니며, 끝없이 반복되는 "시간 자체의 순환" (*Thus Spoke of Zarathustra* 270)이 영겁회귀의 기본적 원리라고 인식했다. 영겁회귀는 영혼의 변형된 재생을 약속하지 않기 때문에 모든 존재는 영겁회귀의 원인에 귀속된다고 말한다(*Thus Spoke of Zarathustra* 331). 그러므로 영겁회귀는 일종의 반복적 인과관계를 통해 영원한 삶의 회귀를 의미한다. 그 결과 모든 고통뿐만 아니라 즐거움도 영겁회귀를 한다는 것이다. 우리의 삶 자체가 영겁회귀이며 그러한 영겁회귀의 과정에서 살아왔으며 앞으로도 영원히 되풀이된다는 것이다. 삶 그 자체에 새로운 것이 있을 수 없고, 인간이 겪은 크고 작은 고통이나 즐거움, 사색, 한탄, 그리고 헤아릴 수 없는 문제들이 되풀이될 수밖에 없다. 영원성에 대한 삶의 도전과 기대가 인간에게 부과된 무거운 짐이요 고통이 아닐 수 없다(*Thus Spoke of Zarathustra* 101-102). 니체는 영겁회귀를 통해 인간의 이해에 대한 희망을 갖게 하고, 그것에 바탕을 둔 가치관 창조의 필요성 때문에 희랍인들이 그들의 삶에 부여한 의미, 즉 디오니소스의 지혜를 끌어들였다. 영겁회귀는 "운명애"와 결부되어 순간이 영원으로 이어질 수 없는 삶의 순환을 상징적으로 표현한 것이다. 니체는 현재는 영원히 반복되어 되돌아오기 때문에 결코 현재가 지나가는 것을 후회하지 말고 순간이 영원인 것처럼 살아야 한다는 희랍인들의 교훈을 설파하고 있다.

차라투스트라는 인간의 창조적 의지를 가진 자아에 대한 서구적 신앙을 갖고 있다. 그러나 오닐의 예언자 라자루스는 이러한 신앙심이 없고 오히려 우리의 위선, 이기심, 외식(外飾)에 치우친 경건의 모습을 떨쳐버리라고 훈계한다. 이러한 자아로부터의 후퇴는 니체의 『비극의 탄생』을 연상케 한다. 라자루스는 젊은 희랍인들의 존경을 받는다. 이 젊은이들은 디오니소스의 추종자를 모방하는 사람들이다. 라자루스의 웃음으로 고무되는 합창무도는 고대 희랍 비극을 산출한 디오니소스의 합창을 연상시킨다. 무도는 늘 음악과 함께 나타난다. 니체는 이 무도가 개인의 소멸이 가져다주는 환희를 알게 한다(*The Birth of Tragedy* 101)고 말한다. 수많은 개인들이 『라자루스가 웃었노라』가 전개되는 동안 소멸된다. 왜냐하면 이 개인들은 개체로 남아 있는 상태 즉 개체화를 초월했기 때문이다. 『비극의 탄생』에서 이 개체화는 온갖 고통의 원천으로 묘사된다(*The Birth of Tragedy* 66). 그러나 니체가 말하는 자아의 파괴는 단지 일시적일 뿐이다. 합창 단원 또는 관객은 무아경의 미적 몰입 상태를 거쳐 각각 개인의 삶으로 복귀한다. 합창이 진행되는 동안 디오니소스적 몰두는 아폴로적 환상으로 균형을 이룬다. 이 아폴로적 환상은 개별적인 형태 속에서 평온한 희열을 취하는 것을 목표로 하기 때문이다. 여기서 디오니소스가 아폴로적 환상을 압도한다. 이로써 니체가 말하는 본원적 단일성으로 인간을 영원히 회귀시키는 것이다.

오닐은 『라자루스가 웃었노라』에서 라자루스가 부활한 이후 일어날 수 있는 가능성을 그려보며 인간을 죽음의 공포에서 해방시킬 의도를 보이고 있다. 죽음을 경험한 라자루스가 기독교 전통에 의한 교리로서가 아니라 니체의 영겁회귀 사상을 신봉하고 있다. 인간이 이 세상을 살다가 죽는 것은 바다의 파도가 밀려왔다 밀려가는 것과 같으며, 파도가 해변에 밀려와 되돌아나갈 때 그러한 원심력은 인간의 삶에도 마찬가지로 존재한다는 것을 주장하고 있다(469). 라자루스의 구원론은 인간은 "권력 의지"를 승화시키고 자신의 한계를 독자적인 노력으로 극복하여 자신을 창조해야 한다는 니체의 사상을 담고 있다. 인간의 구원은 스스로 이루어져야 하며, 브라운(Brown)처럼 스스로 신이 되지 않는 한 어떠한 신도 인간을 구원하지 못한다는 것이다. 베들레헴을 비쳤던 별이 다시 나타난다. 그 별은 수많은 별들 중의 하나이고 모든 별들은 그 새로운 별처럼 나타났다 사라지고 다시 나타난다. 그것은 출생과 죽음의 생물학적 반복을 의미한다. 영겁회귀의 표명인 것이다.

라자루스는 무자아를 영원히 바람직한 상태로 본다. 따라서 자아를 무시하고 영생을 누릴 새로운 권리를 확보하라고 권한다. 그는 삶, 성장, 기쁨 등을 긍정하는 점에서는 차라투스트라와 일치한다. 그러나 라자루스는 디오니소스의 원리와 일체가 되어 있기 때문에 삶을 지속하려는 노력은 별로 하지 않는다. 그는 정체성을 초월했고 따라서 죽음으로 인한 정체성 상실에 대한 두려움도 극복했기 때문이다. 긍정과 웃음으로 죽음을 초월하는 라자루스의 이와 같은 태도는 십자가에 매달려 죽은 예수의 비극적 운명보다는 죽음으로부터 부활한 예수의 환희에 찬 복음을 전파하기 위해 창조된 그의 역할을 규정하는 것으로서, 이것은 디오니소스적 면모에 의해 보충되며, 이러한 디오니소스는 니체의 영겁회귀와 직결되고 있다.

니체의 이상적 인간은 예술가처럼 창조적이고, 죄 없이 순수하고, 모든 삶을 경험하기 위한 열정으로 가득 차있고, 자아발견과 창조를 위해 부단히 노력하고, 외적인 숭배자를 창조하기보다는 차라리 자신이 신이 되기를 결심한 유형이다. 더더욱 이런 이상적 인간은 새로운 것을 창조하기 위해 기존의 관습과 도덕관을 두려움 없이 파괴할 용기를 지녀야 한다. 초인이란 자신을 초월하기보다 자신을 창조하는데 더 중요한 의미를 두어야 하며 이러한 창조과정에서 그는 그의 힘으로 선과 악의 본질을 구분할 수 있어야 한다. 따라서 초인은 자신을 즐겁게 하는 삶을 영위하는 것이 아닌 자신이 하고 싶은 일을 하는데 삶의 진정한 의미를 부여해야 한다. 그러므로 니체가 말하는 초인은 인간의 존재를 넘어서는 초월적 존재가 아닌 초월적 가치들이 사라져버린 후 현세의 가치를 적극적으로 인정하려는 의지를 가진 인간이다.

제4장

제의적 접근

『존스 황제』, 『느릅나무 그늘의 욕정』, 『밤으로의 긴 여로』

유진 오닐은 현대인들의 정신적인 병이, 삶에 의미를 주는 전통적인 신의 죽음과, 죽음의 공포로부터 인간을 위안해 주는 대안적인 영적존재의 부재에서 온다고 보았다. 그는 과학과 물질문명의 발달이 원시적 신앙본능을 충족시킬만한 대안이 되지 못하기 때문에, 제의(祭儀)를 통한 신앙적 본능의 부활이 현대인에게 절실히 요구된다고 생각했다. 왜냐면 신화적인 단계에서 제의는 인간과 신의 관계를 도모하는 방편이 되고, 신의 영역에서 소외된 인간사회의 상실된 정신적 영역을 회복해주는 역할을 하며, 신과의 관계를 정립하는 계기가 되기 때문이다. 제의는 신을 향한 인간의 적극적인 접근 방법이고 신의 섭리에 대한 완전한 응답이다. 또한 제의는 인간의 형이상학적 제반요소를 갖춘 영적 승화이고 인간 생존의 최상의 본질이다.

오닐은 그의 작품을 통해 사상적, 사회적, 경제적인 현실보다는, 신과의 관계나 인종적 문제를 통해 영적 빈곤에서 오는 정신적 증후군을 치유하는 제의적 의미를 강하게 표출하고 있다. 즉 현대인의 정신적 빈곤의 원인을 치유할 수 있는 수단으로서 제의의 형태를 사용하는 것이다. 오닐의 작품에 등장하는 인물들은 한 가지 사상이 아닌 상호보완적 양면성을 지닌 인물들이고, 종교적 세계관이나 원시적 무의식의 세계를 보여주는 대변자들이다.

오닐은 "인생을 시적으로 해석하고 상징적으로 축복하는 종교가, 인간과 소통하는 사원으로서 그 최고의 그리고 유일하고 중요한 기능에 귀의한 극장"(Carpenter 176 재인용)을 염원했다. 그의 극작가로서의 이 같은 사명은 현상적 환경에 매여 있는 인간이 자신의 한계를 극복하고 내면에 존재하는 모순적 적대 관계와 조화를 이루기 위해서 제의가 부여하는 종교적 초월성에 의존하지 않으면 안 된다는 결론에 도달하기에 충분했다. 따라서 그는 극장이 단순한 탐미적 추구나 이념적 선전장이 아닌 영적 목적을 수행하는 사원 같은 역할을 해야 한다고 보았다. 그는 극장이 이러한 종교적 기능을 수행하기 위해서는 신과 밀접한 관계를 가지고 살았던 고대인들의 정서가 현대인의 분석적인 이성보다 더 효과적인 수단이라고 생각했으며, 제의가 관객으로 하여금 고대인의 깊은 종교적 정서를 체험하게 할 수 있다고 믿었다.

제1절 성인식 제의: 『존스 황제』

『존스 황제』는 총 8장으로 이루어져 있다. 외형상 사실주의 양식으로 그려진 1장과 8장이, 표현주의 기법으로 된 2장에서 7장까지의 여섯 장을 둘러싸고 있다. 흑인 노예 출신의 존스(Jones)는 서인도제도의 한 섬의 황제가 되어 원주민들을 착취하고 초자연적인 힘을 행사하며 궁전에서 호화스럽게 생활한다. 착취로 시달린 원주민들이 반란을 일으키자 탈출을 시도하여 존스는 숲으로 숨어든다. 밤이 되어 어두운 숲 속에서 존스는 길을 잃고 방황하다가 원주민 추장 렘(Lem)이 은제 동전을 녹여 만든 은제 총알에 의해 사살되고 만다. 존스가 사살된 곳은 바로 원주민들에게 쫓겨 처음 들어간 숲의 바로 그 지점이다. 숲으로의 도피과정에서 존스는 극도의 불안과 공포에 사로잡힌 심리추이에 맞추어 문명 상태에서 원시 상태로, 즉 황제에서 흑인으로, 다시 인간으로 환원되는 의식의 변화를 겪게 된다. 다시 말해서 존스는 하나의 상태에서 다른 하나의 상태로의 이행, 하나의 우주 또는 사회적인 세계에서 또 하나의 사회적인 세계로의 이행을 따르는 것이다. 존스의 이러한 이행 과정을 성인식 제의의 과정에 맞추어 고찰하는 것은 의미 있는 일이다.

『존스 황제』는 구조적으로 성인식 제의 과정과 흡사하다. 존스는 미국에서 흑인 노예의 신분으로 서인도제도에 있는 한 섬의 황제로 군림한다. 그는 조그만 섬의 황제라는 신분을 가지고 있지만 물질적 탐욕만을 일삼는 미숙한 소년에 불과하다. 그가 진정한 황제의 역할을 수행하기 위해서는 전이 단계인 질적 변화를 겪어야 한다. 의복이 벗겨지고 검은 흙으로 온 몸을 덧칠하는 성인식의 소년들처럼, 존스는 숲 속에서 의복이 찢기고, 밤 한 시경에는 거의 벌거벗은 상태로 나무 그루터기에 앉아 있다. 그는 황제로서의 권위의 상징인 제복과 장식물을 집어 던지고 옥좌가 아닌 나무 그루터기에 앉아 비로소 겸허하게 자신의 참모습을 보게 된다. 그루터기에서 일어나 다음으로 이행 도중 그는 숲 속의 빈터에서 미국으로 팔려온 조상들이 탄 바다 위의 노예선, 즉 자신의 뿌리와 대면한다. 숲 속으로 깊이 빠져들어 갈수록 역사적인 과거로 후퇴하여 흑인들의 세계로 동화된다. 즉 존스는 흑인 노예 신분이라는 뿌리와의 결합을 이루는 것이다.

이와 같은 성인식 제의 과정으로 『존스 황제』를 설명함에 있어서 두드러진 제의적 요소는 공간적인 숲과, 청각적인 북소리와 총소리가 있다. 먼저 숲을 살펴보면, 오스트레일리아나 아프리카 부족 사이에서 제의에 참여하는 소년들이 정상적인 사회적 상호관계에서 단절되어 숲 속에서 일정기간을 지내야 하는데 이 극의 배경이 숲이라는 것이다. 또한 제의의 참여자들이 보내는 시기가 일식이나 월식인데, 이 암흑 상태는 이 극에서 존스의 내면적인 시련이 어두운 밤에 일어난다는 사실과 유사하다.

이 극에서 성인식 제의의 또 다른 양상은 청각적인 요소로서, 존스를 뒤쫓는 원주민들의 북소리인데 이것은 제의에서 사용되는 필수적인 요소이다.

(멀리 산으로부터 나지막한 북소리가 조그맣게, 그러나 줄기차게 들려온다. 속도가 처음에는 보통 맥박—1분에 72—에 해당되나 극이 진행됨에 따라 차츰 빨라져서 극이 끝날 때까지 계속된다.) (존스는 북소리를 듣고 놀란다. 북소리를 듣는 순간 이상한 불안의 표정이 떠돈다. 이윽고 억지로 침착한 태도를 취하면서 묻는다.) 뭣 때문에 북을 치는 거지? (14)

톰톰(Tom-Tom) 북소리는 원주민들의 미신으로, 그들이 용기와 힘을 얻고자 할 때 행하는 하나의 제의로서 1장에서부터 시작하여 이 극이 끝날 때까지 계속해서 지속되며 무려 20회에 걸쳐 묘사된다. 관객과 등장인물을 하나로 연결해주는 이 북소리는 관객으로 하여금 원주민들이 실제로 존스를 추적하는 것은 아니지만 추적하는 것처럼 느끼게 하며 그에게 심리적인 긴장감을 가중시키는 역할을 한다. 존스의 행동을 지배하는 북의 진동하는 리듬은 존스에게 빠른 속도로 공포를 증가시키며, 이 북소리를 휘트먼(Whitman)은 "등장인물에게 공포의 효과를 주는 훌륭한 극적 장치가 되고 있다"(149)고 지적한다. 또한 카펜터(Carpenter)는 "지속적인 배경이 되고 있는 북소리는 유명하다. . . . 육체적 그리고 심리적 결합을 예술적으로 구현하면서 유사음악적 효과를 발산한다"(91)고 말한다. 북소리는 "응보적 정의인 신적 체제"(a divine mechanism of retributive justice)(Tripp ed. 231)를 반영하는데, 개인적, 인종적, 심리적 내용들을 결합시켜 무대와 객석에 공히 제의적 분위기를 조성하고, 제의의 흐름을 조절하는 중요한 역할을 하며, 제의의 참여자로 하여금 현실세계에서 영적세계로 이행하도록 북돋우는 청각적인 도구이다.

어느덧 북소리는 그의 내면에 잠복하고 있는 죄의식을 불러일으키며, 과거에 노름을 하다가 속임수를 쓰는 친구 흑인 제프(Jeff)를 살인하는 동기가 된 주사위 굴러가는 소리로 변한다.

저 빌어먹을 북소리! 소리로 봐서 더 가까워진 게 틀림없어 . . . 들리는 저

다른 이상한 째각거리는 소리는 뭐지? 저기야! 가까이 들리는데! 비슷한데－비슷해 －제기랄 어떤 흑인놈이 주사위를 던지는 소리 같잖아. (20)

존스의 내면적 양심의 고통은 그가 과거에 저지른 죄를 고백하지 않을 수 없도록 다그친다. 그는 무릎을 꿇고 하늘을 향해 손을 부여잡고 제프와 백인 간수(The Prison Guard)의 살인을 고백한다. 이 제프와 간수의 환영은 그의 내면에 잠복해 있던 심리적 어두움, 즉 죄의식의 공포가 현실과 합치된 결과이다. 숲 속에서 성인식 제의에 참여하고 있는 존스는 제의의 변화시키는 힘에 의해서 성숙을 향한 시련의 과정을 통과한다. 그의 의식은 제의의 북소리가 속도를 더함에 따라 과거의 개인적 기억에서 무의식의 깊은 심층부에 잠복한 인종적인 기억으로 변하여 되살아난다. 제의는 그로 하여금 현재라는 시간의 한계를 넘어서 조상의 노예상태로 돌아가게 한다. 성인식 제의의 절정을 이루고 있는 7장에서 존스는 제단 앞에서 기도하는 자세로 꿇어앉아 있다. 그는 그의 조상들의 제사장이었던 주술사(The Witch Doctor)의 주술적인 움직임에 매혹되어 이성적인 의식과 육체가 마비 상태에 이른다. 초자연성을 암시하며 출현하는 이 주술사는 2장의 배경이 되고 있는 큰 숲(Great Forest)의 정령이자 흑색의 정수이며 존스가 지닌 인종성의 원형이다.

(주술사는 강둑으로 뛰어오른다. 두 팔을 뻗어 강 속에 있는 신을 부른다. 그리고는 천천히 뒤로 물러난다. 커다란 악어 머리가 둑 위로 나타나고 푸르게 빛나는 눈이 존스를 응시한다. 존스는 매혹된 것처럼 악어의 눈을 들여다본다. 주술사는 버젓이 그에게 다가가서 요술지팡이를 그의 몸에 대고 그를 기다리고 있는 괴물에게 가라고 거칠게 명령한다. 존스는 배를 깔고 엎드린 채 계속 신음하며 가까이 간다.) 주님, 자비를 베푸소서! 자비를 베푸소서! (31-32)

존스는 그의 희생을 요구하는 악령의 접근을 필사적으로 피하지만 이미 그의 영적세계에 스며들기 시작한 무의식 속 제의 본능은 그의 의식을 마비시킨다. 주술사는 그동안 물질문명의 허상을 추구하며 영적인 삶을 도외시해온 존스에 대해 보상의 방법으로 목숨을 요구한다. 그러나 이 요구는 현상적인 삶을 완전히 초월하지 못한 존스가 수용하기에는 너무나 버겁다. 그는 낙망하여 머리를 땅바닥에 부딪치고 신음하며 자비를 갈구하는 기도를 하지만 그의 기독교 신앙은 단지 피상적인 수준에 머무르기 때문에 아무런 도움이 될 수 없다. 그는 성적, 종교적 상징인 돌무더기 제단 앞에서 그를 구성해 온 일체의 개인성 및 인종성의 마지막 껍데기를 벗고 육체와 정신이 일체화 되는 어둡고 무의식적인 원시의 세계 속으로 귀환한다(Falk 68).

북소리와 더불어, 2장의 납 총알에서부터 시작해서 은제 총알의 발사로 끝을 맺는 존스의 여섯 발의 총소리는 각 장에 걸쳐 발생하고 있다. 카펜터는 "북소리와 동시에 일어나는 존스의 여섯 발의 권총 발사는 이 극의 각 장면들을 강화한다. 각각의 발사는 육체적으로 그리고 심리적으로, 존스의 어떤 이전의 악행과 어떤 현재의 증오 또는 돌연한 공포에 대한 해방을 극화한다"(Carpenter 91-92)고 한다. 제의가 인간의 상징화의 시도라고 한다면 존스의 은제 총알은 그의 운명의 상징이고, 자아의 핵심을 나타내는 제의적 의미를 갖는다. 은제 총알의 발사가 비록 악령의 상징이자 그의 자아의 왜곡된 모습을 상징하는 악어를 사라지게 하는데 위력을 발휘하지만, 그 은제 총알의 소진은 현상적 삶에 대한 방어책의 부재를 의미하기 때문에 그의 기존의 허위적 삶의 완전한 소멸을 의미한다. 즉 은제 총알과 악어의 관계는 각각 무의식 속의 진정한 정체성과 왜곡된 자아를 상징하는 것이기에 은제 총알로 악어를 사라지게 한 것은 그의 삶의 동기가 되었던 자아의 왜곡된 모습을 제거하는 것이다. 결국 존스는 이러한 일련의 성인식 제의과정을 거쳐 죽음을 맞이하는 바, 그의 죽음은 무의식에서 진정한 정체성을 확립하는 것으로서 패배가 아닌 영적 화합의 동기가 되는 실존적 의미를 갖는 것이다.

제2절 디오니소스적 제의: 『느릅나무 그늘의 욕정』

『느릅나무 그늘의 욕정』은 에우리피데스(Euripides)의 『메데아』(*Medea*)에 나오는 영아살해나, 『히폴리투스』(*Hippolytus*)에 나오는 근친상간의 문제를 주요한 모티브로 설정하고 있다는 점에서 고대 희랍극에 자주 비교된다. 특히 『바커스의 시녀들』(*Bacchae*)에서의 디오니소스 제의는 오닐의 비극관뿐만 아니라 『느릅나무 그늘의 욕정』의 극적 구조에 많은 영향을 끼쳤다고 할 수 있다(Silk & Stern 65). 그 중에서 『바커스의 시녀들』의 코러스는 희랍극의 요소들 중의 하나로서 디오니소스 제의에 참여하는 무리들의 풍요와 조화를 상징한다. 디오니소스를 숭배한다는 것은 인간의 기본적인 열정, 즉 성적인 욕망을 용인하는 것이다. 이러한 행위는 『느릅나무 그늘의 욕정』의 캐봇(Cabot)의 셋째 아들인 에벤(Eben)과, 셋째 부인인 애비(Abbie)의 열렬한 사랑의 행위에 비교될 수 있다. 그리고 『바커스의 시녀들』에서 테베(Thebe)의 왕으로 기존의 가치관을 고수함으로써 새로운 디오니소스를 부정하는 펜테우스(Pentheus)와 디오니소스 간의 대립 구조는, 『느릅나무 그늘의 욕정』에서 억척스럽게 일구어낸 토지에 집착이 강한 청교도적인 캐봇과, 디오니소스의 이성을 거부하고 자연과의 합일을 열망하는 비이성적인 애비와 에벤 사이의 대립 구조와 유사하다. 또한 『바커스의 시녀들』에서 펜테우스가 디오니소스 제의의 황홀경 속에서 아들을 살해하는 행위는 이 극에서 애비가 에벤과의 사랑을 증명하기 위해 그녀의 아이를 살해하는 장면과 흡사하다.

이같이 희랍극의 많은 영향과 유사점을 내포하고 있는 『느릅나무 그늘의 욕정』에 등장하는 인물들은 소유의 욕망으로 가득 찬 사람들이다. 특히 캐봇, 애비, 그리고 에벤은 농장을 사이에 두고 물질적인 욕망이 빚어내는 서로 다른 강한 이기심을 드러낸다. 오닐은 이 작품을 통하여 현대 물질문명이 초래한 병패를 적나라하게 지적하고 있는데, 차브로웨(Chabrowe)는 "캐봇과 에벤, 그리고 애비 사이의 삼각관계와 관련하여 이 작품을 지배하는 운명의 이미지는 돌담이 딸린 농장, 대지와 느릅나무, 그리고 집이며, 이 중 돌담은 아버지에, 대지와 느릅나무는 모성 또는 모성상에, 그리고 집은 모성적 심오함을 갈구하는 주인공으로서 이 작품에서 아들 역할을 하는 에벤에 상응한다"(129)고 말한다. 엄격한 신(Hard God)의 화신이라 할 수 있는 캐봇에 대항하는 관대한 신(Easy God)은 풍요의 여신(Earth Mother)의 상징인 두 그루의 거대한 느릅나무로 묘사되고 있다. 이 느릅나무는 농가를 보호하는 것처럼 보이면서도 압도하고 있는 듯하며, 캐봇의 둘째 부인이자 에벤의 생모의 희생에 대한 복수의 상징으로 작품의 전체적인 분위기를 지배하고 있다.

> 마치 이 집을 보호하면서도 억누르고 있는 것 같다. 겉으로 보아 어딘가 압도적이고 잠시도 마음을 놓지 않는 지독한 모성애가 깃들어 있는 것 같다. 이 느릅나무야말로 이 집 주인의 생활과 밀접한 접촉을 하는 가운데 놀라운 자비심을 길러왔다. 그들[두 그루의 느릅나무]은 그 집을 억압적으로 품고 있다. (158)

이 두 그루의 느릅나무는 소름끼치는 모성애의 상징물로서 풍요와 파괴를, 기쁨과 슬픔을 함께 지닌 어머니를 상징한다. 벌린(Berlin)은 느릅나무야말로 "여성의 상징, 과거의 한, 복수의 영혼, 그리고 연인"(73)으로서 모성애를 구체화한다고 주장하는데, 그의 이러한 지적은 에벤이 죽은 생모에 대한 강박관념을 극복하고 애비와의 사랑을 통하여 성숙한 인간으로 발전해 가는 심리적 변화단계를 잘 나타내주고 있다. 이 느릅나무는 또한 농장을 둘러싼 부자간의 소유욕의 대립, 캐봇에 대한 에벤의 복수의 암시, 애비와 에벤의 근친상간 등 작품 전체에 걸친 운명의 신비한 힘을 암시하고 있다. 두 그루의 엄청나게 큰 느릅나무가 집 양쪽에 서 있는 캐봇의 농가는 증오와 욕망이 교차하는 싸움터이다. 애비와 에벤은 이 집에서 처음 만난 순간부터 본능적으로 강한 욕망에 끌리지만 농장 소유의 문제에 대해서는 첨예한 대립과 적대감을 표시한다.

에벤은 결국 "압제력과 잠재력, 그리고 풍요와 사랑의 구현이자 대지의 일부로서 생산력과 모성의 원초적 상징의 느릅나무"(Engel 129)인 애비의 매력과 유혹에 점차 빠져들게 된다. 그들은 이제 각자의 목적 즉 에벤은 캐봇에 대한 복수를 위해서, 그리고 애비는 캐봇 소유의 농장을 상속받기 위한 아들의 출산을 목적으로 서로의 성적 요구를 충족시키는데(195), 이들의 성적 결합의 장소는 다름 아닌 에벤의 어머니가 기거했던 방이다. 이들의 성적 결합에 대해 보가드(Bogard)는 "에벤이 애비를 통하여 돌담과 그 집의 협소한 방의 한계를 초월하는 욕망을 부여받은 도취의 황홀경을 성취한다"(216)고 지적한다. 아이 출산 후 그러나 애비는 재산을 상속받기 위해 자신을 이용했다는 에벤의 오해와 분개로 고통을 겪는다. 그 와중에 애비는 그에 대한 사랑이 유산상속이 목적이 아닌 진실한 사랑이었음을 증명하기 위해서 아이를 살해하기로 결심하기에 이른다.

> 어린 것이 생겼기 때문이라면-사랑을 앗아가고-당신이 떠나고-오직 하나인 기쁨-하늘이 주시고 하늘보다 아름다운 기쁨을 빼앗아간다면-나도 애기를 미워해-아무리 어미라지만! (206)

영아살해는 캐봇의 청교도적인 관점에서는 엄청난 죄악이지만, 디오니소스적 관점에서 보면, 죽음과 부활로서 전체성을 획득하기 위한 일부분의 희생적 제물일 뿐이다. 에벤은 애비가 아이를 죽였다고 고백을 하자 그녀를 보안관에게 살인죄로 고소하지만, 돌아오는 도중에 그녀의 헌신적인 사랑을 깨닫는다. 에벤이 애비에게 보안관이 오기 전에 달아날 것을 제안하자 애비는 "난 벌을 받아야 해-죄의 대가를 치러야지"(213)라고 말하면서, 그녀가 한 일에 후회하지 않는다고 한다. "나는 그 죄를 참회하지 않아. 난 하느님한테 그 죄를 용서해달라고 청하지 않아"(213) 에벤도 또한 "나도 그 죄에 대한 내 몫의 대가를 치러야 해요. . . . 애비, 난 감옥이든, 죽음이든, 어떤 것이든 당신과 함께하고 싶어요! 내가 당신과 함께 한다면, 최소한 난 외롭지 않을 거예요"(214)라고 말함으로써 그녀에 대한 진실한 사랑을 고백함과 동시에 그녀와 함께라면 어떠한 형벌이라도 감수하겠다는 의지를 보여주고 있다. 에벤은 자신의 아이를 죽여서라도 사랑을 성취하려는 애비의 행위야말로 비이성적이며 파괴적인 디오니소스적 열정과 도취의 발로임을 깨닫는다.

권위적인 청교도의 규범을 내세우는 캐봇을 펜테우스의 이성과 윤리의 분신이라고 본다면, 사랑의 도취 속에서 몰아지경을 보이고 화합을 추구하는 애비는 느릅나무이며, 디오니소스 신봉자의 광란과 풍요의 구현이자 원초적 상징이다(Engel 129). 보가드가 "애비의 아이 살해는 디오니소스적 사랑과 인생에 대한 죄과인 자기부정의 의지다"(Bogard 223-224)라고 평하듯이 애비는 자식을 죽이는 비극적인 파멸로써 에벤과의 궁극적인 화합을 이루려는 것이다. 즉 애비와 에벤의 사랑이 그들의 단순한 욕정의 수준을 넘어서 전체성의 상징인 자연과의 화합과 일치를 보인다는 점에서 디오니소스적 제의에 비교될 수 있다. 두 연인은 영아살해에 대한 책임을 회피하지 않으며, 그들이 참여하고 있는 황홀경의 사랑의 제의가 시작될 때, 그들의 의식은 사랑과의 일치를 위한 몰입을 보여준다. 그들이 보안관에 의해 끌려가는 순간 손을 잡고 솟아오르는 태양을 황홀하게 바라보며 서 있는 태도에서 현실을 떠난 경건함을 찾아볼 수 있듯이, 오닐의 극에 있어서 태양은 절망 가운데 솟아나는 희망의 상징이자 전형적인 디오니소스적 제의가 되고 있다.

에벤: 해가 뜨네요. 곱지 않아요?
애비: 곱군. (그들은 잠시 동안 황홀해서 올려다본다. 그 태도에는 어딘가 현실을 떠난 경건한 데가 있다.) (216)

애비와 에벤은 앞으로 전개될 고난에 절망하기보다는 기쁨 속에서 희망을 발견한다. 전체성을 상징하는 자연의 찬미와 화합을 뜻하는 위의 인용문은 디오니소스적 제의를 통한 몰아의 경지와 초월적 자세를 함축하는 의미 있는 대사이다. 디오니소스적 제의가 타이탄 족에 의해 해체되었던 디오니소스의 육신이 다시 재생되는 기쁨의 순간을 위해 숭배자들이 부르는 승리의 노래에서 절정을 이루듯이 『느릅나무 그늘의 욕정』에서는 애비가 속물적인 욕망으로 농장을 소유하려는 집착을 영아살해라는 파괴적인 행위로 극복하고 애비와 에벤이 사랑의 확인과 함께 감옥으로 향하는 장면에서 그 절정을 이루며, 디오니소스적 제의를 통한 화합의 전형을 보여주는 것이다.

제3절 기독교적 제의: 『밤으로의 긴 여로』

오닐은 인생의 문제를 인간과 신의 관계 속에서 해결하고자 했다.

> 대부분의 현대극은 인간과 인간 사이의 관계에 관심을 가지고 있다. 그러나 그것은 나에게는 전혀 흥미가 없으며 나는 오직 인간과 신과의 관계에 흥미가 있을 뿐이다. (Cargill eds. 115 재인용)

인간은 불완전한 동물이기에 인간의 삶 자체는 애증의 갈등 속에서 이루어진다. 따라서 인생의 비극적 상황은 인간의 삶에 존재하기 마련이다. 과거의 불행이 현재와 미래와 연결되므로 인간은 어찌할 수 없는 불행한 운명의 포로가 된다. 이때 인간은 사랑과 이해, 관용을 통해 절망을 극복하고 구원을 성취하고자 한다. 오닐은 『밤으로의 긴 여로』에서 가족의 화합을 기독교적 제의의 한 형태인 고해성사를 통해 보여주고 있다. 고해성사는 가톨릭교회에서 가장 보편화된 참회의 한 형태이다. 이 제의는 죄사함의 영적 권위를 부여받은 신부에게 자신의 죄를 고백하여 과거의 죄를 용서받고 현재와 미래의 삶을 성스럽게 살아갈 수 있는 계기를 마련하기 위한 행위이다. 이 고해성사의 형태는 오닐의 작품에서 가장 많이 사용되는 기독교적 제의이며 남녀나 가족 간의 화합을 위한 장치로서 효과적인 역할을 하고 있다.

『밤으로의 긴 여로』는 애증이 교차하는 과거의 회상들로 구성되어 있다. 메어리(Mary)는 의사들에 대한 증오, 누추했던 호텔 생활, 수녀원 학교 시절, 타이론(Tyrone)은 음주와 가난했던 어린 시절, 제이미(Jamie)의 경우 음주와 타락, 그리고 에드먼드(Edmund)는 결핵과 아버지에 대해 증오하는 장면들에서, 독자들은 치열한 가족 간의 다툼을 볼 수 있다. 아버지와 자식의 다툼과 형제 사이의 다툼의 원인은 어머니의 고통스러웠던 생활에 관한 문제들을 중심으로 나타난다. 그러나 가족 간의 다툼의 과정은 서로에게 더욱 가깝게 다가설 수 있는 수단이 된다. 그것은 서로의 증오와 질투에 대한 고백을 통해 가능하다. 새롭게 정화된 마음으로 고백이라는 과정을 거친 후 화합의 절정에 이를 수 있다. 이 절정의 단계에서 에드먼드는 고해신부의 역할을 함으로써 초연한 자세로 가족들의 비극적 상황을 사랑으로 이해한다.

에드먼드가 고해신부의 역할을 할 수 있는 것은 그가 현상을 뛰어넘어 사물의 본질과 접촉할 수 있는 힘을 가진 유일한 존재이기 때문이다. 아버지 타이론은 지나친 물질욕, 어머니 메어리는 마약 중독으로 인한 환상, 그리고 형 제이미는 술 중독으로 인한 퇴폐적 도피라는 세속성을 벗어나지 못하고 있다. 그러나 에드먼드는 인간의 욕망을 초월하여 우주와의 신비적 일체감을 느낄 수 있는 영적 능력을 가지고 있다. 그는 인간의 굴레를 벗어나 우주의 영원성을 추구하는 존재가 되고 싶은 제의적 열망을 소유하고 있다. 에드먼드는 타이론과 마주 앉아 솔직하게 서로의 마음을 털어놓을 수 있는 시간을 통해서 아버지로 하여금 그의 인색한 가정 운영에 대해 뉘우치게 하는 고해성사를 하도록 한다. 타이론은 지금의 인색함이 어린 날의 가난에서 비롯되었음을 고백하고, 그의 고백은 점점 자기변명에서 벗어나 그의 잘못을 진정으로 뉘우치는 참회의 양상을 띠게 된다. 그는 삶의 본질에서 벗어난 물질 추구가 그의 인생의 행로를 왜곡되게 했음을 처음으로 인정하고 권위적인 가부장적 사고에서 겸손한 고해자로서 기독교적 제의에 참여한다. 그는 물질적인 성공을 가져다준 허위적인 삶에서 벗어나 예술가로서의 본질적 자세를 갈망하는 고백을 한다.

> 지금까지 이런 얘긴 아무한테도 털어놓은 일이 없다만, 오늘 저녁엔 마음이 울적해서 못 견디겠구나. 도대체 허세나 부리고 거드름이나 피우면 무슨 소용이 있겠니? 헐값으로 산 그 각본이 대성공을 거뒀거든—한몫 단단히 보지 않았느냐 말이다. 손쉽게 돈을 벌 수 있는 가망이 생겼기 때문에 내 인생이 망쳐진 거야. 그리고 그 연극의 노예가 돼버렸다는 것을 알고 다른 연극을 해 봤지만 벌써 때는 늦었더란 말이다. (149)

타이론과 에드먼드는 이와 같은 고백을 통한 기독교적 제의를 거쳐 서로를 깊게 이해하게 된다. 또한 예술가의 길을 회복할 수 있다면 그가 누리고 있는 물질적 성취를 모두 포기할 수 있다는 타이론의 고백은 그의 미래를 향한 삶의 변화의 가능성을 예견하게 한다. 오닐이 『밤으로의 긴 여로』를 쓴 것은 "자비의 교훈을 주는 일"(Barlow 19 재인용)이라는 지적처럼, 그는 고백이라는 기독교적 제의를 통하여 인간 내면에 참회와 용서가 이루어질 수 있음을 제시하고 있다. 에드먼드는 아버지의 가난했던 과거시절의 고백을 듣고 아버지를 이해하게 되며 아버지에 대한 반감이 사라진다.

> (감동해서 공감이 가득한 눈으로 아버지를 보고 천천히) 말씀 잘 하셨어요. 그 말씀 들으니까 아버지를 훨씬 더 이해하게 되는군요. (151)

그는 아버지에 대한 연민을 느끼며 아버지를 괴롭혔던 자신을 반성한다. 이러한 고백과 참회를 통하여 가정 분위기가 점점 부드럽고 안정을 찾게 되는데, 그것은 가족들이 각자의 과거 생활을 되돌아보고, 감추어진 고통과 시련들에 대한 고백을 통해, 지금까지 인식하지 못했던 자신들의 잘못을 깨닫게 될 때 가능하다. 『밤으로의 긴 여로』에서 또 하나의 고백을 통한 기독교적 제의는 형 제이미가 동생 에드먼드에게 하는 고백이다. 만취상태가 되어 귀가한 제이미는 그가 그동안 에드먼드에게 보여준 애증의 모호한 태도에 대해 고백한다.

> 네가 성공을 해서 나하고 비교되어 질 때 내 꼴이 우습게 보이는 것이 싫었어. 너를 실패하게 하고 싶었단 말이야. 늘 널 시기했지. 넌 어머니의 아기! 아버지의 귀염둥이였으니까. 그런데 말이다. 네가 태어나자 어머닌 마약을 시작하셨어. 물론 네 잘못은 아니지. 그렇지만 역시 난 네 용기가 못마땅하단 말이야. (165-166)

이 같은 에드먼드에 대한 제이미의 첫 번째 고백은 질투와 증오감이다. 먼저 제이미는 에드먼드가 부모의 사랑을 독차지하는 것과, 에드먼드의 시인적 기질에 대하여 질투를 하였으며, 자연히 에드먼드는 제이미에게 "프랑켄슈타인"(Frankenstein 164)이 되었던 것이다. 제이미의 증오는 "미움은 진실로 사랑인 것이다"(34)라는 프레이저(Frazer)의 말처럼 동생에 대한 사랑의 감정에서 비롯된 것이다. 제이미의 두 번째 고백은 이를 증명해준다.

> 하지만 오해하진 마라. 난 네가 밉다기 보다는 좋아. . . . 내가 하고 싶은 말은 말이다. 네가 대성공을 했으면 하는 거야. . . . 정말이다. "형제를 그로부터 구하나니 이보다 큰 사랑은 없느니라" . . . 넌 훌륭한 사람이야. 그래야 되지. 내가 만들었으니까. 그러니까 병을 고치고 오란 말이다. 죽으면 안돼. 남은 건 너 밖에 없으니까. 부탁한다. (166-67)

제이미는 동생에 대한 그의 사랑을 보임으로써 가슴 속의 죄책감을 씻어내고 평화로움 속에서 새로운 미래를 시작하고자 한다.

> 그것뿐이야. 이제 기분이 낳아졌어. 고해성사를 한 거야. 네가 죄를 사해 준 거니? 넌 이해할거야. 넌 정말 좋은 놈이지. 그래야 하구 말고. 그래 가서 회복해야지. 나 때문에 죽지마라. 넌 내가 남긴 모든 거야. 신의 가호가 있기를. (167)

제이미의 애증으로 가득한 고백은 이 작품에서 심리적 갈등을 가장 적나라하게 보여주는 장면으로, 과거의 삶이 아니라 현재의 삶을 영위하고자 하는 가장 고백다운 고백이다. 이러한 고백이 있은 후 제이미와 에드먼드의 관계는 상호화해와 관용이 된다. 이제 그들은 환상을 버리고 현실과 직면하여 희망과 밝음을 향한 여로를 시작한다. 그것은 형제 관계에서 서로를 향한 이해와 용서와 사랑의 빛이며, 그동안 타이론 가족을 지배해 온 절망을 극복할 수 있는 새벽의 여명이다. 카펜터는 에드먼드와 제이미 사이에 일어나는 고백의 순간을 "이 작품의 진정한 클라이맥스이다. 그것은 최종적인 깨달음과 비극적 카타르시스의 순간이다"(Carpenter 161)고 말하고 있다. 제이미는 고백이라는 기독교적 제의를 통해 깊은 밤을 지나 새로운 미래를 향한 새벽의 여명으로 향한다.

이와 같이 『밤으로의 긴 여로』에서, 타이론과 제이미가 그들의 잘못을 솔직하게 고백함으로써 참회와 용서와 이해를 향한 밝음으로의 희망을 제시하고자 하는 오닐의 작가적 의도를 확인할 수 있다. 그는 인간이 진솔한 고백을 통해서 새로운 모습으로 거듭날 수 있고 동시에, 신에게 다가가는 기회를 포착할 수 있다는 메시지를 기독교적 제의를 통해서 전달하고 있다.

제5장

콤플렉스와 갈등과 구원

제1절 마더 콤플렉스와 부자갈등의 극복: 『느릅나무 그늘의 욕정』

유진 오닐의 작품에 등장하는 주요 주인공들은 거의 전부가 마더 콤플렉스(Mother Complex), 성적 도착, 신경과민, 강박관념, 퇴행, 죽음의 본능 등 이상심리의 덫에 걸리게 되고, 그의 아일랜드계 혈통에서 비롯되는 선입관, 즉 한 가족의 운명이 개인적, 집단적 과거의 유산에 뿌리를 두고 있다는 전제와 결합되어 비극적 운명관이 주조를 형성한다.

오닐은 예술을 매개체로 하여 그 자신과 가족의 문제를 끊임없이 다루면서 이를 통해 진정한 자아 찾기와 자기실현을 모색했기에 대부분 그의 작품은 자서전적 색채를 지니게 되는데, 이러한 그의 극의 성격에 대해 카펜터(Frederic I. Carpenter)가 "오닐의 극들은 자서전적인 바, 문자 그대로 그리고 정신적 의미에서 그렇다"(170)고 지적한 것은 이러한 사실을 잘 뒷받침해주고 있다. 특히 그는 그의 자서전적 극을 통해 가정에서 일어나고 있는 비극을 극화하면서, 어머니로부터 영향을 크게 입고 어머니에게 의지하며 어머니를 오로지 자신만을 위한 사람으로 여기는, 남성의 현실적인 행동이나 지각(知覺)에 영향을 미치는 무의식의 감정적 관념인 마더 콤플렉스와, 그에 따라 부자간에 발생하는 갈등의 문제를 심도 있게 표출시키고 있다.

오닐에게 있어 아버지는, 그의 "의식적 자서전"(Gelb 538)인 『밤으로의 긴 여로』(*Long Day's Journey into Night*)를 통해 알 수 있듯이, 어머니를 불행에 빠뜨린 장본인이었고, 또한 오닐은 그의 일생을 통해 그가 어머니를 사랑했지만 어머니의 비극적 삶이 그의 출생과 밀접한 관련이 있다는 죄의식으로부터 벗어날 수 없었다. 그러기에 그의 자서전 또는 그러한 경향이 엿보이는 극들인 『느릅나무 그늘의 욕정』(*Desire Under the Elms*), 『밤으로의 긴 여로』, 『상복이 어울리는 엘렉트라』(*Mourning Becomes Electra*), 그리고 『얼음장수 오다』(*The Iceman Cometh*) 등에서 어머니의 역할은 매우 중요하고 극의 중심을 이루고 있으며, 주인공들은 어머니를 잃은 상실감으로 비참한 상태에 빠지거나, 어머니로부터 버림을 받았다는 생각으로 분노를 느끼거나, 어머니를 배신했다는 죄책감에 빠져있거나, 또는 어머니 없이는 살 수가 없는, 강한 마더 콤플렉스를 가지고 있으며 나아가 부자간에 갈등을 겪는다.

뉴잉글랜드의 농장을 배경으로 하는 『느릅나무 그늘의 욕정』에는 마더 콤플렉스가 등장인물들에게 지배적이고 무의식적 영향으로 작용하고 있다. '엄격한 신'(Hard God)의 화신인 아버지 캐봇(Cabot)에 대항하는 '관대한 신'(Easy God)은 모성의 상징인 두 그루의 거대한 느릅나무로 묘사된다. 이 느릅나무는 농가를 보호하는 것처럼 보이면서도 압도하고 있으며, 둘째 부인의 희생에 대한 복수의 상징으로 극의 전체적인 분위기를 지배하고 있다.

> 집 양쪽에는 두 그루의 커다란 느릅나무가 있어 지붕 위로 가지를 축 늘어뜨리고 있다. 어딘가 이 집을 보호하는 것 같이 보이고, 억압하는 것같이도 보인다. 꼭 붙잡고 놓아주지 않는 지독한 모성애를 연상시킨다. 이 두 그루 느릅나무야말로 이 집 주인의 삶과 밀접한 접촉을 하는 가운데 놀라운 자비심을 길러왔다. 이 나무들은 집을 질식시킬 듯이 덮고 있다.

> They appear to protect and at the same time subdue. There is a sinister maternity in their aspect, a crushing, jealous absorption. They have developed

from their intimate contact with the life of man in the house an appalling humaneness. They brood oppressively over the house. (158)

모성의 상징인 이 느릅나무에 대한 무대지시는 마더 콤플렉스, 농장을 둘러싼 부자간의 갈등과 복수의 암시, 계모 애비(Abbie)와 에벤(Eben)의 근친상간 등 극 전체에 걸친, 운명의 신비로운 힘인 "배후의 힘(Force behind)―운명, 신, 우리의 현재를 창조하는 생물학적 과거"(Quinn 199 재인용)를 암시하고 있다. 이 느릅나무로 대변되는 모성은 에벤의 죽은 생모, 애비, 창녀 민(Min), 캐벗이 유일하게 심적 평화와 소속을 느낄 수 있는 암소, 그리고 자연 그 자체가 될 수 있다. 이 느릅나무는 모성의 지배를 분명히 그리고 강력하게 나타내고 있으며, 벌린(Norman Berlin)은 "여성적 원리로서의 어머니, 과거에 대한 요구로서의 어머니, 복수의 영혼으로서의 어머니, 그리고 연인으로서의 어머니"(73)로 이 느릅나무가 상징하는 모성을 구체화하고 있는데, 그의 이러한 지적은 에벤이 그의 죽은 생모에 대한 마더 콤플렉스를 극복하고 성숙한 인간으로 발전해 가는 심리적 변화 단계를 잘 설명해주고 있다

『느릅나무 그늘의 욕정』의 주인공 에벤은, 농장의 원래의 소유주가 그의 어머니였는데 아버지 캐벗이 그것을 빼앗았을 뿐 아니라 어머니를 종처럼 혹사시켰기에, 그의 어머니가 돌아가신지 10년이 된 지금도 무덤 속에서조차 편안한 영면에 들지 못했다고 생각하고 있다. 그는 마치 『햄릿』(*Hamlet*)에서 햄릿(Hamlet)과 유령(Ghost)의 관계처럼 어머니의 망령을 떨치지 못하고 마더 콤플렉스에 철저하게 사로잡혀 있는 인물인데, 그는 죽은 어머니가 항상 그의 곁에서 그를 지켜보고 있다고 생각하며 언제 어디서든지 어머니를 떠올리는 무의식의 감정적 관념 속에 살고 있다. 그가 아버지 캐봇의 첫째 부인의 아들이자 이복형들인 시므온(Simeon)과 피터(Peter)에게 하는 아래 대사를 통해서, 그는 항상 마더 콤플렉스에 붙잡혀 있으며, 또한 어머니에 대

한 강한 연민을 가지고 있음을 확인할 수 있다.

> 엄마는 아직도 내 일을 도와주러 오셔－감자를 삶아 주러 오시고－베이컨을 튀겨주러 오시고－비스킷을 구워주러 오시지－그전처럼 온통 연기와 석탄재로 눈이 충혈이 된 채, 불을 떨어내고 재를 치우러 오셔. 아직도 밤이면 돌아와 스토브 옆에 서 계셔－편히 쉬고 주무시는 데 익숙하지 못하시거든, 무덤 속에서 조차도－자유롭지 못하신 거야.

> She'd come back t' help－come back t' bile potatoes－come back t' fry bacon－come back t' bake biscuits－come back all cramped up t' sake the fire, an' carry ashes, her eyes weepin' an' bloody with smoke an' cinders same's they used t' be. She Still comes back－stands by the stove thar in the evenin'－she can't find it nateral sleepin' an' restin' in peace. She can't git used t' bein' free－even in her grave. (164)

에벤의 이 대사는 『느릅나무 그늘의 욕정』에서 마더 콤플렉스와 어머니에 대한 연민을 가장 잘 드러내는 대사인데, 그의 어머니는 "캐벗의 노동 착취에 의한 희생자"(Falk 95)이며, 그는 "죽은 어머니의 기억에 대한 섬세하고 감성적인 복합체"(Winther 465)이다. 어머니에 대한 과거의 괴로운 체험은 그의 생활에 지대한 영향을 미치게 되고 그에게 마더 콤플렉스를 안겨준다. 에벤의 이러한 마더 콤플렉스와 관련된 대사는, 에벤이 혼잣말로 중얼거리는, 제2부 제2장의 "어머니! 어디 계셔요?"(Maw! Whar air yew? 191)와, 에벤이 애비에게 하는, 제2부 제3장의 "어머닌 늘 날 사랑하셨어"(Maw allus loved me. 192), 그리고 "어머니, 어머니, 어떡하면 좋아요? 말씀해주세요!"(Maw! Maw! What d'ye want? What air ye tellin' me? 193)와, 제3부 제2장의 "죽은 어머니한테－돌아와서 날 도와달라고 기도할 거야－당신하고 늙은이한테 어머니의 저주가 내리도록 말야"(I'll pray Maw t' come back t' help me－t' put her cuss on yew an' him! 205)와, 제3부 제3장의 "복수는 어머니에게 맡겨야지"(I'll leave Maw t' take vengeance on ye. 208), 그리고 "세상에 이런 일이! 어머니, 어머닌 어디 계셨어요? 왜 막지 않으셨어요?"(Oh, God A'mighty God! Maw, whar was ye, why didn't ye stop her? 209) 등 이 극의 여러 곳에서 확인할 수 있다. 벌린은 "오닐과 셰익스피어 둘 다에서 과거가 현재를 통제하고 미래를 창조한다. 햄릿의 아버지처럼 에벤의 어머니는 처음부터 끝까지 '나를 기억해라!'라고 말하고 있는 것처럼 보인다. 그녀는 이 극을 엄습하고 이 극 안에 잠복해 있다. 그녀는 희랍극의 신들만큼 강력한 결정적인 힘을 갖는다"(Berlin 75)고 말함으로써, 에벤의 어머니의 에번에 대한 시종여일한 강력한 영향력과 그로 인해 에벤이 마더 콤플렉스를 결코 떨칠 수 없음을 시사하고 있다.

이같이 에벤의 마더 콤플렉스는 죽은 그의 생모와 아들 에벤 사이에 일어나고 있으며, 캐봇의 셋째 부인인 애비의 등장 후에는 계모 애비와 에벤의 관계를 통해 진행된다. 35세의 젊은 계모인 애비와 25세의 젊은 에벤은 처음 만난 순간부터 서로의 육체에 대해 본능적으로 강한 욕망에 끌린다. 에벤은 애비에게 창녀 민에게서 느꼈던 것보다 더 강한 힘을 느끼는데 그것은 애비가 그에게 보다 강한 모성적 어떤 힘을 발휘하기 때문이다. 하지만 두 사람은 농장 소유문제에 대해서만큼은 첨예하게 대립하고 적대감을 나타낸다.

에벤: (점점 커지는 매력과 동정을 억제하며–사납게): 그래서 당신을 샀겠지–갈보를 사듯이! (그녀, 찔끔해서 얼굴이 붉어진다. 사실 그녀는 고생한 이야기를 하는 동안에 스스로 감격해 있었다. 에벤, 격렬하게 덧붙인다.) 그리고 당신한테 지불하는 대가가 이 농장이겠지만–이건 우리 어머니 농장야–그리고 지금은 내 것이고.

애비: (자신감에 찬 냉소를 보이며): 그래? 두고 보면 알겠지. (강하게) 나도 집이 필요해서 결혼했어. 그렇지 않으면 뭣 때문에 다 죽어가는 늙은이하고 결혼했겠어?

EBEN: (*fighting against his growing attracting and sympathy—harshly*) An' bought yew—like a harlot! (*She is stung and flushes angrily. She has been sincerely moved by the recital of her troubles. He adds furiously*) An' the price he's payin' ye—this farm—was my Maw's, damn ye!—an' mine now!

ABBIE: (*with a cool laugh of confidence*) Yewr'n? We'll see 'bout that! (*Then strongly*) Waal—what if I did need a hum? What else'd I marry an old man like him fur? (178)

그 후 애비는 75세 노인인 남편 캐봇에게 아들을 낳을 수 있다고 적극적인 환심을 유발하며 동시에 에번을 유혹하여 그를 통해 아들을 얻고자 한다. "애비의 욕망은 물질적이고 성적이다. 탐욕이 이 극에서 그녀의 초기 행동에 동기를 부여한다. 그녀는 항상 집을 원했고 지금은 소유하고 있다. 그러한 이유 때문에 그녀는 늙은 캐봇과 결혼했고, 그러한 이유 때문에 농장을 그녀의 것으로 확실하게 하기 위해 그녀는 아들을 원한다"(74)는 벌린의 주장은 애비의 욕망을 적나라하게 지적하고 있다. 결국 에벤은 점점 애비의 매력과 유혹에 빠져들게 되고 마는데, "애비는 압제력과 잠재력, 그리고 풍요와 사랑의 구현이자 대지의 일부로서 생산력과 모성의 원초적 상징인 느릅나무이기 때문이다"(129)는 엥겔(Edwin Engel)의 말은 설득력이 있는 주장이 되고 있으며, 이러한 사실은 애비가 에벤에게 하는 다음 대사에서 확인할 수 있다.

(두 팔로 그를 안고—야성적인 정열로) 내가 너를 위해 노래를 불러준다니까! 나도 너를 위해 죽을 수 있어! (에벤에 대한 걷잡을 수 없는 욕정에도 불구하고 그녀의 목소리에는 진지한 모성애가 깃들어 있다. 육욕과 모성애의 끔찍스런 혼합이다.) 울지 마, 에벤! 내가 엄마 역할을 할께! 엄마가 해주신 건 뭐든지 다 해줄께!"

(*both her arms around him—with wild passion*) I'll sing fur ye! I'll der fur ye!

(In spite of her overwhelming desire ofr him, there is a sincere maternal love in her manner and voice—a horribly frank mixture of lust and mother love) Don't cry, Eben! I'll take yer Maw's place! I'll be everythin' she was t' ye! (193)

에벤은 한편으로는 캐벗처럼 무자비하고 자기중심적이며, 다른 한편으로는 그 자신의 어머니처럼 민감하고 사랑에 굶주린 두 개의 상징적인 가면을 한 인물이다. 전자의 모습은 애비와 시므온과 피터가 에벤이 캐벗과 꼭 닮았다고 반복적으로 주지시킨 사실(166, 170, 182)에서 확인할 수 있고, 후자의 모습은 에벤이 이복형들인 시므온과 피터에게 강한 감정으로 "난 어머니 자식이야—피 한 방울까지도!"(I'm Maw—every drop o' blood! 162)라고 하는 대사와, 그가 크게 감격해서 "내가 그분의—그분의 상속잡니다"(I'm her—her heir. 162)라고 하는 대사를 통해서 마더 콤플렉스에 사로잡힌 에벤의 모습을 확인할 수 있다. 후자의 모습과 관련해서, 에벤이 캐봇과 관계를 갖은 창녀 민을 찾는 것은, 그러한 행위 자체가 캐봇에 대한 복수를 의미하기도 하지만, 동시에 마더 콤플렉스에 근원한 대지와의 합일을 향한 그의 소망을 나타내는 것으로 볼 수 있다. 민은 에벤에게 부드럽고 따스하며 풍부한 생산력을 지닌 '따뜻한 갈아놓은 밭'이 되고 있다.

민은 오늘밤 같이 아름다워. 부드럽고 따뜻하고 두 눈은 별처럼 반짝이지. 입술도 따뜻하고, 팔도 따뜻하고, 따뜻한 갈아놓은 밭의 향이 나지. 정말 예뻐.

She's like t'night, she's soft 'n' wa'm, her eyes kin wink like a star, her mouth's wa'm, her arms're wa'm, she smells like a wa'm plowed field, she's purty. (166)

이제 에벤과 애비는 각자의 목적, 즉 에벤은 캐봇에 대한 복수를 위해서, 그리고 애비는 캐봇 소유의 농장을 상속받기 위한 아들의 출산을 목적으로 성적 요구를 충족시키는데, 그들의 성적 결합의 장소는 다름 아닌 에벤의 어머니가 생존 시 기거했던 방이다.

애비: (거칠게) 우리 모두에 대한 하느님의 복수야. 그래 어쨌다는 거지? 사랑해, 에벤! 하느님도 아신다니까. (두 팔을 그에게 내민다.)

에벤: (소파 옆에 털썩 무릎을 꿇고 그녀를 끌어안는다—갇혔던 모든 정열을 풀어놓고) 나도 사랑해, 애비!—이젠 말할 수 있어. 정말 탐이 나서 죽을 지경이었어—처음 온 날부터 늘 그랬어! 사랑해! (입술이 멍이 들 정도로 격렬한 키스를 한다.)

ABBIE: (*wildly*) Vengeance o' God on the hull o' us! What d' we give a durn? I love ye, Eben! God knows I love ye! (*She stretches out her arms for him*).

EBEN: (*throws himself on his knees beside the sofa and grabs her in his arms —releasing all his pent-up passion*) An' I love yew, Abbie!—now I kin say it! I been dyin' fur want o' ye—every hour since ye come! I love ye! (*The lips meet in a fierce, bruising kiss.*) (193-194)

에벤이 '모신'(Mother God)의 화신인 애비와의 결합하는 것은 그 시사하는 바가 큰데, 그것은 곧 그의 대지에로의 회귀를 뜻하며 이를 통해 에벤은 마음의 평정을 찾게 되고 마더 콤플렉스도 벗어날 수 있게 된다. 그러한 일이 있은 후 다음날 애비와 에벤이 주고받는 아래 대사는 에벤의 무의식의 감정적 관념과 관련하여 깊은 의미를 갖는다.

애비: 어젯밤에 우리 방으로 만들었잖아. 우리가 방에 생명을 불어넣었어. 우리 사랑이 말야. (사이)

에벤: (이상한 얼굴 표정으로) 어머닌 무덤으로 돌아가셨어. 이젠 편히 주무실 거야.

ABBIE: We made it our'n last night, didn't we? We give it life—our lovin' did. (*A pause*).

EBEN: (*with a strange look*) Maw's gone back t' her grave. She kin sleep now. (195)

에벤은 이제 애비를 통해 마더 콤플렉스를 벗어날 수 있게 되고, 그의 어머니가 기거했던 방의 억압적이고 무덤 같은 분위기는 사라지며, 나아가 세상의 어떤 장애물과도 스스로 대처할 만큼 강한 인간으로 화한다. 그는 변했으며 얼굴에는 대담하고 자신에 찬 표정이 깃들어 있다. 어머니의 죽음으로 인해 좌절되었던 에벤의 사랑은 이제 애비를 통해 성취될 수 있게 되며 이들의 사랑은 처음에는 욕망에서 시작되어 점점 진정한 사랑으로 변모해 간다. 보가드(Travis Bogard)는 "애비를 통해, 에벤은 돌담과 그 농가의 협소한 방의 국한을 초월하고자 하는 욕망에서 도래한 도취의 황홀경을 성취한다"(216)고 마더 콤플렉스와 관련한 애비의 역할과 의미를 설파하고 있다. 항상 마더 콤플렉스를 탈피하지 못하고 다른 사람과도 화합할 줄 몰랐던 에벤은 '모신'이자 '풍요의 여신'(Earth Mother)인 애비를 통해 마더 콤플렉스뿐만 아니라 나아가 '엄격한 신'의 상징이자 폭군적 이미지의 소유자인 아버지 캐봇으로부터도 탈피할 수 있게 된다.

『느릅나무 그늘의 욕정』의 제3부 제2장과 제3장에서 애비의 에벤에 대한 사랑은 그 절정에 이른다. 그녀는 이 세상 무엇보다도 그를 더 사랑한다는 것을 그에게 증명해 보이기 위해서 그들 사이에 태어난 아기를 살해한다.

애비: 훔치진 못할 거야! 그전에 내가 죽여버릴 거니까! 사랑해! 증명해보이겠어!

ABBIE: He[baby] won't steal! I'd kill him fust! I do love ye! I'll promise t' ye! (206)

애비: 내가-내가 죽여 버렸어, 에벤.

ABBIE: I-I killed him, Eben. 208)

애비: 베개로 아기 얼굴을 덮었어. 그러자 제풀에 죽고 말았지. 숨이 끊어졌어.
ABBIE: I left the piller over his little face. Then he killed himself. He stopped breathing. (209)

벌린이 "애비가 아기보다 에벤을 더 사랑하기에 보다 큰 사랑을 위하여 아이를 질식사시킨 사실은 역설적으로 그리고 비극적으로 사랑의 진수를 상징한다"(77)고 말하는 것처럼, 에벤이 '모신'의 구현인 애비의 강한 모성과 헌신적 사랑을 통하여 새로운 인간으로 거듭날 때, 그는 그를 철저히 억눌러 왔던 마더 콤플렉스와 캐봇에 대한 증오, 그리고 농장에 대한 소유욕에서 완전히 벗어날 수 있게 된다. 결국 『느릅나무 그늘의 욕정』은 에벤이 '모신'인 애비와의 "친족 관계를 뛰어넘는 일종의 죽음 같은 사랑"(Manheim 36)을 통해 그의 이기적 감정을 초월하고 마더 콤플렉스에서 벗어난 성숙한 인간으로 화할 때 그 대단원을 이룬다.

에벤과 애비는 "그들의 내면 깊은 곳에서 일어난 위대한 열정의 놀라운 변화에 의한 자기희생적 사랑"(Berlin 80)을 통해서 고결하고 진실한 사랑을 이룬다. 이러한 사랑의 힘은 "죽음 앞에서도 희망을 가져다주었으며, 그들은 현실적 상황 그 자체 속에서 구원을 발견한다"(97)고 엥겔은 말한다. 오닐이 『수평선 너머』(*Beyond the Horizon*)에서 육체적인 죽음에 관계없이 결핵으로 죽어가는 로버트(Robert)에게 밝은 태양을 바라보게 함으로써 정신적인 영원한 삶을 허락하였듯이, 그는 애비와 에벤이 보안관에 의해 끌려가는 순간 두 연인이 손을 잡고 솟아오르는 태양을 황홀히 바라보며 서 있는 태도(216)에 현실을 떠난 경건함을 부여하고 있는데, 그의 극에 있어서 태양은 절망 가운데 솟아나는 희망을 나타내는 하나의 상징이 되고 있음을 알 수 있다.

에벤이 죽은 생모에게 강하게 집착하는, 무의식의 감정적 관념인 마더 콤플렉스에 이어, 『느릅나무 그늘의 욕정』의 또 다른 중요한 주제인 부자간의 갈등은, 하찮은 농장과 자갈밭을 끝까지 자기의 것으로 움켜쥐려는 아버지 캐봇과, 그의 첫째 부인의 아들 시므온과 피터 그리고 둘째 부인의 아들 에벤 사이에 나타나고 있다. 특히 캐봇과, 농장이 죽은 어머니의 피와 땀의 산물이라고 생각하여 그것을 되찾으려는 에벤 사이의 갈등이 그 중심을 이루고 있다. 차브로웨(Leonard Chabrowe)는 "돌담은 아버지에, 그리고 집은 모성적 심오함을 갈구하는 주인공으로서 이 작품에서 아들 역할을 하는 에벤에 상응한다"(129)고 말하고 있는바 부자 갈등과 관련하여 의미 있는 지적이라 하겠다. 포크(Falk)는 캐봇을 "그 자신의 개성을 신의 개성에 투영시킨 자기중심적이고 무자비한 인물이며 압제적이고 금욕적이며 엄격한 청교도주의의 화신"(94-95)이라고 평하고 있는데, 그의 신은 무정하고 징벌에 불타는 외로운 신으로서 그는 자신과 아내에게 용서와 사랑과 자비를 베푸는 대신 혹사와 희생을 강요했다. 벌린은 이러한 캐봇을 일컬어 "냉담하고 고행을 요구하는 엄격한 사도이며 계율적이고 압제적인 뉴잉글랜드 청교도주의 전통의 구현이다"(72)고 말하고 있다. 또한 레이시(Edgar F. Racey)는 "캐봇은 구약의 신으로, 오닐이 고전적인 비극적 인생관을 살려내서, 불가피한 복수의 신이 그러한 정신을 실행하게 하기 위해 빌려온 분노와 응징의 신이다"(61)고 캐봇의 역할을 규정하고 있는데, 이 세 비평가 모두가 캐봇에게서 '엄격한 신'의 면모를 공통적으로 지적하고 있음을 확인할 수 있다.

『느릅나무 그늘의 욕정』에서 시므온과 피터, 그리고 이복동생인 에벤은 이기적이고 전제적이며 청교도주의 전통을 대표하는 아버지 캐봇과 심한 갈등을 겪으며 증오와 복수심에 충만해 있다. 그래서 셋째 부인을 구하기 위해 집을 떠난 아버지 캐봇을 수전노라고 칭하며, 그가 법원에서 광인으로 선고받기를 원한다. 특히 그 중 에벤은 어느 누구보다도 캐봇을 향해 강한 증오와 복수심을 드러내고 있고 그를 고소할 생각을 가지고 있으며, 심지어 "돌아가시라고 기도했어요"(I pray he's died. 161)라며 그가 죽기를 기도할 정도이다. 그리고 에벤은 캐봇이 애비에게 새장가를 들었다는 말을 듣고 "지옥에서 나온 악마라니까. 우릴 골탕 먹이려는 수작이지—빌어먹을 늙은 당나귀 같으니!"(Ain't he a devil out o' hell? It's jest t' spite us—the damned old mule! 167)라고 아버지에 대해 악의에 찬 말을 주저하지 않는다. 에벤은 또한 어머니를 위한 복수의 일환으로 캐봇과 관계가 있었던 창녀 민과 관계를 갖는다.

> 그녀를 끌어안고 먹어버렸지! (자랑스럽게) 그랬다니까. 정말이야!
>
> I jest grabbed holt an' tuk her! (*Proudly*) Yes, sirree! I tuk her. (168)

그 일이 있은 후 고무된 에벤이 시므온과 피터에게 하는 창녀 민과 계모 애비에 대한 다음 대사는 아버지에 대한 갈등, 나아가 증오와 복수를 적나라하게 나타낸다.

> 내가 상관할 거 뭐 있어? 포동포동하고 따뜻하면 됐지. 전엔 아버지 여자였는지 모르지만—이젠 내 것이라는 점이 중요하지. . . . 어디 늙은이가 새로 얻은 암소[애비]를 한번 기다려 봅시다. 민은 저리가라겠지.
>
> What do I care fur her—'ceptin' she's round an' wa'm? The p'int is she was his's—an' now she b'longs t' me! . . . Wait'll we see this cow [Abbie]the Old Man' hitched t'! She'll beat Min, I got a notion! (168)

에벤이 이렇게 민을 소유한 일은 결코 사랑이 아닌 캐봇에 대한 증오와 복수이고, 이때 민은 모성애에 대한 아들과 아버지의 상징적인 근친상간이 되며 아버지 캐봇에 대항해 싸울 수 있도록 도와주는 '모신'의 역할을 한다. 민의 소유와 마찬가지로, 에벤이 계모 애비에게 끌리는 것은 사랑 때문이라기보다는 애비에 대한 육욕과 아버지 캐봇을 향한 복수의 집념 때문이다.

롱(Chester Clayton Long)이 에벤과 애비의 성관계에 대해 "에벤은 그의 아버지의 아내를 정복한 것에 경쾌해 하고 만족스러워하며, 거의 의기양양해 보인다. 그는 정복 그 자체를 즐길 뿐만 아니라 이것을 복수로서 즐기는 것이 명백하다"(109)고 지적하고 있는데, 에벤이 애비와의 성관계를 가진 후 아버지 캐봇에게 하는 다음 대사가 이를 잘 뒷받침 해주고 있다.

에벤: . . . (이상한 표정으로) 어머니가 다녀가신 걸 못 느끼세요? 무덤으로 돌아가신 걸 말예요?
캐봇: (둔하게) 누가?
에번: 어머니 말예요. 이젠 편히 주무실 수 있을 걸요. 아버지한테 복수했으니까요.

EBEN: . . . (*Queerly*) Didn't ye feel her passin'—goin' back t' her grave?
CABOT: (*dully*) Who?
EBEN: Maw. She kin rest now an' sleep content. She's quits with ye. (195)

그 후 일흔 여섯에 아들을 얻은 캐봇은 축하연을 베풀고 에벤에 대해 승리의 희열을 느낀다. 부자 갈등은 캐봇이 농장을 아이와 애비에게 물려주겠다고 하면서 심화되며, 에벤은 그의 아들이 캐봇의 아들로 입적된 사실을 억울해 하며 애비에게 분노를 터뜨린다.

이런 건 싫어. 내 아들을 늙은이 아들로 해두다니. 평생 그래야 할 거 아냐. 참을 수 없어.

I don't like this. I don't like lettin' on what's mine's his'n. I been doin' that all my life. I'm gittin' t' the end o' b'arin' it! (202)

에벤은 애비가 그를 유혹하여 아이를 출산한 것이 모두 그녀의 계책이었던 것으로 오해하고 분개한다.

> 처음부터 모두 더러운 농간이었어. 날 끌어들여 아들을 낳아 늙은이의 아들로 만들고, 농장을 차지하면 날 쫓아낼 셈이었지.

> Ye've been on'y playin' yer smeakin', stealin' game all along—gittin' me t' lie with ye so's ye'd hev a son he'd think was his'n, an' makin' him promise he'd give ye the farm and let me eat dust, if ye did git him a son! (205)

에벤은 형들이 있는 캘리포니아로 가서 돈을 번 후에 농장을 되찾아 애비와 캐봇을 길거리로 팽개쳐서 굶어죽도록 만들겠다는 그의 다음 대사는 그의 극단적 증오와 복수를 나타내고 있다.

> 에벤: (단호하게 결심하고) 떠난단 말야. 돈을 벌어가지고 돌아와서 늙은이가 훔친 농장을 찾을 거야—그리고 당신들 둘을 길거리로 쫓아내야지—구걸이나 하면서 숲 속에서 자도록 말야—당신 아들도 데리고 나가서—굶겨 죽도록 만들 거야.

> EBEN: (*with fierce determination*) I'm a—goin', I tell ye! I'll git rich thar an' come back an' fight him fur the farm he stole—an' I'll kick ye both out in the road—t' beg an' sleep in the woods—an' yer son along with ye—t' starve an' die! (206)

한편 캐봇은 그의 자식으로 믿었던 아이가 사실은 에벤의 자식이고, 이와 관련된 모든 전말을 애비를 통해서 확인하게 된다. 그는 외로움을 벗어나기 위해서 유일한 소속 추구의 대상이었던 암소들을 풀어줌으로써 그 자신도 자유로워지기를 원한다. 시므온과 피터가 일찍이 캘리포니아로 떠나버렸고 이제 에벤과 애비도 보안관에 의해 끌려가기로 되어 있는 상황에서 캐봇은 "하느님께서도 외롭지 않으신가. 하느님은 엄격하시고 외로우신 분이지!"(God's lonesome, hain't He? God's hard an' lonesome! 215)라고 굳은 표정으로 말함으로써 그의 강한 소외감을 토로하고 있다.

혼자 남게 될 캐봇은 캘리포니아로 떠날 것을 결심하고 숨겨둔 돈을 찾는다. 돈이 없어진 사실을 확인하고 분노에 차면서도 은근한 안도감 속에서 돈의 상실을 신의 뜻으로 돌린다. 그는 이 불모지 농장을 벗어날 수 없고 원하지도 않는다고 인식하게 된다. 그는 다시 옛날처럼 자기가 믿는 신의 품 속에서 살고자 풀어준 가축들을 모으러 나간다. 결국 캐봇은 그 자신의 신에 귀의함으로써 부자 갈등으로 인한 좌절과 패배의 직전에서 제자리를 찾게 되며, 그의 독백에 가까운 다음 대사에서 이러한 사실을 확인할 수 있다.

> 마음을 굳게 먹고 이 농장에 남아 있으라는 하느님의 말씀이 들린다. 하느님이 에벤의 손을 빌어 내 마음이 약해지지 않도록 경고하신 거야. 난 하느님 손바닥 안에 있어. 그분의 손이 날 인도하시는 거지.

> I kin hear His voce warnin' me agen t' be hard an' stay on my farm. I kin see his hand usin' Eben t' steal t' keep me from weakness. I kin feel I be in the palm o' His hand, His fingers guidin' me. (215)

크루츠(Joseph Wood Krutch)는 캐봇에 대해 "그는 최소한 신에 속한다. 그가 말한 대로 그의 신은 엄격하고 외롭다. 합리적으로, 그가 신의 인격과 의지를 그 자신과 그의 의지와 철저하게 동일시하는 점에는 부조리한 어떤 면이 있을지도 모른다. 그러나 그러한 동일시가 그에게 위상을 안겨준다. . . . 그것은 또한 그가 패배 속에서 정신적인 승리를 거두는 종국에 위엄과 고양 그리고 일종의 장엄을 제공한다"(455)고 함으로써, 그의 인격과 의지를 신격화함으로써 그에게 주어지는 여러 형태의 존엄성을 설파한다. 캐봇이 그의 운명을 받아들일 수 있는 강인함을 보여주는 것은, 비록 그의 신이 고독하고 고행을 요구하는 신이라 할지라도 그에게는 이러한 신과의 일체감이 있기 때문이며, 그렇게 함으로써 패배 속에서도 정신적 승리를 체득할 수 있다.

제2절 구원의 어머니상: 『교묘한 막간 희극』, 『잘못 태어난 자를 비추는 달』

유진 오닐이 활동했던 20세기 미국의 전반기는 경제적인 부를 축적할 수 있는 능력이 요구되는 시대였기에 사회적인 현상에 편승하여 여성들의 사회 참여에 대한 인식과 자아에 대한 각성이 높이 고취되었던 시기였다. 가부장제 전통이 지배하던 빅토리아 시대의 규범들이 서서히 붕괴되면서 여성주의에 대한 의식이 싹터가는 가운데 영국의 버지니아 울프(Virginia Woolf)와 조지 버나드 쇼(George Bernard Show)같은 작가들은 그들의 작품을 통해서 여성의식을 계몽하면서 여성의 사회적인 지위와 역할을 강조하였다.

오닐은 그가 창작한 작품들만큼이나 극적인 인생을 살았던 작가다. 그의 작품들을 고찰해 보면 그는 동시대의 다른 작가들보다 더 깊은 이해와 관심을 가지고 여성들을 그리고 있다. 그는 그의 작품 속에서 그가 염원하고 있는 이상적인 여성들을 통해 존재론적인 삶의 문제로부터 야기되는 갈등과 고뇌를 극복하고 구원을 성취하고자 한다. 그는 그의 작품을 통해 여성들이 기독교적 전통이 지배하는 사회에서 여성의 한정된 범주를 탈피하여, 남성들과의 관계 속에서 대등한 주체로 인정받을 수 있는 여성의 다양한 역할을 모색하고 있다. 예를 들어보면, 『수평선 너머』(*Beyond the Horizon*)에서 루스(Ruth)는 시인의 기질의 소유자인 로버트(Robert)와 흙의 아들인 앤드류(Andrew) 형제의 이상을 전도함으로써 '배후의 힘'(Force behind)을 대행하는 역할을, 『털보 원숭이』(*The Hairy Ape*)에서 증기선 선장의 딸인 밀드레드(Mildred)는 강철과 석탄, 증기와 동력 그리고 속도라는 현재의 세계에서 만족하며 안주하고 있는 화부(火夫) 양크(Yank)로 하여금 지금까지의 그의 생각과는 달리 무소속감을 통해 그의 참된 위치에 대한 정체탐구를 시작하게 함으로써 그에게 객관적이고 독립적인 가치를 부여하는 역할을, 『모든 신의 아이들에게는 날개가 있다』(*All God's Chillun Got Wings*)에서 백인 여성 엘라(Ella)는 흑인 남성 짐(Jim)의 가정을 지배해 온 콩고 마스크를 찌름으로써 그의 자아를 파괴하고, 그가 변호사 시험에 통과할 수 없고 백인사회에 속할 수도 없으며, 그 마스크가 요구하는 것처럼 흑인종족에 속한다는 사실을 주지시켜 그에게 참된 자아를 각성시키는 역할을 한다.

오닐의 작품에 등장하는 여성들의 이러한 다양한 역할 중에서 특히 중요한 역할 중의 하나가 현실에 적응하지 못하고 방황하는 나약한 남성들을 감싸 안는 모성적 역할이다. 발로우(Judith E. Barlow)는 "여성들이 종종 오닐의 여러 작품에서 행위의 구심점이 되고 있으며, 그들의 사랑과 증오, 좌절과 욕망이 남성들의 삶에 많은 영향을 끼치는 것으로 묘사되고 있다. 오닐이 생각하는 여성이라는 개념은 모성이라는 전통적인 사고에 근거를 두고 있다"(169)고 말한다. 초시아(Jean Chothia)는 "오닐은 그의 인생과 작품이 그 자신과 밀접한 관계를 가지고 있는 대표적인 작가이며, 그의 작품에 등장하는 여성들을 그의 내면과 관련시켜서 살펴보는 것이 그의 여성들을 연구하는데 상당한 의의가 있다"(45)라고 주장한다. 오닐은 그의 자서전적 희곡인 『밤으로의 긴 여로』(*Long Day's Journey into Night*)에서 가난이라는 강박관념에 사로잡힌 타이론(Tyrone), 꿈을 상실하고 과거에로 침잠하는 마약중독자인 메어리(Mary), 오이디푸스 콤플렉스에서 헤어나지 못하고 술과 창녀에 탐닉하는 제이미(Jamie), 그리고 잘못 태어난 자로서 죄의식을 느끼며 살아가는 에드먼드(Edmund)처럼 그 자신 또한 삶의 본질을 탐구하며 고뇌하는 외로운 순례자와 같은 삶을 살았다. 이와 같이 이해와 용서와 사랑이 충만한 진정한 가정에 소속할 수 없었기 때문에, 그는 자연스럽게 그의 작품을 통해서 어머니를 향한 강한 열망의 문제를 다루게 되며, 그것은 일생동안 그의 삶의 화두가 되고 그의 작품세계의 중요한 주제가 되었다.

오닐의 작품 속에 등장하는 대부분의 여성들은 그가 느꼈던 자전적인 체험에서 형상화된 인물들과 부모와 격리된 생활 속에서 어머니의 사랑을 갈망하는 모성을 토대로 하여 창조된 인물들이다. "전형적인 오닐의 남자 주인공들은 어머니를 대체할 장소, 신념, 또는 사람을 찾아 평생을 방황한다"(137)는 발로우(Barlow)의 언급처럼, 오닐의 작품들은 어머니와 깊이 관련된 남성들이 등장하고 있거나 모자관계의 양상을 띠고 있는 경우가 많은데, 이는 그가 얼마나 어머니에 대해 집착하고 있는가를 분명하게 입증한다.

1. 니나: 『교묘한 막간 희극』

『교묘한 막간 희극』(*Strange Interlude*)은 오닐이 "나의 여성극"(Gelb 589 재인용)이라고 부를 만큼, 여성이 작품을 이끌어가는 주체로서 여성 주인공인 니나(Nina)의 복잡한 삶의 질곡을 보여주고 있다. 이 작품은 1928년 극장조합(Theatre Guild)에 의해 공연된 후 426회의 장기 공연을 기록했을 뿐 아니라 최다 관객을 동원하여 흥행에 성공한 그에게 부와 명예를 안겨준 작품이다. 이 작품의 전체적 구조는 아버지 신에 의해 정형화된 기존 사회 속에서 니나가 욕망을 드러내며 작품을 주도하는 막간극의 구조이다. 이 작품은 겉으로 드러난 남성의 역할과, 가부장제 사회에서 어머니와 아내로서 니나의 역할을 통해 전통적인 가정의 틀을 깨뜨리지 않고 진행된다. 비록 이 작품에서 그녀가 남성들의 중심에 서서 그녀의 의지대로 남성들을 조정하고 이끌어가지만, 이 과정에서 그들은 그녀를 통해 남성의 정체성을 확인하고 생명력을 얻으면서 처음 작품이 시작될 때보다 더욱 더 강한 남성이 되어 간다.

『교묘한 막간 희극』은 형식과 내용에 있어서도 파격적인 시도를 보이고 있는데, 무려 7시간에 걸쳐 공연되는 총 2부 9막으로 구성되어 있으며, 약

25년이 넘는 여주인공 니나의 삶의 궤적을 보여주고 있다. 어린 시절과 노년을 제외한 인생을 통해 재현된 그녀의 삶은 다양하게 환경과 반응하면서 생명의 탄생이라는 무의식적인 창조 본능에 의해 이끌려 간다. 실제로 작품이 시작하여 거의 끝날 때까지 그녀는 애인인 고든 쇼(Gordon Show)로 상징되고 있는 아이를 낳아, 그를 그녀 곁에 두고 영원히 소유하려는 본능에 따라 행동한다. 그리고 그녀를 둘러싸고 있는 남성들은 그녀에게서 모성 갈등을 충족시키기 위해 그녀의 사랑을 필요로 하는 인물들이다. 그녀는 그들에게 애인이고 아내이며, 어머니이자 딸이 되고 있다. "여성이 자신의 여성성을 남성에게 완전히 보여줄 때, 남성이 그 여성 속에서 진정한 소속이라는 평화를 찾을 수 있지만, 여성이 남성을 거부할 때, 남성은 고뇌로 소속감을 상실하게 된다"(151)고 보가드(Travis Bogard 1972)는 지적하고 있다.

헤르조그(Callie Jeanne Herzog)는 "사랑이 없는 딸이자 지나치게 사랑이 충만한 딸인 니나는 여러 유형의 여성, 즉 타락한 여성, 성적인 요부 또는 유혹녀, 열정적인 주부, 어머니 같은 아내, 대지의 어머니, 소유욕이 강하고 구속하는 어머니, 그리고 여신이 조합되어 있다"고 주장한다(184). 겔브(Gelb)는 니나의 이러한 특성을 "오닐이 여성에 내재한 가장 순수하고 또 가장 어둡다고 간주되는 두 가지 모든 것을 구현한 매력 있는 거인"(628)이라고 언급하는데, 이처럼 다양한 유형의 속성을 소유한 그녀의 이미지는 파괴적인 동시에 창조적이며, 그녀는 남성들에게 생명력을 일깨워 주는 구원의 어머니로서의 역할을 행사하고 있다. 오닐은 이와 같이 그의 작품을 통해서 잃어버린 옛 신인 아버지 신을 대체할 만한 새로운 신을 여성에게서 찾고 있다. 그는 여성을 "생명을 주는 자"(Stone 11 재인용) 또는 "모든 인간 생명의 창조자"(Stone 13 재인용)로 보고 있다.

작품의 발단은 니나가 전쟁에서 죽은 애인인 고든을 닮은 아이를 낳으려는 욕망에서 비롯된다. 1막에서 마스덴(Marsden)은 독백을 통해 그녀의 최근 근황을 알려준다. 그녀와 고든은 연인관계이며 그는 전쟁터에서 전사했고 그녀의 아버지인 리즈(Leeds) 교수는 6년 전에 상처하여 딸인 니나와 함께 살고 있다. 리즈교수의 독백을 통해 그가 고든을 질투하여 그녀와의 결혼을 방해했음이 드러난다. 이어 등장하는 그녀의 독백과 대사는 고든이 전장에 나가기 전에 그녀와의 육체관계를 원했지만, 그녀가 거절한 것에 대해 죄책감을 느끼고 있는 그녀의 심리상태를 보여주고 있다. 결과적으로 그녀는 아버지가 그들의 결혼을 방해했기 때문에, 그녀가 고든에게 그녀의 모든 것을 주지 못했다고 아버지를 원망한다. 그녀는 고든의 사랑을 배신하여 그를 전쟁터로 떠나게 하고 죽음으로 몰고 갔다는 자기혐오감으로 괴로워한다.

> 고든은 날 원했어요! 나도 고든을 원했고요! 그 사람에게 나의 모든 것을 다 줘야만 했었는데요! 그가 죽을 거라는 것도, 내게 아이가 없을 거라는 것도, 큰 고든도 작은 고든도 내게 남겨지지 않으리라는 것도, 그리고 거절하면 다시 찾아올 수 없는 행복이 그때 손짓하며 불렀다는 것도 난 잘 알고 있었어요! 그런데도 난 거절했어요! 그분에게 날 던지지 않았구요! 난 그분을 영원히 잃어버렸어요! (299)

고든에게 그녀 자신의 모든 것을 주지 못했다는 것에 대한 보상으로 니나는 "제 자신을 부여하는 법을 배워야 해요. . . . 타인의 행복을 위해 스스로를 줄 수 있을 때까지요! 제가 그것을 할 수 있게 되었을 때 비로소 저는 제 자신을 발견하여 제 자신의 생활을 어떤 식으로 설계하면 좋을지 알 수 있을 겁니다!"(298)라고 말하며, 그녀의 이러한 결심을 실천하기 위해 집을 떠나 군인병원에서 간호사로 일하면서 부상당한 군인들에게 그녀의 몸을 맡긴다. 그녀가 이렇게 행동하는 이유는 고든과 이루지 못한 육체적인 관계를 그들을 통해 대행하며 속죄하려는 의도로 볼 수 있다. 즉 그들은 죽은 고든 자신이며 그녀와 고든의 아이들이 되고 있다. 그러나 이기적이고 육체적인 쾌락만을 추구하는 군인들에게서 아무런 모성 본능도 충족하지 못한 채 환멸과 허탈감에 싸여있던 그녀는 아버지의 부고 소식을 듣고 집으로 돌아온다. 그녀는 죽은 아버지의 역할을 대행하는 마스덴에게 전쟁터에서 만난 대럴(Darrell)과 에반스(Evans)를 소개한다. 보가드(Bogard 1972)는 "그들은 그녀의 강렬한 모성 본능에 빠져 그녀 곁을 떠나지 못하고 그녀에게서 생명력과 정체성을 찾고 있다"(300)고 그들의 한계를 지적한다.

2막에서 니나는 이기적인 의도를 명분으로 합리화하는 아버지와, 남성들이 자기중심적인 고착된 사고를 가지고 있다는 것을 간파한 군인병원의 경험으로, 가부장제 신이 지배하는 사회는 뒤틀리고 왜곡될 수밖에 없다고 비난하며, 생명은 어머니 신인 여성 신의 산고 속에서 창조된 것이기에 여성이 주도하여 세상을 다스려야만 삶과 죽음이 자연스럽게 흘러간다고 주장한다.

> 신이 남성상으로 창조되었을 때부터 실수가 생긴 거예요. 물론 여자들은 신을 그런 식으로 보고 싶어 하지만 남자들은 자기들 어머니를 생각해서 신사답게 신을 여자로 해도 좋았을 텐데요! 하지만 신 중의 신은—우두머리—항상 남자였죠. 그러니까 인생이 이렇게 비뚤어지고 부자연스러워진 거죠. 우리들은 여성 신의 분만의 진통 속에서 인생이라는 게 만들어졌다고 생각했어야만 했던 거예요. 그렇다면 여성 신의 자식인 우리들이 고통을 물려받은 이유를 알 수 있죠. 그래서 우리들의 생의 리듬이 여성 신의 사랑과 출산의 고통으로 쥐어뜯긴 위대한 심장으로부터 고동치고 있다는 사실을 알 것이기 때문이에요. (318)

오닐은 생명력이 충만한 니나를 통해 인간의 탄생과 죽음이 어머니 신과 결합되어야만 어머니 신의 실체와 만날 수 있고, 어머니 신의 피에 용해되어, 어머니 신의 평화에 도달할 수 있다고 본다. 그리하여 사랑과 출산의 고통 속에서 삶의 희로애락을 경험한 여성 신이 세상을 주도하는 "우두머리 신"이 되어야 한다고 주장하며 여성 극으로서 이 작품의 가치를 강조하고 있다. 만델(Batte Mandel)은 이 작품이 가부장제 사회에 도전하는 일례로서 "그 당시의 젠더의 고정관념에 대한 도전에 기여하고 있다"(12-13)고 오닐의 여성주의적인 한 단면을 강조하고 있다.

니나는 집을 떠난 후 어느 곳에서도 죽은 애인인 고든을 대신할 만한 상대를 찾지 못하자 그 대안으로 아이를 낳고자하는 창조적인 모성 본능에 집착하는 어머니상을 보여준다. 병원 의사이며 죽은 고든의 친구인 대럴은 마스덴에게, 고든의 죽음으로 고통을 받고 있는 그녀의 감정을 치유하기 위해, 그녀를 그의 후배인 에반스와 결혼시킬 것을 제안한다. 그 후 에반스와 결혼하여 그의 아이를 임신한 그녀가 정신적인 안정을 찾아가던 중, 그녀는 시어머니로부터 남편의 가문에 대대로 내려오는 정신질환성 불치병에 대한 내력을 듣고, 고통 속에서 살기 보다는 행복을 찾는 것이 그녀의 권리이자 의무라고 그녀 자신을 위로하며 아이를 포기한다.

> 에반스 부인: 니나! 난 무슨 일이든 상관하지 않아! 넌 건강한 아이를 낳아야 해-언젠가-너희 둘 다 행복해 질 수 있도록 말이다! 그것이 너의 진실한 의무야!
>
> 니나: (당혹한 듯이-반쯤 속삭이듯) 그래요, 어머니. (마음속으로-동경하듯이) 난 행복해지고 싶어! . . . 그건 내 권리야 . . . 그리고 의무지! (336)

니나가 에반스와 결혼한 목적은 그를 사랑해서라기보다는 "그 사람은 내가 필요했었고-나는 아기가 필요했다!"(334)는 조건이 서로 부합되었기 때문이다. 아기가 죽은 후 그는 그녀의 무관심에 불안감을 느끼며 예전의 자신감 넘치던 활력이 사라지고 무기력증에 빠진다. 그녀는 그를 기쁘게 하고 그녀 자신의 행복을 위해 다시 아이를 갖고 싶은 열망에 "예전에 난 아무 생각도 없이 한 순간의 행복을 주기 위해 남자들에게 날 내맡겼었지. . . . 다시 한 번 그렇게 하면 안 될까? . . . 샘의 행복에 관한 경우인데 . . . 그리고

나 자신의 행복을 위해서고"(342)라며 자신을 합리화 한다.

니나는 그리하여 다시 아이를 갖기 위해 정신적 · 육체적으로 "건강한 남성"(353)인 대럴을 선택하여 임신하며, 더 나아가 연인관계로 발전하기 위해 에반스와의 이혼도 불사한다. 그러나 그녀의 문란한 과거를 알고 있는 대럴은 그녀가 그의 출세를 가로막는 장애물이 된다고 생각, 연인관계로의 발전을 애써 억제하며 에반스에게 그녀의 임신 사실을 알리고 유럽으로 도피한다. 그녀는 임신을 통해 "그 사람의 아이! . . . 내 아기가 나의 생명 속에서 움직이고 . . . 내 생명이 내 아기 속에서 움직이고 있어 . . . 세계는 완전무결하다"(358)라고 희열에 차며 그녀의 의식은 어머니 신의 영역으로까지 고양된다. 그녀의 외모와 태도 변화 역시 그녀가 대지의 어머니인 어머니 신의 화신임을 보여준다. 1막과 2막에서 불안정한 심리상태를 보이던 그녀의 모습은 5막에서 고든을 임신하자 육체적으로 건강해 보이고 또 정신적으로도 매우 안정되어 느긋하고 자신감에 충만한 구원의 어머니가 되고 있다.

니나의 역할은 6막에서 절정을 이루며 완벽한 구원의 어머니로서 모성 콤플렉스에 사로잡힌 그녀의 남성들에게 충만한 생명력의 제공자가 되고 있다. 고든을 낳은 후 그녀의 네 남자가 모두 한 자리에 모인다. 에반스는 성공한 남편으로, 대럴은 연인으로, 마스덴은 아버지로, 그리고 고든은 아들이 되어 그들은 그녀가 추구하는 한 명의 완벽한 남성 역할을 한다. 그녀는 그들을 소유함으로써 모든 것을 획득한 완전한 존재인 "우두머리 신"이 된다.

> 나의 세 남자! . . . 이 사람들의 욕망이 나에게 집중되어 있다는 것을 알 수가 있어! . . . 하나의 완전하고 아름다운, 남자의 욕망이 되어 그것을 내가 흡수 한다. . . . 그리고 완전한 것이 된다. . . . 모두 나의 내부에서 서로 융합하여, 그들의 생명은 나의 생명이 된다. . . . 나는 세 명의 남자를 소유하고 있다! . . . 남편! . . . 애인! . . . 아버지! . . . 그리고 네 번째 남자! . . . 아이! . . . 꼬마 고든! . . . 그 아이도 역시 나의 것이다! . . . 그것으로

완전하다! (395)

니나가 세 명의 남성들에게 차례차례 키스를 해주고 무대를 떠나는 장면은 아버지 신이 시기할 만큼 강력한 어머니 신의 위력을 보여주는 감동적인 장면이다. 에반스에게는 어머니가 사랑하는 아이에게 키스하듯 애정을 담은 키스를, 마스덴에게는 아버지에게 하는듯한 의무적인 볼 키스를, 대럴에게는 연인에게 하듯이 입술에 키스를 해준다. 세 남자의 사랑을 한 몸에 받고 고든의 화신인 아이까지 거느린 그녀의 모습은 구원의 어머니로서의 이미지를 극대화하고 있다.

니나의 남자들은 그녀의 생명력의 명암에 따라 의지가 좌우되는 연약한 기질을 소유한 남성들이다. 그들은 그녀를 통해 그들의 가치관을 충족시켜가고 있다. 남편인 에반스는 모성이 절대적으로 필요한 덩치 큰 아이로서 그녀의 생명력 안에서만 남성으로서의 강인한 능력을 드러내는 의지가 약한 인물이다. 대럴은 지적이고 통찰력 있는 인물로서 여자의 마음을 자극하는 매력을 풍기지만, 그녀의 성적 매력에 압도당해 그녀 주변을 맴돌며 의사와 과학자로서 타고난 재능을 낭비하는 용기 없는 남성이 되고 있다. 마스덴은 영원한 어머니의 아들로서 성적인 정체성을 찾지 못하는 몽상적이고 감성이 예민한 인물이다. 이처럼 객관적인 자아가 결여된 남성들이 "니나에게서 구원의 어머니상을 발견함으로써 그들은 삶의 다른 어느 곳에서도 획득할 수 없는 소속감을 성취할 수 있다"(300)고 보가드(Bogard 1972)가 지적하듯이, 그들은 성적 본능과 생명력이 충만한 나나에게서 확실한 소속감과 구원을 찾고 있다. 그녀는 정체성을 가진 한 평범한 여성이라기보다는 남성들의 모든 열망을 해결해줄 수 있는 구원의 어머니다. 니나는 그녀가 가진 모든 생명력을 그녀의 남성들에게 부여하여 그들이 진정한 삶으로 복귀하게 함으로써 구원의 어머니 역할을 충실히 이행한다.

2. 조시: 『잘못 태어난 자를 비추는 달』

『교묘한 막간 희극』의 니나가 신화화된 여성으로 그리고 창조적 생명력의 화신으로 남성들을 구원으로 인도하는 어머니라면, 『잘못 태어난 자를 비추는 달』(*A Moon for the Misbegotten*)에서 조시 호간(Josie Hogan)은 오닐이 원하는 여성 신의 조건을 모두 갖춘 완벽한 어머니이다. 니나가 그녀 주변의 남성들을 지배하며 능동적으로 그녀의 삶을 살아가는 적극적인 어머니라면, 조시는 그녀가 사랑하는 남성을 위해 자신의 모든 욕망을 희생하는 어머니이다. 그녀는 가장 완벽한 어머니의 전형이자 이상적인 대지의 어머니이다. 오닐은 이 작품을 통해 그가 평생 추구하고 갈망해왔던 이상적인 어머니상을 창조했을 뿐 아니라 그의 내면을 구속해온 가족 간의 갈등을 해소하고자 했다. 이 작품은 "『밤으로의 긴 여로』의 에필로그"(Berlin 149)로 간주될 만한 작품이며 그의 가족극으로 자전적인 경향이 짙게 풍기는 작품이다.

오닐은 그의 친 형인 제임스 오닐 2세(James O'Neill Jr.)를 중심인물로 삼아 그의 어머니에 대한 오이디푸스 콤플렉스, 죄의식, 그리고 어머니와의 화해와 용서를 갈망하는 내면 심리를 극화하고 있다. 어머니에 대한 애증의 감정과 이상적인 어머니상의 갈구는 오닐 가문의 아들들의 공통된 갈등의 근원이자 염원이다. 그는 그의 죽은 형인 제임스를 생각하면서 그에 대한 연민과 동정으로 이 작품을 썼다. 그는 이 작품에서 증오와 미움으로 점철된 과거의 가족사에서 벗어나 마음의 평화를 얻기 위해, 타이론(Tyrone)이라는 이름으로 등장하는 그의 형이 이상적인 여성인 조시에 의해서 정신적 구원을 얻는 과정을 그리고 있다. 이러한 의미에서 볼 때 이 작품은 "빛과 재생으로의 영혼의 여로"이며 "희망, 구원, 그리고 사랑의 위력에 관한 극"(Floyd 12)이다. 잭슨(Esther M. Jackson)은 『잘못 태어난 자를 비추는 달』의 주제를 "신의 은총"(254)이라고 표현하고 있다.

이 작품의 모든 에피소드와 구성은 지금까지 오닐이 그린 여성들과는 달리, 조시의 대지의 어머니와 같은 포용력과 희생에 의해 정신적 구원을 성취하는 타이론을 중심으로 짜여 있지만, "이 작품의 중심인물은 타이론이 아니라 조시이다. 그녀는 바로 오닐이다"(52)고 블랙(Stephen A. Black)은 이 작품에서 조시의 역할을 강조하고 있다. 『잘못 태어난 자를 비추는 달』은 4막으로 구성되었는데 1, 2막은 "타이론이 조시에게 고백하는 장면을 위한 서문"(Vena 84)이고, 3, 4막은 그가 과거의 죄를 고백함으로써 그녀를 통해 구원에 이르는 장면을 극적으로 묘사하고 있다. 이는 오닐이 그의 작품에 등장하는 여성들 중 가장 이상적인 여성인 조시를 통해 그의 기억 속에 남아 있는 형에 대한 과거의 모든 갈등을 해소하고자 했음을 단적으로 보여준다.

1막에서 묘사되고 있는 조시의 외모는 일반적인 관점에서 보는 여성적인 이미지와는 거리가 멀다. 오히려 그녀는 남성을 연상케 하는 거대한 몸집의 기형적인 여성으로 묘사되고 있다.

> 그녀는 여성으로서는 덩치가 너무 큰 편이어서 거의 변종이라고 할 수 있다 ─키가 5피트 11인치이고 몸무게는 약 180파운드 정도이다. 경사진 어깨는 딱 벌어졌고, 크고 탄력 있는 젖가슴은 골이 깊이 파여 있으며, 허리는 굵지만 엉덩이와 넓적다리에 비해서는 가는 편이다. 그녀의 팔은 길고 부드러우며, 근육이 있는 것은 아니지만 매우 단단하다. (1)

조시의 몸집이 보편적인 남성들보다 커다란 것은 그만큼 상대에게 큰 사랑을 베풀 수 있다는 능력을 역설적으로 암시하고 있다. 오닐이 이처럼 그녀의 외모를 기형적으로 왜곡하여 묘사하고 있는 것은 평범한 여성이 할 수 없는 어떤 특정한 능력을 구현할 수 있는 여성으로 만들려는 의도로 보여 진다. 과장되고 기형적인 그녀의 이미지는 남성보다 큰 체격을 지녔지만 남성적인 특성이 전혀 없는 "완전히 여성적인 여성"(all woman 1)이 아니고서는 강인한 생명력을 지닌 여성을 창조할 수 없기 때문에 의도된 모습이라고 할 수 있다. 또한 그녀는 자신을 "덩치 큰 못생긴 소 같은 여자"(77)라고 표현하며, 그녀의 아버지인 호간(Hogan)도 그녀의 모습을 "볼꼴사나운 암소"(8)로 비유하고, 그녀의 눈을 "악의 없이 커다란 예쁜 눈"(54)이라고 말하고 있다. 오닐의 작품에서 여성이 소와 같은 외모나 태도를 지닌 것은 대지의 어머니를 나타내는 상징적인 표현으로 볼 수 있다. 『느릅나무 그늘의 욕정』(*Desire Under the Elms*)의 암소들과 『위대한 신 브라운』(*The Great God Brown*)의 시벨(Cybel)에게서 찾아볼 수 있는 소의 이미지는 모성적인 특성과 결부되어 나타난다. 『잘못 태어난 자를 비추는 달』에서 그녀의 육체는 남성들에게 육체적인 욕망을 불러일으키는 대상이 아니라, 그들에게 정신적인 평화와 안식을 주기위해서 존재하는 여성, 즉 구원의 마돈나이다.

조시는 20년 전 어머니가 막내 동생인 마이크(Mike)를 낳다가 죽자, 그녀는 그 때부터 세 명의 남동생들에게는 어머니의 역할을, 아버지에게는 딸이자 주부로서의 역할을 충실히 해내고 있다. 그녀는 동생인 마이크에게 "넌 항상 내가 엄마 노릇을 해 줘야만 하는 어린애였지"(7)라고 말하면서 그녀 자신을 어머니로 생각한다. 그녀가 아버지의 노예처럼 일만해야 하는 토마스(Thomas)와 존(John)을 농장생활로부터 벗어나도록 도와준 것처럼, 그녀는 마이크에게도 집을 떠나 그의 삶을 개척할 수 있도록 아버지의 돈 가방에서 몰래 돈을 꺼내어 주는 모성애를 발휘하고 있다. 이 작품에서 마이크 형제들이 아버지의 집을 떠나는 장면은 『느릅나무 그늘의 욕정』에서 등장하는 형 시므온(Simeon)과 동생 피터(Peter)가 냉혹하고 이기적인 아버지의 숨겨놓은 돈을 훔쳐서 금을 찾아 서부로 떠나는 장면을 연상시킨다. 반면 마이크가 아버지를 "늙은 뚱돼지"(2)라고 놀리자 조시는 "그 양반은 또한 내 아버지란 말이야, 넌 안 그럴지 몰라도, 난 아버지를 좋아하거든"(3)이라고 말하며 아버지를 진정으로 이해하고 동정한다. 또한 그녀는 "전 제가 할 일을 하고 또 제 밥벌이도 하니까 간섭받지 않을 권리가 있어요"(13)라고 말하며 거침

없이 그녀의 아버지에게 맞설 수 있는 자신감이 넘치는 여성이다. 남동생들이 모두 집을 떠나갔지만 농장에 남아 아버지와 함께 농장 일을 거들며 그녀에게 부여된 주부이자 딸의 역할을 충실하게 이행한다. 1막 끝 부분에서 '하더(Harder) 에피소드'는 단적으로 남성을 압도하는 조시의 힘을 보여준다. 하더는 스탠다드 오일회사의 백만장자로서 그녀의 이웃 농장 소유주이다. 그가 호간(Hogan)의 돼지들이 울타리를 부수고 그의 얼음 연못을 엉망으로 만든 것에 대해 항의하기 위해 그녀의 집에 찾아오자 그녀는 그에게 아버지에 못지않은 심한 모욕적인 언사와 위협적인 행동으로 아버지를 돕는다.

조시는 그녀의 남다른 외모에 대한 열등감 때문에, 처녀이면서도 이웃의 모든 남자들과 잠자리를 같이한 바람둥이인양 그녀 자신을 기만하며 허세를 부리고 다닌다. 그러나 호건은 그의 딸이 세상에 물들지 않은 순수한 영혼을 가지고 있다는 것을 알고 있으며, 그녀가 타이론을 진실로 사랑하기에 그녀를 그와 맺어줄 의도로 계략을 꾸민다. 호간과 그녀가 20년이 넘도록 경작해 온 농장은 타이론 소유의 농장이다. 타이론은 호간 부녀에게 이 농장을 저렴한 가격으로 팔겠다고 약속했다. 그러나 딸을 타이론과 맺어주고 싶은 호간은 그녀에게 타이론이 하더에게 이 농장을 비싼 가격으로 팔려고 한다고 거짓말한다. 아버지의 계략에 속은 그녀는 그가 그들을 배반했다고 생각하고 삶의 전부인 농장을 지키기 위해 아버지의 음모에 적극 동참한다.

작품이 시작되면서 호간과 조시는 타이론을 운이 다한 사람이라고 말한다. 시종일관 상심하여 비탄에 젖어있는 그는 시체와 같은 모습을 하고 있다. 호간이 그녀에게 "그가 갑자기 이상하게 변해서 슬퍼 보이기도 하고, 또 마치 자기 안에 있는 어떤 유령에게 홀린 듯이 넋이 나가있다"(21)라고 말하자 그녀는 "시체"(23)같다고 그의 정신 상태를 지적한다. 그가 이렇게 된 원인은 그의 어머니에 대한 기억과 그녀의 죽음에 대한 슬픔이 그로 하여금 "마치 시체가 그 자신의 관 뒤에서 천천히 걷고 있는 것 같이"(23) 억누르기 때문으로 볼 수 있다. 그가 죽은 사람처럼 보이는 것은 그에게 그의 어머니의 죽음이 바로 그 자신의 죽음이 되고 있기 때문이다.

> 타이론은 40대 전반으로, 약 5피트 9인치 정도의 키에 어깨는 딱 벌어져있고 가슴은 우람하다. 그는 좋은 체격을 타고 났지만 방탕으로 인하여 허약하고 무기력해졌다. 그러나 건강하지 못한 부위가 있고 또 눈 밑이 쳐져있음에도 불구하고 얼굴은 여전히 잘생긴 편이다. 대머리 부분을 가리기 위해 숱이 없는 검은 머리를 가르마를 해서 뒤로 빗어 넘겼다. 눈은 갈색이고 흰자는 충혈되어 있으며 노리끼리하다. 큼지막한 매부리코는 어느 정도 메피스토펠레스적인 특성을 가지고 있으며 그것은 습관적으로 비웃는 듯한 표정을 지을 때마다 더욱 두드러져 보인다. (24)

무기력한 타이론의 외모는 그가 지난 11년을 어떻게 살아왔는지 극명하게 보여준다. 그에게 존재가치를 느끼게 하는 어머니는 그가 살아야 하는 이유였기에 어머니의 죽음은 그를 자책감에 빠지게 하고 절망 속으로 몰아간다. 조시가 그와 키스한 후 "당신은 기운이 하나도 없군요! 시체한테 입맞추는 것 같아요"(33)라고 말하는 데서 나타나듯, 그는 "영적인 구원 없이는 죽을 수도 없다"(10)는 플로이드(Floyed)의 절망적인 표현처럼 과거의 괴로운 기억에서 도저히 빠져 나올 수 없는 극한 상황에 처해 있다. 그러나 그가 그녀에게 "엄마처럼 나를 대해줘, 조시, 난 그게 좋아"(45)라고 말하는 장면은 그가 그녀에게서 죽은 어머니를 대신할 수 있는 희망을 찾았다는 것을 암시해준다. 그녀는 어머니의 죽음으로 극심한 고통을 느끼고 있는 그에게 단순한 연민을 넘어 그를 구원으로 인도하는 생명력을 발휘한다. 그의 여자들에 대한 탐닉의 과정은, "난 이제 아름답고 큰 가슴에 키가 크고 요염한 여자를 좋아한다구"(28)라는 그의 주장에서 확인할 수 있듯이, 그의 여성, 즉 "못생기고 덩치가 큰 여자"(18)인 조시를 발견하기 위한 과정으로 볼 수 있다.

3막은 창문을 통해 달빛이 비치는 가운데 타이론은 "나는 외로워서 죽을 것만 같았어－"(73)라고 혼자 남았다는 고독감을 조시에게 드러내면서, "당신은 성실하고 건강하고 또 순수하고 우아하고 다정하고 강하고 친절해"(77)라고 그녀에 대한 그의 감정을 고백한다. 그는 기차 안에서 술기운에 금발머리 뚱보와 놀아났던 그의 과거에 대해 두서없이 말하면서 그녀의 호기심을 유발시킨다. 그는 잠재의식 속에 있는 그의 방탕과 죄책감을 무의식적으로 드러내기 때문에 그가 그녀에게 금방 했던 말조차 쉽게 기억하지 못한다.

조시와 타이론은 냉소적 가면을 쓰고 서로의 내면에 있는 참된 자아를 좀처럼 드러내지 않는다. 그러나 그가 하더에게 농장을 팔 계획이 없다는 진실을 알게 된 후, 그녀의 그에 대한 사랑은 절정에 달한다. 마침내 참된 자아로 돌아온 그녀는 지금까지 그녀 자신도 외로웠다며 그녀의 가슴 속에 내재한 그에 대한 진실한 사랑을 고백하게 된다. 그는 그녀에게 "난 여기에 사랑을 구하러 왔지－단지 오늘 하룻밤만이라도 말이야. 왜냐하면 당신이 날 사랑한다고 생각했었거든"(91)이라고 그가 그녀의 집에 온 이유를 말한다. 그가 그녀에게 왔던 이유는 그녀의 사랑 고백을 듣기 위한 것이 아니라, 그녀에게 그의 내면을 고백함으로써 속죄와 구원을 얻으려는 의도에서였다. 그녀는 그녀가 지금 그에게 할 수 있는 역할이, 그녀가 의도하는 육체적인 관계가 아닌, 그의 과거를 이해하고 용서하는 어머니로서의 역할임을 깨닫게 된다. 그녀는 복받쳐오는 모성애로, 그를 사랑하기 때문에 용서할 것이 없다고 말하며 떠나가는 그를 붙잡는다.

> 나의 팔로 당신을 감싸요. 자, 머리를 내 가슴에 기대세요. 당신이 그러고 싶다고 했던 대로 말이에요－ . . . 나만 생각하면서, 내가 이기적이었던 것을 용서해줘요. 물론 내가 거짓말을 하고 음모를 꾸민 것에도 불구하고, 내가 오늘 밤 당신에게 빚진 게 하나 있다면, 그건 당신에게 필요한 사랑을 주는 거구요. 그리고 그건 내 긍지와 기쁨이 될 거예요－ . . . 난 당신을 위한 모든 종류의 사랑을 갖고 있거든요－ (92)

이제 조시는 그녀가 갈망해왔던 연인관계를 포기하고 모성적 사랑을 갈구하는 타이론에게 대지의 어머니로서 생명력을 부여한다. 지금까지 그를 억눌러왔던 내적 자아를 드러내고, "고통스럽다고? 제기랄 난 고통을 받아야만 해!"(94)라고 자책하며 그녀에게 그의 어머니에 대한 고백을 시작한다.

타이론의 고백을 통하여 그의 내적 갈등이 드러난다. 그가 존재하는 삶의 중심이자 모든 것이었던 어머니의 죽음은 그의 인생을 망치게 했다. 그는 어머니 없이는 "아무런 희망도 남겨지지 않은 길을 잃은 어린아이"(97)에 불과하다. 그 자신도 "내가 죽은 것처럼 보인다고 했지. 글쎄, 난 정말 그래. . . . 어머니가 돌아가신 후부터 쭉 그랬어"(93)라고 말하듯이, 어머니의 죽음을 그 자신의 죽음으로 받아들이고 있다. 그는 어머니를 존경했다. 그에게 있어서 어머니는 서로 위로하고 의지하며 살아가는 동거인으로서 그가 살아가는 목적 그 자체였다. 그래서 그는 어머니가 행복을 느낄 수 있도록 좋아하는 술도 끊는다. 어머니와 함께 아버지의 땅을 매매하기 위해 서부로 가 있는 동안 어머니가 뇌종양으로 병이 점점 악화되어 혼수상태에 이르자, 그는 주체할 수 없는 슬픔에 빠져 다시 음주를 시작한다. 결국 그는 그녀에게, 어머니가 그가 만취한 모습을 보며 그를 외면한 채 운명했다고 그 자신을 책망하는 고백을 한다. 삶의 전부였던 어머니의 죽음에 대한 죄책감은 그가 시체처럼 보일만큼 심각한 내적 갈등의 근원으로 작용하고 있다. 조시는 음주에 대한 죄의식 때문에 그런 상상을 하는 것뿐이라고 어머니가 아이를 달래듯이 그를 위로한다. 어머니의 죽음을 홀로 지켜본 그는 죄책감을 잊기 위해 어머니의 시신을 뉴욕으로 운구하는 기차 안에서 뚱보 금발머리 창녀와 함께 며칠 밤을 지낸다. 그는 그 때의 극로로 괴로운 심경을 토로한다.

> 금발머리—그 여자는 상관없었어. 그 여자는 단지 그 음모에 속한 어떤 것에 불과했으니까. 그건 마치 내가 복수를 원하는 것 같았어—왜냐하면 난

> 혼자 남겨졌으니까—왜냐하면 난 아무런 희망도 남겨지지 않은 채로 길을 잃었다는 것을 알았으니까—내가 할 수 있는 건 죽도록 술을 마시는 거였지. 왜냐하면 날 도와줄 수 있는 사람은 아무도 남아 있지 않았으니까. (그의 얼굴이 굳어지면서 잔인하게 원한에 사무친 표정이 나타난다—그의 말투에는 야릇한 소름끼치는 만족감이 묻어나면서) (97-98)

타이론이 어머니 시신이 있는 기차 안에서 괴로움을 잊기 위한 수단으로 창녀와 함께 지내는 것은, 자기 위안이라는 의도를 넘어 그를 홀로 남겨두고 죽은 어머니에 대한 잔인한 복수 심리의 현상이다. 심지어 그는 그녀의 품에 안겨서조차도 어머니의 죽음을 잊을 수 없었다고 말하며, 어린 시절에 불렀던 "아기의 울음소리는 앞의 짐칸에 있는 그녀를 깨울 수 없네"(98)라는 노래가사를 기억해내고 계속 불러대면서 극단적인 비탄에 빠진다. 조시에게서 그 금발머리 창녀의 환각을 느꼈던 그는 이제 그녀에게서 구원의 어머니상을 느끼고 용서와 평화를 구한다. 결국 그가 그 자신의 불미스러운 행동에 대해, "어머니는 날 이해하고 용서하실 거야, 그렇게 생각하지 않아? 그 분은 항상 그랬어. 어머니는 꾸밈없고 친절하며, 그리고 순수한 마음을 가졌지. 아름다운 분이었어. 당신 마음씨는 꼭 그 분 같아"(98)라고 참회의 고백을 하게 된 이유는 그녀를 그의 어머니와 동일시하게 되었기 때문이다.

조시는 "내 사랑. 당신이 듣고 싶어 하는 건 결코 무허가 술집에서 들려오는 취기어린 웃음소리가 아니라, 어머니 가슴에 기대어 마음의 참회를 외쳐대는 당신 자신의 목소리라구요"(99)라고 타이론을 위로하고 그의 마음을 안정시키며, 그가 그 자신의 혐오감에서 벗어나 그가 저지른 과거의 죄악을 남김없이 고백하도록 한다. 그녀는 그의 어머니에 대한 죄의식과 관련된 고백을 듣고 난 후, 사랑이 수반된 이해와 용서만이 그의 영혼을 구원하는 길임을 확신하게 된다. 그래서 그녀는 그에게, "난 이해해요, 짐, 내 사랑. 그리고 난 당신이 이 세상에서 알고 있는 사람 가운데 그래도 내가 당신을 이해하고 용서해 줄 수 있는 연인으로 여기고 내게 온 것이 자랑스러워요. 그리고 난 용서해요!"(99)라고 말하면서 그의 어두운 과거를 거두어준다. 그리하여 그는 어머니에 대한 죄책감에서 벗어나 영혼의 평화를 얻게 되며, 그를 품에 안고 있는 조시는 어머니의 화신이 되어, "어머니가 듣고 있어요. 나는 달빛에서 그녀를 느껴요. 그녀의 영혼은 은으로 만든 등 뚜껑처럼 달빛 안에 싸여있죠. 그리고 난 그녀가 나도 또한 이해하고 용서한다는 걸, 그리고 내게 은총을 내리고 있다는 걸 알고 있어요"(99)라고 말한다.

조시가 밤새 잠든 그를 품에 안고 새벽까지 앉아 있는 모습은 마치 새벽빛을 받아 황홀하고 신비한 장면이 되고 있다. 병든 아이처럼 초췌한 얼굴을 한 중년의 술주정뱅이를 가슴에 안고 있는 그녀의 모습은 성모 마리아가 예수를 품에 안고 있는 모습을 연상케 한다. 이 작품에서 오닐은 조시라는 생명력이 넘치는 여성을 통해서 그가 그토록 염원하고 그려왔던 완전한 어머니상인 성모 마리아의 이미지에 비유할 만한 대지의 어머니를 구현하고 있다. 그녀는 오닐이 그린 완벽한 여성으로서 "가장 자비로운 여주인공"(Herzog 164)이 되고 있으며 "대지의 어머니와 성모 마리아가 결합된 전형적인 여성"(Berlin 151)이 되고 있다. 조시에게 과거를 고백하고 나서 그녀의 품에 안기어 죽은 듯이 깊은 잠에 빠진 후 동틀 무렵에 깨어난 타이론은 지금까지 경험하지 못한 상쾌한 기분을 느끼며 그녀에게 감사해 한다. 그는 과거의 죄악에서 벗어나 새로운 타이론으로 다시 태어나는 "즐거운 변화"(108)를 경험한다. 그는 그녀의 희생을 통해 지금까지 그를 구속해온 죄의식에서 벗어나게 되고 정신적인 구원을 얻는다. 조시는 대지의 어머니로서, 그녀 주변의 남성들을 이해와 사랑으로 용서하고, 그들이 심리적인 죽음을 극복하고 긍정적인 삶의 세계로 복귀하게 함으로써 구원의 어머니상을 구현한다.

제6장

죽음과 자각과 초월

제1절 진정한 자아 찾기와 죽음: 『수평선 너머』, 『털보 원숭이』

유진 오닐은 청년기의 방랑생활 중 우주와 바다의 신비를 터득하고 우주 속에서 인간의 위치와 고뇌에 대한 문제를 탐색하였다. 그는 인간이 현실세계에서 탈피하기 힘든 시련, 소외, 좌절, 그리고 죽음의 문제를 극복하기 위해 그의 작품을 통해서 진정한 자아(true self) 찾기를 추구하였다. 인간은 심리적, 도덕적 한계 속에서 상대적 이중성의 희생물이 되어 있는 탓으로 그 굴레에 갇힌 자신을 파괴하지 않는 한 결코 진정한 자아를 찾을 수 없다. 오닐의 주인공들은 공허, 무의미, 환상, 불화, 좌절, 죽음으로 가득한 상황에서 진정한 자아 찾기를 추구한다.

오닐의 작품에 나타난 중요한 주제는 첫째로, 자연 환경의 냉혹함이라 하겠는데 대개는 바다나 뉴잉글랜드의 황량한 자연을 다루고 있다. 말하자면 자연은 인간을 시험하여 그를 철저하게 폭로하거나 그의 실상을 확대시킨다는 생각이다. 둘째로, 물질주의와 원초적인 형태의 부에 대한 인간의 탐욕이다. 그리고 셋째로, 가장 성공한 주제로서 인간의 외관 아래 숨겨져 있는 진정한 자아 찾기의 문제라 하겠다. 이러한 주제는 과거에도 존재했고 앞으로도 상존하게 될 오랜 주제이며, 또한 인간 자신의 운명과의 투쟁을 의미한다. 과거의 투쟁은 신과의 투쟁이었지만 이제 자신과의 투쟁이다.

오닐은 현대인이 처한 고뇌와 소외의 극복을 위한 진정한 자아 찾기를 부단히 추구하였고, 또한 그의 작품 속에 삶의 근원적인 문제를 제시함과 동시에 스스로 그 문제를 풀어나갔으며 긍정적이고 신뢰하는 인간의 존재를 발견하려고 하였다. 고통과 좌절과 소외와 시련을 극복하기 위한 진정한 자아 찾기는 우리의 영원한 관심사이며, 이 과정에서 야기된 죽음 또한 중요한 의미를 갖게 된다.

1. 『수평선 너머』

오닐이 "내가 가장 좋아하는 극들 중 하나"(Woolf 120 재인용)라고 평하는 『수평선 너머』(*Beyond the Horizon*)는 그의 최초의 장막극이자 그에게 최초로 퓰리처상을 안겨준 작품이며, 플로이드(Floyd)는 "오닐의 초기 작품의 특징을 보여주고 결혼 생활 속에서 남녀 간의 갈등 관계를 잘 재현하고 있다"(16)고 말한다. 이 작품에서 가정은 가족 간의 사랑이 공존하는 행복한 공간이라기보다는 남녀 간의 갈등을 일으키는 불화의 공간이 되고 있다. 특히 이상주의자 로버트(Robert)와 현실적 사고의 소유자인 그의 부인 루스(Ruth)에게 있어 가정은 그들의 진정한 자아를 상실한 시련과 좌절의 공간이 되고 있다.

『수평선 너머』는 바다와 육지, 모험과 안정이라는 상반된 이상 사이의 갈등을 "시인의 기질"(a touch of the poet 81)의 소유자인 동생 로버트와 "흙의 아들"(a son of the soil 82)인 형 앤드류(Andrew)를 통하여 묘사하고 있다. 총 3막으로 구성된 각각의 막은 수평선이 내려다보이는 언덕 꼭대기와 농장의 거실이라는 두 개의 장면으로 구성되어 각각 꿈과 현실을 상징한다. 로버트는 전형적인 몽상가로서 항상 수평선 너머의 꿈을 갈망한다. 한 곳에 안주할 수 없는 방랑벽의 소유자이다. 그는 3년간, 외삼촌이 선장으로 있는 범선 선다(Sunda)호를 타고 오랫동안 꿈꾸어 오던 꿈을 찾아 수평선 너머의 미지의 세계를 위해 농장을 떠나기로 결심한다. 그는 출발 전날 오후 현실을 떠난 환상의 세계에 존재하는 신비로운 꿈의 정체를 수평선을 가리키면서 이웃에 사는 과부 애트킨스(Mrs. Atkins)의 딸이자 3년 연하의 아가씨인 루스(Ruth)에게 꿈을 꾸듯이 속삭인다. 그의 표현들은 정말로 시적이고 리드미컬하며 아름다워서 낭만성을 확인하기에는 충분하지만 환상적이고 비현실적이다.

> 눈을 감고 있어도 색다른 황혼의 광경을 마음속으로 그릴 수 있었어. 이 모든 황혼의 경치는 수평선 저쪽에서 전개되는 것이야. 나는 차츰 이 세상의 모든 신비가 저 산 너머에서 일어난다고 믿게 됐어. 아름다운 기적을 이룩하는 천사들의 집이 저 너머에 있었던 거지 . . . 그래서 나는 떠나는 거야. 천사들이 나를 부르고 있거든. 수평선이 옛날과 같이 멀리서 나를 부르고 있어.
>
> I got to know all the different kinds of sunsets took place over there—beyond the horizon. So gradually I came to believe that all the wonders of the world happened on the other side of those hills. There was the home of the good fairies who performed beautiful miracles. . . . That's why I'm going now, I suppose. For I can still hear them calling. But the horizon is as far away and as luring as ever. (90)

루스는 로버트의 시적이고 음악적인 목소리에 매료되어 일시적 충동에 사로잡힌 채 그녀는 그녀가 진정으로 사랑하는 사람은 앤드류가 아니라 로버트이고 로버트를 계속해서 사랑해 왔다고 말한다.

> (폭풍우 같이 격하게) 그렇지 않아요! 난 앤디 오빠를 사랑하지 않아요! 아니라니까요!
> (흐느끼며) 예, 그래요—물론 그래요—오빠는 괜한 무슨 추측을 하세요? . . . 오빠는 바보야! (그는 그녀에게 키스한다.) 나도 오빠를 계속해서 사랑해 왔다고요.
>
> [*breaking out stormily*] I don't! I don't love Andy! I don't!

[*sobbing*] Yes, yes—of course I do—what d'you s'pose? . . . You stupid thing! [*He kisses her*] I've loved you right along. (91)

루스의 이 말은 로버트로 하여금 수평선 너머의 꿈을 포기하고 농장에 남게 하는 중요한 대사이며, 이에 고무된 로버트는 그들의 사랑이 수평선 너머의 비밀이고 그것이 이 농장 안에 있으며 수평선 너머의 신비와 꿈보다 더 감미롭다고 응답한다.

. . . 아마도 결국 형이 옳았나봐—그가 알았던 것 보다 더 옳았어—형이 내가 이곳, 농장의 집에서 내가 추구하는 모든 것을 찾을 수 있다고 말했을 때 말이야. 사랑은 비밀—세상의 끝 저편에서 나를 불렀던 비밀—모든 수평선 너머의 비밀이었음에 틀림없다는 생각이 들어. 내가 가지 않으니 그것이 내게 왔어. (*그는 루스를 맹렬하게 껴안는다.*) 오, 루스, 우리의 사랑은 어떠한 먼 꿈보다 감미로워!

. . . Perhaps after all Andy was right—righter than he knew—when he said I could find all the things I was seeking for here, at home on the farm. I think love must have been the secret—the secret that called to me from over the world's rim—the secret beyond every horizon; and when I did not come, it came to me. [*He clasps RUTH to him fiercely*] Oh, Ruth, you are right! Our love is sweeter than any distant dream. (92)

이것은 루스의 진실성이 결여된 사랑의 고백으로 인하여 로버트가 그의 수평선 너머를 향한 꿈을 포기하는 것을 의미하는 결정적 대사이다. 그가 그녀의 이러한 고백에 의해 오랫동안 열망하던 꿈을 포기한 것은 근본적으로 잘못된 위치전도를 의미한다. 시련과 좌절, 그리고 죽음을 예견하게 하는 중요한 의미를 내포하고 있다. 이와 같이 오닐의 작품에서는 여성의 이기적인 선택으로 인하여 극중 인물들과 가정이 불행과 파멸에 빠지는 경향을 볼 수 있다. 『수평선 너머』에서 루스의 감상적 선택이 메이오(Mayo) 가문을 파멸로 이끌고 있다. 특히 그녀의 선택은 메이오 형제들의 삶을 전도시켜 그들의 진정한 자아 찾기를 방해하고 꿈을 파괴하며 시련과 죽음으로 몰아간다. 그리고 그들의 소극적이고 수동적인 태도가 루스의 잘못된 선택보다 더 큰 비극의 축이 되고 있음을 확인할 수 있다.

로버트와 루스의 갑작스런 결혼 발표에 커다란 충격을 받은 앤드류는 아버지의 간곡한 만류에도 불구하고, "흙의 아들"이라는 진정한 자아를 포기한 채 로버트를 대신하여 항해를 떠나기로 결심한다. 그가 선원의 길을 선택한 이유는 로버트와 루스의 결혼 발표에서 오는 충격으로 인해 농장에 머물러야 할 의미를 상실했기 때문으로 볼 수 있다. 예기치 못한 그녀의 행동으로 인하여 그들은 자신들의 진정한 자아와는 정 반대의 길을 선택하게 되어 그들은 물론 가족들에게도 비극을 초래하게 된다. 로버트와 루스, 그리고 앤드류 모두는 그들의 진정한 자아와는 다른 선택을 하게 하는 "어떤 것"(something 84)의 힘에 끌려서 현실에 적응하지 못하는 "부적응의 비극"(Woolcott 136)을 사는 인물들이 되고 있으며, 고얄(Goyal)은 "이들 세 사람의 비극적 운명은 상호간의 이해 부족과 정서적 교감의 결핍에서 비롯되었으며 결국 그들은 진정한 자아로부터 이탈되고 있다"(58)고 지적하고 있다.

로버트는 결국 그의 진정한 자아에 어긋나는 선택을 함으로써 갈등, 시련, 좌절, 그리고 죽음을 자초하게 된다. 이러한 비극은 오닐의 가장 큰 강박관념 가운데 하나인 위치전도의 문제에 비추어 볼 때 인간은 결코 진정한 자아로부터 분리된 채 우주 안에 존재할 수 없다는 사실에 근거하고 있다. "로버트는 환경과 조화를 이루지도 못하고 소속할 수도 없는 그리고 영원한 희망과 필연적 절망 사이에서 살도록 운명 지워진 인물"(126)이라는 보가드(Bogard)의 지적처럼, 그의 진정한 자아에 어긋난 선택은 그 자신은 물론 주위의 모든 사람들을 불행에 빠뜨리는 비극을 초래하고 있다. 로버트의 진정한 자아 찾기의 여로는 이제 그의 농장경영의 실패와 가족들의 빈곤 속에서 시작된다. 진정한 자아에 부합하는 선택을 하지 못함으로써 환경과의 조화를 잃은 그는 못 이룬 꿈을 향한 한 가닥의 희망과 현실의 불가피한 절망 사이에서 살아가야 할 운명이다. 바다와 모험 그리고 수평선 너머의 꿈을 이상으로 꿈꾸며 살아온 "시인의 기질"의 소유자인 로버트는 결국 농사일이 그의 진정한 자아와 부합하지 않음을 솔직하게 고백하기에 이른다.

> 그일[농사일]에 나의 명백한 부적함을, 나는 추가하려고 해요. . . . 난 농부가 아니에요. 난 결코 농부가 되기를 주장하지 않았어요.
>
> My own very apparent unfitness for the job[farming] . . . I'm not a farmer. I've never claimed to be one[a farmer]. (123)

한때는 수평선 너머의 꿈이 모두 존재했던 농장과 주변 환경이 지금의 그에게는 형무소와 같은 절망적인 장소가 되고 있다. 웅거(Unger)는 "결국 좌절된 낭만주의자인 그는 농장경영에 완전히 실패하고 그의 결혼생활도 가난과 루스와의 불화에 의해서 파탄지경에 이르게 된다"(389)고 말한다.

로버트는 이제 루스와 딸 메어리(Mary)를 사랑함으로써 전도된 운명에 적응하려 하지만 결혼 1개월 후부터 루스가 사랑하는 사람이 로버트 자신이 아닌 형 앤드류라는 사실이 확인되자 수평선 너머의 꿈을 가족에게서 대신 찾고자 했던 그의 또 하나의 꿈은 좌절되고 만다. 이제 그에게서 인생의 의미를 찾아볼 수 없게 되고 오로지 딸 메어리를 향한 사랑만이 그의 삶을 결속시켜 왔으나 행복의 마지막 희망이었던 메어리의 죽음은 헤어날 수 없을 정도로 그의 정신과 육체에 충격을 가한다. 수평선 너머의 신비와 미를 열망했던 로버트가 루스의 진실성이 결여된 사랑의 고백으로 인하여 루스와의 사랑이 수평선 너머의 신비이며 먼 나라의 꿈보다 더 아름답다고 단언함(92)

으로써 야기된 진정한 자아에서 일탈한 선택은 급기야 현실도피 수단인 '죽음의 소망'(Death-Wish)으로 나타난다. 그는 메어리의 죽음으로 온몸을 떨면서 격정적인 괴로움을 드러내지만 또한 그녀의 죽음을 부러워한다.

로버트: 그 애는 우리 행복의 마지막 희망이었어요. 만일 신이 있다면 천번 만번이라도 신을 저주하고 싶어요.
루스: (남편을 보지 않으며) 메어리는 차라리 잘 죽었어요.
로버트: (우울하게) 그렇다면 우리도 죽는 게 더 좋을 테지.

Robert: Our last hope of happiness! I could curse God from the bottom of my soul—if there was a God!
Ruth: (*without looking at him*) Mary's better off—being dead.
Robert: (*gloomily*) We'd all be better off for that matter. (148)

딸의 죽음을 안타까워하기보다는 오히려 부러워하는 그들 부부의 이 대사는 얼마나 그들이 극복할 수 없을 만큼 심리적으로 피폐해 있는가를 극명하게 표출하고 있다. 로버트는 그의 진정한 자아로부터 일탈한 잘못된 선택으로 인한 모든 실패를 전적으로 인정하면서 고통의 심연으로부터 탈피를 위한 차선책으로 도시로 나아가 글을 쓰고자 한다. 그는 약동하는 새벽에 새롭게 출발한다는 기대감에 상기되어 그의 아내 루스에게 지금까지의 고생이 진정한 자아 찾기를 위해 거쳐야 할 시련이었고 결국 그들의 이러한 꿈은 성취될 것이라고 주장하지만 현실은 그의 꿈을 거절하고 만다.

언덕의 검은 그림자는 로버트에게 죽음이 엄습해 올 때 사라지게 되며 그에게 진정한 자아 찾기에 대한 각성을 부여한다. 오닐은 죽어가는 로버트의 대사를 통하여 이러한 사실을 명백히 한다. 그의 죽음은 외양적으로는 비극이지만, 실제적으로 지복(至福)이 되고 있다. 로버트가 그의 지식을 사용하기에는 너무 늦어버린 죽음의 불가피성을 수용할 때 그 의미는 자명해지며 그는 오랫동안 상실해 왔던 진정한 자아 찾기를 완성한다.

> (희망이라는 행복감으로 갑자기 울려 퍼지는 목소리로) 나를 안타까워하지 마. 내가 마침내 행복한 걸 모르겠어—자유로워—자유롭다고—농장으로부터 해방되고—자유롭게 계속해서 떠돌아다닐 수 있지—영원히! (그는 한 쪽 팔꿈치로 몸을 일으켜서 환한 얼굴을 하고, 수평선을 가리키며) 보라고! 언덕 너머가 아름답지 않아? 나보고 오라고 부르는 친숙한 목소리를 들을 수 있다고— (환희에 차서) 그리고 이번에는 갈 거야! 그게 끝이 아니야. 그건 자유로운 시작이라고—나의 여행의 출발! 나는 내 여행에 대해 획득했어—해방의 권리를—수평선 너머로!

> (*in a voice which is suddenly ringing with the happiness of hope*) You mustn't feel sorry for me. Don't you see I'm happy at last—free—free!—freed from the farm—free to wander on and on—eternally! (*He raises himself on his elbow, his face radiant, and points to the horizon*) Look! Isn't it beautiful beyond the hills? I can hear the old voices calling me to come— (*Exultantly*) And this time I'm going! It isn't the end. It's a free beginning—the start of my voyage! I've won to my trip—right of release—beyond the horizon! (167-168)

오닐은 결핵이라는 중병을 앓고 죽어가는 그의 이러한 극적인 대사를 통해서 인간은 시련과 죽음이라는 희생을 통해서 수평선 너머의 비밀을 깨달을 수 있고 진정한 자아 찾기를 완성할 수 있음을 설파하고 있으며, 임종에 직면한 로버트가 형 앤드류에게 간곡히 전하는 "오직 시련(suffering)을 통해서만 깨달음(awakening)을 얻을 수 있는 거야"(162)와 "오직 희생(sacrifice)을 통해서만—저기 너머의 비밀(secret)이—"(168)라는 대사는 이러한 사실을 잘 뒷받침하고 있다. 로버트가 낭만적인 허상에 불과한 비전이 없는 꿈을 좇다가 결국 죽음을 맞이하게 되지만, 그는 현실에서의 좌절, 절망, 시련, 그리고 내적 갈등의 극복과 죽음의 수용을 통해 그의 진정한 자아 찾기를 완성하게 된다. 외양적으로 볼 때 그의 죽음은 운명과의 투쟁에서 획득한 적극적인 승리가 아니라, 포크(Falk)가 지적한 것처럼 "공허한 자아 찾기에 허비해버린 삶의 비참한 보상"(41)으로 나타나고 있다. 그러나 그는 죽음의 불가피성을 수용함으로써 그 자신에게 내재한 진정한 자아 찾기를 완성하게 되며 이제껏 그를 속박해온 삶의 무거운 굴레에서 벗어나 자유와 해방에 이른다.

『수평선 너머』의 주인공 로버트는 희생을 통한 진정한 자아 찾기의 완성이라는 새로운 이상을 체득한다. 극이 처음 시작된 언덕과 동일 장소에서 갑자기 울려나오는 그의 극적이고 희망찬 목소리(167-168)는 죽음이라는 희생을 통한 진정한 자아 찾기의 완성을 의미한다. 『수평선 너머』에서 진정한 자아를 일탈한 잘못된 선택으로 배태된 결핵으로 인한 로버트의 죽음은 외양적으로는 명백한 비극이지만, 오닐은 그의 육체적 죽음에 관계없이 로버트로 하여금 인생 저편의 희망을 상징하는 밝은 태양을 바라보게 함으로써 그에게 영적인 영원한 삶을 허용하고, 그의 패배를 은연중에 승리로 바꿈으로써 비극의 역설적 의미를 설파하고 있다. 궁극적으로 로버트의 죽음은 평화, 소속, 각성, 시련과 고통으로부터의 해방, 자유와 꿈의 실현, 정화, 재생, 위안, 구원, 보상, 축복이며 진정한 자아 찾기의 완성이 되고 있다.

2. 『털보 원숭이』

오닐의 『털보 원숭이』(*The Hairy Ape*)는 현실의 세계 속에서 안주하며 자부와 긍지에 충만해 있는 주인공 양크(Yank)가 그의 잘못된 착각과 환상에서 벗어나 진정한 자아를 찾아 방황하는 여정에 비유될 수 있으며, 오닐의 극작 과정에 있어서 커다란 전환점이 되고 있는 중기 극을 대표하는 작품이다. 카펜터(Carpenter)는 "이 극은 오닐의 영혼과의 긴 전쟁의 시작－미국사회의 물질주의 파괴－을 의미한다. 그리고 문명화된 사회에 소속하려는 교육 받지 못한 미국인의 실패를 그리고 있다"(99-100)고 지적하고 있으며, 휘트먼

(Whitman)은 이 작품이 "자아 찾기에 대한 부단한 기록"(Gassner ed. 142 재인용)이라고 말한다. 『털보 원숭이』는 실존의 문제로 고민하는 주인공 양크를 표현하고 있으며, 그의 진정한 자아 찾기를 다룬다는 점에서 의의가 있다.

『털보 원숭이』의 주인공 양크는 대서양을 항해하는 정기선의 지옥 같은 기관실에서 일하는 화부(火夫) 중 한 사람인데, 육중한 몸집에 고릴라처럼 털투성이의 야수 같은 사나이로, 그 스스로 그가 속해 있는 강철과 석탄, 증기와 동력 그리고 속도의 세계에서 없어서는 안 될 존재라는 사실에 자부와 긍지를 지니고 있는 인물이다. 그는 그가 정기선 나아가서 현대 문명세계에서 없어서는 안 될 동력의 일역을 담당하고 있다고 확신하며 그의 힘과 능력, 그리고 현재 세계에서의 소속감을 자랑한다. 보가드는 그를 "기계의 연장이요 기계의 화신이다"(247)고 말하고 있으며, 오닐은 양크와 같이 꿈이 없는 인물을 "불쌍하고 자기도취적 존재"(Cargill eds. 104 재인용)라고 지적한다.

> 난 엔진의 추진력이고 연료야. 난 소음 속에 있고, 그걸 들리게 하는 근본이야! 난 연기이고, 기차와 증기선과 공장의 호각을 나타내지. 난 돈을 만드는 금이야. 난 철을 강철로 만드는 것이지. 그래 강철이란 모든 것을 의미하지! 그래서 난 강철이야−강철−강철이란 말이야! 난 강철의 힘, 그것의 배후의 활력이란 말이야.

> I'm steam and oil for de engines; I'm de ting in noise dat makes yuh hear it; I'm smoke and express trains and steamers and factory whistles; I'm de ting in gold dat makes it money! And I'm what makes iron into steel! Steel, dat stands for de whole ting! And I'm steel−steel−steel! I'm de muscles in steel, de punch behind it. (116)

휘트먼은 또한 이러한 양크를 "20세기 미국의 산물이며, 주관적 가치를 소유하고 강철의 세계에서 안주하는 기계"(Gassner ed. 150 재인용)로 묘사한다. 양크는 산업사회 속에서 강한 만족감을 느끼고 있다. 그는 "브루투스 존스(Brutus Jones)처럼, 20세기의 전형적인 미국인으로서 주관적인 가치를 소유하고 세상이 기계이기 때문에 기계로서의 행복감을 느끼는 새로운 신의 아이"(Gassner ed. 150)이며, 또한 "자기 자신을 현대산업문명의 가치, 정신, 그리고 본질과 동일시하는 자아도취에 빠진 인물"(Goyal 183)이다.

오닐은 『털보 원숭이』에서 이러한 의미를 함축하고 있는 양크를 통하여, 진정한 자아의 상실로 인한 그의 공포와 불안의 문제를 제기한다. 그는 진정한 자아 찾기를 위해 부단한 노력을 전개하는 주인공 양크의 내면세계를 강하게 왜곡시켜 표현하고 있는 바, 양크는 오닐 작품의 부조화와 소외를 대표하는 주인공이자 상징적인 인물이며, 고도로 기계화된 사회에서 파멸된 현대인의 모습이고 강철로 대변되는 새로운 과학 신에게서 진정한 자아를 찾지 못하고 소외 속에서 살아가는 현대인의 표상이다.

현대 문명세계에서 없어서는 안 될 동력의 일역을 담당하고 있고 현재의 세계에서 소속감을 자랑하고 있는 양크의 신뢰에 찬 자아상은 그러나 물질사회가 빚어낸 퇴폐적이고 경박한 사교계의 아가씨이자 그가 화부로 일하고 있는 증기선 선주의 딸인 밀드레드(Mildred)에 의해서 파괴되고 만다. 그녀는 그를 보는 순간 "날 좀 데려가 줘요! 오, 불결한 짐승!"(127)이라고 외치면서 기절한다. 이 장면은 그에게 진정한 자아 찾기를 향한 계기를 마련해주는 극적인 전환점이 되고 있다. 밀드레드는 양크의 자만심을 여지없이 무너뜨리고 그가 진정한 자아 찾기를 하도록 자극제 역할을 한 최초의 인물이다. 그는 이제 어느 누구보다도 강한 확신 속에서 화부로 살았던 과거의 삶이 자신을 구속해온 환상이었음을 깨닫게 된다. 그는 상류사회를 대변하는 그녀의 눈을 통해서 진정한 자아의 가치를 서서히 발견하기 시작한다. 그가 과거의 모든 것에 회의를 느끼고, 현대 문명을 주도해온 동력으로서의 육체적인 힘에 대한 자부심을 상실하면서부터 그의 초인적인 힘이 한갓 부질없는 동물적인 힘이 되고 있음을 그는 인식한다. 그녀는 밀드레드로부터 상처 받은 자존심을 회복하기 위해 진정한 자아 찾기를 시작한다.

양크는 이제 진정한 자아 찾기의 일환으로 로댕의 생각하는 사람의 자세를 취하는데, 그의 이러한 태도는 "자아 찾기를 위한 각성이며, 획기적이고 중요한 의미를 갖는다"(246)고 보가드는 말한다. 그가 이러한 태도를 취하는 것이 부자연스러운 것으로 보일 수 있지만 그는 그의 자아에 대해 재평가하기에 이른다. 그는 감옥으로밖에 여겨지지 않는 현재의 강철과 동력의 세계로부터 탈피하여 진정한 자아 찾기를 시작한다. 로저스(Rogers)는 "소속을 상실한 현실에서 과감하게 뛰쳐나와 진정한 자아를 찾고자 투쟁하는 일이 설사 희망이 없다 할지라도, 보다 바람직하고 고귀한 존재로의 꿈을 실현하려고 투쟁하는 데에 인간의 장엄함이 있다"(21)고 말함으로써 양크의 진정한 자아 찾기의 의지에 큰 의미를 부여한다.

양크는 밀드레드에 대한 복수를 통해 자아를 회복할 수 있다는 가능성을 깨닫지만 그녀는 심한 보호막에 에워싸여 있다. 그를 한눈에 파멸시킨 그녀에게 복수하고 잃어버린 자아를 되찾기 위해 그녀로 대표되는 현대 문명세계의 상징이라 할 수 있는 뉴욕의 5번 애브뉴(the Fifth Avenue)로 나아간다. 그러나 거리의 사람들은 그에게 추호의 관심도 없다. 이들의 무관심과 무반응은 그의 복수심과 자아 찾기의 의욕을 좌절시킨다. 그는 상류계층에 대한 영향력 행사가 불가함에도 불구하고 그의 본질을 구성하고 있는 힘에 의존한다. 그는 그들을 협박하기 위해 야수적인 힘을 사용하지만 그 힘으로 인해 감옥에 수감된다. 결국 그는 그들의 세계에서 진정한 자아 찾기를 할 수 없다는 사실을 알게 된다. 이러한 자아 찾기의 과정에서 강철에 의해 상징되는 힘은 이제 더 이상 그의 것이 아닌 밀드레드의 부친 것이며, 그가 실제로 우리(cage)의 철창에 의해서 감금되어 있고 덫에 걸려 있음을 자각한다.

그래—그 여자 아버지가—강철 트러스트의 총재가—세계 강철의 절반을 만들어—강철—거기서 난 쓸모 있다고 생각했지—돌진하고—움직이며—그 안에서—그 여자를 풍부하게 한 거야.—그래서, 난 자신을 우리에 넣고 그 여자에게 침을 뱉도록 했던 거야! 제기랄!

Sure—her old man—president of de Steel Trust—makes half de steel in de world—steel—where I tought I belonged—drivin' trou—movin'—in dat—to make her—and cage me in for her to spit on! Christ! (144)

감옥에서 풀려난 양크에게 복수의 대상은 밀드레드라는 개인에서 "그녀의 패거리"(142)로 변한다. 따라서 그는 그녀의 부친의 강철제작소와 그것에 의해 상징되는 사회구조를 타파하기 위해서는 보다 규합된 힘이 필요함을 깨닫고, 감옥에서 들은 바 있고 동질성을 추구할 수 있다고 확신한 파괴자 클럽인 국제산업노동자연맹의 사무소를 찾아간다. 그는 그러나 스파이와 바보로 취급받아 몰매를 맞고 길거리로 내던져진다. 이제 그는 더 이상 어느 단체에도 속할 수 없다는 그의 무능함을 자각하게 된다. 그의 고통의 원천이 사회도, 밀드레드도 아닌 그 자신에게 있다는 최종적인 사실을 깨닫는다.

원래는 나도 강철이었어. 그래서 세계는 내 소유였었지. 그런데, 이제 난 강철이 아니야. 난 아주 세계의 소유가 돼 버렸어. 오, 제기랄! 나한텐 아무 것도 보이지 않아—눈앞이 깜깜해. 모두 틀렸어!

Steel was me, and I owned de woild. Now I ain't steel, and de woild owns me. Aw, hell! I can't see—it's all dark, get me? It's all wrong! (149)

양크의 마지막 진정한 자아 찾기는 고릴라 우리를 방문하는 사실로 나타난다. 그는 사유할 수 있는 인간세계와 완전히 동물적인 세계, 그 어느 곳에서도 진정한 자아 찾기를 할 수 없다. 그의 의식과 기억 속에는 되돌아 갈

과거도, 안정을 향한 원천도 없다. 그가 고릴라를 찾는 이유는 과거의 가치 속에서 자아 찾기를 하고자 하는 패디(Paddy)가 주장했던 인간의 자연과의 관계상실에 대한 의미를 깨닫고 자연의 가치를 인식했기 때문이다. 그가 육체적으로뿐만 아니라 정신적인 우리에 갇힌 반면 고릴라는 육체에 한정되며, 고릴라는 인간사회에서 진정한 자아 찾기를 할 당위성이 없지만 그는 그렇지 않다는 점에서 볼 때 그는 고릴라보다 못한 위치에 처해있음을 알 수 있다. 고릴라는 진정한 자아를 찾기를 할 수 있는 확실한 과거와 정글이 있지만 그는 그러한 과거도 없고 사회의 어느 곳에서도 진정한 자아 찾기와 정착을 실현할 수 없다.

> 제기랄, 난 대체 어디로 가면 좋단 말인가? 어디로 가면 정착할 수 있는 걸까? . . . 우리 속이란 말인가, 하?
>
> Christ, where do I get off at? Where do I fit in? . . . In de cage, huh? (153)

양크는 우리의 문을 비집어 열고 고릴라와 친숙해지기 위해서 손을 내밀지만 거절당한 채 철제 우리를 그의 안식처로 느끼면서 고릴라의 살인적 포옹에 의해 으스러져 죽어간다.

> 신사 숙녀 여러분, 한 발자국 앞으로 나와서 봐주세요—유일한 (그의 목소리가 약해진다.)—그리고 본래의—야생에서 온 털보숭이 원숭이를—(그는 바닥 위로 미끄러져 넘어져 죽는다. 원숭이들은 일시에 끽끽 소리 지르고, 울부짖는다. 그리고 아마 이 털보 원숭이는 마침내 자아를 실현했을 것이다.)
>
> Ladies and gents, step forward and take a slant at de one and only—(*His voice weakening*)—one and original—Hairy Ape from de wilds of—(*He slips in a heap on the floor and dies. The monkeys set up a chattering, whimpering*

wail. And, perhaps, the Hairy Ape at last belongs.) (153-154)

오닐은 "이 작품을 쓰게 된 직접적인 동기는 선원 시절 알고 지낸 드리스콜(Driscoll)이라는 동물적 힘을 자랑하고 한정된 우주의 개념 속에서 자아를 찾고 살던 친구가 바다에 투신자살한 사실이다"라고 밝혔다(Falk 28-29 재인용). 양크의 이런 모습은 드리스콜처럼 물질주의와 기계화된 문명에 의해 진정한 자아를 상실한 현대인의 소외와 무기력을 암시한다. 오닐은 옛 신의 죽음과 그에 따른 현대인의 부조화와 소외에 대한 구제책으로 과학과 물질문명이 얼마나 무능한가 형상화하고 있다. 인간은 생물학적 과거를 극복할 수 없는 동시에 물질문명과 과학의 발달도 인간에게 진정한 자아 찾기에 대한 밝은 미래상을 제시하지 못하고 있음을 보여준다. 프렌즈(Frenz)는 "『털보 원숭이』는 작가의 정신적 편력의 참된 표현"(102)이라 평한다. 양크형의 인물이 대표하는 실존적인 고뇌는 오닐 작품의 일반적인 주제이고, 양크가 짊어진 고뇌의 본질을 이해할 때 비로소 그의 작품의 본질을 이해할 수 있다. 양크의 진정한 자아 찾기의 여정은 곧 인간의 공통된 과제이며 삶의 조건인 것이다. 양크의 진정한 자아 찾기는 결국 고릴라 우리에 갇힌 죽음을 통해 완성되며, 그가 우리의 마룻바닥에 쓰러질 때 털보 원숭이로서의 자아상과 합치된다. 조화의 상실로 야기된 소외를 극복하고자 고릴라의 우리를 찾아가 우리에 갇혀 맞게 되는 양크의 죽음은 외양적으로는 명백한 비극이지만 궁극적으로 그의 죽음은 삶의 긴장, 소외, 좌절, 그리고 고통으로부터의 해방임과 동시에 축복이자 영원한 소속이며 진정한 자아 찾기의 완성이다.

제2절 **초월: 『밤으로의 긴 여로』**

유진 오닐은 그의 인생에서 문제가 되었던 양친관계, 가톨릭 신앙, 해양

생활, 소외감, 사랑, 탐구자로서의 절망감 등을 극화함으로써 인생의 긴 여로에서 피할 수 없었던 그의 정신적인 고통과 갈등을 작품의 중요한 주제로서 표출시키고 있다. 롤리(Raleigh)는 이러한 오닐의 극작가로서의 인생을 두 가지로 분류(Gassner 9 재인용)함으로써 함축적이고 의미 있는 지적을 하고 있는데, 그 첫째는 오닐이 부친의 유산으로부터 극작가의 명성을 얻었다는 것이고, 둘째는 그가 그의 후기 작품들에 이르러서는 부친의 영향으로부터 최종적인 탈출을 시도함으로써 독자적 영역을 개척하였다는 것이다.

오닐은 소외감의 원인이라 할 수 있는 신, 자연, 사회, 그리고 가족과의 연대감의 상실을 작품 속에서 구체화하고 있다. 그의 작품에서 탐구의 대상이 되는 문제들은 인간과 우주 사이의 조화, 인간과 자연과의 융합, 인간과 인간, 그리고 운명과 자아와의 융합 등으로 가장 원초적인 인간존재의 문제라 할 수 있다. 그의 작품에는 물질주의를 기초로 한 현대사회의 비극적 현실 속에서 소외된 자들의 비극이 주조를 이루고 있다. 그의 작품은 자서전적 사실성과 상징적인 개연성으로 심오한 구원의 의미를 시사하고 있다.

오닐은 예술을 매개체로 하여 그 자신과 가족의 문제와 고통을 끊임없이 다루면서 이를 통해 구원을 모색하였기에 대부분 그의 작품은 자서전적 색체를 지니게 된다. 그는 강박관념처럼 그를 일생동안 따라다녔던 가족관계를 간접 또는 직접적으로 그의 작품에서 다루게 된다. 이러한 그의 작품의 성격에 대해 카펜터(Carpenter)는 의미 있는 지적을 한다.

> 어떤 의미에서 오닐의 모든 극적 예술은 자서전적이다. 왜냐하면 그것들은 그 자신의 인생과 내면적 '자아'에 대한 이해로 향하기 때문이다. 그리고 진정한 의미에서, 그의 일생을 통해서 그를 괴롭혔던 그의 해결되지 않은 내적 갈등들이 모든 인류의 갈등들을 극화하고, 궁극적으로는 그 자신의 갈등을 명백하게 하도록 그의 상상력을 자극했다. (48)

인간은 삶으로부터 오는 끝없는 고뇌에 시달리는 존재이며 고통이 엄습하여 올 때마다 속히 그 고통으로부터 벗어나고 싶어 한다. 오닐은 그러한 인간의 회피의식, 그것으로 인한 내적 갈등, 아집, 그리고 애욕을 그의 작품 속에 묘사하고 있다. 특히 그는 그의 자서전적 희곡을 통하여 가정에서 일어나고 있는 비극을 극화하면서 가족 구성원 사이의 갈등을 심도 있게 표출시키고 있다. 오닐의 자서전적 작품인 『밤으로의 긴 여로』(*Long Day's Journey into Night* 1956)에는 과거의 세계에서 소속을 추구하고자 술과 마약과 안개 속에 안주하는 타이론(Tyrone) 가족의 인물들과 그들에게 이해와 용서와 사랑을 부여함으로써 구원을 성취하는 에드먼드(Edmund)의 과거의 성찰을 통한 초월이 제시되고 있다.

연민과 이해와 용서, 피와 눈물로 쓰인 슬픔에 찬 독백이며 통렬한 비애의 기록이라 할 수 있는 『밤으로의 긴 여로』는 실제 자서전적 작품이기에 "인물과 상황이 평범하고 정직한 사실주의의 극"(Gassner 41)으로 평가되지만 자서전적 흥미와는 달리 높은 예술적 가치를 지니고 있다. 설사 자서전적인 사실들이 자료로 사용되었다 하더라도 그것을 종합해서 감동을 일으킬 수 있는 하나의 완벽한 작품으로 완성시키는 것은 전적으로 작가의 예술적 재능과 작업에 속하는 것이다. 작품 평가의 기준은 그 자료의 기원에 있는 것이 아니라 그 자료를 어떻게 구성했으며 어떻게 이용했느냐에 있는 것이다. 오닐은 그 자신이 직접 체험한 사건들을 자료로 삼아 원숙한 극작가로서 그의 사상과 신념을 보다 더 분명하게 전달할 수 있는 작품을 만들고자 했다.

『밤으로의 긴 여로』는 4명의 타이론 가족이 지닌 각자의 문제가 상호 충돌하고 변화하면서 주제를 전개해 간다. 인색한 아버지 제임스 타이론(James Tyrone), 현실의 추한 자기 모습으로부터 도피하고자 절망적으로 마약에 빠져드는 어머니 메어리(Mary), 방종한 술중독자이며 세상을 온통 냉소적으로만 바라보는 형 제이미(Jamie), 그리고 병약한 동생 에드먼드(Edmund)는 서로의 약점에 대해서 끊임없이 비난하고 공격한다. 낮이 지나고 밤이 돌아옴에 따라 서로에 관한 쓰라린 진실을 드러낸다. 이 작품의 인물들이 속한 가정은 메어리의 말대로 서로가 고칠 수 없는 굳은 성격의 소유자들로 구성되어 있다. 가족들은 양보나 이해력이 없고 오로지 혼자만 가족들에게 인정받기를 원하는 성격을 지니고 있다. 아버지 타이론이나 두 아들 제이미와 에드먼드, 이 모든 가족들은 완고한 고집을 가진 사람들로서 자신을 통제하기 보다는 다른 사람을 통제하려 하고 간섭한다. 아버지는 어머니를, 어머니는 아버지를, 형은 아우를, 아우는 형을 서로 사랑하면서도 이해와 양보가 없다. 주인공들은 사랑과 미움, 이해와 오해, 절망과 고통의 반복으로 인간의 비극적인 삶을 살고 있다. 클루만(Clurman)은 "모든 인물들은 혼자 또는 서로 죄책감을 겪고 있다. 그 죄책감 그 자체가 죄이거나 최소한 숙명적인 결점이라는 일치감은 끊임없는 기분의 변화를 드러낸다. 각각의 인물은 하나는 분노, 다른 하나는 사과라는 두 목소리, 두 기분으로 말한다"(Cargill eds. 215-216 재인용)고 지적한다. 그리고 카펜터(Carpenter)는 "이 작품의 제목과 방향을 제공하는 심리적 『밤으로의 긴 여로』는 등장인물들에게 다른 여행이 된다. 어머니는 마약과 안개로의 슬픈 여로, 제이미는 냉소주의와 절망으로의 절망적 여로, 아버지는 초기의 승리로부터 멀어져 잘못된 길로 내려가는 비극적 여로이지만, 에드먼드의 경우는 예언적으로 밤을 넘어서는 여로이다. 그리고 극적으로 이러한 갈등하는 인물들과 그들의 대조적인 여행의 이야기는 이 작품의 본질이다"(162-163)고 함축적이고 의미 있는 지적을 하고 있다.

오닐은 "아침부터 밤까지의 하루의 생활을 통해 네 명의 타이론 가족의 심리적 여행을 그린 이 자사전적 희곡의 내용을 제목에서 함축시켜 놓았다"(Berlin 1)고 볼 수 있다. 밤으로 향하는 끝이 없는 고통의 심리적 여행은 각 등장인물들에게 모두 다르게 나타난다. 메어리에게는 과거 수녀원의 세계로, 타이론에게는 잃어버린 예술적 재능에 대한 회한의 세계로, 제이미에계는 냉소와 절망적 신성모독의 비극적 세계로, 각각 과거를 향한 여행이다. 이들은 서로 사랑하면서 미워하고, 증오하면서 용서하는 이원적 심리상태를 나타내면서 공생적 관계에서 상호책임을 전가한다.

타이론은 최소한 인생의 외면세계라 할 수 있는 물질세계에서 성공을 거둔 유일한 인물이다. 그는 다소 단순하고 허세를 부리지 않는 이기적 인물이다. 그는 가난과 굶주림으로 점철된 젊은 시절을 보낸 이후 배우의 길을 걸었고, 더 많은 돈을 벌기 위한 멜로드라마 『거금 제조자』(*The Big Money Maker*)의 공연의 실패 이전까지만 해도 전성기 시절에는 셰익스피어 극의 주연배우 중의 한 사람이었다. 셰익스피어의 시 속에서 생동하는 기쁨을 느낄 수 있고 위대한 인생철학에 깊은 영향을 받은 그는 제이미와 에드먼드가 좋아하는 어느 작가보다도 셰익스피어를 모방하고 싶다(150)고 말한다.

타이론이 인생을 실패한 원인 가운데 하나는 젊은 시절의 고통스런 삶의 재현에 대한 두려움이다. 이러한 두려움은 가족에 대한 물질적 인색함의 결과로 나타났고 그의 물질적 탐욕은 실로 성격상의 심각한 결점이 되고 있다. 『황제 존스』(*The Emperor Jones*)에서 부의 상징인 "은 탄환," 『털보 원숭이』(*The Hairy Ape*)에서 물질문명의 상징인 "강철," 『느릅나무 그늘의 욕정』의 "농장" 등 모든 물질적 가치가 오닐의 주인공들에게 아무런 구원을 제시하지 못하는 것과 마찬가지로 타이론의 토지와 돈도 가족 구성원에게 소외와 좌절만을 안겨주는 원인이 될 뿐이다.

타이론은 가족들의 중대한 어려움이 걸린 문제에 직면해서 조차도 돈을 절약하려고만 든다. 따라서 가족들은 메어리의 마약 복용과 재발을 그의 책임으로 전가하고 있다. 특히 에드먼드의 출생 시 그가 돌팔이 의사로 하여금 그녀의 출산을 보살피도록 한 사실을 통해 그의 물질욕이 강하게 표출되고 있다. 제이미는 아버지 타이론의 물질적 인색함을 비난한다(39). 타이론 자신도 그녀의 병에 대한 최소한의 책임을 느끼고 있지만 보다 중요한 문제는 그가 그녀에게 안정된 가정을 마련해주지 못했다는 사실이다. 따라서 그녀의 불평의 핵심이 되고 있는 문제는 바로 이 집이 없음이다. 그녀는 반복적으로 이 사실을 지적하고 있다(44). 오닐의 작품에서 여성들의 고통의 현장에는 언제나 남성들이 있다. 남성과 여성의 관계에서 고통을 주는 사람과 고통을 받는 사람 사이의 상관관계에 대하여 롤리(Raleigh)는 "남자들 즉 아들들, 남편들, 연인들, 그리고 술은 오닐의 작품세계에서 여성의 슬픔의 원천이 되고 있다"(142)고 언급하고 있다.

타이론의 물질적 인색함은 에드먼드에 대해서도 마찬가지이다. 그는 결핵에 걸린 아들 에드먼드를 치료비가 싼 주립요양소로 보낼 것을 주문할 정도이다. 에드먼드는 아버지의 인색한 행동에 분개하며 생명보다 돈을 더 사랑하는 아버지를 공박한다(143). 지독한 구두쇠인 아버지의 아집은 온 가족들에게 미움과 경멸의 대상이 되어버린다. 타이론은 과거 어려웠던 시절의 강박관념에 사로잡혀 가족과 가정보다는 돈을 지키고자 한다. 그의 이러한 물질욕과 완고한 무지, 방어적인 자존심이 가정 불행의 근원이 되고 있다.

타이론은 성공이라는 환상에 사로잡혀 자신의 영혼을 소모해왔다. 그는 여러 가지 이유로 해서 가족들로부터 비난을 받고 있지만 동시에 가족들에 의한 희생자이기도 하다. 아일랜드 사투리를 지양하는 훈련을 쌓고 위엄 있는 몸짓과 언어를 익힌 노경에 이른 배우의 우아한 몸짓 저변에는 가난에 대한 두려움이 깔려있다. 그 두려움 때문에 그는 물질적인 부를 추구하게 되었고, 마침내 그것을 위하여 셰익스피어 배우로서의 예술가적 성공도 포기한 것이다. 남편과 아버지로서 또 예술가로서 완전히 실패한 그에게 있어 술은 현실의 아픔을 잊게 해주지만 메어리처럼 현실로부터 도피하거나 망각 속에 빠지지 않고 현실을 인정하면서 살아간다. 그는 또 가족들로부터 비난을 받고 있지만 결코 가족에 대한 사랑을 잊지 않고 있다. 그는 가난했던 과거의 생활과 현재 병들어 있는 작은 아들 에드먼드, 그리고 마약중독이 된

아내, 방탕한 생활로 세월을 보내는 큰 아들 제이미 사이에서 흔들리지 않고 가정을 지키고 있다. 그는 마치 인생을 모두 겪어본 체험자처럼 가족들을 통제하고 있다. 그의 애정과 증오의 감정은 제이미에 대한 태도에서 가장 명백히 드러나고 있다. 그가 평소에 그토록 제이미를 증오한 것은 그에 대한 강한 애착심을 갖고 있었기 때문이다. 어릴 때부터 장래가 촉망되던 큰 아들에 대한 기대(167)를 좀처럼 버릴 수가 없었다.

인생에서의 실패와 상실감을 잊어버리기 위해 술이 필요하지만 타이론은 가족에 대한 사랑만큼은 결코 잊어버리지 않는다. 그는 가족들로부터 비난을 면치 못하지만 그의 죄와 잘못을 합리화시키려고만 하지는 않는다. 그는 4막에 이르러 가면 이면의 진실을 직시하고 에드먼드에게 고백하기에 이른다(149). 그는 진실을 직면함으로써 그의 참된 자아가 상실되었음을 깨닫게 된다. 오닐은 "가장 의식적이고 단호하게 인생의 참된 질서와 정의는 반대 사이의 비극적 긴장에 놓여 있다"(Falk 187 재인용)고 확신했던 것이다. 타이론은 당대의 명배우 에드윈 부스(Edwin Booth)가 그를 훌륭한 연기자라고 칭찬했으며, 성공적인 미국의 신진배우 서너 명 가운데 한 명으로 간주되던 과거 전성기 시절의 추억 속에서 그의 소속을 추구하고 있는 것이다.

아버지 타이론이 가해자의 입장에 있다면 어머니 메어리는 운명적으로 피해자의 입장에 놓인다. 타인의 눈을 끄는 그녀의 두드러진 특징은 내성적이며 수도원 여학생 같은 수줍음, 속세의 때가 묻지 않은 순수한 성품이다. 이 점은 이 작품의 비극적 전개과정에서 중요한 요소이다. 그녀는 작품 전반에 걸쳐 두 가지 모습으로 등장한다. 하나는 과거의 추억 속에 사로잡힌 모습이며, 다른 하나는 제이미와 에드먼드가 열망하는 어머니의 모습이다. 마약이 자아내는 환각상태에서 어린 시절의 순결과 순진무구함으로 되돌아가기 원하는 소녀와 어머니의 모습이다. 오닐은 메어리가 "친절하고 애정이 있으며 고상하고 겸손한 여성으로 묘사"(Gonnon 14 재인용)되기를 원했다.

수녀가 되어 정절과 헌신으로 살고자 했던 종교적 본능도, 피아니스트가 되어 음악을 사랑하고자 했던 예술적 본능도 가난의 밑바닥에서부터 기어오르며 현실에 밀착되어 살아온 타이론과 결혼한 순간부터 모두 좌절된다(113). 이렇게 시작된 결혼생활은 그녀를 비애와 고통의 심연에 빠지게 했다. 그리고 그것은 가정 상실의 시작이기도 하였다. 양가집 처녀였으나 미천한 배우와의 결혼으로 친구는 모두 떠나버렸다. 인색한 남편은 그녀에게 소외감을 줄 뿐이다. 장남은 방탕한 생활에 빠져들고 차남 유진(Eugene)의 죽음으로 인한 상실감과 슬픔을 잊고자 에드먼드를 분만했으나 그로 인해 류머티즘에 걸린다. 류머티즘의 고통을 덜기 위해 사용하기 시작한 마약은 그녀를 불치의 중독자로 만든다. 파탄과 마약복용자의 저주에서 헤어나지 못하는 현실이 그녀를 엄습한다.

메어리는 모성애가 결핍된 여성이다. 자신과 타인의 운명을 깨닫지 못하는 무능한 인간의 상징이다. 그녀는 과거의 처녀 시절에 몰두해 있다. 에드먼드는 어머니를 "단지 과거를 헤매는 유령"(137)으로 말하고 있다. 그녀는 그릇된 자아를 인식하지 못하고 자신도 모르는 유령의 세계 속에 살고 있는 것이다. 더구나 가족들에게 사랑을 많이 주어야 할 어머니가 사랑을 받으려고만 하면서 그녀의 희생을 추호도 감수하지 않으려 한다. 결국 그녀는 과거에 집착한 나머지, 용서와 이해가 없는 고립된 여인으로 방황하고 있다. 자신의 운명에 대해 노력도 하지 않고 대화도 하지 않으며 오히려 다른 사람들에게 책임을 전가시키려고 한다. 그녀는 안개 속에 숨어 있기를 바란다. 그러한 도피는 나머지 가족들을 더욱 더 불행하게 만든다. 에드먼드는 그와 같은 어머니에 대한 안타까운 마음을 토로한다(139). 메어리가 가족 모두의 기대를 저버렸음에도 불구하고 가족 모두는 그녀를 사랑한다. 그러나 그녀가 쌓고 있는 장벽 때문에 유대관계를 이루지 못한 채 가족들의 사랑은 공허한 메아리가 되어 되돌아올 뿐이다. 제이미는 돌아오지 않는 그녀의 사랑에 대한 아픔을 시를 인용하여 토로한다(173). 그녀는 어머니다운 따뜻한 사랑을 주는데 실패한 오닐의 작품에 나타난 전형적인 여성이다. 포크(Falk)는 "그녀가 아들들이 갈망하는 풍요의 여신(Earth Mother)과는 달리 그 반대의 이미지가 되고 있다"(183)고 지적한다.

메어리는 혼자만이 소속감을 느낄 수 있는 안개에 대한 강한 호감을 에드먼드에게 말한다(98-99). 그녀는 현실의 고통이 안개로 가려지기를 바라고 있다. 안개는 환상적인 꿈을 상징한다. 그녀에게 안개는 환상의 영역이며 동시에 마취를 자극하는 꿈의 영역이 되고 있다. 이 몽환의 세계에서 그녀는 더욱 환상적인 행복한 세계를 재창조하고 있는 것이다. 안개는 이 작품의 중심적인 상징물이 되고 있다. 아침의 "햇빛"(1막, 12)에서부터 정오 무렵의 "희미한 연무"(2막 1장, 51)로, 이른 오후(2막 2장)에 아지랑이가 점점 짙어지기 시작할 때까지의 날씨의 연속적인 변화 가운데 안개의 농도는 그녀와 가족들의 심리적인 변화를 시사한다. 2막 2장에서 그녀의 눈은 더욱 빛나고 그녀의 태도는 더욱 달라진다. 이와 같은 변화는 장면이 진행됨에 따라서 더욱 현저해진다. 오닐은 안개의 농도의 변화를 "창 밖에 드리워진 하얀 커튼"(3막, 97), "관찰자보다 더 진한 안개의 벽이 나타난다"(4막, 125)라고 메타포를 사용하여 무대지시로 묘사하고 있다. 병원에서 집으로 돌아온 메어리는 밖의 안개를 의식하면서 마약을 다시 시작하고 가족들은 음주를 시작한다. 밤의 날씨가 안개로 변하면서 하녀 캐서린(Cathleen)마저도 위스키를 마시고 술기운으로 몽롱하게 이야기한다. 3막에서 취하여 집으로 돌아온 제이미도 술을 마시고 있는 에드먼드와 타이론에게 합세한다. 이 작품의 마지막 장면 직전에 이들은 동작을 잃고 앉아서 안개의 장벽 속에 감추어진 채 꿈속에 잠긴 한 여자의 과거 이야기를 듣는다. 이 작품의 모든 인물들이 안개에 관하여 언급하는데 이것은 "오닐이 안개에 관하여 보편적인 의미를 부여하고 있음"(Tornqvist 96)을 암시한다. 1막에서 "항구에 안개가 없다. 우리가 가졌던 마력(spell)은 이제 끝났다고 확신한다"(40)라는 타이론의 희망적인 말은 메어리의 마약행위의 종식과 미래의 희망에 대한 기대를 암시한다. 3막에서 캐서린은 시내에서 집으로 돌아올 때 운전수의 무모한 운전으로 안개 속에서 자신과 메어리의 생명이 위태했다고 말하고, 4막에서 제이미는 현관에 들어서면서 "안개가 나를 급습했어요. 그 곳에는 등대가 있어야 마땅해요. 이곳도 너무 어둡긴 마찬가지고요"(155)라고 말한다. 캐서린이 말한 안개 속의 위험한 운전과 제이미의 이 말은 에드먼드의 말 "저는 안개를 사랑했어요. 그것은 제가 필요한 것이었지요"(130)와, 메어리의 "나는 안개를 정말로 사랑했어. . . . 그것은 세상으로부터 우리를, 우리로부터 세상을 숨겨주지"(98)라는 말은 심리적인 면에서 대조를 이룬다. 캐서린과 제이미의 안개는 인생의 고뇌와 현실의 고통을 암시한 반면, 메어리와 에드먼드의 안개는 고통스런 현실로부터 이들이 피할 수 있는 길을 마련해주고 있다.

메어리는 모든 탐구자들의 운명을 "사람이란 생활 방식에 좌우되는 거니까. 알고 난 뒤엔 이미 늦는 거야. 한 번 몸에 배어버리면 또 같은 일을 하게 되거든. 그렇게 되면 자기를 좀 더 다른 사람으로 만들고 싶어도 잘 되지 않게 되는 거란다. 진정한 자아를 영원히 잃고 마는 거지"(61)라고 말하고 있다. 이것은 오닐 작품에 등장하는 많은 인물들의 운명으로 이 작품의 인물들은 메어리가 그러하듯이 과거 자신들의 잘못으로 얼룩진 안개 속에 애증, 동료의식, 자유, 충족, 그리고 순결에 대한 열망으로 방황한다. 마치 인생의 숨겨진 신비를 발견하기 위하여 자아의 한계를 극복하고자 노력했던 오닐 작품의 탐구자들과 이상주의자들처럼 그들은 이상과 환상에 고착되어 있다. 이것은 실패로 운명 지워진 비극적인 노력으로 그 자체가 인생의 가치를 부여하는 전부이지만 대부분의 경우 지속성의 결여를 내포하고 있다. 메어리처럼 그들은 한정적 자아와 열망적 자아 사이에서 소외되고 상실된다.

중요한 사실은 메어리가 타이론, 제이미 그리고 에드먼드에게 소속의 상징이 되고 있다는 점이다. 그녀는 가족들을 화해시키는 중심적 인물로서 은신처 역할을 한다. 그러나 한편으로는 자신의 고통을 감내하는 능력의 부족과 지나친 과거의 몰입 때문에 가족들이 그녀에게 원하는 역할을 거부한다. 그녀의 이러한 움추림은 가족들에게 심오한 고통의 원인이 된다. 그들의 노력은 보다 깊은 어둠과 절망으로 화한다. 결국 그들은 과거 추억의 단편 속에서 소속을 발견한다. 실패와 상실의 고통은 서로를 사실대로 수용하도록 해준다. 이러한 수용을 통해서 새로운 이해와 사랑이 태어나는 것이다. 사랑과 이해, 그리고 믿음으로부터 단절된 채 현재의 삶에 만족하지 못하는 그녀는 마약과 안개에 의지하여 과거 세계에 대한 추억 속에서 소속을 추구해왔다. 하녀에게 자신의 과거를 들려주면서 "우리가 행복한 과거가 진정한 과거다"(104)라고 말한다. 그녀는 과거의식을 표현하는 대변인이다. 그녀에게는 행복했던 과거만이 진실이다. 또 과거는 현재고 동시에 미래다. 이처럼 마약의 힘으로 과거를 회상하는 것이 이 작품을 지배한다. 잃어버린 영혼을 찾는 각자의 긴 고백이 끝난 뒤 타이론은 다시 술이 주는 위안에 잠기고, 제이미 또한 잠든다. 모두들 괴로운 현실 속에서 빠져나가 각자의 과거 속에 잠겨있는 것이다. 그러나 에드먼드만은 눈을 뜨고 긴장해 있다. 그의 이러한 행동은 삶을 에워싸고 있는 환경과 정면에서 맞서보려는 용기와 노력이 다른 가족들이 굴복당한 곳에서 다시 부활할 수 있으리라는 믿음을 주는 것이다. 폭풍 전야와 같은 분위기 속에서 짙은 안개와 밤으로 덮인 죽은듯한 어두움을 깨뜨리고 갑자기 바깥방의 샹들리에가 전부 켜지고 고요를 깨뜨리는 피아노 소리가 들린다. 이러한 변화에 타이론은 눈을 크게 뜨고 공포에 사로잡히고, 제이미는 눈을 뜬 채 얼어붙은 듯 귀를 기우리고 있다. 이윽고 피아노 소리가 시작할 때와 마찬가지로 갑자기 멎는다. 이어 메어리가 나타난다. 그녀의 모습은 완전히 마약 기운에 몽롱해진 상태임을 알 수 있다. 36년 묵은 결혼예복을 들고서 잠옷을 입은 어린 소녀의 모습으로 나타난다.

이 결혼예복은 "그녀의 참된 가정에 대한 마지막 추억"(Winther 102)이라 할 수 있다. 이는 가정과 신앙을 잃고 행복과 이해를 얻지 못하며 과거 환상의 세계에 완전히 도피해 있는 상태를 말해주는 극적인 장면이다. 이 결혼예복에 대해서 보가드는 "그녀의 요구는 상실된 희망, 결코 획득되지 못하고 구원의 목표를 잃은 탐구이다"(Bogard 430)라고 말하고 있는데 이것은 그녀의 상태에 대한 의미 있는 지적으로 볼 수 있다. 그녀가 과거의 추억 속에서 소속을 추구하고 있다는 사실을 가장 잘 표출시켜주는 극적 장면인 것이다.

망아의 황홀 상태인 메어리의 광란 속에 제이미가 침통하게 낭송하는 스윈번(Swinburne)의 「이별」이라는 시는 그녀의 밤의 긴 여로와 이별을 암시하는 것이다. 제이미가 시를 낭송할 때 그녀는 몽유병 환자와 같은 걸음걸이로 수녀원 시절의 회상에 빠져 머나먼 과거 속에서 마리아에게 구원의 기도를 하면서 마지막 대사(176)를 한다. 메어리 못지않게 어두움의 밤을 살아가는 사람은 제이미이다. 그는 언제나 술에 취해 잠을 잔다. 그는 취해 있거나 취하여 잠을 자지 않으면 견딜 수 없는 환상적인 인물이다. 그가 깨어 있을 때 그의 특유한 냉소는 어머니의 사랑을 박탈당한 데서 오는 아픔의 반응이다. 그가 증오 섞인 냉소를 머금고 잔인하게 "그 마약상용자는 어디 계시니? 주무시니?"(161)라고 했을 때 이 '마약상용자'의 의미는 비참한 것이다. 그는 어머니에 대한 실망과 어머니의 마약중독에 대한 자식으로서의 수치심을 에드먼드에게 "너보다는 내가 어머니를 잘 알아. 처음 눈치 챈 때를 잊어버릴 수가 없어. 피하주사를 놓으시는 현장을 봤거든. 창부가 아닌 여자가 마약을 쓰다니 그때까진 생각조차 해본 일이 없어"(162-163)라고 말한다.

제이미의 도박과 음주는 메어리의 마약 중독의 한 가지 확대현상이라고 할 수 있다. 제이미와 에드먼드의 인생에 대한 부정적인 감정은 어머니의 사랑을 박탈당한 어린 시절에 이미 싹 텄고, 성년이 된 후에는 어머니의 마약 복용에 의해 더욱 인생을 비관하기에 이른다. 제이미가 필요로 한 것은 오직 어머니의 사랑뿐이었다. 그러나 어머니가 자기 주변에 쌓아 올린 장벽 때문에 그는 어머니의 사랑을 얻지 못한다. 어머니에 대한 애착심과 애정이 강해질수록 증오감도 더욱 커져만 갔던 것이다. 그에게 있어서 어머니의 파멸은 곧 자신의 파멸이요, 어머니의 재생은 곧 그의 재생(162)이었던 것이다.

메어리가 마약습관을 극복하지 못할 때 제이미도 주변을 극복할 수 있는 힘을 상실하고 만다. 어머니에게 마약중독자라는 폭언을 하며 한밤 중 어머니가 마약에 취해 나타나자 "광란의 장면. 오필리어 등장!"(170)이라고 비웃는 것도 가족 모두의 기대를 저버린 어머니에 대한 분노와 증오심의 발로이다. 시내에서 창녀인 팻 바이올렛(Fat Violet)과 관계를 갖는 것도 어머니에 대한 일종의 도착된 애정의 표현이며, 복수 행위라고 할 수 있다. 4막에서 제이미가 스윈번의 「이별」이란 시를 암송한 것은 어머니와 가족들 사이의 단절을 암시한 것이다. 특히 이 시의 첫째 절의 마지막 2행(173)은 이미 어둠 속으로 사라져 버린 어머니의 모습을 암시하고 타이론 가족의 어둠 속의 현실을 상징한 것이다. 그는 인간의 현실도피와 삶에 대한 환멸감을 보들레르(Baudelaire)의 시(132)를 인용하여 말하면서 술로 그의 현실의 고통을 벗어버리려고 한다. 이어서 그는 자신이 죽은 것이나 같다며 오스카 와일드(Oscar Wilde)의 시 「창부의 집에서」 중에서 '죽은 자'(159)를 인용한다. 그는 사창가에서 창녀들 즐기면서 보내는 현실이라는 시간 속에 자신의 존재가치가 소멸하고 있음을 한탄한다. 가족들 모두 어머니를 사랑하지만 어머니가 가족들을 사랑해 주지 않고 있음을 한탄한다. 그는 사회와 가정 그 어느 쪽에도 소속되지 못하며 이로 인해 동생을 시기하고 양친과 반목하여 "나는 집 주변을 서성이는 송장이 되고 싶지 않아"(166)라고 괴로워한다. 술에 취해 집에 돌아오면서 자신을 조롱하는 말을 한다. 그는 부모와 동생으로부터 받는 고통으로 인하여 모든 가족들을 미워한다. 가정에서 웃음과 평안을 주기보다는 짜증과 헛소리로 세월을 보내는 어머니에 대해 이해보다는 미움과 저주로써 그의 불만을 해소시키고 있다. 그는 술에 취하지 않고서는 어머니를 대할 수 없게 된다. 뿐만 아니라 그는 술에 취한 채 불만을 계속 터뜨리며 부모의 편견을 말한다(165). 에드먼드는 타이론과의 대화에서 아버지의 아집과 물욕을 알게 되었듯이 술에 취한 제이미의 고백(163)을 통해 형의 내부에 잠재되었던 자신에 대한 애증과 적대감을 알게 된다.

제이미에게는 에드먼드의 신비한 체험, 메어리의 소녀 시절의 꿈, 타이론이 간직하고 있는 명성 등 현실의 고통을 어느 정도 완화시켜 줄 수 있는 과거의 세계는 아무 것도 없다. 그의 단 하나의 소망이란 어머니의 사랑을 얻는 것이지만 이 또한 불가능하다. 그에게는 화려했던 과거도 없으며 현실에서 도피하여 안주할 세계도 없다. 따라서 그는 술에 취할수록 더욱 냉소적이고 비참하게 되어갈 뿐이다. 벌린(Berlin)은 제이미가 "등장인물 중에서 가장 비극적인 인물이며 그 이유는 메어리의 마약중독에 그의 모든 것이 달려있기 때문"(13-14)임을 지적하고 있다. 그가 적의를 가지고 에드먼드에 대하여 질투와 증오감을 갖는 것은 두 가지로 요약된다. 첫째는 에드먼드가 어머니의 아이이자 아버지의 총아라는 점이며, 둘째는 어머니가 마약 중독자가 된 것은 에드먼드의 출산에서 비롯됐다는 점이다. 카펜터(Carpenter)는 이 작품에서 "두 형제 사이의 이러한 갈등은 형의 냉소적 부정주의와 동생의 부정적인 인생관을 초월하는 이상주의라는 서로 다른 인생철학의 차이에서 오는 것"(161)이라고 설명한다.

『밤으로의 긴 여로』에서 남성들은 각자의 죄와 실패와 증오의 사실들을 고백한다. 그리고 그 고백은 아버지 타이론과 아들 에드먼드 사이에서, 형 제이미와 동생 에드먼드 사이에서 극적으로 이뤄진다. 특히 에드먼드에 대한 제이미의 고백이 절정에 이르는 상황에서 그것은 세 가지, 즉 질투, 사랑, 그리고 구원으로 분류될 수 있다. 부모의 사랑을 독차지한 에드먼드에게 자신이 느낀 소외의식을 폭발시키고 그의 시인적 기질을 질투하는 제이미에게 있어서 에드먼드는 그의 "프랑켄슈타인"(Frankenstein 164)이 된다. 제이미의 애증으로 가득한 고백은 이 작품에서 심리적 갈등을 가장 적나라하게 보여주는 장면으로서 메어리와 타이론의 일종의 자기 합리화적인 고백과는 달리 과거의 삶이 아니라 현재의 삶을 다루고 있는 가장 고백다운 고백이라고 볼 수 있다. 제이미는 『얼음장수 오다』(*The Iceman Cometh*)의 힉키(Hickey)처럼 그가 전에 가지고 있었던 감정을 하나하나 정확하게 재생시킨다(165-166). 그의 두 번째의 고백(166)은 동생에 대한 형의 사랑과 사죄이다. 그의 마지막 고백(167)은 에드먼드에 대한 구원의 염원이다.

에드먼드가 죽을지도 모른다는 사실은 타이론 가족 모두에게 큰 충격과 절망을 안겨준다. 특히 제이미는 누구보다도 이것을 강하게 느낀다. 따라서 그 자신이 품고 있던 누적된 감정을 모두 고백할 필요성을 절감한다. 고백을 통해 맑게 정화될 때 비로소 그가 가지고 있는 사랑을 전할 수 있음을 잘 알고 있다. 에드먼드의 회생을 위한 기도도 정화된 영혼을 소유할 때 비로소 가능하기 때문이다. 고백 후의 제이미와 에드먼드의 관계는 상호화해와 관용이다. 에드먼드가 자신을 용서하고 있음을 제이미도 의식한다. 한마디로 가족의 냉혹한 현실을 직면할 수 있기 때문에 이제 그들은 환상과 꿈을 다 버리고 희망을 가지고 밝음을 향한 여로를 시작하는 것이다. 그것은 두 형제 사이의 서로를 향한 이해와 용서와 사랑의 빛이며, 그동안 타이론 가족을 지배해온 절망을 극복할 수 있는 새벽의 여명이다. 카펜터는 에드먼드와 제이미 사이에 일어나는 고백의 순간을 "이 작품의 진정한 클라이맥스이다. 그것은 최종적인 깨달음과 비극적 카타르시스의 순간이다"(161)고 말한다. 제이미는 고백을 통한 깨달음으로 깊은 밤을 지나 새로운 미래를 약속하는 새벽의 여명으로의 비약적 도약을 할 수 있게 된 것이다. 맨헤임(Manheim)은 제이미를 "그는 게으르다. 하지만 감성적 측면에는 어느 누구보다도 열중한다. 물질적 부양자로서, 특히 자신을 위한 부양자로서, 완전히 실패하지만 감성적 부양자로서 그는 완전히 성공한다. 간단하게 말해서, 그는 오닐이 그 방법으로 정직하게 찬양할 수 있는 인물이다"(185)고 지적한다. 그릇된 자신을 고백함으로써 사랑을 다시 찾으려는 오닐의 작가적 의도를 그의 작품 속에서 거듭 발견할 수 있다. 오닐은 이러한 고백이야말로 신에 대한 인간의 고백임과 동시에 인간관계에 있어서도 인간이 자신의 죄를 인정함으로써 용서받고 새로운 모습으로 살아가게 된다는 점을 강조하고 있다.

에드먼드는 니체(Nietzsche)의 말에 동감하면서 그의 가정에 신이 상실되어 있음(77-78)을 말하고 있다. 그는 니체의 신이 인간에 대한 동정으로 인하여 죽었다고 하는 말에 공감하고 있다. 물질문명의 발달로 외적인 변화에 인간들은 자신을 잃어버린 상태에서 방황하게 되었다. 자신의 안정을 찾지 못해 방탕한 생활을 하게 되었고 가정에서의 평화를 얻지 못하는 인간들에 의해 신은 존재할 수 없는 상태로 변해갔다. 전 가족을 불행하게 만들었던 어머니 메어리의 마약복용은 근본적으로 에드먼드의 출생에 기인하며, 어머니를 마약중독에 빠지게 했다는 죄의식과 원하지도 않은 채 태어났다는 소외감이 에드먼드를 사로잡았고 그것이 그의 인생을 어둡게 만들었다. 그의 출생이 어머니를 지옥으로 몰고 가는 역할을 했다면 그녀 또한 그가 절대로 벗어날 수 없는 죄의식을 심어 준 장본인이 된다. 그는 자살을 시도했었고 험난한 선원 생활도 자처했었다. 그의 절망감은 어머니의 마약 복용을 알고부터 시작되었다(118). 이러한 절망감은 그녀의 마약복용이 그의 출생과 관련이 있다는 사실을 알고서 더욱 더 심화되었다. 따라서 그는 그가 인간으로 태어난 것이 커다란 실수이고, 진정으로 안정을 느끼지 못하며, 진정으로 원하지도 그리고 진정으로 원해지지도 않고, 결코 소속할 수 없으며, 항상 조금은 죽음을 갈구해야만 하는 한결같은 이방인 이라고 생각한다(153-154). 그에게 죽음은 간절한 염원으로 느껴지며, 여기에는 우주 속에서 부조리하고 무의미한 인간존재의 의식과 그 의식에 따르는 끊임없는 자기부정이 내포된다. 과거의 방랑 생활과 모험이 병과 함께 저주 받은 망령이 되어 현재 에드먼드의 염세주의적인 인생관에 영향을 끼치고 있으며 불치의 병은 그를 허무주의로 더욱 깊이 몰아넣는다. 깊은 허무주의로 인한 자기부정을 상징적으로 표현하는 것이 바로 그가 인용하는 시구(132)이다. 그는 어떠한 방법으로든 시간으로부터 도피하고자 하며 안개의 세계(131)로 도피처를 구한다.

오닐이 그러나 『밤으로의 긴 여로』를 쓴 것은 "자비의 교훈을 주는 일"(Barlow 19 재인용)이라고 언급했듯 심리적 변화를 통해 인간내면에 자비로움과 이해가 이루어질 수 있음을 제시한다. 에드먼드는 아버지의 가난했던 과거시절의 고백을 듣고 아버지를 이해하게 되며 아버지에 대한 반감이 사라진다(151). 에드먼드는 아버지에 대한 연민을 느끼며 아버지를 괴롭게 했던 자신을 반성하게 된다. 이러한 경험을 통해 불안한 가정 분위기가 점점 부드럽고 안정을 찾아간다. 그것은 가족들이 각자의 과거 생활을 돌이켜보는 때부터 시작된다. 감추어진 각자의 고통과 시련들을 말하고 자신들이 인식하지 못한 결점들을 알게 되었을 때 겸손함과 자비로움을 깨닫게 된다.

에드먼드가 현재 그의 가족들이 처해 있는 비극적 상황에서 보다 초연한 자세로 자신과 삶에 대한 깊은 이해를 가지게 된 것은 사랑 때문이다. 가족들이 각자의 잘못을 고백할 때마다 가족들을 이해하고 긍정하면서 기쁨을 얻는다. 그 기쁨은 곧 사랑이다. 그는 어두운 고통을 견뎌내며 과거를 돌이켜보고 고독과 좌절에서 벗어난다. 가족들을 이해하고 밝은 눈으로 인간의 삶을 바라볼 수 있게 된다. 인간은 자아성찰을 통해서 현실의 고통스런 삶을 초월할 수 있는 기쁨과 행복을 발견할 수 있다는 오닐의 인생관을 살펴볼 수 있다. 오닐의 "후기 작품에 자주 나오는 고백의 장면은 등장인물들의 숨겨진 내면을 밝히는데 중요한 수단"(Berlin 11)이다. 주인공들은 이 고백을 통해서 서로를 이해하게 된다. 『얼음장수 오다』에서 힉키와 패릿의 고백은 각각 그들의 진실을 인식하게 하였고, 특히 패릿의 어머니에 대한 고백은 그로 하여금 편안한 마음으로 죽음을 택할 수 있는 계기를 만들어 주었으며, 『잘못 태어난 자를 비추는 달』에서 타이론의 감동적 고백은 조시로 하여금 어머니에게 지은 죄를 용서하게 해주었을 뿐 아니라 그의 죽음을 편안한 마음으로 받아들일 수 있게 한다. 어머니를 이해하려고 하고 형의 충동적인 행위를 감싸려는 에드먼드는 아버지 타이론과의 대화에서 그의 인생경험을 말한다(131). 이것은 인생의 고통을 끈질기게 극복하며 살아온 오닐의 삶을 대변해주는 작가 자신의 초상이다.

에드먼드의 환상은 인간과 바다 혹은 인간의 생존문제에 기초한다. 그의 기질은 인간과 자연이 적극적으로 결합하는 것으로, 그가 시를 인용하는 장면보다 오히려 그의 고백 장면(153)에서 잘 나타난다. 그는 무아의 경지에서 자신의 생활을 초월한 자유의 세계를 경험한다. 그는 과거도 미래도 없는 평화와 조화와 소박한 기쁨 속에서 그의 생명과 인류의 생명보다도 위대한 생명 그 자체, 즉 신이 된 경험을 한다. 이것은 황홀한 해방의 순간이며, 인간의 욕구에서 벗어난 체험이다. 하늘과 바다 위에 채색된 꿈같이 조용히 퍼져가는 새벽을 바라보며 현실의 비극적 고통을 벗어난 새로운 세계를 경험한다. 그는 자신이 태양이 되고 뜨거운 모래가 되고 파도에 밀려 암석에 밀착한 해초가 되는 경험을 한다. 성자가 보는 지상 행복의 환영 같은 것을 본다. 이것은 오닐이 탐구한 내면적 평화를 말한다. 천박하고 가련하며 탐욕적인 인간의 공포와 허황된 꿈에 대한 초월의 실현이다. 자연과 술에 취해 자연과 인간이 하나가 되는 순간이다. 이 점에 대해 차브로웨(Charbrowe)는 "그 비결은 '하나 됨' 또는 니체(Nietzsche)가 명명한 '신비스런 원초적 조화,' 여기서는 '바다의 보편적 자궁의 상징'이다"(175)고 그의 견해를 제시하고 있다. 태고로부터 생명의 모태인 바다는 인간에게 무한한 신비와 더불어 꿈과 희망을 주어왔다. 오닐 역시 바다를 통해 육지에서는 느끼지 못했던 소속감과 자유를 느낄 수 있었다. 그는 자연 속에 동화되어 자신과 바다의 구별을 뛰어 넘는 무아 상태에서 참다운 소속감을 찾을 수 있었다. 그는 바다에 대한 체험과 잠재의식 속에서 어머니의 사랑과 같은 포근하고 무한한 사랑을 느꼈다. 그가 바다를 그의 삶의 영역으로 인식하는 것은 바다에 관한 그의 애정과 바다와 결합하려는 그의 잠재의식이 얼마나 큰가를 잘 말해주고 있다. 이 점은 『수평선 너머』를 비롯한 일련의 초기 해양극에서 충분히 증명되었고 후기극 『밤으로의 긴 여로』에서 다시 확인되고 있다.

『밤으로의 긴 여로』에는 이기심에서 오는 욕구로 인하여 가족 간의 이해가 단절된 비극적 상황이 드러나 있다. 모든 사람은 후회할 만한 잘못을 저질렀고 또한 행복했던 경험을 지니고 있다. 과거는 현재가 갖지 못한 가능성을 갖고 있기 때문에 동경의 대상이 된다(104). 현재나 미래는 전혀 의미가 없고 과거만이 의미를 지닌다. 이처럼 암담한 상황, 즉 인간의 모든 희망과 꿈이 결국 환상에 지나지 않고 언제나 실패하기 마련인 상황만이 전개된다. 소녀시절의 믿음을 되찾겠다는 메어리의 꿈, 부스(Booth)의 칭찬에 대한 타이론의 기억, 그리고 에드먼드의 해양생활을 통해 체득한 신비의 경험 등 이 작품의 인물들은 한결같이 과거의 세계 속에서 소속을 추구하고 있다. 오닐은 청년기의 방랑생활 중 우주와 바다의 신비를 터득하고 우주 속에서 인간의 위치와 고통에 대한 문제를 탐색하였다. 오닐은 절망, 고독, 패배, 그리고 죽음과 같은 인간의 삶 자체 속에 그것을 극복할 수 있는 용기와 노력을 제공해 주었다. 그는 희랍극의 제의미를 음미하면서 현대예술의 가치를 찾으려 했다. 결국 그는 정신적인 차원에서 자아의식과 심리적 성장을 추구하였다. 이 경지는 모든 것을 포용할 수 있는 심층적인 이해와 사랑과 용서를 통해서만 이루어진다고 보았다. 에드먼드는 자신과 삶에 대한 보다 깊은 이해에 도달하게 됨으로써 현실의 수용과 과거의 성찰을 통한 초월을 얻었다. 에드먼드가 현재 그의 가족들이 처해 있는 비극적 상황에서 초월할 수 있었던 그 힘은 바로 이해와 용서와 사랑이었다.

PART • 3

셰익스피어와 오닐의 문학세계

제1장

과거의 유령

『햄릿』, 『잘못 태어난 자를 비추는 달』, 『밤으로의 긴 여로』

유진 오닐(Eugene O'Neill)의 『밤으로의 긴 여로』(*Long Day's Journey into Night*)의 마지막 부분에서 타이론(Tyrone) 가족의 세 남자들인 타이론(Tyrone), 제이미(Jamie), 에드먼드(Edmund)는 메어리(Mary)의 서투른 피아노 연주에 귀를 기울인다. 잠시 후 그들은, 모르핀(drug)에 의해 과거에 심취되어 지금 젊음에 찬 얼굴을 하고 오래된 웨딩 가운을 "무심하게"(neglectfully 170) 끌면서 거실로 들어오는 그녀를 응시한다. 제이미는 "광란의 장면. 오필리어 등장!"(The Mad Scene. Enter Ophelia! 170)이라는 말로 무거운 침묵을 깨트린다. 이 충격적으로 악의적인 언급을 들은 에드먼드는 제이미의 입을 철썩 때리고, 동시에 타이론과 에드먼드는 "사납게 그를 돌아본다"(turn on him fiercely 170). 이처럼 결정적인 순간에 윌리엄 셰익스피어(William Shakespeare)의 『햄릿』(*Hamlet*)을 인용한 언급은 강력한 반향을 띤다. 마치 오필리어를 연상시키는 듯한 메어리의 등장은 매우 극적이다. 그녀는 자신에게 깊게 사로잡힌 채 중심무대를 차지하고 타이론 가(家) 남자들의 주시 속에서 상실과 죽음, 그리고 결코 다시는 돌아오지 않을, 아마도 결코 없었던 과거에 대하여 말한다. 이러한 장면은 매우 강한 이미지를 제공하기에 우리는 그것이 오닐의 마음에 감춰진 심연으로부터 도래했다는 생각을 피할 수 없다. 오닐의 전기들을 통해 그의 어머니의 상황과, 그것이 그의 전 생애에 어떻게 영향을 끼쳤는가를 알 수 있다. 그가 죽음에 직면하여 『밤으로의 긴 여로』를 쓰면서, 모르핀에 취한 어머니의 이미지를 피할 수 없었다. 그러기에 이러한 오필리어 등장의 언급은 그가 피할 수 없고 그에게 부단히 강요된 표현이었다. 이러한 오필리어의 현저한 이미지뿐만 아니라 『햄릿』 전체가, 그가 그의 마지막 두 희곡인 『밤으로의 긴 여로』와 『잘못 태어난 자를 비추는 달』(*A Moon for the Misbegotten*)을 집필하고 있었을 때, 그의 창조적 상상력에 상당한 압력을 작용했을 것으로 여겨진다. 그는 셰익스피어의 『햄릿』을 통해서 그 자신의 어둠, 그리고 그가 창조했던 극적 세계의 어둠과 보다 잘 친숙해질 수 있었다. "영향"(influence)이라는 단어의 의미를 광의적으로 적용하여, 우리가 특정한 기계적 유사물뿐만 아니라 더 큰, 명백히 더 막연하지만 보다 절박한 관계들에 관심을 기울인다면, 그 때 우리는 『햄릿』이 오닐의 자서전적 희곡들에게 모양새를 갖추게 하고 강화하게 하는 영향을 주었다고 보지 않을 수 없다. 물론 우리가 오히려 의식적이고 명백한 지성보다는 감성의 어두운 영역을 위험하게 고찰하고 있을 수도 있지만, 오닐은 항상 우리로 하여금 그렇게 하도록 재촉했다. 왜냐하면 감성은 극작가 오닐의 입장에서 영적 이해와 비극적 효과를 위한 중요한 요소였기 때문이다. 그가 『햄릿』에서 얻고자 했던 것은 감성적 근원의 강화였다.

셰익스피어의 『햄릿』 4막 5장에서 오필리어는 류트를 연주하면서, 그녀의 머리카락을 늘어뜨린 채 노래한다. 그녀의 처음 노래는 아낌없는 꽃과 눈물을 받으면서 무덤으로 간 죽은 연인을 한탄하는 내용이다. 클로디우스(Claudius)는 그녀의 노래가 최근에 햄릿(Hamlet)에 의해 살해된 그녀의 아버지 폴로니우스(Polonius)를 언급하고 있다고 믿는다. 그러나 그녀의 산란한 마음속에서 아버지는, 지금은 영국으로 떠나버린 그녀의 연인 햄릿과 뒤섞인다. 그리고 그녀의 다음 노래는 명백히 햄릿을 암시한다. 그것은 오필리어의 성적 충동을 드러내는 음탕한 성(聖) 밸런타인 명절 속요(St. Valentine's Day ballad)이다.

젊은 사내짓이라 한들, 이 지경에 이르면
진정 허물은 그네들의 것.

Young men will do 't, if they come to 't,
By cock, they are to blame. (IV. v. 60-61)

그 두 노래들은 그녀가 항상 안으로 간직해왔지만 미친 상태에서만 표출시킬 수 있는 고독, 나약성, 진실한 내적 감정이다. 류트 줄의 진동은 심금을 울리고 헝클어진 머리카락은 미침, 통제력의 상실에 대한 외적 징후이다. 그녀의 내면세계는 미친 상태에서 표출된다.

오닐의 『밤으로의 긴 여로』에서 메어리의 내면세계는 모르핀에 의해서 유발된 과거의 꿈속에서 표출된다. 진실을 발로하는 수단으로서 엘리자베스 시대의 "미침"(madness)에 해당하는 현대 드라마의 상응물은 술(drink) 또는 모르핀이다. 거실에 등장하기 전에 그녀 또한 피아노를 치고 있었다. 그리고 그녀의 머리카락은 "그녀의 가슴 위로"(over her breast 170) 늘어져 있다. 그녀의 외양은 방금 복용한 모르핀에 의해 바뀌었다. 그녀의 눈은 빛나고, 얼굴은 젊게 보이며, "처녀다운 순진성을 지닌 대리석 가면"(a marble mask of girlish innocence 170)과도 같다. 그녀는 피아노 레슨을 받게 해주었던 "자상하고 너그러운"(good and generous 171) 아버지를 회상하면서 독백한다. 그녀는 "예쁘죠? . . . 하지만 뭣에 쓸지 나도 모르겠군요. 난 수녀가 되겠어요. . . ." (It's very lovely, isn't it? . . . But I don't know what I wanted it for. I'm going to be a nun. . . . 172)라고 말하면서 가지고온 웨딩 가운을 남편 타이론에게 미친 듯이 건네준다. 그리고 그녀는 수녀가 되고 싶었지만 "봄에"(in the spring 336) 그를 만나 사랑에 빠졌으며 "한 동안은 매우 행복했어요"(was so happy for a time. 336)라고 긴 통절한 독백을 열거한다. 그녀는 오필리어처럼 아버지와 연인에 대해 자신의 세계에서 독백한다. 그녀는 스스로 수녀원에 들어

가고 싶었지만, 오필리어는 햄릿으로부터 수녀원에 가라고 요구 받는다.

타이론의 메어리에 대한 반응은 "그놈의 마약 때문이야. 그렇다고 해도 이렇게 깊숙이 꿈속에 잠기기는 이번이 처음이구나"(It's the damned poison. But I've never known her to drown herself in it as deep as this. 334)이다. 클로디우스의 오필리어에 대한 반응은 "아, 이야말로 깊은 슬픔이 빚어내는 병고"(Oh, this is a poison of deep grief. III. v. 75)이고 그녀는 문자 그대로 익사했다. 오필리어가 꽃을 배포하는 장면에 이르러 오빠 레어티스(Laertes)는 눈물을 흘린다. 제이미는 그러한 상태의 어머니 메어리를 보고 흐느낀다. 레어티스는 오필리어의 젊음, 아름다움, 순수를 언급하면서 그녀를 "5월의 장미"(rose of May IV. v. 157)라고 칭한다. 메어리는 소녀다운 순수의 마스크를 간직하고 있고, 인생의 봄에 대하여 언급한다. 오필리어의 회억을 위한 버팀목은 꽃이고, 메어리의 회억을 위한 버팀목은 웨딩 가운이다. 오필리어의 작별인사는 가끔 신을 언급하면서 종교적 색채를 띤다. 메어리는 성모 마리아(the Blessed Virgin, Holy Mother 336)와 수녀원에 대한 꿈을 말한다. 오필리어의 마지막 노래는 "그분은 다시 돌아오시지 않으려는가?/ 그분은 다시 돌아오시지 않으려는가?/ 그래, 그래, 그분은 돌아가셔서,/ 머나 먼 황천으로 떠나셨나니,/ 다시 돌아오실 수는 영영 없으리"(And will a' not come again? / And will a' not come again? / No, no, he is dead, / Go to thy deathbed, / He never will come again. IV. v. 187-191)이다. 죽은 아버지와 성적 연인("온다" come)이 혼합된 기억들을 담은 오필리어의 노래는 현재의 분위기를 통제하는 과거를 가르키고, 이것은 슬픔과 외로움을 야기시킨다. 메어리의 마지막 말은 그녀의 현재를 통제하고, 참된 자아를 영원히 상실하게 하는 과거를 상기시킨다. 오필리어는 무대를 떠나 수중의 임종을 향한다. 메어리는 그녀의 더 깊은 밤의 세계로 침잠한다.

앞서 언급했던 제이미의 "광란의 장면. 오필리어 등장!"이라는 대사는 오닐의, 셰익스피어의 『햄릿』에 대한 의식적 언급으로 여겨진다. 『밤으로의 긴 여로』와 『햄릿』 사이의 많은 유사한 대비들은 오닐이 의식적으로 한 것은 아닐지 모르지만, 그 가운데 일부의 반향은 미묘하고, 일부는 변형됐으며, 일부는 일치한다. 이러한 모든 유사점들은 두 작품 사이의 관찰을 요하는 관계를 시사한다. 그가 스트린베리(Strindberg)와 니체(Nietzsche)를 인정했던 것처럼, 셰익스피어를 그의 발전에 영향을 준 예술가로서 결코 공공연하게 인정하지는 않지만, 그것은 마치 우리가 호흡하는 공기가 우리의 삶의 원천으로서 공공연하게 인정되지 않는 것과 마찬가지다. 그는 『밤으로의 긴 여로』가 명백히 밝혀주듯이 셰익스피어를 피할 수 없었다. 에드먼드가 성경을 공부했듯이 타이론은 셰익스피어를 공부했는데, 타이론은 셰익스피어를, 그것도 기회가 있을 때마다 셰익스피어만을 인용한다. 타이론은 셰익스피어가 너무 병적이고 염세적이라고 보는 에드먼드가 셰익스피어를 기억할 수 없는 이유를 의아해 한다.

네가 하고 싶은 말은 셰익스피어 속에 있어—그밖에도 여러 가지 명언이 있지.

You'll find what you're trying to say in him—as you'll find everything else worth saying. (131)

말할 가치가 있는 모든 것은 셰익스피어 속에 있고 모든 것은 어떤 것도 포함한다. 셰익스피어는 타이론의 인생에 대한 태도와 그와 매우 다른 아들들의 태도를 수용한다. 타이론은 격려와 현명한 낙천적 격언을 위해 셰익스피어를 인용하지만, 에드먼드에게 신랄한 비판의 빌미가 될 뿐이다. 타이론이 멋진 목소리로 프로스페로(Prospero)의 "인간이란 꿈과 같은 것, 이 짧은 인생은 잠에서 시작되고 잠에서 끝나느니라"(We are such stuff as dreams are made on, and our little life is rounded with a sleep. 131)라는 말을 인용하자, 에드먼드는 비꼬듯 "인간이란 분뇨 같은 물건이지요. 그러니까 마시고 잊어버립시다"(We are such stuff as manure is made on, so let's drink up and forget it. 131)라고 응수한다. 셰익스피어가 아버지와 아들 간 언쟁의 공통 화제가 된다. "꿈"(dreams)과 "분뇨"(manure) 사이의 차이는 그들 인생관의 차이를 명확히 나타낸다.

오닐의 작품에 대한 통찰력 있는 비평가 중의 한 사람인 롤리(John Henry Raleigh)는 『밤으로의 긴 여로』와 『잘못 태어난 자를 비추는 달』을 오닐의 "유령 극"(153)이라고 칭하는데, 그 이유는 그가 이 작품들에서 죽음과 과거에 대한 기억들 속에 사로잡혀 있기 때문이다. 이 작품들은 뭇 유령극들처럼 어둠과 신비를 다룬다. 그가 유령극들을 쓰고 있을 때는 다름 아닌 바로 셰익스피어의 유령극인 『햄릿』에 의해서 가장 영향을 입은 때이다. 『밤으로의 긴 여로』와 『햄릿』 사이의 관련은 흥미롭다. 그 관련은 우리에게 가장 심오한 감성적 차원의 영향을 주는 괄목할만한 반향을 설명하는데 도움이 된다. 유령은 자기가 반드시 기억되어져야 한다고 주장하면서 햄릿에게 돌아온다. 젊은 왕자 햄릿은 그 유령을 만족시켜야만 평화롭게 쉴 수 있다. 오닐의 유령들은 그의 마음속에 출몰한다. 그는 『밤으로의 긴 여로』와 『잘못 태어난 자를 비추는 달』의 창작 속에서 유령들을 만족시켜야만 유령들과 그가 평화 속에 쉴 수 있다. 이 고도의 사적인 작품들은 그의 모든 열정을 쇠잔시켰고 그들은 그의 중요한 마지막 작품들이 된다.

가족관계는 『밤으로의 긴 여로』와 『햄릿』에 있어서 결정적이다. 특히 부자관계가 그렇고, 나아가 모자관계는 보다 더 중요하다. 두 작품들의 아버지들은 힘든 일을 할당하는 사람들이다. 부왕 햄릿은 햄릿에게 중요한 임무를 부여한다. 그는 아들이 근친상간의 어머니에게 해를 가함이 없이 흉악한 숙부를 죽이는 복수자의 역할을 해야만 하는 하나의 희곡을 쓴다. 타이론은 왕도 아니고 살해와 근친상간과도 무관하다. 그는 아들들에게 겸손, 충실,

절주, 절약과 같은 도덕적, 종교적 역할을 주문한다. 각 작품에 있어서 어머니는 모든 남자들에게 중요하다. 거트루드(Gertrude)는 클로디우스, 햄릿, 그리고 부왕 햄릿의 삶을 통제한다. 부왕 햄릿은 햄릿으로 하여금 어머니에게는 해를 가하지 말 것을 주문한다. 메어리는 타이론, 제이미, 에드먼드의 삶의 근원이다. 그들은 그녀가 다른 어두운 방에서 하는 일거수일투족을 수시로 주시하면서, 그녀가 정상일 때 행복하고, 모르핀 복용의 상태로 되돌아갈 때 곤혹스럽다. 아들들의 통렬함과 냉소주의의 큰 비중은 그들과 어머니 관계의 본질에서 도래한다. 이러한 관점에서, 아들들, 특히 제이미와 햄릿과의 유사성, 나아가 오닐과 햄릿과의 유사성은 면밀한 고찰을 요한다.

『햄릿』에서 햄릿의 냉소주의와 우울의 많은 것이 환상의 파괴에 기인한다. 그가 비텐베르크(Wittenberg)로부터 돌아와 이상화된 아버지가 죽은 것을 발견하는데 그것은 그를 곤혹스럽게 한다. 햄릿은 이전에는 결코 죽음을 직면하지 못했다. 지금 그의 삶은 오직 죽음만 관계한다. 두개골을 들고 있는 햄릿의 이미지는 그의 새로운 상황에 대한 상징이다. 그리고 그를 더욱 더 곤혹스럽게 하는 것은 어머니에 관한 실망이다. 그는 얼마나 어머니가 아버지에게 반했었으며, 얼마나 아버지는 어머니를 사랑하고 지켰던가를 기억해야만 한다. 어머니가 사탄과 같은 숙부와 동침을 하고 실제로 짐승처럼 근친상간의 잠자리를 향해 돌진했던 것이 가능한가? 그가 과거의 어머니와 현재의 어머니의 차이, 즉 순진한 환상과 터무니없는 현실 사이의 차이를 생각하게 되자 그의 심장은 파괴되고 삶에 대한 태도는 싫증으로 변한다.

> 세상만사 돌아가는 꼴이 나에게는 하나 같이 권태롭고,/ 진부하고, 무미건조하고, 쓸모없는 것으로 보일 뿐이로구나!

> How weary, stale, flat, and unprofitable/ Seem to me all the uses of this world! (I. ii, 134-135)

이러한 생각들은 그가 아버지의 살해에 대한 구체적 사실을 알기 전에 생긴다. 그리고 그가 구체적 사실들을 실제로 알게 될 때, 클로디우스를 "아, 악당, 악당, 미소까지 짓고 있는 저주받을 악당!"(O villain, villain, smiling, damned villain! I. v. 106)이라고, 그리고 거트루드를 "아, 악독하기 그지없는 여인이여!"(O most pernicious woman! I. v. 105)라고 표현한다. 그러나 그는 매춘부 같은 어머니를 저주하고 그녀에 대한 혐오의 감정을 정화함으로써, 성적 증오로부터 위안이 절정에 이르는 침실 장면까지 함구해야만 한다. 그는 동시에, 그의 상황이 얼마나 어머니의 상황과 결부되어 있는가를 드러낸다.

그렇지 않았으면 오죽 좋겠소만, 저의 어머니이기도 하지요.

would it were not so!—you are my mother. (III. iv. 15)

그렇기 때문에 그는 모든 것을 감수해야만 하고 환상은 파괴된다. 이것은 그를 냉소주의와 심장병, 그리고 모든 여자들은 연약하며 모든 기본적 인간의 애정은 거짓이라는 믿음으로 이끈다. 그는 병든 마음의 창부가 아니라 순수한 어머니가 필요하기에, 어머니에게 회개를 촉구한다. 어머니가 그에게 의도되었던 독배를 대신 마시고 죽은 후에 마침내 그는 복수를 성취할 수 있다. 간략하게 말해, 그의 삶은 어머니와 매우 결부되어 있어서 그 결과 우리는 그의 많은 행동들과 반응들을 오이디푸스 콤플렉스와 관련시키게 된다. 그는 어머니에게 매우 헌신적이고 어머니의 사랑과 애정에 매우 의존적이어서 어머니의 성적 나약성은 그의 인생의 모든 태도에 착색된다. 그의 입장에서 어머니의 애정이 아버지와 숙부 사이에 공유되는 것을 꺼려하는 것이 복수의 동기이자 지연의 이유가 된다.

제이미는 『밤으로의 긴 여로』에서 오닐의 햄릿이다. 통렬하고 냉소적인 그의 모든 삶은 어머니의 주위를 맴돈다. 그는 아버지와 동생보다도 어머니에게 가장 큰 의존을 하고 있기 때문에, 미친 오필리아에 대한 그의 언급이 가리키듯이, 어머니의 모르핀 복용에 대한 진술은 가장 끔찍스러운 것이다. 그의 어머니에 대한 사랑이 지대하기에 실망도 그만큼 크다. 그가 자신의 무기력한 생의 안전한 중심으로 영원히 접촉하고자 하는 여자가 모르핀을 복용한다는 사실은 큰 충격이다. 그가 접촉하려고 하면 그녀는 물러선다. 이것은 에드먼드에게도 마찬가지이다. 실로, 사랑받는 사람을 향한 움직임과 그 사랑받는 사람의 물러남은 이 작품의 활력이 되고 있다. 제이미의 심한 음주는 어머니의 모르핀 복용과 연관된다. 그는 에드먼드에게 "이번엔 어머니한테 한 대 먹은 셈이야. 이번엔 어머니가 [모르핀을] 이기셨다고 믿었어. . . . 그러니까 아직 어머니를 용서할 기분이 안 돼. 나한테는 중대한 일이거든. 어머니가 이번에 이겨내신다면 나도 이겨낼 수 있다고 희망을 갖기 시작했어"(this time Mama had me fooled. I really believed she had it licked . . . . I suppose I can't forgive her—yet. It meant so much. I'd begun to hope, if she's beaten the game, I could, too. 162)라고 힘없이 떨리는 목소리로 말한다. 그의 흐느낌이 진지하고 오싹하도록 싫어서 에드먼드는 "그만 해둬요, 형!"(Stop it, Jamie! 162)이라고 외친다. 이어지는 제이미의 대꾸는 어머니의 약점에 대한 고통에 찬 깨달음으로 드러난다.

> 너보다는 내가 어머니를 잘 알아. 처음 눈치 챈 때를 잊어버릴 수가 없어. 피하주사를 놓으시는 현장을 봤거든. 창부 아닌 여자가 모르핀을 쓰다니. 그때까진 생각조차 해본 일이 없어!

> I've known about Mama so much longer than you. Never forget the first time I got wise. Caught her in the act with a hypo. Christ, I'd never dreamed before that any women but whores took dope! (162)

그의 환상의 산산이 깨어짐은 햄릿의 상황을 상기시켜줄 뿐만 아니라, 어머니-매춘부의 결합은 햄릿과 제이미의 고투하는 딜레마와 직관된다. 햄릿에게 어머니는 매춘부가 되었다. 이 때문에 그에게 모든 여자들은 매춘부이다. 그가 오필리어를 보내고자 하는 수녀원은 수녀원일 뿐만 아니라 매춘굴이다. 제이미에게 어머니는 어머니와 매춘부가 함께 섞인다. 그의 매춘에 대한 관심은 어머니에 대한 오이디푸스적 관심에 대한 대용이다. 이것은 제이미의 매춘부 팻 바이올렛(Fat Violet)과의 관계를 통해서 명백하다. 그는 슬픈 심정으로 "어떤 계집이건 그 가슴에 안겨 울고 싶어졌단 말이다"(ready for a weep on any old womanly bosom 159)는 말로 마미 번스 매춘굴(Mamie Burns' stable)의 다른 어떠한 매춘부들보다도 팻 바이올렛을 선택한다. 그는 그녀가 마미에 의해 떠나가게 될 것이기 때문에 그녀에게 미안함을 느꼈다고 말한다. 그녀는 지속적으로 주정 사고들(drunks)을 냈고 성적 교제를 위해서는 너무 살이 쪘기 때문에 피아노를 칠 수 없게 되었던 것으로 보인다. 메어리가 살찌는 것을 걱정하고, 그녀도 또한 피아노를 치며, 팻 바이올렛처럼 그녀의 모르핀이 그녀를 무능력하게 한다는 사실을 깨달을 때, 우리는 제이미가 왜 팻 바이올랫의 풍만한 젖가슴을 부여잡고 눈물을 흘렸는가를 이해할 수 있다. 그리고 그는 실제로 그녀와 성관계 갖는 일에 몰두한다. 그 경험은 그로 하여금 유머스럽게 냉소적인 결론에 이르도록 한다.

> 오늘 밤 나는 내 전도가 양양하다는 것을 알았다. . . . 난 버어넘 베일리 곡마단의 뚱뚱이[팻 바이올렛]의 연인이 되겠단 말이야.
>
> This night has opened my eyes to a gret career in store for me, my boy! . . . I'll be the lover of the fat woman in Barnum and Bailey's circus! (160)

그 냉소주의는 그러나 그 자신과 그 주변 세상에 대한 혐오를 숨길 수 없다. 모르핀 복용을 다시 시작한 어머니에 대한 실망으로 인하여, 그의 인생행로는 지루하기만 하다.

다 끝나는 거지. . . . 종착역이야. . . . 희망도 없다.

All over— finished now—not a hope! (161)

이에 걸맞게, 그는 발라드를 이용하여 그 심정의 일단을 노래한다.

가장 높은 산 위에서
교수형을 당하더라도
어머니, 내 어머니!
누구 사랑이 내 뒤를 따를지
나는 압니다.

If I were hanged on the highest hill,
Mother o' mine, O mother o' mine!
I know whose love would follow me still . . . (161)

그는 세상에 대한 권태와 냉소에 휩싸인 채, 죽음, 어머니, 그리고 매춘부들에 대한 생각에 사로잡혀 있다. 그는 현대 드라마의 여느 인물만큼이나 햄릿에 가깝다. 제이미의 어머니에 대한 사랑과 그녀의 애정에 대한 필요성은, 그가 동생 에드먼드를 "얼뚱아기"(Mama's baby 163)라고 부르듯, 동생에 대한 질투심을 부채질한다. 이러한 질투심은 동생에게 매춘부와 술을 경험하게 함으로써 동생을 타락으로 이끈다. 그가 그의 고백을 통해서 동생에게 선언하듯이 그는 '프랑켄슈타인'(Frankenstein)을 창조했다. 그러나 그는 동생을 끔찍이 사랑한다. 콤플렉스에 차있는 제이미는 가족의 모든 구성원들과 애증관계를 형성한다. 그는 모든 타이론 가족들 중에서 가장 상실된 인물이고, 그가 시체보관소(morgue)라고 부르는 그의 집에서 가장 죽은 시체이다.

오닐의 영혼 속에 깊게 간직된 이런저런 이유들로 인해, 그의 어머니와 형 제이미와의 관계는 『밤으로의 긴 여로』에서 멈출 수 없었다. 그는 제이미에 초점을 맞추어, 『밤으로의 긴 여로』와, 제이미의 실제 삶이 제공하지 못했던 평화를 제이미에게 부여하는 다른 작품을 써야만 했다. 그는 제이미가 머리를 파묻고 울 수 있는 다른 "여성의 가슴"을 주는데, 이것은 괴상하게 큰 조시 호간(Josie Hogan)이라는 여자의 가슴이다. 우리는 다시 한 여성 속에서 어머니와 매춘부의 결합을 본다. 왜냐하면 처녀인 조시가 매춘부를 자임하기에 결과적으로 그녀는 제이미에게 어머니가 될 뿐만 아니라 그의 고통스런 죄를 면죄하는 성모(blessed mother), 즉 죽은 아들을 부여안은 성모 마리아(Virgin Mary)가 된다. 『잘못 태어난 자를 비추는 달』에서 제이미의 고통은 어머니 유령의 배신으로부터 도래한다. 그는 수하물 칸에 어머니의 시신을 운구하는 바로 그 기차에서 천한 금발의 매춘부와 잠을 잤다. 죽음과 어머니와 매춘부가 섞여 면죄와 처녀성과 평화라는 하나의 상징으로 화하는 이 강력한 이미지들은 『잘못 태어난 자를 비추는 달』 3막의 끝이 되고 있는데, 이것은 오닐의 모든 장면들에서 가장 감동적인 장면 중의 하나이다. 극이 끝날 때 제이미는 무대를 떠나고, 어머니와 타협을 매듭지은 고뇌에 찬 햄릿은 이제 평화 속에서 죽음의 행복으로 향할 수 있다. 『잘못 태어난 자를 비추는 달』에서 제이미의 경우, 조시의 슬프고 연민어린 4막의 마지막 대사가 무대 뒤를 따른다.

> 소원을 이루고 편히 잠드세요. 용서와 평화 속에서 영원한 안식이 있기를 빌어요.

> May you have your wish and die in your sleep soon, Jim, darling. May you

rest forever in forgiveness and peace. (114)

제이미의 죽음의 소원은 『잘못 태어난 자를 비추는 달』과 『밤으로의 긴 여로』 두 작품 모두에서, 삶의 소원보다 더 강하다. 오닐은 그 자신의 젊은 시절의 외면의 초상인 에드먼드보다 제이미에게 더 많은 것을 부여했다. 이것은 부분적으로 에드먼드에 대한 보다 중립적인 성격묘사를 나타낸다. 우리는 희망적으로, 쉬운 심리적 유혹에 굽힘이 없이, 오닐이 그의 형에게 자기 자신의 무의식적 감정을 표명하면서, 그의 유령들 특히 그의 어머니에 대한 사랑을 직접적으로 직면할 수는 없었을 것이라고 말할 수 있다(Bogard 440-444). 우리는 인간 오닐에 대하여 많은 것을 알고 있다. 그리고 그가 아내 칼롯타(Carlotta)를 "마마"(Sheaffer, *O'Neill: Son and Artist* 669)라고 칭했던 그의 임종 시에, 우리가 알 수 있는 모든 것은 오닐의 미해결의 오이디푸스 콤플렉스이다. 오닐의 비평가들이 주장하듯이 첫째로, 프로이트(Freud)에 대한 어떤 검토가 없이 둘째로, 오닐이 그의 작품 속에서 어머니를 생각하지 않고서는 순수한 사랑과 성적인 사랑을 묘사할 수 없었고, 그리고 가끔은 이 두 가지를 혼합하거나 희미하게 하여 그의 가장 감성적으로 충만한 장면들을 창조할 수 있었다는 사실에 대한 어떤 인식이 없이, 오닐에 접근하는 것은 사실상 불가능하다. 그의 개인적인 미해결의 긴장들은 그로 하여금 그의 예술세계에 가장 풍부한 복잡성을 생산하도록 도와준다. 『밤으로의 긴 여로』와 『잘못 태어난 자를 비추는 달』은 "눈물과 피로 쓰여진"(written in tears and blood) 작품들인데, 그 이유는 그가 자신을 과거 여느 때보다 더 깊이 탐사했기 때문이다. 이 작품들을 썼고 자신을 정화했기 때문에 그는 이후 더 이상 쓸 것이 없었다. 그의 아내 칼롯타는 비록 그의 실제적 죽음은 10년 후에 왔을지라도 그가 극작을 멈췄을 때 그는 이미 죽었다고 말한다. 오닐의 오이디푸스 콤플렉스, 죽음의 소망, 우울과 냉소의 일시적 기간, 그리고 현재를 늘 붙어 따라다니며 괴롭히는 과거의 유령들에 대한 그의 깊은 관심을 상기시켜볼 때, 셰익스피어의 햄릿이 그의 창조적 상상력에 압력을 작용하지 않았다고 믿기는 어렵다. 어떻게 그가 『햄릿』에 나타난 심리적 결과들을 피할 수 있었을까? 제이미의 초상은 그가 피할 수 없었음을 확인해주고 있다.

세 작품들은, 『햄릿』의 1막에서 하느님께서 "자살을 금하는 계율을 제정하시었기에"(fixed/ His canon 'gainst self-slaughter I. ii. 131-132) 햄릿이 자살할 생각을 거절하고, 5막에서 "그것을 다듬어 제 모습으로 만드는 것은 하나님의 힘"(There's a divinity that shapes our ends V. ii. 10)이라는 햄릿의 언급과 『밤으로의 긴 여로』에서 메어리의 수녀가 되고 싶은 꿈과, 셰익스피어가 아일랜드 가톨릭 신자였다는 타이론의 주장 모두를 포함할 수 있는, 타이론 가족의 널리 미치는 아일랜드 가톨릭 신앙과, 『잘못 태어난 자를 비추는 달』에서 처녀 조시에 대한 방탕한 제이미의 고백의 필요에 이르기까지 다양한 종류의 언급에 근거를 제공하는 기독교 사상에는 종교적 저류가 흐르고 있다.

술 또한 세 작품들에 있어서 중요하다. 『밤으로의 긴 여로』와 『잘못 태어난 자를 비추는 달』에서 술병은 중심적 지주이고, 『햄릿』에서 덴마크인의 음주습관은 중요한 햄릿의 대사의 초점이 되며, 클로디우스는 시종일관 술을 마시고, 그의 마지막 잔은 햄릿에 의해서 그의 목구멍 아래로 강요된다.

무대 밖에서 이루지는 행동으로 바다에서 배는 중요한 의미를 갖는다. 햄릿은 죽음으로 예상되는 바다여행을 하지만 실제로 기적적으로 탈출하여 엘시노어(Elsinore)로 돌아온다. 햄릿은 신비한 바다변화를 겪는다. 엘시노어의 묘지에서 그는 다른 사람이 된 것으로 여겨진다. 그는 신이 이제 그가 주연인 복수극을 연출 중임을 깨닫고, "평소의 각오가 제일이지"(The readiness is all. V. ii. 118)라고 말한다. 에드먼드와 바다와의 만남은 그를 신비의 차원으로 이끈다. 그는 바다에서 "자유의 몸으로"(set free 153) 되고 "용해되었다"(dissolved 153). 그는, "과거도 미래도 없는 평화와 조화와 소박한 기쁨 속에서—자신의 생명과 인류의 생명보다도 위대한 그 무엇 속에서 생명 그 자체가 된 거예요. 신이 됐다고 해도 좋아요"(belonged without past or future, within peace and unity and a wild joy, within something greater than my own life, or the life of Man, to Life itself! To God, if you want to put it that way. 153)라고 아버지에게 말한다. 『햄릿』에서 햄릿은, "아 너무도 추잡스러운 이 육신, 녹고/ 녹아 한 방울의 이슬로 화해 버렸으면 좋으련만"(Oh, that this too too solid flesh would melt,/ Thaw, and resolve itself into a dew! I. ii. 129-130)이라고 답답한 심경을 토로한다. 바다의 신비와 관련된 두 젊은이들인 햄릿과 에드먼드는 자신들의 집에서는 이방인들이고 "결코 소속할 수 없으며"(can never belong 154), 실제 오닐의 형인 제이미와 오닐 자신처럼, "아무 짝에도 쓸데없는 죽음을 동경했다"(a little in love with death! 154).

오닐의 작품들과 『햄릿』 사이의 중요한 차이들 가운데 하나는 흥미로운 유사성을 제공한다. 오닐은 시간과 공간을 다룸에 있어서 셰익스피어와 다르다. 셰익스피어는 느긋해서 햄릿이 복수하기 전까지 수개월을 허용한다. 오닐은 제한적이어서 인물들의 무대여행에 짧은 시간, 즉 『밤으로 긴 여로』에서는 오전 8시 30분에서 자정까지, 『잘못 태어난 자를 비추는 달』에서는 어느 날 정오부터 다음날 새벽까지를 허용한다. 셰익스피어는 그의 주요 장면들을 엘시노어의 성곽 위, 성안, 그리고 가까운 묘지에 설정한다. 오닐은 『밤으로의 긴 여로』에서는 거실에, 『잘못 태어난 자를 비추는 달』에서는 호간의 농장에 모든 장면을 설정한다. 비록 오닐이 엘리자베스 시대의 셰익스피어보다 보다 엄격하게 고전적 일치(unities)를 준수하고 있을지라도 엘시노어와 타이론의 거실과 호간의 농장은 우리에게 놀랄 만큼 유사성을 갖는다. 각 장소는 하나의 보금자리인데, 사람들은 그곳을 들락거린다. 각 장소는 고립되어 있고, 거주자들의 분위기를 반영한다. 각 장소는 어둠과 신비를 상세히 그린다. 즉, 『햄릿』에서는 유령이 엘시노어의 음영 속에서 맴돌고, 『밤으로의 긴 여로』에서는 안개가 타이론의 거실을 진하게 감싸며, 『잘못 태어난 자를 비추는 달』에서는 호간의 농장에 달빛이 내리쬔다. 각 작품에서 우리는 매우 고도로 일치되고 강렬한 행동을 경험하게 되어 그 결과 그것은 우리로 하여금 밖으로의 세계를 포함하도록 확대시키고, 안에서 발생하고 있는 것을 포함하도록 심화시킨다.

오닐의 마지막 두 작품과 『햄릿』, 실제로 오닐과 셰익스피어 사이의 주된 차이는 단지 언어의 차이로 보일 수 있다. 에드먼드가 아버지 타이론에게 바다에 대한 그의 기억과 죽음에 대한 그의 소망을 포함하는, 자아발로의 긴 대사를 늘어놓은 후에, 타이론은 분명히 감동되어 응답한다.

응, 너한텐 훌륭한 시인의 기질이 있어. 하지만 아무짝에도 쓸 데가 없고 죽음을 동경한다는 건 당치 않은 얘기다.

Yes, there's the makings of a poet in you all right. But that's morbid craziness about not being wanted and loving death. (154)

그러자 에드먼드는 비꼬듯 대꾸한다.

시인의 기질이라고요! 어림없는 말씀이죠. 전 한 모금 담배를 구걸하는 인간이나 마찬가지예요. 기질이 어디 있어요? 몸에 젖은 버릇이 있을 뿐이죠. 지금 말씀드린 것도 하고 싶은 말은 하나도 못 했어요. 말이 서투르니까요. 그 정도가 고작이에요. 죽을 때까지 그럴걸요. 하지만 적어도 충실한 진실인 건 틀림없어요. 말이 서투르다는 건 우리같이 안개 속에서 사는 사람들의 타고난 웅변이죠.

The *makings* of a poet. No, I'm afraid I'm like the guy who is always panhandling for a smoke. He hasn't even got the makings. He's got only the habit. I couldn't touch what I tried to tell you just now. I just stammered. That's the best I'll ever do. I mean, if I live. Well, it will be faithful realism, at least. Stammering is the naive eloquence of us fog people. (154)

에드먼드의 이러한 대사는 오닐이 그의 작가적 삶을 통해 그의 가장 심오한 생각을 표현할 언어가 부족했다는 사실, 셰익스피어와 엘리자베스 시대 사람들은 언어를 가지고 있었으며 그들은 시인이었다는 사실에 대한 그의 믿음을 분명하게 시사한다. 셰익스피어는 불건전함을 소유하지 않았다는 타이론의 셰익스피어에 대한 극찬을 통해서 볼 때, 여기서 "시인"은 셰익스피어에 대한 언급이라고 추정할 수 있다. 에드먼드는 자신이 등장하는 희곡을 쓰는 극작가가 되고자, 우리에게 "충실한 사실주의"를 제공하는 오닐이 되고자 한다.

제2장

‘배후의 힘’

제1절 『햄릿』, 『상복이 어울리는 엘렉트라』

윌리엄 셰익스피어(William Shakespeare)의 『햄릿』(*Hamlet* 1601?)은 대부분 무대 밖에서 흉행(兇行)이 벌어지고 무대 위에서 그 상황을 말로 상세하게 전하며 표현에서 격정적인 면이 있고 항상 초자연적 요소와 살해가 수반되며 살해는 비밀리에 이루어지기에 유령이 출현하는 세네카풍의 대표적인 유혈 복수극 중의 하나이며, 많은 문제를 제기하고 있으면서도 그에 대한 명백한 해답은 주지 않는 “불확실성의 극”(Mack 51, Scofield 181)으로 널리 알려져 있는 작품이다. 그리고 비평가 크루츠(Krutch)가 “20세기가 낳은 영어로 된 가장 훌륭한 비극”(120)이라고 극찬하고 플로이드(Floyd)가 “최대의 비극적 깊이를 지닌 작품”(381)이라고 평가한 유진 오닐(Eugene O'Neill)의 『상복이 어울리는 엘렉트라』(*Mourning Becomes Electra* 1931)는 3부 13막으로 구성되었고 19세기 중반 남북전쟁 시의 미국의 청교도들의 거주지인 뉴잉글랜드를 배경으로 죄와 벌에 대한 청교도적 인식이 인과응보라는 운명의 사슬이 되어 “심리적 운명”(Floyd 382)으로 작용하고, 배신과 복수, 비극적 운명이라는 희랍 비극적 주제를 현대적 개념과 예지로 구현한 작품으로 한 가문의 저주받은 죄의식과 충동으로 자아분열을 겪는 인간의 모습이 그려진다. 이 작품은 인간의 운명적 대립에 관한 내면 탐색이 그 중심이 되고 인간과 인간의 삶에 보다 실증적인 분석을 가하며 구체적인 자기대면 속에서 인간 존재의 실체를 확인하기 위해 운명에 도전하는 진지한 의지를 보여주고 있다.

'배후의 힘'(Force behind)은 "운명, 신, 우리의 현재를 이루어내는 생물학적 과거, 신비"(Fate, God, our biological past creating our present . . . —Mystery— Quinn 199 재인용), 즉 인간에게 '운명이라는 심리적 반응을 주는 힘' 또는 '불가사의한 운명적인 힘'이다. 이 힘은 신적 질서를 인간조건의 최고 통제기능으로 보았던 고대희랍시대는 물론, 인간의 성격과 능력의 불완전성을 비극의 동기로 보았던 르네상스시대, 환경과 유전을 인간의 피운명적 조건으로 보았던 근대자연주의시대 등에 강조되었던 운명관을 포괄하고 종합한다.

셰익스피어의 『햄릿』과 오닐의 『상복이 어울리는 엘렉트라』에 나타난 가장 두드러지고 핵심적인 공통점은 첫째, 배신과 복수의 응보이다. 전자에서 국왕 클로디우스(Claudius)가 선왕(先王)인 형의 왕좌를 차지하고자 형을 시해(弑害)하며 이로 인해 형의 아들 햄릿(Hamlet)이 숙부인 클로디우스에게 아버지에 대한 복수를 실행하며, 후자에서는 에이브 마농(Abe Mannon)이 동생 데이비드(David)와 동생의 부인 마리(Marie)를 추방하여 데이비드가 자살에 이르게 하였고, 에이브의 아들 에즈라(Ezra)는 병과 굶주림으로 죽어가는 숙모 마리의 절박한 경제적 도움 요청을 거절하여 죽음에 이르게 하였으며, 또한 부인 크리스틴(Christine)에게 성적 횡포와 독선을 부렸다. 이로 인해 데이비드와 마리의 아들 브란트(Brant)와 에즈라의 부인 크리스틴이 공모하여 에즈라에게, 그리고 에즈라와 크리스틴의 딸 라비니아(Lavinia)와 아들 오린(Orin)이 공모하여 브란트에게 복수를 실행한다. 둘째, 과거의 현재 통제이다. 죽음의 세계인 과거가 삶의 세계인 현제를 통제하고 있다. 비평가 콧(Kott)은 "비극의 상황은 현재이다. 하지만 그것은 그것 이면에 그것을 규정하는 과거를 가지고 있다"(303)고 과거의 현제 통제의 논리를 뒷받침한다. 이러한 과거의 현제 통제는, 전자에서는 동생 클로디우스에 의해 죽은 선왕의 유령의 세계, 즉 과거의 세계가 선왕의 아들 햄릿의 세계, 즉 현제의 세계를 통제하며, 후자에서는 선대(先代) 에이브(Abe)가 동생 부부인 데이비드와 마리에게, 그리고 에이브의 아들 에즈라가 자신의 부인 크리스틴에게 행한 과거의 세계가 브란트와 크리스틴, 그리고 에즈라와 크리스틴의 딸 라비니아와 아들 오린의 현재의 세계를 통제하고 있다. 셋째, 대립과 죽음이다. 전자의 클로디우스의 배신과, 후자의 에이브와 에즈라의 배신과 독선으로 인하여, 전자에서는 크게는, 유령으로 대변되는 과거의 세계와 클로디우스로 대변되는 현재의 세계의 대립과 구체적으로는 유령과 햄릿의 클로디우스와의 대립, 또는 유령과 햄릿의 클로디우스와 레어티스(Laertes)와의 대립이, 후자에서는 에이브, 에즈라, 에즈라와 크리스틴의 딸 라비니아와 아들 오린을 중심으로 한 마농 성(Mannon 性)과 마리, 크리스틴, 브란트를 중심으로 한 마리 성(Marie 性)의 대립이 전개되는 바, 마농 성은 새로운 것의 도래를 위해서는 파괴되지 않으면 안 될 "낡은 백색 심리"(Lawrence 70)의 성격을, 마리 성은 "낡은 것으로부터 벗어나고자 하는 지배적 욕구"(Lawrence 14)의 성격을 띤다. 이러한 대립의 결과로서 전자에서는 거트루드(Gertrude), 클로디우스, 레어티스, 햄릿의 죽음이, 후자에서는 데이비드, 마리, 에즈라, 브란트, 크리스틴, 오린의 죽음과, 라비니아의 자기 유폐(幽閉)가 초래된다. 그리고 이 세 가지 주된 공통점이 '배후의 힘'의 원인과 구현, 그리고 작용과 결과로 나타난다.

1. 원인과 구현

『햄릿』에 나타난 '배후의 힘'의 원인은 선왕의 동생이자 국왕인 클로디우스가 형의 왕좌가 탐이 나서 오수(午睡) 중인 형의 이도(耳道)에 사리풀 독즙을 부어 형을 살해한 대역(大逆)의 살인과, 유령으로 등장한 선왕이 아들 햄릿에게 시해의 전모를 밝히고 클로디우스에 대한 복수와, 자신을 잊지 말고 기억해줄 것을 요구하는 사실인데 유령의 이러한 요구는 "복수와 죽음이라는 근본적으로 삶에 대한 부정"(Knight 104-105)의 성격을 띤다.

유령은 갑옷을 입고 사령관의 지휘봉을 든 선왕과 똑같은 모습을 하고 등장하는데 유령은 "극중 사건을 유도하는 제1의 동기"(Flatter 6)로서 중요한 역할을 하며 이 극은 유령의 출현으로 시작되고 그의 요구가 실현되면서 끝난다고 할 수 있다. 이러한 선왕의 유령은 아들 햄릿에게 그의 말을 명심하고 또 진지하게 들을 것을 요구하며 그의 억울한 죽음에 대해 "그날 오후에도 언제나 하는 습관에 따라 나는 정원에서 잠을 자고 있었는데, 이렇게 편안히 쉬고 있는 기회를 잡아 네 삼촌이 병에 담긴 사리풀 독즙을 가지고 몰래 숨어 들어와 내 귓구멍에 부어넣었으니"(I. v. 59-64)라고 진실을 폭로한다. 그리고 그는 동생이자 국왕인 클로디우스를 "독사"(The serpent I. v. 39), "근친상간과 간음을 일삼는 짐승 같은 놈"(that incestuous, that adulterate beast I. v. 41), "천품이 비열하기 그지없는 철면피 같은 놈"(a wretch whose natural gifts were poor I. v. 51)이라고 강하게 비난하며 천륜을 어긴 클로디우스의 가장 비열하고 해괴하고 불륜적인 살인에 대해 반드시 복수할 것(I. v. 7, 25, 28)과 아버지인 자신을 잊지 말 것(I. v. 91)을 요구하고, 나아가 햄릿의 복수심이 무디어지면 "잊지 말라. 이렇게 찾아온 것은 다만 거의 무디어진 네 결심의 칼날을 갈아 주기 위함이니라"(III. iv. 110-11)라고 복수를 독촉하기까지 한다.

이에 비평가 그렉슨(Gregson)이 "가장 재기 넘치고 지략 있는 명문장가"(134-135)라고 평가한 햄릿은 숙부 클로디우스를 "사티로스"(satyr: 남자의 얼굴과 몸에 염소의 다리와 뿔을 가진 모습을 한 고대 그리스 신화에서 숲의 신. I. ii. 140), "미소까지 짓고 있는 저주받을 악당"(smiling damned villain I. v. 106), "살인자에 악당"(A murderer and a villain III. iv. 97), "비열한 놈"(A slave III. iv. 98), "왕의 너울을 쓴 악역광대"(a vice of kings III. iv. 98), "왕국과 왕권의 도둑놈"(A cutpurse of the empire and the rule III. iv. 99), "정통성이라고는 거지발싸개만도 못한 왕"(A king of shreds and patches III. iv. 103), "우리 인간의 천성

가운데 자리하고 있는 이런 병집"(this canker of our nature V. ii. 69)이라고 욕하면서 무릎을 꿇고 그의 칼자루에 손을 얹고 숙부 클로디우스에 대한 복수를 맹세하며(I. v. 112), "아, 이제부터는 마음을 잔인하게 먹어야 하겠다. 그렇지 않으면 전혀 아무 가치도 없다"(IV. v. 65-66)와 "그 놈[클로디우스]을 이 손으로 응징하는 것이 떳떳한 일이 아니겠는가? . . . 더 큰 해독을 끼치게 내버려두는 것은 천벌을 받을 일이 아니겠는가?"(V. ii. 67-70)라는 대사를 통해 확인할 수 있듯이 그는 숙부 클로디우스에 대한 철저한 복수를 다짐한다.

『상복이 어울리는 엘렉트라』에 나타난 '배후의 힘'의 원인은 첫째, 청교도적 원죄로 선대(先代) 에비브 마농 때에 있었던 저택의 신축에서부터 시작된다. 그는 동생 데이비드가 에이브 자신의 아들 에즈라의 누이동생을 돌보던 낮은 신분의 프랑스계 캐나다인 유모 마리와 사련사건(邪戀事件)을 저지르자 애욕, 증오, 분노, 질투심, 그리고 복수심으로 이 두 사람을 추방하였으며 그 후 데이비드는 주정뱅이로 전락하게 되고 마침내는 헛간에서 목을 매 자살(45)하는 비참한 종말을 맞이한다. 이러한 사실은 마을사람이자 마농 가(家)의 주시자 가운데 한 사람인 루이자(Louisa)가 남편 에임즈(Ames)에게 "마농 가에는 어느 곳이든 남의 이목을 꺼리는 집안의 비밀이 있어. 아주 나쁜 소문이지. 선대의 형제인 데이비드님이 프랑스계 캐나다인인 유모와 시끌시끌하게 사건을 일으켰던 이야기를 미니(Minnie)한테 해줘"(9)라는 대사를 통해서 확인할 수 있다. 이 이야기는 또한 에즈라의 딸인 라비니아의 "[숙부인 데이비드가] 아버님의 돌아가신 여동생을 돌봐주었던 프랑스계 캐나다인 유모를 사랑하고 임신해서 결혼하지 않으면 안 되었던 일. 그 후 할아버님[에이브]이 두 사람을 집에서 내쫓아버렸고 나중에 그 집을 부수고 이 집을 세웠던 일, 남동생이 가문의 이름을 더럽힌 집에서 살기 싫어했으니까"(19)라는 대사에서 구체화 되는데 이것은 청교도들이 선민(先民)이라는, 오만과 독선에 도취된 에이브에게 내재된 "청교도주의의 심리적 운명성"(Horton &

Edwards 47, 49, 50)이다.

데이비드와 마리의 아들이자 에즈라의 사촌동생인 브란트가 "어머니는 삯바느질을 해서 생활을 꾸리고 . . . 뉴욕에 가서 봤더니 어머니는 병과 굶주림으로 다 죽어가는 거였어! 그때서야 알았는데, 어머니는 일을 할 수 없게 되어 자리에 누웠을 때, 내가 있는 곳을 모르는 터라, 체면도 수치도 다 버리고 당신 아버지[에즈라, 브란트의 사촌형]에게 돈을 빌리려고 편지를 띄웠는데, 답장도 주지 않았던 거야. 내가 갔을 때는 이미 늦었지. 어머니는 내 팔에 안겨서 돌아가셨어. 당신 아버지는 어머니를 도와줄 수도 있었을 텐데 죽게 내버려뒀어! 판사시절에 교수대로 보냈던 인간들과 똑같은 살인자야!"(26-27)라고 단장(斷腸)의 심정으로 에즈라의 딸인 라비니아에게 내뱉는 이 대사는 이러한 사실을 잘 설명해주고 있다. 이와 같이 백부 에이브가 아버지와 어머니를 쫓아내서 결국 아버지를 자살하게 만들었고, 사촌형 에즈라가 어머니의 도움의 손길을 거절하여 어머니가 가난 속에 병사하게 되었다고 생각하는 브란트는 에즈라의 딸 라비니아에게 "난 어머니 죽음에 대한 복수를 어머니 유해에 맹세했다구"(27)라고 원한에 사무친 듯 말하는데, 이 대사는 어머니의 죽음에 대한 죄책감과 애정을 간직한 브란트가 백부 에이브와 사촌형 에즈라를 포함한 마농 가에 대한 강한 원한과 복수심을 간직하고 있음을 말해주고 있다.

두 번째 원인은 크리스틴이 결혼초야 이후 철저한 금욕주의의 청교도주의자인 그녀의 남편 에즈라의 성적 횡포와 독선 때문에 마농 저택, 즉 "하얀 칠한 무덤—청교도의 추잡한 잿빛 위에 씌워진 가면 같은 이교도의 절 . . . 증오의 신전"(17)에 갇혀 지내온 그녀 자신에 대한 분노이다. 이러한 사실은 크리스틴이 딸 라비니아에게 하는 대사 "너를 보면 결혼식 날 밤, 신혼여행에서의 일이 항상 생각났단다!"(91)와 크리스틴이 남편 에즈라에게 하는 대사 "제 마음을 약하게 해서 과거를 잊게 할 수 있다고 생각하셨어요? 천만

에요! 이미 늦었어요! . . . 한 번도 당신 아내란 느낌은 없었어요! . . . 결혼했을 때는 저한테도 사랑은 있었어요! 저 자신을 드리고 싶었어요. 그런데 당신이 그렇게 할 수 없도록 만들어 버렸어요. 가슴 속이 온통 불결하다는 생각으로 꽉 차게 되어 버렸다구요!"(61)와, 전쟁에서 돌아온 에즈라가 부인 크리스틴에게 하는 대사 "두 사람 사이에는 어떤 장벽—서로를 보이지 않으려는 벽이 예전부터 쭉 있었다는 사실만 알게 되었어! . . . 당신이 날 사랑하지 않는다는 걸 늘 알고 있었을 거야. 멕시코 전쟁 때 생각나? 당신은 내가 출정하길 바랬지. 나에 대한 증오심이 커졌다는 느낌이 들었어. 그렇지 않았나? 그래서, 난 출정했지. 전사하길 바랬어. 아마 당신도 그걸 바라고 있었겠지, 그랬었지? . . . 나란 존재는 당신에게 있어서 거의 존재하지 않았어. 난 그걸 알고 있었지"(54-55)와 "결혼 첫날밤 이래 당신은 날 음탕한 야수처럼 대했어! 사창굴에 가는 편이 마음의 오욕이 적을지도 모르지! 그 편이 자신에 대해서나 인생에 대해서나 아직은 수치심이라는 걸 느낄 수 있을 거야!"(60)에서 확인할 수 있다.

세 번째 원인은 크리스틴이 남편 에즈라에게 그녀가 애지중지하는 아들 오린으로 하여금 그녀를 혼자 두고 가지 말게 해달라고 부탁했는데 에즈라는 그녀의 부탁을 무시하고 오린을 출정(出征)시키면서 그녀에게 안겨준 심각한 심적 고통 때문이다. 크리스틴은 그녀의 심경을 딸 라비니아에게 "그 아이[오린]가 없어져버리고 나서 엄마한테는 미움과 복수의 기분과—그리고는 애정을 갈구하는 것 외에는 아무것도 남아 있지 않았다! 아담(Adam)[브란트]을 만난 것이 바로 그럴 때였었지"(32)라고 남편 에즈라에게 품었던 미움과 복수, 그리고 애정갈구에 대해서 토로하는 대사에서 이러한 사실을 확인할 수 있다. 그리고 아버지 에즈라와 어머니 크리스틴 양쪽 모두의 신체적 정신적 특성을 공유하고 있어 "닮음과 동일함에서 가족의 상징"(Winther 264)이 되고 있는 라비니아도 그녀의 아버지와 마찬가지로 이러한 오린의 출정에 동참하였으며 이러한 사실은 그녀의 어머니인 크리스틴이 "너와 아버지가 요란을 떨어 출정시켜 버렸잖니— . . . 라비니아, 오린이 나가버린 것은 순전히 네 탓이야!"(31)라고 라비니아에게 원망스러운 듯이 내뱉는 대사에서 확인할 수 있다.

네 번째 원인은 딸 라비니아의 엘렉트라 콤플렉스(Electra Complex)와 아들 오린의 오이디푸스 콤플렉스(Oedipus Complex)이다. 마농 가 사람들은 가족 간에 뒤얽힌 관계에서 애증과 갈등 그리고 대립을 드러내며, 그들을 극심한 고통에 시달리게 하는 비정상적인 관계의 배출 수단이 된다. 브란트는 사촌 형수인 크리스틴을, 라비니아는 그의 아버지 에즈라와 동생 오린을, 에즈라는 딸 라비니아를, 오린은 그의 어머니 크리스틴과 누나 라비니아를 사랑한다. 반대로 라비니아는 어머니 크리스틴을, 브란트는 사촌형 에즈라와 에즈라의 아들 오린을, 오린은 그 어머니 크리스틴의 연인인 오촌 브란트와 아버지 에즈라를 증오한다. 라비니아의 엘렉트라 콤플렉스는 라비니아에 대한 지문(地文) "가능한 한 엄마와 닮은 점보다는 차이점을 살리려고 하는 게 분명하다"(10), "그 반응은 엄마의 그것과는 정반대이다"(11), "두 사람 사이의 가증스런 반감이 확실히 드러난다"(15-16)와, 라비니아의 대사 "아버지한테는 제가 필요해요"(14), "온 세상 누구보다도 아버질 사랑해요"(22), "아버지를 엄마에게서 보호하는 것이 저의 제일가는 임무인 걸요!"(32), "난 누구하고도 결혼하지 않을 테니까. 나한테는 아버지에 대한 의무가 있어요"(45), "제가 좋아하는 사람은 아버지뿐입니다! 전 아버지와 언제나 함께 있겠어요!"(51), "미워! [어머니는] 나에 대한 아버지 사랑까지 훔쳐버렸어! 내가 태어났을 때부터 사랑이라는 것은 나한테서 모조리 훔쳐버렸어. . . . 아버지, 어떻게 아버지는 저런 철면피 같은 매춘부를 사랑할 수 있는 거죠? 참을 수 없어! 참지 않겠어! 아버지! 아버지!"(57)와, 크리스틴이 라비니아에게 하는 대사 "[네가 브란트를] 자신의 소유로 할 수 없다는 걸 알게 되니까, 어떻게든 엄마에게서 갈라놓으려고 마음먹고 있었지!"(33), "너는 아버지한테는 부인이 되고, 오린에게는 엄마가 되려고 힘써 왔지! 오늘날까지 내 자리를 훔치려고 음모를 꾸며왔단 말야!"(33)와, 에즈라가 부인 크리스틴에게 하는 대사 "난 라비니아에게 마음을 쏟았어"(55)와 오린이 누나 라비니아에게 하는 "아버지는 항상 누나 편이셨고 어머니와 난 적으로 대했어!"(97)에서 확인할 수 있다.

오린의 오이디푸스 콤플렉스는 크리스틴이 딸 라비니아에게 하는 대사 "오린이 태어날 때는 자신의 아들, 엄마만의 아이라는 느낌이 들어 귀여워했었던 거야"(31)와, 크리스틴이 정부(情夫) 브란트에게 하는 대사 "오린은 내 말이면 뭐든 믿어요"(41)와 크리스틴이 아들 에즈라에게 하는 "정말 넌 내 피와 살 같은 느낌이야. 그러나 누난 달라! 누나는 아버지 사람이란다! 넌 엄마의 일부고"(85)와, 에즈라가 부인 크리스틴에게 하는 대사 "당신 마음은 갓 태어난 오린한테만 쏠려 있었어"(55)와, 오린이 어머니의 정부 브란트에 대해 질투의 분노가 타오르면서 누나 라비니아에게 하는 "개새끼[브란트], 이번에 오기라도 하면 아주 혼을 내줄테니까!"(76)와 "나로서는 어머니가 아버지보다 몇 천배나 더 소중해. 설사 아버지가 살아 있다 해도 그것만은 얼마든지 아버지 눈앞에서 말할 수 있어!"(98)와, 오린이 어머니 크리스틴에게 하는 "어머니! 전 어머니가 우선인 걸!"(83)와 아버지의 죽음 후 아들 오린이 어머니 크리스틴에게 하는 "내 진짜 기분을 말할까요? 실은 난 아버지가 돌아가셨다는 걸 섭섭하게 생각하지 않아요!"(86)와 "비록 어머니가 무슨 일을 저질렀다 해도, 난 온 세상 어떤 사람보다도 어머니를 좋아한다고 말할 거예요 . . . 어떤 일도 용서할 수 있어-어떤 일이건! 내 어머니인 걸-"(89)와 "얼마나 어머니 곁에 이렇게 있고 싶었는지, 어머니는 모를 거예요!"(89)와 "내가 어머니 머리를 자주 빗겨주고, 그 일을 내가 아주 좋아했던 것 말이에요?"(90)와, 오린이 어머니 크리스틴의 정부 브란트를 권총으로 살해하고 묘한 어조로 그의 누나 라비니아에게 하는 "만약 내가 이 남자[브란트]였다면,

똑같은 짓을 했을지도 모르지! 나도 이 남자처럼 엄마를 사랑하고—그리고 엄마를 위해 아버지를 죽였을지도 몰라!"(115)라는 대사에서 확인할 수 있다. 결국 이 작품에 나오는 마농 가의 인물들은 오이디푸스-엘렉트라 콤플렉스에 사로잡혀 상호간의 갈등과 대립을 일으키고 그 분출구는 배신과 복수가 되며 종국에는 죽음이라는 비극적 결말을 맞이하게 된다.

『햄릿』에 나타난 '배후의 힘'의 구현은 첫째, 독살된 선왕의 유령등장과 폴란드 왕자 포틴브라스(Fortinbras)의 덴마크 침공준비로 인해 무장한 파수병, 한밤중의 어둠, 그리고 얼어붙을 듯한 추위 등 내우외환에 직면해 있는 덴마크의 삼엄한 국가적 상황에 나타나는데, 선왕의 유령과 포틴브라스는 모두 "성 밖의 어둡고 의혹에 찬 세계에 속해 있고 성 안의 세계에 대해서 불안과 공포의 대상"(Mincoff 58)이 되었으며, 비평가 알렉산더(Alexander)는 "성 안의 세계인 엘시노어(Elsinore) 궁정은 살인의 죄악에 기반을 둔 탓에 허위이고 덴마크의 진정한 정치적 통일체로부터 완전히 이탈된 거짓 구조를 하고 있다"(158)고 말한다. 둘째, 햄릿이 입고 있는 "검정색 옷"(Hamlet dressed in black I. ii.)과 "새까만 외투"(inky cloak I. ii. 77)에서 고찰될 수 있다.

엘시노어 성의 흉벽(胸壁) 위에 있는 좁은 고대(高臺)에서 보초근무를 서고 있는 파수병 프란시스코(Francisco)는 미늘창으로 무장하고 있으며 그가 보초교대를 위해 온 군관 바나아도(Barnardo)에게 내뱉는 "지독하게 추워서 도무지 맥을 못추겠어요"(I. i. 7-8)라는 대사, 머리부터 발끝까지 갑옷을 입고 사령관의 지휘봉을 든 생전의 선왕의 모습을 한 유령의 등장(I. i.), 그리고 호레이쇼(Horatio)의 "이 나라에 어떤 심상치 않은 변고가 있을 징조가 아닌가 싶소"(I. i. 72)와 "[노르웨이 왕자 포틴브라스가] 제 아비[선왕과의 전투에서 사망한 노르웨이 왕]가 잃었던 땅을 완력으로든 강압적인 수단으로든 우리에게서 되찾아보겠다는 속셈에 불과한데 . . . 바로 이것이 지금 우리가 군비를 갖추고 있는 주된 동기이고, 이렇게 파수를 서는 이유이며, 이처럼 이 나라가 황급히 서두르며 소동을 벌리는 제일의 연유이오"(I. i. 104-10)와, 햄릿의 "김매지 않은 정원"(unweeded garden I. ii. 135), "시대가 혼란스럽다" (I. v. 196), "덴마크는 감옥일세"(II. ii. 243)라는 대사는 덴마크가 처한 국가와 왕실의 위급하고 혼란스런 무한한 암흑의 세계를 잘 대변하고 있다.

1막 2장에서 엘시노어 성 안에 있는 정전(政殿)에서 이루어진 대관식에 참석자 모두가 화려한 의상을 입은 반면 유독 햄릿만은 "검정색 옷"을 입고 등장한다. 5막 1장에서 그가 이제 "유령의 지배에서 벗어났음"(Charney 466)을 뜻하는 수부복장(水夫服裝)을 하기 전까지 1막에서 4막까지 "검정색 옷"을 착용하는데, 이 "검정색 옷"은 죽음의 의미를 내포하며 『햄릿』의 핵심 주제인 배신과 복수, 그리고 죽음과 관련된 '배후의 힘'의 중요한 구현이다. 『상복이 어울리는 엘렉트라』에 나타난 '배후의 힘'의 구현은 죽음의 그림자가 드리워진, "부조화한 백색가면"(an incongruous white mask 5) 같은 마농 저택, 마농인물들이 공통으로 소유한 "가면 같은 얼굴"(mask-like face 93), 그리고 라비니아가 입고 있는 "소박한 검정색 옷"(plain black dress 10)과 "검정색 옷" (She is dressed in black 109)의 지문에서 고찰된다.

백색가면인 마농 저택은 주변의 푸른 정원 및 녹지와 대조되고 있으며 크리스틴은 딸 라비니아에게 마농 저택을 "온실에 가서 이 꽃을 꺾어 왔어. 무덤 같은 집을 좀 밝게 하고 싶어서. 집을 떠났다가 돌아올 적마다 집이 마치 무덤같이 보이거든. 성경의 하얀 칠을 한 무덤-청교도의 추잡한 잿빛 위에 씌워진 가면 같은 이교도 절의 입구. 이런 도깨비 같은 걸 짓다니 아버님[에이브 마농]다우셔. -증오의 신전"(17)이라고 말하는데 윌킨스(Wilkins)는 이 마농 저택이 "돌로 지어진 탓에 잿빛이며 사랑이 아닌 탐욕과 증오의 기반 위에 세워진 탓으로 추하다"(243)고 말한다. 오린도 또한 이 집이 언제나 유령 같고 죽은 사람 같고 무덤 같다고 말하고 그의 누나 라비니아도 그의 말에 동의한다(74). 그리고 마농 가의 정원사 겸 잡역부인 세스(Seth)는 라비니아의 연인인 피터(Peter)에게 "이건 비밀입니다만, 농담만이 아닙니다요 – 저, 다시 말하면, 유령집이라는 것 말입니다"(135)라고 마을 사람들의 소문을 전한다. 기존 건물을 헐고 에이브가 새로 지은 마농 저택은, 표면상으로는 마농 가(家)의 도덕적 권위와 사회적 우월성의 표상이지만, 실제는 애욕과 질투를 감추기 위한 가면에 지나지 않는다. 마리의 분노가 에이브뿐만 아니라 그녀를 어머니처럼 여겼던 에이브의 큰 아들 에즈라에게까지 계승되고, 둘째 아들 데이비드의 자살에 이은 마리의 비참한 종말이 그녀의 마지막 도움의 호소를 거절한 에즈라의 비정함 때문이었다는 사실에서 이 건물은 후대까지 갈등과 대립과 복수를 반복시키는 "불가해한 힘"(O'Neill, Joseph P. 100)이자 '배후의 힘'의 구현체가 되고 있다.

전형적인 선민(選民)들로서 청교도적 의식의 "삶을 부정하는 불모성"(Siever 123)을 지닌 마농 가의 선조들을 계승하고 있는 마농인물들의 가면 같은 얼굴을 살펴보면, 세스의 "실물과 똑같은 가면 같은 불가사의한 인상"(the strange impression of a life-like mask 6), 크리스틴의 "놀라울 만큼 실물과 똑같은 창백한 가면 같은 인상"(a wonderfully lifelike pale mask 9), 라비니아의 "[엄마와] 같은 불가사의하고 실물과 똑같은 가면 같은 인상"(the same strange, lifelike mask impression 10), 브란트의 "실물과 똑 같은 가면이라고 할 만한 특징"(a lifelike mask rather than living flesh 20-21), 에즈라의 "아내나 딸이나 브란트의 얼굴에서 이미 보았던 것 같이 살아 있는 듯한 가면"(the same strange semblance of a lifelike mask that we have already seen in the faces of his wife and daughter and Brant 28) 또는 "가면 같은 얼굴표정"(the mask-like look of his [Ezra Mannon's] face 46)처럼 마농 인물들의 "가면같은 얼굴"은 여주인공들의 "구릿빛 금발과 보랏빛 짙은 청색 눈"(copper-gold hair and dark violet-blue eyes 10)과 대조를 이루며 구릿빛 금발은 "풍성한 성적 함축"(Alexander 929)을 지니고 여성적인 생명력을 응축하고 있다.

라비니아의 “검정색 옷”의 경우, 그녀는 1부 4막, 2부 5막, 그리고 3부 1막 1장까지 검정색 옷을 착용하였고 3부 1막 2장에는 녹색 옷을 입고 등장한다. 그녀의 연인 피터가 “당신이 색깔 있는 옷을 입으니까 이상해요. 항상 검정색 차림이었는데”(143)라고 말하자 그녀는 “그 시절에 난 죽어 있었어요”(144)라고 묘한 미소를 지으며 말하는데 이처럼, 검정색 옷은 죽음을 상징하는 ‘배후의 힘’의 구현이 되고 있다.

2. 작용과 결과

『햄릿』의 ‘배후의 힘’의 작용은 첫째, 햄릿이 유령의 말에 대한 진실을 확인하기 위해 극중극을 계획하고 진실 확인 후 클로디우스에 대한 철저한 복수를 다짐하는 양상으로 둘째, 이에 대항하는 클로디우스, 또는 클로디우스와 레어티스가 햄릿을 제거하기 세우는 음모계획으로 나타난다.

선왕과 햄릿에 의한 클로디우스에 대한 복수를 위한 ‘배후의 힘’의 작용은, 햄릿이 최근에 공연차 엘시노어를 방문한 배우들을 이용한 극중극(劇中劇)을 통해서 유령의 말에 대한 진실여부를 파악하는 것으로 나타나는데 연극은 가장(假裝)의 세계에서 그 외관 속의 실존을 밝혀내기 위한 또 다른 가장, 즉 “간접적인 행동”(Mack 119)이다. 햄릿은 “내가 숙부 앞에서 이들 배우들을 시켜서 부왕의 시역(弑逆)과 흡사한 어떤 장면을 공연하도록 해야 되겠다. 그리고 그의 안색을 살피다가 아픈 곳의 밑바닥을 찔러 봐야 되겠다. 그가 찔끔하기라도 한다면 내가 할 일은 분명해진다”(II. ii. 590-94)라고 연극을 수단으로 클로디우스의 양심을 사로잡는 덫으로 삼을 구상을 한다. 그리고 햄릿은 호레이쇼에게 오늘 밤 어전에서 있게 될 연극공연에서 클로디우스의 일거일동을 살펴 줄 것을 당부하고 공연 후에 두 사람의 의견을 종합해서 그의 태도를 판단하자고 말한다. 연극공연 중 독살 대목의 순간 클로디우스가 화가 치밀어 오르고 몹시 심기가 불편해서 허겁지겁 퇴장을 하게 되는데

이 연극공연은 클로디우스가 "그 자신의 양심으로부터 감추는데 성공한 무시무시한 공포의 범죄를 그에게 재인식시키는 역할"(Alexander 25)을 한다. 햄릿은 클로디우스의 이러한 돌발행동에 "나는 유령의 말을 천 냥을 주고라도 사겠네"(III. ii. 280-81)라고 유령의 말에 대한 신뢰를 보인다. 반면에 클로디우스는 선왕 시해사건의 발각에 대한 두려움을 갖게 되며 더욱이 햄릿에 의한 재상 폴로니우스(Polonius) 살해(III. iv. 26)는 클로디우스에게 두려움과 불안을 크게 증가시킨다.

이에 대항하는 클로디우스에 의한 햄릿의 제거를 위한 '배후의 힘'의 작용은, 불안과 위협을 느낀 클로디우스가 영국 왕에게 햄릿이 도착 즉시 잠시도 지체하거나 참회의 여유도 허용하지 말고 햄릿을 처치하라는 국서와 함께 밀린 조공을 명목으로, 조신들이자 과거 햄릿의 학교 동창들인 로젠크란쯔(Rosencrantz)와 길던스턴(Guildenstern)이 수행을 하게 하여, 그를 영국으로 추방하는 것으로 나타난다. 그리고 폴로니우스의 딸이자 햄릿에게 현재적 삶의 순수성을 대변해주고 순결과 사랑의 대상인 오필리어(Ophelia)는 아버지의 비명횡사(非命橫死), 그리고 재상에 걸맞은 위패도, 장검도, 문장도, 장엄한 의식도, 격식에 맞는 예식도 없이 은밀하게 허겁지겁 치른 장례식, 그리고 햄릿의 갑작스런 출국에 따른 충격으로 미치게 되고 결국은 익사를 하고 마는데 그녀에 대한 햄릿의 사랑은 그의 "마지막 희망"(Knight 20)이었다.

클로디우스와 레어티스에 의한 햄릿의 제거를 위한 '배후의 힘'의 작용은, 클로디우스의 영국 왕에 의한 햄릿 제거계획의 실패와 햄릿의 생환으로 더욱더 큰 불안감과 위협에 싸인 클로디우스와, 햄릿에 의해서 피살된 재상 폴로니우스의 아들인 레어티스가 아버지와 동생 오필리어에 대한 복수를 위해 햄릿을 제거하기로 공모하는 것으로 나타난다. 클로디우스는 농간을 부려서 레어티스에게는 날이 무디지 않은 검을, 그리고 햄릿에게는 연습용 검을 잡도록 하는 술책을 쓰자(IV. vii. 135-37)고 말한다. 그러자 레어티스는 목적을 달성하기 위해 자신의 칼끝에 독약을 칠하겠다(IV. vii. 139, 145)고 말한다. 이 말을 들은 클로디우스는 레어티스의 계획이 실패할 경우를 대비해서 보다 더 확실하게 햄릿을 제거하기 위한 제2의 계획으로 독배(毒盃)를 준비하겠다(IV. vii. 158-61)고 말한다.

『상복이 어울리는 엘렉트라』의 '배후의 힘'의 작용은 마리의 재현이자 넘치는 동물적 세련미와 아름다운 관능미를 지닌 "일종의 여성 반(反)그리스도 또는 이교적 순교자"(Day 8)의 모습을 한 크리스틴과 그녀의 정부 브란트의 에즈라에 대한 강한 복수심, 두 사람 사이의 간통, 그리고 에즈라에 대한 독살 공모이다. 에즈라의 부인인 크리스틴과, 그녀의 정부이자 에즈라의 사촌 동생인 브란트가 그녀의 시아버지이자 그의 백부인 에이브와, 그녀의 남편이자 그의 사촌형인 에즈라에 대한 복수로서 간통을 하고 복수심에 차서 에즈라의 독살을 공모하는데 그들의 이러한 관계는 "그동안 억제되어 왔던 감성본능의 폭발이자 그들 가족을 파멸시키는 어둡고 비밀스러운 운명에 대한 도전"(O'Neill Joseph P. 486)을 의미한다. 먼저 두 사람의 간통은 라비니아가 어머니 크리스틴이 뉴욕에 사는 그녀의 친정아버지 문병을 핑계로 뉴욕에서 브란트를 만나는 것을 의심하고 일 년 동안 그녀의 뒤를 밟아 그녀와 브란트가 만났고 둘이서 그의 집에 가는 것을 목격했으며 그것이 간통이라고 말하자 크리스틴이 "그래, 맞아! 난 아담 브란트를 사랑하고 있어. 그래서 어떻게 하겠다는 거니?"(30)라고 격렬히 반항적이고 냉정한 대꾸를 하는데 이를 통해 두 사람의 불륜사실을 확인할 수 있다.

다음으로 크리스틴과 브란트의 에즈라에 대한 복수심에 대해 살펴보면, 브란트가 크리스틴에게 하는 "우리가 처음 인사를 나누고, [에즈라] 마농의 부인이라는 말을 듣던 날 밤을 잊을 수 없어. 정말 그때는 당신이 저 인간 거라고 생각하자 견딜 수 없이 미웠어. 어떻게 해서든지 저 인간한테서 당신을 뺏으려고 마음먹었지. 그것도 나의 복수의 하나라고! 그런데, 그 증오심에서 당신을 향한 사랑이 싹트게 되었어!"(36)와 "당신이 마리 브랜텀의 자식을 사랑한다는 사실을 알고 난 후의 에즈라의 얼굴이 보고 싶어! 목숨을 걸고라도 보고 싶단 말야! 그리고는 공공연하게 당신을 데리고 나가며 놈을 비웃어 주는 거지!"(38)라는 보복하는 듯한 대사와, 크리스틴이 브란트에게 하는 "그이가 돌아오리라고는 꿈에서라도 믿을 수 없었는 걸요. 전사해 주기를 필사적으로 기도하고, 결국은 그 기도대로 소원이 반드시 통할 거라고 굳게 믿고 있었는데! 아-, 그이가 죽어주면 좋을 텐데!"(37)와 "[남편 에즈라가] 빨리 죽어서 독신이 되게 해주었으면 하고 그것만 기도했단 말이에요!"(110)라고 잔인할 만큼 진지하게 내뱉은 대사에서 이 두 사람의 에즈라에 대한 강열한 복수심을 확인할 수 있다. 그리고 에즈라에 대한 독살 공모와 살해에 대하여 살펴보면, 크리스틴은 남편 에즈라가 심장병을 앓고 있는 것을 이용해서 그를 급사시킬 방법으로 독살을 계획하고 브란트에게 미리 쓴 종이조각을 내밀면서 "여기에 씌어져 있어요. 날 위해 그걸 손에 넣어주지 않을래요? . . . 선창가에 가면 곧 약국에서 사세요. . . . 남편은 약을 먹고 있기 때문에 항상 내가 약을 주죠. 계획은 빈틈없이 할 수 있어요"(40)라고 독살공모를 요구한다. 그러자 브란트는 "당신 말이라면 뭐든지 하겠어! . . . 그래, 당신 말대로야. 그 인간이 어떻게 죽든 그런 걸 걱정하니 나도 참 바보야!"(41-42)라고 공모를 약속하고 그녀가 써준 에즈라를 죽일 독이 든 환약상자를 구입하여 그녀에게 전달하기에 이른다.

『햄릿』에 나타난 '배후의 힘'의 결과는 '죽음'이다. 햄릿의 어머니이자 왕비인 거트루드는 아들 햄릿을 대신하여 클로디우스가 준비한 독배를 마시고 죽음을 맞이한다. 그녀는 죽는 순간에 "아, 내 아들 햄릿아!/ 저 술, 저 술! 나는 독살 당했다"(V. ii. 315-16)라고 햄릿에게 유언을 남김으로써 어머니로서의 아들에 대한 헌신적인 사랑과 희생을 보여준다. 이때 레어티스는 햄릿에게 햄릿과 레어티스 자신이 독약이 칠해진 진짜 검에 찔렸고 이 세상의 어떤 명약도 치료가 불가능하다고 말함으로써 그 자신이 꾸민 간악한 흉계에 대한 잘못을 고백한다. 그리고 그는 국왕 클로디우스가 음모의 장본인이고 왕비 거트루드가 클로디우스가 준비한 독배에 의해 독살 당했다고 말한다. 이에 분개한 햄릿은 선왕인 아버지를 독살하고 어머니를 독배에 의해 죽음에 이르게 한 복수로서 클로디우스를 독도(毒刀)로 찌르고(V. ii. 327) "자, 이 근친상간에 살인까지 일삼았던 극악무도한 덴마크 왕아,/ 이 독약을 마셔라. 네 놈의 진주가 여기에 있느냐? 어머님의 뒤를 따라가라"(V. ii. 330-31)라고 외치며 클로디우스의 입에 독배에 남은 독액을 부어 그를 살해한다. 햄릿이 클로디우스를 살해하는 것은 아버지의 복수만을 위해서가 아니다. 그것은 음모와 살인을 일삼아 국가의 질서를 파괴하고 음탕한 행위로 사회를 타락시키고 부패시킨 자에 대한 처벌이기도 하다. 따라서 햄릿은 중세적 이상에 따라서 아버지의 원수를 갚는다고 하기보다도 과거와 관련되어 있는 삶의 현재적 의미를 깨닫고 목숨을 바쳐서 자기의 역사적 의무를 다하고 있다고 하겠다. 햄릿이 클로디우스를 살해하는 광경을 목도(目睹)한 레어티스는 "그는 당연한 벌을 받은 것이 옵니다./ 그것은 자신의 손으로 제조한 독약이옵니다"(V. ii. 332-33)라고 말함으로써 그의 죽음이 결국 배신과 복수의 응보에 기인한 '배후의 힘'의 결과임을 암시하고 있다. 그리고 그는 그 자신과 그의 아버지 폴로니우스의 죽음을 햄릿의 탓으로 돌리지 않을 터이니 햄릿이 본인의 죽음을 레어티스 자신의 탓으로 돌리지 말아줄 것을 부탁하며 죽는다(V. ii. 336). 마지막으로 햄릿은 호레이쇼에게 사후 처리를 당부한 후 레어티스의 독도에 묻어 있던 독 기운에 의해 "이제 남은 것은 정적뿐"(V. ii. 363)이라는 말을 남기고 죽음을 맞는다. 그리고 햄릿을 대신해서 영국으로 보내졌던 로젠크란쯔와 길던스턴이 처형되었음(V. ii. 376)을 영국에서 온 사신은 전한다. 앞서 언급한 레어티스가 햄릿에게 한 "그것은 자신[클로디우스]의 손으로 제조한 독약이옵니다"(V. ii. 333)라는 대사처럼, 결국 클로디우스에 의해서 선왕에 전염된 독이 덴마크 전체로 전염된다(Mack 58). "악의 추방 속에 비극은 존재하지 않으며 단지 악의 추방으로 인한 선의 낭비가 비극일 뿐이다"(28)라는 브래들리(Bradley)의 주장처럼, 복수의 근원이 된 클로디우스의 배신과 반역은 용서하기 힘든 악행이며 그러한 한 개인의 잘못된 욕망이 국가는 물론이고 폴로니우스, 오필이어, 로젠크란쯔, 길던스턴, 거트루드, 레어티스, 그리고 햄릿에 이르기까지 무고한 사람들을 희생시키고 선을 낭비하게 하는 비극이 되고 있음을 확인할 수 있다.

『상복이 어울리는 엘렉트라』에 나타난 '배후의 힘'의 결과는 죽음과 유폐(幽閉)다. 크리스틴은 공모자 브란트가 구해준 독약으로 남편 에즈라를 독살하고, 이에 라비니아와 오린은 공모하여 그들의 아버지 에즈라 살해의 공범이자 어머니 크리틴의 정부인 브란트에 대한 복수로서 브란트를 살해하며, 이에 충격을 받고 양심의 가책을 느낀 크리스틴은 자살을 하고, 어머니 크리스틴의 자살에 충격과 죄의식을 느끼고 그리고 누나 라비니아에 대한 구애를 거절당한 오린도 자살을 하며, 마지막 남은 라비니아는 자신의 손으로 벌을 받고 마농 가의 죽은 자들과 함께 그들의 비밀을 지키겠다며 그녀 자신을 마농 가에 유폐시킨다.

마농 가의 인물들의 죽음의 본능은 이와 같이 신학적 차원을 결여한 탓에 죽음 그 자체가 목표가 될 뿐 또 다른 세계 즉 구원에 대한 통로가 되지 못하는 청교도주의 원리와 합치되어 마농 성(性)의 목표가 되는 바, "속죄도 구원도 사전에 배제된 운명론"(Michel 41)은 죽음으로 종결될 수밖에 없다. 마농 저택이 "하얀 칠한 무덤"(white sepulchre 17)과 "무덤"(tomb 74)으로 묘사되는 사실과, 전쟁에서 돌아온 에즈라가 크리스틴에게 하는 "오직 삶이 죽음을 생각나게 했을 뿐이거든! . . . 이런 사고방식이 마농 가 사람들 버릇이야. 집안사람들은 일요일에 흰색 교회당에 가서 죽음에 대해 명상했지. 삶이란 곧 죽음이었어. 살아간다는 건 죽음의 준비였지. 죽음이 살아가는 것이었어"(53-54)라는 고백에서 마농 성의 인물들에게 지워진 죽음의 본능의 실증을 찾을 수 있으며 엥겔(Engel)은 "오닐의 작품의 지속적인 주제는 삶과 죽음의 투쟁이다"(297)고 말함으로써 이를 뒷받침하고 있다.

크리스틴은 전쟁 후 귀가한 남편 에즈라에게 드디어 그녀와 브란트와의 관계를 "뉴욕에 몇 번 갔던 것도 실은 아버님 때문이 아니라 아담과 함께 있고 싶었기 때문이었어요! 착하고 부드러운 사람이거든요—당신은 전혀 갖고 있지 않은 걸 그 사람은 갖고 있어요. 오늘날까지 당신과 비교해서 원하고 있는 사람이 바로 그 사람이에요—사랑하는 사람! 전 그 사람을 사랑하고 있습니다!"(61)라고 브란트에 대한 사랑을 실토한다. 그러자 에즈라는 "네 이년—창녀—죽여버리겠어!"(61)라고 외치면서 갑자기 쓰러져 신음하고 심한 고통 때문에 왼쪽 무릎을 아래로 한 채 몸이 둘로 꺾인다. 그녀는 잔인한 만족감으로 "아—"(61)라고 소리 지른다. 그가 헐떡거리며 약을 찾자 그녀는 그녀가 브란트에게 부탁해서 미리 준비한 독약을 그의 혀 위에 얹고 물컵을 그의 입에 들이민다. 그는 "저년 짓이야! 약 탓이 아니야!"(63)라고 소리치며 쓰러져 죽는다. 아버지의 마지막 모습을 목격한 라비니아는 어머니 크리스틴에게 "[아버지를] 어머니가 죽인 거나 다름없어! 그래서, 아담과 자유롭게 합칠 수 있을 거라고 생각했겠지! 하지만 안 될 걸요! 내가 살아 있는 한 그렇게는 안 될 거예요! 이 죄의 대가를 받게 하고야 말겠어요! 처벌방법은 제가 생각하겠습니다!"(64)라고 복수심에 차서 통렬히 질책한다. 그녀는 깔개 위에 있는 작은 상자를 손에 쥔 채 어머니에 대한 의심의 빛이 무시무시한 공포의 빛, 그리고 확신의 빛으로 바뀌며 전율하는 듯한 큰 소리를 내면서 아버지의 시체에 양팔을 걸치고 "아버지! 절 내버려두지 마세요! 돌아와 주세요! 어떻게 하면 좋은지 가르쳐 주세요!"(64)라고 탄원하듯 비통한 목소리로 외친다. 에즈라가 죽음을 겪는 것은 "늙은 등신"(Old Stick—short for Stick-in-the-Mud 94)이라는 전장에서의 별명처럼 고착된 마농 성으로부터 빠져나오지 못한 결과이다. 그는 아내와의 빈 간격을 해소하기 위해 청교도적 권위에 열중함으로써 오히려 더욱 심한 마농 성에 침잠하게 되고 끝내 죽음의 본능의 늪에 박힌 막대기 상태에서 크리스틴에게 독살되며 그녀의 남편 살해는 불가피한 필연성에서보다는 자기부정적인 파괴욕구이다. 에즈라의 죽음은 태어나는 것은 죽음의 시작이라는 식으로 밖에 삶을 인정하지 않은 마농 성의 횡포를 증명한다. 에이브와 같은 철저한 가면성만이 마농이 될 수 있을 뿐, 데이비드와 마리에서 보았듯이, 그로부터의 이탈에는 죽음의 처벌만이 있을 뿐이고 에즈라 또한 동일한 결과를 맞고 있으며 이 사실은 브란트와 크리스틴에게도 반복된다.

어머니 크리스틴과 그녀의 정부 브란트가 공모하여 아버지 에즈라를 독살하자 라비니아와 오린 남매는 이에 대한 복수로서 브란트를 살해하기로 결심한다. 어머니 크리스틴과 그녀의 정부인 브란트가 서로 공모하여 아버지 에즈라를 독살한 사실을 모르는 오린은 아버지의 죽음 후 심지어 어머니 크리스틴에게 "내 진짜 기분을 말할까요? 실은 난 아버지가 돌아가셨다는 걸 섭섭하게 생각하지 않아요!"(86), 그리고 "비록 어머니가 무슨 일을 저질렀다 해도, 난 온 세상 어떤 사람보다도 어머니를 좋아한다고 말할 거예요 . . . 어떤 일도 용서할 수 있어—어떤 일이건! 내 어머니인 걸—다만, 그 브란트 일만 빼놓고는!"(89)라고 말할 정도로 어머니가 아버지보다 몇 천배나 더 소중하고 우선이라는 생각이지만 다만 브란트에 대해서만큼은 강한 질투심과 증오심을 가지고 있음을 알 수 있다. 그러나 아버지 에즈라가 임종 직전에 한 "저 년 짓이야! 약 탓이 아니야!"(63)라는 마지막 말을 실제로 들었고, 그 당시 깔개 위에 있는 작은 [독약]상자를 손에 넣은 라비니아는 어머니와 브란트가 공모하여 아버지를 독살했음을 확신하고 있다. 그러므로 크리스틴은 동생 오린에게 어머니를 살인죄로 고소하겠다고 말하며 크리스틴의 방에서 발견한 작은 [독약]상자를 옷가슴 속에서 꺼내 오린에게 내민다. 하지만 어머니 크리스틴에게 세뇌된 오린은 누나 라비니아의 말을 신뢰하지 않는다. 결국 라비니아는 어머니 크리스틴과 브란트가 함께 있는 밀회장면의 증거를 보여주겠다고 하고, 오린도 그 증거가 포착되면 "그 사생아[브란트]를 죽여주겠어! 브란트가 [어머니의] 애인이라고! 만약 그게 사실이라면 어머니는 너무 싫어! 그렇다면 어머니가 아버지를 죽였는지 어떤지 알아내겠어! 어머니에게 벌을 내리도록 돕겠어!"(99)라고 약간 무시무시한 얼굴로 소리친다. 두 사람은 크리스틴의 뒤를 밟아 그녀와 브란트가 그의 쾌속범선 안에서 밀회하는 장면을 확인하기에 이르고 오린은 질투와 분노에 불타서 권총으로 브란트를 살해한다.

브란트의 죽음은 그 또한 어쩔 수 없는 마농 성의 계승자이기 때문이다. 그는 한때나마 어머니 마리를 버려둠으로써 에이브, 데이비드, 에즈라 등 다른 마농 가의 인물들이 저질렀던 과오를 행하고 동시에 그들처럼 마리에서 크리스틴으로 이어지는 모성집착에 유인당하는 마농의 상충구조(相衝構造)를 반복하여 "가면 같은 얼굴"(93)의 저주로부터 벗어나지 못한다. 육체의 힘으로 마리 성을 실현시키기에는 그의 몸속에 너무 깊이 잠복된 마농 성을 지녔던 브란트는 철저하게 마농이고자 한 라비니아의 덫에 걸려 그녀와 오린의 손에 살해된다. 그는 그 후 복수의 손길로 끝까지 남아 마지막 마농인 라비니아의 파멸을 확인하는 거세된 디오니소스로 남게 된다.

크리스틴은 아들 오린으로부터 브란트가 살해됐음을 알게 된 순간에서야 비로소 그녀가 허상에 매달려 있음을 깨닫는다. 그녀는 마농 성의 횡포에 대한 때늦은 인식과 그녀의 무력감을 깨닫는다. 그녀가 자살을 선택하는 것은 "하얀 칠한 무덤"(17)에서 살아온 그녀의 삶에 대한 부정이며, 포기가 아닌 운명에 대한 굴복의 거부를 의미한다. 동시에 "가면 같은 얼굴"(93)을 통해 그녀 자신의 의식의 일부가 되어버린 마농 성으로부터의 처절한 자기 구출의 시도이다. 마농 성으로부터 벗어날 수도, 되살려진 그녀의 관능적 욕구를 억제할 수도 없음을 확인한 그녀는 그 상충성의 희생물이 되기보다는 그녀 스스로 행할 수 있는 유일한 도전행위로 그녀를 희생시키고 있다. 포터(Porter)는 "이 작품의 의의는 플롯에서 생기는 것이 아니라 심리적 강박관념과 청교도적 정신관념 사이의 대립에서 생긴다"(50)고 말하고 로렌스는 "우리의 내부에서 정신적 의식이 피의 의식을 소멸시킨다"(91)고 말한다. 이렇게 볼 때 청교도적 정신적 관념이자 정신적 의식인 마농 성과 심리적 강박관념이자 피의 의식인 마리 성의 대립 속에서 크리스틴은 어쩔 수 없이 현재 속에 재현되는 과거의 운명어린 저주인 마농 성의 희생자가 되고 있다.

오린의 오이디푸스 콤플렉스는 마농 성과 마리 성에 대한 인간의 기본 충동을 강조하고 대변한다. 마리 성에 대한 갈구를 지녔으면서도 오히려 이를 파괴했던 에이브, 데이비드, 에즈라 등 선대들과 마찬가지로 그 또한 질투로 인해 브란트를 살해하고 크리스틴을 자살하게 만든다. 브란트를 죽이고 난 뒤 오린이 발견하는 것은 브란트와 그를 묶는 마농의 운명성이다. 그가 총으로 쏘았던 것은 "가면 같은 얼굴"(93)이 아니라 그 배후에 감춰져 있던 이탈에 대한 욕구이며, 죽은 브란트의 얼굴에 여전히 남겨진 것은 마농가의 인물들을 핍박하는 저주어린 운명 즉 죽음의 가면이다. 그를 핍박하고 있는 것은 청교도적 위선과 독선이 성(性)에 대해 행사하는 횡포와 도착 그리고 여기서 비롯되는 죽음어린 저주이다. 마농 가 선조들의 초상화에 응축되어 위선과 욕정, 권위와 횡포라는 이중관계를 이루었던 과거는 오린의 죄의식을 통해 성적 도착과 죽음의 본능으로 극렬하게 주제화 되어 인간에 대한 운명의 유린(蹂躪)을 보여준다.

어머니와 성적 관계를 갖고자 하는 꿈인 오이디푸스 콤플렉스(Freud 309)가 크리스틴의 죽음으로 인해 라비니아에게 전환되고, 크리스틴의 죽음에 대한 그의 죄의식을 자궁에 대한 귀환욕구를 통해 죽음의 본능과 결부시킨 오린은 스스로 죽음을 맞이한다. 라비니아가 자제력이 약해지면서 광적인 증오와 분노가 폭발해 오린에게 "난 널 증오해! 네가 죽어주면 좋겠어! 넌 살기에는 너무 비열해! 겁쟁이가 아니라면 자살해!"(166)라고 그를 분개시키자 오린은 "그 말이 옳아— . . . 죽음이 또한 평화의 섬이지—어머니가 거기서 날 기다릴 거야"(166)라고 외친 후 이층으로 뛰어가 총으로 자살한다. 마농의 저주가 죽음을 그 최종목표로 하고 있기에 죽음은 그에게 남겨진 유일한 선택이다. 『상복이 어울리는 엘렉트라』에서 에즈라의 죽음이 그의 청교도적 경직성에서, 브란트의 죽음이 청교도주의와 이교사상의 필연적인 결말로서, 크리스틴의 죽음이 도전적인 분노에서, 오린의 죽음이 마농의 심리현실로서 각각 이루어진 것이라면 이것들을 통합하는 것은 그들을 분열된 성격으로 만드는 마농 성의 청교도적 죽음의 본능이다. 죽음은 주인공들의 심리에 죽음의 본능으로 작용하여 생명력을 억제하고 말살시켜서 인간의 삶에 적대자로 작용하는 '배후의 힘'의 결과가 되고 있다.

라비니아에게 브란트와 크리스틴의 죽음은 엘렉트라 콤플렉스로 인해 감추어져 있던 그녀의 여성성을 일시나마 해방시키는 계기가 된다. 표면적으로는 에즈라의 복수를 내세우면서 내면적으로는 그녀의 여성을 무시한 브란트에 대한 보복심에서 그의 살해를 주도했던 그녀는 크리스틴마저 죽고 나자 열등의식과 질투심에서 벗어난다. 그녀는 놀라우리만큼 크리스틴을 닮아 있으면서도 크리스틴에 대한 반감에서 에즈라에 집착하고 소박한 검은색 옷차림에 무뚝뚝하고 병사 같은 모습으로 움직이며 엘렉트라 콤플렉스와 어머니를 닮고자 하는 욕구 사이에서의 갈등을 마농의지로 극복해 왔다. 크리스틴이 그랬던 것처럼 사랑의 권리를 내세우는 그녀는 오린과 헤이즐(Hazel), 그녀와 피터의 결혼으로 시작되는 새로운 삶을 계획한다. 그러나 그녀의 이러한 의도는 브란트의 살해 및 크리스틴의 죽음에 관련된 죄의식과, 크리스틴의 죽음에 따른 오이디푸스 콤플렉스의 대상을 라비니아에게서 찾는 오린의 근친상간의 욕구와, 브란트의 살해가 자아살해로 인식되면서 강화된 죽음의 본능에 휘말린 오린의 완강한 저항에 직면한다. 결국 라비니아는 그녀가 추구했던 피터와의 결혼이 단지 도피를 위한 환상이었으며, 마농 가의 저주가 단순히 선조들의 비행에서가 아니라 그녀로부터 지속되어 온 자신이 심리현실에서 비롯된 것이었음을 인식한다. 그녀가 행해 왔던 모든 행동이 크리스틴에 대한 질투와 브란트에 대한 욕정에서 유발되었던 것이며 크리스틴의 불륜 이래 그녀가 강조해왔던 정의와 명예 또한 위선과 오만이라는 마농 죄악의 가면에 지나지 않았다는 것이다. 그녀는 브란트가 지적했던 대로 크리스틴의 죽은 이미지에 불과했고 그녀 자신이 집안에 죽음을 반복시킨 저주의 집행자였음을 깨닫는다.

라비니아는 에즈라, 크리스틴, 브란트, 오린 등 다른 마농 가의 인물들같이 "운명적으로 정신적, 성적 문제들"(Bogard 347)을 지니고 있으면서도 이들과 달리 그녀만이 최종적 성찰에 도달하는 것은 그녀만이 마농 성과 마리 성의 운명적 대립은 물론 반생명력으로서의 전자가 갖는 독단성과 생명력으로서 후자가 갖는 맹목성을 발견하기 때문이다. 죽음을 부르는 마농 성의 횡포와 복수를 추구하는 마리의 집념을 조화시킬 수 없게 된 그녀는 세스에게, "가서 문을 닫고 단단히 못질을 해둬. . . . 그리고 한나(Hannah)에게 꽃은 전부 버리라고 해"(178-179)라고 날카롭게 지시하여 마농 성과 마리 성을 절멸시킨다. 라비니아가 최종적으로 확인하는 것은 과거의 사실로부터 도피할 수는 있어도 스스로 만든 심리적인 덫으로부터 도피할 수는 없다는 인간 존재의 실상과 책임이며 이것은 마치 살아서 겪는 지옥체험이라 할 수 있다. 마침내 라비니아가 자기 파괴적인 도전을 감행하여 마농 성은 물론 마리 성까지도 그녀 자신과 함께 감금함으로써 운명적인 죽음의 저주가 폐쇄되는데 비평가 롱(Long)은 "오닐은 라비니아로 하여금 그녀가 그녀 자신의 개인적 도덕성에서 행동의 정당한 근거를 발견하게 함으로써 응보의 사슬을 깨뜨리고 있다"(174)고 라비니아의 역할과 관련된 의미 있는 지적을 하고 있다.

제2절 『오셀로』, 『모든 신의 아이들에게는 날개가 있다』

윌리엄 셰익스피어(William Shakespeare 1564~1616)의 『오셀로』(*Othello* 1604?)와 유진 오닐(Eugene O'Neill 1888~1953)의 『모든 신의 아이들에게는 날개가 있다』(*All God's Chillun Got Wings* 1924)에는 사회적 가치와 개인적 가치의 갈등 속에서 인격적 일체성을 얻지 못하는 인간의 정신상황이 흑백 인종간의 결혼이라는 예민한 주제를 통해 제기되고 있다. 흑과 백이 피부색에 그치지 않고 인간심리에 투영되어 도덕적 상징으로 극적 구조 속에 용해됨으로써, 주인공들의 갈등을 비극적 차원으로 끌어 올리고 있다.

『오셀로』와 『모든 신의 아이들에게는 날개가 있다』 두 비극의 핵심 주제는 각 작품의 남자 주인공 오셀로(Othello)와 짐(Jim)이 흑인으로서 느끼는 소외감을 백인여자와의 결혼을 통해 극복하고 전자는 베니스 사회에, 후자는 백인사회에 소속되기 위해 추구하는 '사회가 용인하지 않는 흑인과 백인의 결혼'이다. 『오셀로』에서 베니스의 덕망 있는 의원인 브라반쇼(Brabantio)는 그의 딸 데스데모나(Desdemona)와 흑인 장군 오셀로(Othello)의 결혼이 베니스 사회에서 결코 용납될 수 없는 일이고 베니스 사회의 도덕적 가치와 질서에 반하는 잘못된 것이기 때문에, 오셀로에게 적개심을 보이며 그들의 결혼에 강한 반대를 하지만 그들은 그의 반대를 무릅쓰고 결혼한다. 그리고 『모든 신의 아이들은 날개가 있다』에서 흑백의 결합이 기존 사회제도에 대한 도전이자 정도를 벗어난 것으로 생각하는 짐의 어머니 해리스 여사(Mrs. Harris)와, 흑인의 정체성에 대한 확고한 자부심을 가지고 있으며 타락한 이종족인 백인 여성 엘라(Ella)와 그의 결혼을 부정하는 그의 누이 해티(Hattie)의 반대에도 불구하고 그들은 결혼을 감행한다. 이같이 셰익스피어의 『오셀로』와 오닐의 『모든 신의 아이들에게는 날개가 있다』에는 다른 종족에 대한 편견과 인종차별적 감정에 연유한 '사회가 용인하지 않는 흑인과 백인의 결혼'이 '배후의 힘'(Force behind)이라는 공통된 핵심 주제로 표출되고 있다.

'배후의 힘'은 "운명, 신, 우리의 현재를 이루는 생물학적 과거, 신비"(Force behind－Fate, God, our biological past creating our present, whatever one calls it－Mystery certainly－ Quinn 199 재인용)이다. 인간의 자유의지를 방해하는 이 힘은 인간에게 심리적 갈등을 일으켜 정신적 소외의 근원이 되고 궁극적으로 극복되어야 하는 운명성 혹은 그 투영체이다. 그러므로 운명적 존재로서의 이 힘은 비극적 인물의 분열된 내면 심리를 섬세하게 나타내주며, 사회의 가치관에 억눌린 주인공과 그들이 보여주는 왜곡되고 혼란스런 정체성이 인간의 삶에 얼마나 비극을 전하는지 가늠하게 한다. 이 힘은 인물들의 관계단절과 소외 같은 부정성을 바탕으로 삶의 비극적 고뇌를 형성한다.

1. 근원과 작용

셰익스피어의 『오셀로』와 오닐의 『모든 신의 아이들에게는 날개가 있다』는 남편과 아내가 서로 끔찍하게 사랑지만 그들의 행복을 방해하는 심오한 소외의식으로 점철된 결혼문제의 탐구이며, 자연스러운 수용과 인정의 거부로 인하여 야기된 '사회가 용인하지 않는 흑인과 백인의 결혼'이 '배후의 힘'의 '근원'이 되고 있다. 사랑이 자학적 자기부정의 구실로 작용하는 흑인남자와 백인여자 사이의 이종족의 결합이 빚어내는 소외와 좌절의 문제가 이 두 비극의 주된 초점이 된다. 표면적으로 이종족의 결합의 비극으로 보이는 『오셀로』와 『모든 신의 아이들에게는 날개가 있다』는 근본적으로 백인 아내와, 베니스 사회 또는 백인사회에서 소속을 추구하고자 하는 흑인 오셀로와 흑인 짐의 비극적 실패와 표류, 그리고 대립의 양상을 극화하고 있다.

이러한 흑백의 대립성은 사회적 인종편견과 그에 따른 심리적 반응으로 표출되고 있으며, 총 5막 15장으로 구성된 『오셀로』에서, 무어인 귀족(a noble Moor)으로서 베니스 정부를 위해 용병의 사령관으로 봉직하고 있는 오셀로에 대하여, 베니스의 신사 로더리고(Roderigo)의 "입술 두터운 그 녀석" (the thicklips owe I. i. 66), "음탕한 무어 녀석의 더러운 품속"(the gross clasps of a lascivious Moor I. i.126), "정처 없이 배회하는 외국 놈"(an extravagant and wheeling stranger I. i. 136)이라는 대사들과, 오셀로의 기수(旗手)인 이아고(Iago)의 "늙어빠진 검은 양"(an old black ram I. i. 88), "악마"(the devil I. i. 91), "바르바리 말"(a Barbary horse I. i. 111), "흑인 오셀로 장군"(the black Othello II. iii. 29)이라는 대사들, 그리고 브라반쇼의 "더러운 도둑놈"(foul thief I. ii. 62), "시커먼 가슴"(the sooty bosom I. ii. 70), "딸애가 보기만 해도 무서워할 인간" (what she fear'd to look on 98)이라는 대사들과, 이아고의 아내인 에밀리아 (Emilia)의 "악마보다 더 검은 자"(the blacker devil V. ii. 131)라는 대사는 베니스 사회에 배태된 다른 종족 특히 흑인에 대한 인종차별적 정서와 편견의 심각성을 잘 대변해주고 있다. 블룸(Harold Bloom)은 "베니스의 무어인, 베니스의 용병 장군이 되는 것은 불안한 명예를 누리는 것에 불과하다"(2)고 배타적이고 차별적인 베니스 사회에 처한 오셀로의 입장을 잘 지적하고 있다.

오셀로는, 『모든 신의 아이들에게는 날개가 있다』에서 흑인 짐이 백인여자 엘라와 결혼하고 변호사시험에 합격해서 백인사회에 소속하고자 하는 백인화의 꿈을 꾸듯이, 검은 피부색에 대한 부정적인 인식으로 인해 그를 흑인 이방인, 야만적인 이종족, 검은 피부의 이종족, 떠돌이 이방인, "소외된 이방인"(Evans 126)으로 취급을 하는 베니스 사회의 차별성과 배타성 그리고 편견을 벗어나고자 한다. 그는 그러기 위해서 베니스 의회의 의원으로 베니스 사회의 상류층 인사인 브라반쇼의 딸 데스데모나와 결혼하여 베니스인화의 꿈을 성취하고자 하는 방편으로 "적절한 기회를 잡아서 그 여자가 제 인생의 모든 행로에 관해 말해달라고 진정으로 애원하도록 훌륭한 수단을 짜냈사옵니다"(Took once a pliant hour, and found good means/ To draw from her a prayer of earnest heart,/ That I would all my pilgrimage dilate, I. iii. 151-53)라고 토로한다. 아델만(Janet Adelman)은 오셀로가 데스데모나와의 결혼을 "그의 존재의 이상화의 중심"(65), 즉 '훌륭한 수단'으로 삼으려 한다고 데스데모나와의 결혼을 통해 오셀로가 달성하고자 하는 내재적 의도를 설명하고 있다.

총 2막 8장으로 구성되고 "흑백의 인종문제에 관한 최고의 것 중에 하나이자 오닐의 극들 중에 최고의 것 중에 하나"(Wilson 466)로 평가되는 『모든 신의 아이들은 날개가 있다』는 흑인남자 짐과 백인여자 엘라, 즉 흑백의 결혼에서 야기된 사회적, 심리적 갈등과 소외를 다루고 있다. 그의 작품은 물질주의를 기초로 한 현대사회의 비극적 현실 속에서 소외된 자들의 비극이 그 주조를 이루고 있다. 그의 작품 전반에 걸쳐 그를 사로잡았던 중대한 문제는 이러한 소외를 극복하기 위한 인종 편견 허물기이다. 그는 인간이 소외의 희생자인 동시에 진정한 소속추구의 꿈을 간직하고 있다는 사실을 그의 작품을 통해서 표출시키고 있다. 이 극의 1막 1장은 흑과 백이 대등하게 대조되어 있으며 대등한 놀이 친구로 어울려 공기놀이를 하는 어린이들은 인종차이의 편견에 물들지 않은 순수성을 지니고 있다. 하지만 짐과 엘라는 피부색에 구애됨이 없는 친구 사이로 서로를 좋아하는 반면, 그들의 백인 친구인 미키(Mickey)는 짐을 "까마귀 짐"(Jim Crow 302, 314), "깜둥이"(Coons 309), "미친 깜둥이 놈"(damn nigger 309)이라고, 마찬가지로 백인 친구인 쇼티(Shorty)도 짐을 "까마귀 짐"(Jim Crow 307), "깜둥이"(A nigger 314)라고 부르며 짐을 조롱하며 그들은 그와 엘라 사이의 우정을 걱정하고 조소한다. 그리고 여자 아이들은 "부끄러운 줄 알아! 부끄러운 줄 알아! 이제 모두가 너의 이름을 알아! 색칠한 얼굴! 색칠한 얼굴!"(Shame! Shame! Everybody knows your name! Painty Face! Fainty Face! 302)이라고 엘라에게 손가락질을 하고 조소하며, 쇼티도 "흑인 두둔자"(Nigger-lover 314)라고 그녀를 비난한다.

오셀로를 "검은 양"과 "바르바리 말"로, 짐을 "까마귀"로 비유한 사실이 말해주듯이 흑인을 동물로 간주하고자 하는 백인들의 인식세계를 확인할 수 있다. 그리고 백인인 이아고가 백인인 데스데모나를 "대단히 감지하기 힘든 베니스 여인"(a super-subtle Venetian I. iii. 357)으로, 백인인 쇼티가 백인인 엘라를 "흑인 두둔자"라고 공격하고 비난하는 사실을 통해서 백인이 흑인과 결혼을 하거나 친구로 지내는 사실을 결코 수용하거나 용인하려 들지 않는 백인들의 뿌리박힌 인종차별적 편견을 엿볼 수 있다. 『오셀로』에서 오셀로와 데스데모나의 결혼과 관련하여, 이아고의 "등이 둘 있는 짐승의 형상"(the beast with two backs I. i. 116)이라는 대사와, 데스데모나의 아버지 브라반쇼가 극도의 흥분을 감추지 못하고 오셀로를 더러운 도둑놈, 극악무도한 놈, 즐겁기 보다는 소름끼치는 놈으로 몰아세우며 그가 그녀를 마술로 유혹하고 약물 또는 마석을 사용하여 농락했다고 주장하며 그를 체포할 것을 명하는 대사(I. ii. 62-75)는 두 사람의 결혼이 큰 충격적 사건이고 부자연스럽고 잘못된 것이며, 베니스 사회에서 결코 수용될 수 없는 사실에 대한 강한 표출이다.

브라반쇼는 딸 데스데모나가 죽은 거나 마찬가지이고 그녀가 오셀로에게 기만당하고 능욕 당했으며 그녀를 그에게 도둑맞았다(I. iii. 59-60)고 공작에게 그의 억울함을 호소한다. 나아가 이들의 결혼이 묵인될 경우 노예와 이교도들이 이 나라를 다스리게 될 것이라고 우려하며 이 결혼은 베니스인들에 대한 모욕으로 생각하지 않을 수 없다(I. iii. 97)고 하며 이아고도 데스데모나가 흑인과 결혼했다는 이유로 그녀를 "대단히 감지하기 힘든 베니스 여인"(I. iii. 357)으로 비난한다. 이것은 이종족 특히 흑인들이 백인들처럼 사회 · 문화적으로 동등해지는 것에 대한 강한 거부감의 발로라고 볼 수 있다.

1막 1장으로부터 9년이란 세월이 흐른 후에 전개되는 『모든 신의 아이들에게는 날개가 있다』의 2장에서는 흑백의 대조가 차츰 강조되기 시작한다. 사회적 편견과 인종적 적대감이 커지면서 엘라의 편협한 백인 우월감과 짐의 피해의식적인 흑인 열등감이 표면화되고 흑과 백은 그들에게 경직된 심리 특성으로 변화한다. 그리고 다시 5년이 지나 거대하고 냉담한 근대도

시의 밤이 배경을 이루는 3장에서 흑백의 대립은 희망과 어둠을 동시에 나타내는 봄밤의 그늘에 잠시 가려져 있으며 흑과 백이 일시적 조화를 이룬다.

4장의 무대지시(319-20)에서는 그러나 흑과 백 두 인종은 딱딱하고 양보하지 않은 자세로 서로를 적개심이 가득한 눈초리로 노려보고 있고 이러한 눈들이 짐과 엘라에게 쏠려있으며 그들은 흑과 백이라는 두 개의 줄을 통과해야 하기에, 이 무대지시는 그들의 결혼 여정이 결코 순탄하지 않을 것임을 강력하게 표현하고 있다. 그녀는 흑인남자와 교제한다는 이유로 백인세계에서 박해를 당하게 되고 그 결과 여러 남자를 전전하다가 결국 병에 걸려 인생의 패배자로 전락하게 되지만 그녀의 이러한 문제에 개의치 않고 완강하게 그녀와의 결혼을 희망하는데, 그에게 백색은 "인간존엄의 상징이고 여신과 같은 거의 종교적, 맹목적 헌신의 대상"(Anikst 158)이기 때문이다.

이처럼 『오셀로』와 『모든 신의 아이들에게는 날개가 있다』에서 전자의 흑인 오셀로와 백인 데스데모나, 후자의 흑인 짐과 백인 엘라의 '사회가 용인하지 않는 흑인과 백인의 결혼'이 '배후의 힘'의 '근원'이 되고 있음을 알 수 있다. 그러나 이러한 '배후의 힘'의 '근원'이 되고 있는 '사회가 용인하지 않는 흑인과 백인의 결혼'과 관련하여 지금까지 표출된 충격, 분노, 억울함, 우려, 모욕감, 거부감, 그리고 대립과는 달리, 데스데모나는 오셀로에 대해 "소녀는 오셀로 장군님의 마음속에서 그분의 용모를 보았사옵고, 그분의 명예와 그분의 영웅적 행위에 소녀의 영혼과 장래를 바쳤사옵니다"(I saw Othello's visage in his mind,/ And to his honours, and his valiant parts/ Did I my soul and fortunes consecrate: I. III. 251-254)라고 말하고 있으며, 오셀로는 데스데모나에 대해 "귀여운 여인이다. 내가 만일 그대를 사랑하지 않게 된다면 내 영혼은 지옥에 떨어져도 좋다. 그대를 사랑하지 않게 되면, 세상은 다시 창조 이전의 혼돈상태로 되돌아갈 것이다"(Excellent wretch, perdition catch my soul,/ But I do love thee, and when I love thee not,/ Chaos is come again. III. iii. 91-93)고 말한다. 그리고 엘라는 짐에 대하여 “나의 단 하나의 친구”(my only friend 314), “이 세상에 단 하나뿐인 백인, 다정하고 하얀”(The only white man in the world! Kind and white. 314), “넌 나에게 있어서 백인이야, 짐”(You've been white to me, Jim. 317), “난 이 세상 모두가 당신이 얼마나 백인 중에 백인인가를 알기를 바라요!”(I want the whole world to know you're the whitest of the white! 329)라고 말하고 있으며, 짐은 엘라에 대해 “그녀를 위해서라면 그 무엇이라도 할 수 있어!”(I can do anything for her! 335), “난 그녀가 이 세상에서 가진 전부야! . . . 그녀는 내가 가진 전부고!”(I'm all she's got in the world! . . . She's all I've got! 336)라고 말한다. 짐과 엘라는 각기 상대의 육체와 정신에서 백을 찾고 이에 의해서 자신의 육체적, 정신적 흑색성으로부터 탈피하고자 하는데, 이들에게 공통된 동기를 주는 것이 “힘에의 의지”(Bugelski 76, 342)이다. 이들은 ‘배후의 힘’의 ‘근원’이 되고 있는 ‘흑인과 백인 결혼의 불용인’을 거부하고 사랑이 피부색과 무관함을 주장하고 있는 바, 이들의 이러한 흑백의 결혼의 ‘불용인’에 대한 거부는 ‘배후의 힘’의 ‘작용’과 직면하게 된다.

『오셀로』에서 ‘배후의 힘’은 무어인 장군 오셀로의 기수이자 “군인, 거짓말쟁이, 위선과 모사의 달인, 냉소적인 인물, 이기적인 인물, 그리고 범죄인”(Spivack 85-86)의 역할을 하고 있는 이아고를 통해 ‘작용’하고 있다. 이아고는 무어 족(族)이란 변덕스러워서 무어인인 오셀로에 대한 데스데모나의 사랑, 그리고 데스데모나에 대한 오셀로의 사랑 모두가 시작이 갑작스러운 만큼 그에 따라 갑작스러운 파국을 맞을 것(I. iii. 342-348)이라고 로더리고에게 단정적으로 말한다. 또한 이아고는 로더리고에게 로더리고의 즐거움(pleasure)과 이아고 자신의 재미(sport)를 위해서 같이 뜻을 모아 오셀로에게 복수할 것을 제안한다(I. iii. 365-369).

모사꾼 이아고는 그리고 천성이 솔직하고 성실하며 고결하고 다정다감하며 관대하고 다른 사람의 말을 쉽게 믿는 성격의 소유자이며 부인 데스데모나에게 충실한 남편인 오셀로로 하여금 그 자신의 사리판단으로는 도저히 해결할 수 없는 강렬한 질투심에 빠져 마음의 평정을 잃고 미칠 지경에 이르게 하고, 오셀로의 부관이면서 고상한 인품과 상냥한 태도와 뛰어난 예의범절의 소유자로 미남인 캐시오(Cassio)가 데스데모나와 아주 가깝게 지낸다고 온갖 비방과 모략을 함으로써, 캐시오를 제거하고 부관자리를 차지할 간계를 꾸민다. 결국 캐시오는 이아고의 계략에 빠져 술에 취한 상태에서 로더리고를 때리고 이를 만류하는 사이프러스(Cyprus)의 전임 총독 몬타노(Montano)와 싸움을 벌려 그에게 중상을 입히게 되며 캐시오는 그 사건으로 인해 부관자리의 상실이라는 불명예를 안게 된다. 그러자 이아고는 캐시오로 하여금 친절하고 관대하며 고상한 성품과 선량한 마음의 소유자인 데스데모나를 찾아가 캐시오 자신이 복직이 되도록 도와달라고 간청하도록 유도한다. 이아고의 속셈은 데스데모나가 캐시오의 복직을 위해 애를 쓰게 함으로써 오셀로로 하여금 둘의 관계를 의심하도록 만드는 것이다(II. iii. 344-353).

그 후 이아고는 그의 아내이자 데스데모나의 시중을 들고 있는 에밀리아로 하여금 데스데모나가 캐시오의 청을 들어주도록 데스데모나의 마음을 움직이게 하고, 오셀로로 하여금 캐시오가 데스데모나를 만나 복직을 간청하는 순간을 목격하게 하여 오셀로가 두 사람의 관계를 의심하도록 만들 간계를 꾸민다. 그리고 데스데모나는 캐시오를 만나 그의 복직을, 심지어 그녀의 목숨까지도 걸고 끝까지 해내고야 말겠다고 굳게 약속한다(III. iii. 24-28).

이아고는 오셀로를 경애하는 체하면서, 캐시오와 데스데모나 사이를 거짓으로 부풀려 오셀로에게 데스데모나를 주의하고 그들의 관계를 잘 살피라고 주문한다. 이야고는 오셀로에게, 데스데모나가 아버지를 속이고(III. iii. 210), 그리고 그녀가 그녀 자신과 같은 기질과 피부색 그리고 사회적 지위를 가진 수많은 그럴듯한 결혼상대가 동족 중에도 얼마든지 있었는데 마다하고(III. iii. 233-234) 오셀로와 결혼했기에, 그녀가 그녀의 판단을 돌이켜보고 재삼 숙고하는 과정에서 오셀로와 백인 남정네들을 비교해보고 후회할지도 모르며 (III. iii. 240-242), 그녀가 강력하게 또는 귀찮을 정도로 열심히 캐시오의 복직을 요구하는 그 자체만으로도 많은 것을 짐작할 수 있을 것(III. iii. 254-256)이라고 말함으로써 오셀로에게 데스데모나에 대한 불신과 의구심을 부추긴다. 급기야 오셀로는 이아고의 농간에 빠져 그 자신의 영혼이 지옥에 떨어질지라도 사랑하는 여인(III. iii. 91)이자 부인인 데스데모나를 의심하고 그녀로부터 배반을 당할지도 모른다는 불안감에 휩싸이기에 이른다(III. iii. 267-272).

이처럼 '배후의 힘'이 『오셀로』에서 자신의 야만성을 인식하지 못하는 이아고(Wells 24)를 통해 '작용'한다면, 이 힘은 『모든 신의 아이들에게는 날개가 있다』에서는 짐의 어머니 해리스 여사와 그의 누이 해티, 그리고 흑백의 정체성과 백색 우월성 사이에서 혼란과 갈등을 겪는 엘라를 통해서 '작용'한다. 해리스 여사와 해티는 흑과 백 이종족의 부자연스런 결혼에 대해 부정적 견해를 가지고 있으며, 엘라는 긍정과 부정 그리고 백색 우월성 사이에서 내적 갈등을 겪는다. 평범해 보이는, 흰 머리를 한 65세의 흑인 여성인 해리스 여사는 흑백은 서로 섞여서도 안 되고, 서로 갈 길이 따로 있음을 엄숙하게 지적하면서 짐과 엘라가 힘든 한 쌍일 뿐이라고 그의 딸 해티에게 말한다(328). 약 30세로 고집이 센 도전적인 얼굴, 힘과 용기 둘 다를 소유한 모습을 하고 있고 흑인 사립학교 교사인 해티도 또한 짐과 엘라의 흑백의 결혼에 대해 부정적이다. 짐과 엘라가 결혼 후에 인종차별과 불공평 대신 행복과 평등과 공평이 있으며 피부 밑의 영혼을 볼 줄 아는 친절하고 영리한 사람들이 사는 프랑스로의 도피성 생활을 하고 2년 뒤에 귀국할 때, 그들의 귀가를 기다리면서 해리스 여사가 해티에게 걱정스럽게 던지는 대사(323)를 통해 해티의 짐과 엘라의 결혼에 대한 부정적 사고를 확인할 수 있다. 또한 짐과 해티가 대화를 하는 중에, 해티는 짐이 엘라를 위해서라면 무엇이든지 할 수 있고 그녀가 그의 그리고 그가 그녀의 전부이며 그녀가 그를 자랑스러워하고 그가 '백인 중 가장 백인'이 될 수 있다는 것을 증명할 것(335)이라는 말에 충격을 받아서, 그녀가 짐에게 '우리 종족의 배반자'라고 강하게 저항하듯 비꼬는 다음 대사에서도 흑백의 결혼에 대한 그녀의 부정성과 짐의 흑인으로서의 정체성 부재에 대한 그녀의 강한 불만을 읽을 수 있다. 그녀는 백색성에 굴종하는 짐과는 달리 "그녀의 흑색성을 당당하게 주장하는 흑인"(Ranald 20)으로서의 정체성과 자긍심을 소유한 인물이다(335).

흑인종족에 대한 강한 수치심에 사로잡혀 있는 짐의 입장에서 그가 이러한 욕망을 충족시킬 수 없다는 두려움은 그 자신과 사회에 대한 끊임없는 사죄와 비굴을 강요하지만 그는 백인세계의 노예로의 전락을 수용할 수 없다. 사회가 그의 심적 고통을 치유해줄 수 없기에 그야말로 그 자신의 열정의 노예이며 "인간의 본성의 검은 또는 어두운 면의 상징적 구현"(Carpenter 103)이라 할 수 있다. 그는 그의 내부에 흐르는 흑인의 유산을 증오하며 가증스런 자아를 고의적으로 거부하고 새로운 자아상 획득을 위해 노력한다. 그의 입장에서는 엘라와 결혼해 변호사가 되는 것이 백인화 성취를 위한 간절한 무의식적 소속추구의 열망이다. 그래서 보가드(Travis Bogard)는 "짐은 그의 자부심이 가면에 새겨진 상처럼 흑인 종족에 속한다. 하지만 그는 엘라를 위해 그의 참된 목표를 저버린다"(198)고 짐의 정체성 부재를 지적한다.

엘라의 경우, 짐은 그녀와의 결혼 후에 헌신적인 사랑을 바친다. 그녀의 입장에서 결혼은 처음으로 인간적 구출의 의미를 안겨주고, 그의 보호가 행복감을 부여하지만 점차 결혼의 의미는 마지막 타락의 상징으로 퇴색되고 만다. 그 이유는 그들의 결혼이 그의 그녀에 대한 영속적 헌신과 그녀의 그에 대한 부단한 애증에 그 기반을 두고 있기 때문이다. 천박하고 이기적인 그녀에게 서서히 그에 대한 증오가 가중되고, 그녀는 어떤 대가를 치르더라도 그녀 자신의 백색 우월성을 정립하려 한다. 그에게 내재된 자기 신뢰를 파괴해서 그가 꿈꾸고 있는 변호사시험에 불합격하게 만들고자 한다. 그녀는 그와의 결혼, 그에게의 의존, 그리고 그의 사심 없는 사랑 어느 것도 그녀의 심중 깊숙이 내재된 인종적 편견을 지울 수 없다. 엘라의 백인 우월의식은 그녀가 "콩고에서 온 흑인 원시형의 가면"(a Negro primitive mask from the Congo 322)에 다가가서 짐이 천년이 지나도 결코 변호사시험에 통과하지 못할 것이라며 비웃는 대사(330)에 잘 나타나고 있다.

서로의 일부만을 수용하는 그들은 흑과 백의 기존 고정관념에 의해 육체와 정신의 괴리를 심화시키고 그 반작용에 시달린다. 인종차별에서 더욱 모욕적인 것은 차별법규나 공개적인 타부가 아니라 "내면에서 작용하는 심리적 태도"(Raleigh 114)에 기인하기 때문이다. 이같이 '배후의 힘'은 『오셀로』에서 이아고, 『모든 신의 아이들에게는 날개가 있다』에서 해리스 여사와 해티, 그리고 엘라를 통해서 '작용'하고 있다. 그리고 '배후의 힘'의 이러한 '작용'은 그 힘의 '근원'이 되고 있는 '사회가 용인하지 않는 흑인과 백인의 결혼'과 관련된 충격, 분노, 억울함, 우려, 모욕감, 거부감, 그리고 대립의 연장선상에서 '방해하는 힘' 또는 '부정하는 힘'으로 표출되고 있음을 알 수 있다.

2. 구현과 극복

'사회가 용인하지 않는 흑인과 백인의 결혼'이 그 근원이 되는 '배후의 힘'은 『오셀로』에서 이아고를 통해 '작용'하고, 이제 "손수건"(napkin/handkerchief III. iii. 291)으로 '구현'된다. 『오셀로』에서 손수건은 이아고가 그의 부인이자 데스데모나의 보필자인 에밀리아에게 훔쳐달라고 수없이 애걸복걸하던 것이며, 데스데모나가 떨어뜨린 딸기 무늬가 수놓아진 손수건을 주워 그에게 전달한다(III. iii. 316). 이 손수건은 오셀로가 부인 데스데모나에게 준 첫 번째 선물이자 그녀로 하여금 늘 소중하게 지니고 다닐 것을 주문한 것이고 그녀가 끔찍이 아끼고 꼭 몸에 간직하며 입을 맞추고 대화를 나누는 것으로, '배후의 힘'의 구현체로서 이 극을 이끄는 결정적인 중요한 역할을 한다.

원래 이 손수건은 한 이집트 여자 마법사가 오셀로의 어머니에게 주었으며, 오셀로의 어머니가 임종 시에 며느리에게 전하라고 오셀로에게 준 것인데, 오셀로는 데스데모나에게 여자 마법사가 강한 예언적 영감을 받아서 수를 놓았기에 그 수에는 마력이 깃들어 있다고 이 손수건의 내력과 의미를 다음과 같이 말한다.

> 그 손수건의 수에는 마력이 깃들어 있소.
> 태양이 이백 회나 회전하도록 이 세상에
> 살았던 한 여자 마법사가 강한 예언적 영감을
> 받아서 그 무늬를 수놓았소. 그 비단실을
> 뽑아주었던 누에는 신성한 누에였고, 그 실은
> 어떤 마법사가 처녀의 심장에서 짜낸 비약으로
> 물들였던 것이오.

> there's magic in the web of it;
> A sibyl, that had number'd in the world
> The sun to make two hundred compasses,
> In her prophetic fury sew'd the work;
> The worms were hallow'd that did breed the silk,
> And it was dyed in mummy, which the skilful
> Conserve of maidens' hearts. (III. iv. 67-73)

이아고는 이러한 내력과 의미가 담긴 이 손수건을 캐시오의 숙소에 떨어뜨려, 손수건으로 인해서 데스데모나가 부정한 여자라고 위험한 추측을 하고 있는 오셀로에게 데스데모나가 캐시오와 내통하고 있다는 강력한 증거물로 삼을 계획을 세운다(III. iii. 326-334). 이아고는 오셀로를 만나서 "그런데 그런 손수건으로—틀림없이 부인의 손수건인 듯하옵니다만—캐시오가 자기 수염을 닦는 것을 오늘 제 눈으로 보았사옵니다"(but such a handkerchief—/ I am sure it was your wife's—did I today/ See Cassio wipe his beard with. III. iii. 444-446)라고 말함으로써 오셀로로 하여금 데스데모나와 캐시오에 대한 강한 복수심을 불러일으킨다. 오셀로는 이아고의 간계에 빠져 그들에게 피를 통한 복수를 다짐하고, 가누기 힘든 흥분에 휩싸인 채 이아고에게 3일 내로 캐시오를 제거할 것을 명령한다. 이처럼 이아고는 가능한 온갖 음모와 계략을 총동원하여 사람의 말을 곧이곧대로 잘 믿는 오셀로를 바보로 만들고 속이며, 훌륭하고 정숙하며 아무 죄가 없는 데스데모나에게 누명을 씌워서 두 사람의 관계를 이간질한다.

결과적으로 이아고는 흑과 백의 결혼에 대한 수용과 용인을 거부하며, 그의 목적을 위해서라면 상대를 불문하고 그가 할 수 있는 모든 속임수와 거짓을 방편으로 써서 종국에는 상대를 비극적 종말에 이르게 하는 악행을 실천하는 '배후의 힘'의 '대행자'가 되고 있으며, 이 힘의 구현체인 손수건은 이아고의 조력자로서 그가 그러한 임무를 수행하는데 매우 결정적이고 중요한 역할을 하고 있다. 4막 1장에서 이아고는 오셀로에게 독약이 아니라 침대에서 목을 졸라 데스데모나를 살해할 것을 주문하며, 그 자신이 캐시오를 처치하고 그 결과를 보고하겠다고 말함으로써 지속적으로 '배후의 힘'의 '대행자' 역할을 충실하게 수행한다. '사회가 용인하지 않는 흑인과 백인의 결혼'이 그 근원이 되고 있는 '배후의 힘'은 『모든 신의 아이들에게는 날개가 있다』에서 해리스 여사와 해티, 그리고 엘라를 통해서 '작용'하고, '콩고 가면'으로 '구현'되고 있다.

콩고에서 온 흑인 원시형의 가면은 일그러진 얼굴, 불명료한 색깔이 보는 사람으로 하여금 감동적이나 어둡고 흐린 의미를 느끼게 하나 진짜 종교적인 기운이 담긴 아름답게 만들어진 가면이다. 하지만 이 방에서, 그 가면은 독단을 강조하고 있다. 이 가면에는 흑백의 대조를 속이는 악마성(惡魔性)이 지배적이다.

> a Negro primitive mask from the Congo—a grotesque face, inspiring obscure, dim connotations in one's mind, but beautifully done, conceived in a true religious spirit. In this room, however, the mask acquires an arbitrary accentuation. It dominates quality that contrast imposes upon it. (322)

이 콩고 가면은 해티가 짐에게 준 결혼선물이자 아프리카 콩고의 흑인들이 종교의식을 거행할 때 쓰는 원시적인 가면으로 "흑인의 정체성과 과거의 숙명"(Floyd 264)을 상징하며, 문명화된 야심의 바탕을 이루고 백인들을 위협하는 순수한 원시성을 함축하고 있다. 이 가면은 흑색이 갖는 일반적 상징성과 관련되어 그것이 지닌 악마성으로 나타나는 도덕적 악과, 흑색이 지닌 원초성과 흑인들의 순수한 생명력에서 비롯되어 진정한 종교정신으로 나타난 디오니소스성이라는 상반된 양면성을 가지고 있다.

콩고 가면은 흑색성의 대변자인 해티의 눈에는 진짜 예술가에 의해 아름답게 만들어진 가면이지만, 백인인 엘라의 눈에는 추하고 바보같이 보인다. 엘라는 콩고 가면을 보는 순간 숨이 막힐 듯 비명을 지르고, 수차례에 걸쳐 "내가 널 비웃어 주지"(I'll give you the laugh. 329, 330, 338, 340)라는 말을 되풀이함으로써 가면을 조소의 대상으로 만들고자 한다. 그녀는 공포, 고통, 전율 등에 대한 적절한 방어기제가 없는 피해자를 정신적 장애자로 만드는 "충격적 경험의 결과인 신경증"(Moreno 194)을 보인다. 엘라는 이 가면을 악으로 간주하고 가면에 도전하며 가면을 부정하고, 짐도 또한 이 가면을 외면하고 그 속에 담긴 그의 정체성을 부정함으로써 두 사람은 이 가면이 지닌 디오니소스적 원초적 생명력과 적대시 된다. 짐과 엘라는 진정한 자유와 행복을 원하면서도 그것들을 안겨줄 유일한 방법인 콩고 가면의 수용을 두려워하고 거부함으로써 시련을 겪는다. 그들을 속박하는 것은 콩고 가면의 흑색에 대한 편견과 공포이며 이 가면을 절대악으로 전환시키는 것도 그것이 지닌 육체성과 정신성의 조화를 찾지 못하는 그들의 심리적 경직성이다. 그들은 육체와 정신의 괴리를 야기하고 그 괴리 속에 그들을 가둠으로써 이 콩고 가면과 무모한 투쟁을 벌인다. 엘라는 광란에 휩싸여 남편과 콩고 가면을 혼동하고, 짐은 모친과 누이와의 관계마저 단절하고 엘라의 광기어린 위협 속에서 처절한 자기 소모에의 투쟁을 멈추지 않지만 '배후의 힘'의 '구현'인 콩고 가면에 대한 외면으로 인하여 위기에 처한다.

다음으로 『오셀로』에 나타난 '배후의 힘'의 '극복'에 대하여 살펴보면, 손수건으로 구현된 '배후의 힘'은, 3막 4장에 이르러 오셀로로 하여금 데스데모나에게 그가 그녀에 준 손수건을 내놓을 것을 여려 차례(III. iv. 84, 87, 89, 91, 93)에 걸쳐 종용하는 것으로 나타난다. 또한 이 힘은 급기야 이아고로 하여금 오셀로에게 캐시오가 데스데모나와 "잤다"(Lie. IV. i. 33)고 거짓을 내뱉게 하고 이 말을 들은 오셀로가 더 이상 그의 몸을 주체하지 못하고 실신하여 쓰러지게 만든다.

극악무도한 이아고의 말에 속아 분별력을 상실한 채, "데스데모나의 동정과 인정을 사랑한 오셀로"(Bevington 163)는 이아고의 말의 진위여부를 확인하지도 않은 채, 이아고의 말을 사실로 믿고 데스데모나를 만나 "악마 같은 것!"(Devil! IV. i. 235)이라고 외치며 그녀를 때린다. 에밀리아가 오셀로에게 데스데모나는 정숙하고 순결하고 진실하다는 것을 그녀 자신의 영혼을 걸고서라도 보증하겠으며, 그의 머릿속에 그런 생각을 불어넣은 자가 있다면 그 자는 천벌을 면치 못할 것이라고 역설(力說)하지만 오셀로는 그녀의 말의 수용을 거부한다. 데스데모나가 오셀로에게 그녀 자신이 그의 진실하고 성실한 아내라는 사실을 진정 하나님께서도 알고 계시고 그녀의 정절을 믿어달라고 무릎을 꿇고 간청하지만 그는 그녀를 "뻔뻔스러운 창녀!"(Impudent strumpet! IV. ii. 82), "매춘부"(whore IV. ii. 86)라고 매도(罵倒)한다.

'배후의 힘'의 대행자로서 '작용'하고 있는 이아고의 흉계에 빠진 오셀로는 마침내 데스데모나가 캐시오와 함께 간음으로 더럽혀 놓은 그 침대에서 그녀의 목을 조르라는 이아고의 주문(呪文)에 걸린 듯 촛불을 들고 데스데모나의 침실을 찾는다. 오셀로는 그녀가 오셀로를 사랑한 죄 밖에 없고 손수건을 단지 잃어버렸을 뿐 결코 캐시오에게 그것을 준 일도 없으며 캐시오는 간계에 걸려들었고 그녀 자신은 파멸을 당하게 되었으니 반시간 동안만이라도, 한마디 기도를 드릴 동안만이라고 살아 있게 해달라는 그녀의 애원을 거부한 채 이미 때가 늦었다면서 그녀의 목을 조른다. "상대방의 깊은 원천을 사랑하는 사람"(Zamir 157)이었던 데스데모나는 아무런 죄도 없이 거짓말쟁이, 부정한 여인, 창녀, 지조 없는 여인으로 누명을 쓰고 억울하게 맞게 되는 죽음을 누구의 탓도 아닌 그녀 자신이 저지른 일로 돌리며, 극악무도한 이아고의 간계에 넘어가 진실을 제대로 파악하지도 않고 경솔하게 그녀의 목을 조른 흑인 남편 오셀로에게 안부를 전해줄 것을 에밀리아에게 부탁하며 숨을 거둔다(V. ii. 126). 가히 데스데모나는 "성자(聖者)의 용기와 이상주의"(Bradley 164)를 간직한 비극적 표상이 되고 있다.

데스데모나가 흘린 손수건을 에밀리아가 우연히 주워서, 진지하고 열성적으로 그것을 훔쳐달라고 애걸복걸한 이아고에게 전달했고, 이아고가 캐시오를 제거하고 데스데모나와 오셀로 사이를 이간질시키기 위한 모략으로 그것을 캐시오의 방에 떨어뜨려놓았다는 손수건과 관련된 진실과, 모든 것이 단지 이아고의 음모였을 뿐 데스데모나와 캐시오 사이에는 어떠한 부정한 일도 없었고 그녀는 이 세상에서 가장 상냥하고 죄 없는 사람이며 오직 오셀로만을 사랑한 천사와 같이 순결하고 정숙한 여자였다는 진실을 깨달은 오셀로는, 이아고에 속아 자신이 사랑하는, 그리고 자신만을 사랑하는 아내를 목 졸라 살해한 돌이킬 수 없는 어리석은 행동에 대해 극도로 후회하면서 그의 양면성과 회한(悔恨)을 토로하며(IV. ii. 295, V. ii. 345-352), 최후의 말(V. ii. 359-360)을 남긴 채 자신을 칼로 찌르고 침대에 쓰러져 죽는다.

"극악무도한 악당"(Precious villain V. ii. 236), "천하에 없는 악당"(notorious villain V. ii. 240), "독사"(viper V. ii. 286), "악한"(villain V. ii. 286), "넨장맞을 악한"(damned slave V. ii. 293), "악마 같은 놈"(demi-devil V. ii. 302), "극악무도한 놈"(pernicious caitiff V. ii. 319), "스파르타의 개"(Spartan dog V. ii. 362), "지독한 악당"(hellish villain V. ii. 369) 등과 같은 표현을 통해서 지악(至惡)하기 이를 데 없는 이아고는 한마디로 "분리된 자아의 속성"(Ackroyd 272)의 대변자라고 할 수 있다. 결국 그는 사이프러스의 신임 총독에 임명된 캐시오가 맡아서 실시하게 될, 오랫동안 끌면서 많은 고통을 줄 수 있는 어떤 교묘한 고문에 의해 처형되는 죽음을 맞이할 운명에 처하게 된다. 이같이 '배후의 힘'의 근원인 '사회가 용인하지 않는 흑인과 백인의 결혼'의 당사자들이었던 데스데모나와 오셀로의 죽음과, 이 힘의 대행자로서 '작용'하면서 악역을 주도했던 이아고의 죽음, 그리고 이 힘의 구현체였던 손수건에 대한 진실 규명에 따른 그 힘의 효력 상실과 함께, '배후의 힘'의 극복이 이루어진다.

『모든 신의 아이들에게는 날개가 있다』에 나타난 '배후의 힘'의 '극복'에 대하여 살펴보면, 엘라의 짐에 대한 애증의 갈등은 그녀의 신경증세가 광기로 화할 때 절정에 달한다. 그녀는 속박이 풀린 채 증오와 승리감에 충만하여 '배후의 힘'의 '구현'인 콩고 가면을 찌른다.

> (그녀는 가면 앞에 선다 — 의기양양하게) 봐라! 내가 뭐라 그랬어? 내가 널 비웃어 주겠다고 말했지! (그녀는 억제되지 않은 큰 웃음소리를 내며 놓여있던 가면을 들고 책상 가운데 놓더니 칼을 내리 꽂아 책상에 고정시킨다.) 자! 이제 누가 웃고 있지?
>
> (She stands in front of the mask — triumphantly) There! What did I tell you? I told you I'd give you the laugh! (She begins to laugh with wild unrestraint, grabs the mask from its place, sets it in the middle of the table and plunging the knife down through it pins it to the table) There! Who's got the laugh now! (340)

이 장면은 이 극의 극치이자 진실로 비극적인 순간으로, 이 콩고의 원시적인 가면이 상징하는 것은 인간의 내면에 잠재된 모호한 함축성을 고양시키지만 참된 신앙정신으로 착상된 흑인의 종족적 과거이기 때문에 엘라의 입장에서는 그녀가 증오하는 모든 어둠의 구현이다. 그녀의 가면 파괴는 흑인 남편의 자아의 파괴, 나아가서는 그의 "종족 살해"(Bogard 197)라는 극적 효과를 나타낸다. 가면 파괴는 그동안 그녀를 더럽히고 괴롭혀온 악의 제거이며 두려움과 적대감으로 점철된 이종족에 대한 강한 증오심의 표출이다.

엘라가 콩고 가면을 칼로 찌르는 행위는 일시적으로 짐을 격분시킨다. 그녀의 행위가 그녀에게는 흑색 정신성의 파괴인데 반해 그에게는 육체성 곧 그의 정체성의 파괴를 의미하기 때문이다. 무서움에 놀란 엘라는 떨리는 손으로 가면을 가리키면서 환호(340-41)하는데, 이것은 그녀가 콩고 가면을 찌름으로써 그녀는 인간의 삶 자체에 침투된 절대악을 분쇄하고 그녀의 의식을 짓눌러 왔던 온갖 심리적 굴레로부터 해방될 수 있기 때문이다. 엘라의 흑색 콩고 가면의 살해는 1막 1장에서 보았던 순수성에의 환원으로 이어짐으로써 무대 위의 세계에 조화와 질서가 되살아난다. 짐은 감정의 평온을 되찾게 되고, 엘라는 이제 그와 그녀가 오직 피부색만이 다를 뿐임을 깨닫고 다시 흑백에 구애됨이 없는 유년시절로 돌아가기를 염원한다.

짐은 그의 운명으로 그녀를 긍정적으로 수용하며, 가면 살해라는 그녀의 광기가 그녀 자신에 대한 증오로부터 그녀를 해방시켜 주었고, 그에게는 그녀의 노예로서 그녀의 모든 것을 보살펴주는 책임을 부여했다고 생각한다. 그는 그녀의 행위가 지닌 의미와 그 자신에게 지워진 운명의 필연성을 감득하며 생물학적 과거가 축적된 콩고 가면의 희생과 더불어, 그와 그의 삶에 가해진 '배후의 힘'으로부터 정화되면서 비로소 비극적, 종교적 성찰과 해방을 성취하며, 이 힘의 구현체였던 콩고 가면의 살해에 따른 그 힘의 효력 상실과 함께, '배후의 힘'의 극복이 이루어진다.

제3장

'공포'의 양상

『맥베스』, 『존스 황제』

윌리엄 셰익스피어의 『맥베스』는 극의 서두부터 긴장과 불길한 신비감을 예감하게 한다. 험악하고 불길한 분위기가 주는 공포의 암시, 그리고 음산한 신비감은 마녀들의 대사를 통해 확인될 수 있다.

> 아름다운 것은 더러운 것, 더러운 것은 아름다운 것.
> 날아가자, 안개 끼고 추악한 대기 속으로.
>
> Fair is foul, and foul is fair:
> Hover through the fog and filthy air. (I. i. 11-12)

마녀들의 이 말은 극의 중요한 주제를 최초로 시사하고 있는 표현으로 정상적인 것의 전도를 강하게 암시한다. 맥베스는 "이처럼 고약한 날씨에 그처럼 훌륭하게 승리했던 날은 없었소"(So foul and fair a day I have not seen. I. iii. 38)라고 말하는데 이것은 전투의 승리와 불길하고 험악한 날씨의 기괴한 복합을 통해 그가 무의식적으로 마녀들과 불가사의한 연관을 맺고 있음을 시사하고 있다. 마녀들은 맥베스에게 "글래미스의 영주 만세!," "코더의 영주 만세!," "앞으로 국왕이 되실 분"("Thane of Glamis!," "Thane of Cawdor!," "King hereafter." I. iii. 48-50)이라고 환호한다. 맥베스는 부친의 서거로 그가 글래미스의 영주가 된 사실을 알고 있었다. 그러므로 이들의 환호는 그에게 신뢰감을 준다. 마녀들의 나머지 두 예언은 그로 하여금 큰 관심과 기대를 갖도록 유도한다. 마녀들의 환호에 대한 그의 표정을 뱅코우(Banquo)는 다음과 같이 묘사하고 있다.

> 장군, 장군은 어찌하여 그토록 경사스러운 말을 듣고 놀라고
> 두려워하시는 듯한 표정을 지어 보이시오?
>
> Good Sir, why do you start, and seem to fear
> Things that do sound so fair? (I. iii. 51-52)

맥베스가 마녀들의 환호에 놀라며 공포를 보이는 이유를 비평가 다우든(Dowden)은 "맥베스가 그 자신의 가슴의 기저에 내재한 본능들과, 악에 대한 어떤 두려운 외적 작용들 사이에 형성된 끔직스런 반응을 발견하기 시작했기 때문"(250)이라고 지적한다. 그는 마녀들의 환호가 가슴 속의 생각과 일치하는 것을 깨닫고 공포감을 드러냈던 것이다. 그의 이러한 태도는 그가 이미 마녀들의 예언과 부합하는 야심을 품고 있었다는 사실을 암시하고 있다.

맥베스는 로스(Rosse)와 앵거스(Angus)를 통해 코더 영주의 지위가 그에게 하사되었음을 전해 듣고 마녀들의 예언의 일부가 성취되었음을 깨닫는다. 고무된 그는 이제 가장 커다란 것이 남았다고 생각하고 뱅코우에 대한 마녀들의 예언을 상기시킨다. 그의 상상력은 공포로 가득 찬다. 그는 망연자실한 채 이러한 야심의 공포로 인한 갈등에 사로잡힌다.

> . . . 현실적으로 존재하는
> 공포의 대상은 상상 속에 존재하는 공포의 환영보다 덜
> 무서운 것이다. 시역이란 아직도 상상에 불과하건만, 내

생각은 나라는 연약하기 짝이 없는 이 한 몸을 뒤흔들어
놓아서 평소의 분별력은 온갖 억측 때문에 질식하고 눈에
보이는 것은 다만 존재하지도 않는 환영뿐이로구나.

. . . Present fears
Are less than horrible imaginings.
My thought, whose murther yet is but fantastical,
Shakes so my single state of man,
That function is smother'd in surmise,
And nothing is, but what is not. (I. iii. 137-142)

맥베스의 이러한 갈등에서 괄목할 만한 사실은 그는 뱅코우가 간파했던, 하찮은 진실로 유혹하고 종국에 가서는 배반하는 어둠의 속성을 파악하지 못하고 있다는 점이다. 또한 그는 마녀들의 예언에 대해 살해라는 수단만을 생각하고 있다는 점이다. 왕이 되리라는 예언이 진실한 것이라면 코더 영주의 예언이 성취된 것처럼 그 예언도 가만히 있어도 자연스럽게 성취될 수 있을 것이다. 그러나 그는 마녀들의 예언을 살해라는 수단으로써 의도적으로 성취하려 한다. 이것은 마녀들의 예언이 왕의 살해라는 충동을 새로이 야기시킨 것이 아니라 그가 전부터 간직해 왔던 생각을 자극시켰을 뿐임을 시사하고 있다. 그러므로 왕의 살해에 대한 착상은 전적으로 맥베스 자신의 것이며 그는 살해의 공포 때문에 지금까지 억제해 왔으나 이제 마녀들의 예언에 힘입어 그 결행을 결심하게 되는 것이다.

맥베스는 "무엇이든 올테면 오너라, 아무리 폭풍우가 몰아치는 날에도 시간은 흘러 끝을 보게 마련이다"(Come what come may/ Time and the hour runs through the roughest day. I. iii. 146-147)고 고뇌를 떨쳐버리듯 말한다. 왕위에 대한 야심으로 인한 맥베스의 공포는 갈등으로 화한다. 그의 야심은 살해의 끔찍한 망상에 대한 공포로 주춤거린다. 그러나 덩컨(Duncan) 왕이 마침내

왕자 맬컴(Malcom)을 세자로 책봉할 것을 선언하자 맥베스는 다시 악한 생각을 끌어들인다.

. . . 이거야 말로 내가 거기에
걸려 넘어지든, 아니면 뛰어넘든 해야 할 장애물이다. 내 길목에
가로놓여 있으니, 별들이여, 그 빛을 가려라! 그 빛이 내
마음 속 깊은 곳에 숨겨진 시커먼 욕망을 보지 못하게 하고,
손이 저지르는 것을 눈이 보지 못하도록 하라. 그러나
해치워야 한다. 하고 나면 눈이 보기를 두려워할 일을.

. . . That is a step
On which I must fall down, or else o'erleap,
For in my way it lies. Stars, hide your fires!
Let not light see my black and deep desires;
The eye wink at the hand; yet let that be,
Which the eye fears, when it is done, to see. (I. iv. 48-53)

맥베스는 맬컴을 그의 야심의 장애요소로 의식하고 있다. 그가 빛을 거부하고 어둠을 부르는 데에는, 신하들에게 세자 맬컴을 주위의 별들처럼 후원해 줄 것을 바라는 덩컨 왕의 요청을 묵살하겠다는 강한 의지가 담겨 있다. "왕의 영광을 별들로 비유함으로써 왕의 선정이 우주적이고 보편적인 빛으로 나타나고 있으나 맥베스를 사로잡고 있는 악은 그 빛의 찬란함을 두려워하며 거부한다"(126-127)고 나이트(Knight)는 지적한다.

해질 무렵 이루어진 마녀들과 맥베스의 접촉은 결국 어둠이 그의 모든 세계를 장악하게 될 때까지 극적 상황을 전개해 간다. 내부에 어둠을 불러들인 그의 외양과 실상의 세계는 전혀 다르다. 외양의 아름다움 속에서 실상의 더러움이 지니는 아이러니컬한 대조를 나타내는 인버네스(Inverness)성

의 모습은 그 주인 맥베스의 외양과 실상을 잘 대변해준다. 이러한 외양과 실상의 위선적인 가치전도는 맥베스가 부당한 야심을 달성해가려는 과정상 불가피하게 사용되는 도구이다. 그것은 바로 그 야심의 실패 가능성 또는 그 결과에 대한 주인공의 공포에 기인하는 것이다. 달과 별마저 저버린 공포의 밤인 II막에서 맥베스의 성안은 어둠이 장악하고 시간도 정체되어 간다. 이러한 어둠의 만연은 범행을 저지르기에 적절하여 모든 범죄의 은폐를 합리화시켜 주는 것처럼 보인다. 마침내 시종을 시켜 부인(Lady Macbeth)에게 벨을 울리도록 지시하고 어두운 밤에 혼자 남아 있게 된다. 그는 여기서 단도의 환상을 본다.

> 저것은 단검인가, 칼자루를 내 손 쪽으로 향한 모습으로
> 내 눈 앞에 보이는 것은? 그렇다면 어디, 잡아 보자－
> 잡히지를 않는구나. 하지만 여전히 보인다.

> Is this a dagger, which I see before me,
> The handle toward my hand ? Come, let me Clutch thee:－
> I have thee not, and yet I see thee still. (II. i. 33-35)

맥베스는 환상의 단도를 잡으려는 동작을 하면서 몽유병자처럼 왕의 침실을 향해 앞으로 나아간다. 그가 그의 단도를 꺼내 들자 허공의 단도에 피가 묻어 보인다. 공포가 가중되는 무대의 분위기를 어둠이 엄습하고 시간조차 숨 막히게 흐른다. 이 순간의 경이감은 늑대의 먼 울음소리와 숨죽인 발걸음 소리로 고조되면서 갑자기 벨이 울린다. 이것은 그를 다시는 빠져나올 수 없는 암흑과 파국의 철문 안에 가둬 버리는 소리이며, 그의 상상력은 공포의 여운을 남긴 채 멈추고 만다. 무거운 어둠의 적막을 헤치며 범행을 저지르고 나온 맥베스가 유혈이 낭자한 손을 보며 다음처럼 말할 때 무대는

극도의 공포감으로 가득 찬다.

이 무슨 처참한 꼴이람.

This is a sorry sight. (II. ii. 20)

손에 시뻘건 피를 묻힌 채 나타나는 맥베스는 그의 손을 교수형 집행인의 손이라고 한다. 신의 축복이 절실히 필요한 상황에서 그것의 간절함에 아멘이라고 할 수 없는 절망을 토로할 때 공포는 극에 달한다. 그는 그의 행위를 후회하면서 회한과 비탄에 잠겨 다음과 같은 소리를 듣게 된다.

'이제부턴 잠을 이루지 못한다! 맥베스는 잠을 죽여 버렸다'
라고 외치는 소리를 나는 들은 것 같소. –그 죄 없는 잠. 얽히고
설킨 명주 실타래 같은 근심걱정을 말끔히 정돈해 주는 잠을,
매일의 삶의 죽음, 고달픈 노동의 피로를 씻어 주는 목욕물,
상처 입은 마음을 고쳐주는 향유. 대자연이 베풀어주는 일급요리,
인생이라는 향연에서 제일가는 자양분인 잠을. –

Methought, I heard a voice cry, 'Sleep no more!
Macbeth dose murder sleep,' –the innocent Sleep;
Sleep, that knits up the ravell'd slave of care,
The death of each day's life, sore labour's bath,
Balm of hurt minds, great Nature's second course,
Chief nourisher in life's feast; – (II. ii. 34-38)

맥베스는 덩컨 왕을 죽인 것이 아니라 인생의 향연에서 가장 중요한 자양물인 잠을 죽였다. 이것은 자연의 대질서의 파괴에 대한 그의 뉘우침이다. 따라서 "이제부턴 잠을 잘 수 없다!"(Sleep no more! II. ii. 40)라는 소리는 외부

에서 들려오는 것이 아니라 그의 마음 속 깊은 곳에서 울려나오는 양심의 소리이다. 그는 스스로 죽이고만 잠의 환영에 불안해하며 그의 행위를 후회하고 양심의 가책으로 괴로워하는 것이다. 맥베스가 그의 피투성이의 손을 보면서 시뻘건 피의 색이 주는 경악감에 압도되어 있을 때 갑자기 커다란 노크소리가 난다.

> 어디서 저렇게 문을 두드리고 있는가.—무슨 소리가 날 때마다 이렇게 놀라니, 난 도대체 어떻게 된 건가?
>
> Whence is that knocking?—How is't with me, when every noise appals me? (II. ii. 57)

노크소리는 관객들로 하여금 혐오의 대상인 맥베스와 무의식적으로 감정의 일체감을 지니게 하는 극적 효과를 부여하고 있다. 공포의 적막감 속에서 갑자기 들려오는 노크소리가 나는 순간 관객들도 그와 마찬가지로 발각에 대한 공포를 느끼는 것이다. 그는 그의 손이 "바다의 푸른빛을 새빨갛게 바꾸어 놓으리라"(Making the green one red. II. iii. 2)고 부르짖는다. 이와 같이 색의 이미지와 함께 음향도 공포의 분위기를 고조시키는 일역을 하고 있다. 그의 야심의 달성은 제반 공포들이 계속적으로 이어지는 악순환의 시발점이 된다. 연속적인 공포의 악순환이라는 수레바퀴에 『맥베스』의 비극성이 있으며 경이감이 우러나오게 되는 것이다. 이 극에 나타난 공포는 다양한 아이러니, 어둠, 죽음, 색의 이미지, 그리고 음향의 효과 등 다양한 양상으로 지속적으로 고조된다. 맥베스는 대관식 이후 충분한 시간이 경과할 때까지 어둠을 주도하고 있으면서도 뱅코우에 대한 두려움을 탈피할 수 없다. 그는 뱅코우가 마녀들을 대할 때나 평상시에 보인 용기와 지혜, 그리고 침착성 등에 대한 경쟁심과 두려움을 느끼고 있다. 또한 그는 뱅코우가 그의 왕위를 찬탈하려 들지 모른다는 공포심을 가지고 있다.

. . . 살아 있는 것을 내가 두려워하는 자는
그자뿐이다.

There is none but he
Whose being I do fear: (III. i. 53-54)

맥베스는 뱅코우의 제거만이 사나이다움을 보이는 것이므로 오늘 밤 뱅코우가 궁전으로 오는 길목에서 뱅코우와 그의 아들 플리언스(Fleance)를 살해하여 그들 부자가 죽음의 운명을 당하도록 할 것을 자객들에게 촉구한다. 그는 가중되는 미래의 후환에 대한 공포 속에서 포악진다. 그는 야심을 달성한 이후에도 지속적으로 엄습하는 공포로 인한 정신적 고통 속에서 악몽에 시달리고 죽은 자를 부러워하기에 이른다.

연회장면은 암흑과 악의 힘을 나타냄으로써 무대에 다시 공포 분위기를 고조시키고 있다. 맥베스는 손님과 자객들을 대하고 있다. 연회가 시작된 직후 이마에 피를 묻힌 채 보고 차 찾아온 자객들을 통해 플리언스를 놓친 사실을 알게 된다. 그는 그의 발작의 재발에 대한 두려움을 느낀다. 그의 절망적 공포는 미래에 대한 후환으로 이어진다. 도망친 플리언스가 아직 어리다고 자위하며 연회석으로 돌아온 그는 뱅코우가 있었더라면 하고 서운해 한다. 이때 갑자기 머리에 유혈이 낭자한 뱅코우의 유령이 출현한다. 그는 그에게만 선명하게 보이는 그 유령으로 인해 소동을 피운다.

맥베스가 처음 마녀들을 만났을 때 놀라던 모습과 비교해 볼 때 이제 그를 사로잡고 있는 발작은 그가 몰입해 있는 열정에 의한 발작, 즉 마음속에 도사리고 있으나 타인들에게 발각되게 되면 노출되고 확산되어 버리는 "공포의 발작"(Campbell 226)임을 알 수 있다. 뱅코우의 유령이 사라지자 밀려드는 공포 속에서 겨우 감정을 억제한 맥베스는 그의 이상한 허약성을 사과하면서 기분을 새롭게 한 후 다시 뱅코우를 들먹이며 건배한다. 이때 그 말이라도 들은 듯이 뱅코우의 유령이 재차 등장한다. 놀란 그는 처음보다 더한 공포에 사로잡힌 채 발작을 일으킨다. 그는 남자가 하는 일이라면 무엇이든 과감히 하겠다고 공포를 은폐시키려는 듯 소리친다. 더욱 포악해진 그는 피는 피를 보게 될 것이라며 숨겨진 죄의 폭로와 관련된 기이한 현상들에 압도된다. 이것도 그의 내재적 공포에 기인한 것이다.

맥베스는 뱅코우 다음으로 연회석상에 불참한 맥더프(Macduff)가 불안거리로 여겨진다. 마녀들을 찾은 그는 그의 이익을 위해서는 최악의 일이라도 망설이지 않겠다며 다음과 같이 다짐한다.

> 마녀들에게 좀 더
> 말해달라고 해야 하겠소. 일이 이렇게 된 이상 최악의 수단
> 이라도 동원해서 최악의 경우일지라고 알아보아야 되겠소.
> 나 자신의 이익을 위해서라면 어떤 희생이라도 돌보지
> 않겠소. 이미 피비린내 나는 일에 이토록 같이 빠져들어
> 갔으니 더 이상 건너가려고 하지 말아야 하겠으나, 되돌아
> 오는 것이 건너가는 것에 못지않게 어렵게 되었구려. 내
> 머리속에는 기이한 생각을 품고 있어서 그것을 행동으로
> 옮기고 싶으니, 앞 뒤 가릴 것 없이 실행해야만 하겠소.

> More shall they speak; for now I am bent to know,
> By the worst means, the worst. For mine own good,
> All causes shall give way: I am in blood
> Stepp'd in so far, that, should I wade no more,
> Returning were as tedious as go o'er.
> Strange things I have in head, that will to hand,
> Which must be acted, ere they may be scann'd. (III. iv. 133-139)

마녀들은 맥베스의 미래의 운명을 예고하는 일련의 환영을 보여준다. 환영들의 입을 통해 나오는 소리도 결국은 그의 내재적 공포가 객관화 되어 나오는 것에 불과하다. 첫째 환영이 나타나 맥더프를 경계하라고 말하자 그는 맥더프에 대한 그의 두려움이 적중했음을 깨닫는다. 그는 맥더프를 그의 적수로 의식하고 있었던 것이다. 둘째의 환영은 여인에게서 태어난 자는 아무도 그를 해치지 못할 것이라고 말하고, 셋째의 환영은 버남(Birnam) 숲이 이동해 올 때까지 결코 패망하지 않을 것이라고 예언한다. 후자의 두 예언들이 매우 유리하게 느껴지자 그는 더욱 기고만장해진다. 그러나 머리에 유혈이 낭자한 뱅코우의 유령이 왕관을 쓴 여덟 명의 후손들을 동반하고 나타나자 그는 완전히 절망에 빠진다. 그는 화를 내며 마녀들에게 욕을 한다. 마녀들이 윤무를 추며 사라질 때 그들을 저주한다.

맥베스는 마녀들과 환영을 거부하면서 악과 어둠의 세계에서 더욱 포악해진 성격을 띤다. 마녀들의 예언을 아전인수식으로 수용하는 논리의 모순을 드러낸 채 비정상적인 사고를 이끌어가고 있다. 회복불능의 죄가 된 야심과 공포의 결과들이 신속하게 드러나고, 빛의 세계에 의한 반격이 시작되자 맥베스는 그 저항군을 진압하기 위해 출전한다. 그 후 맥베스 부인은 몽유병에 시달리는 깊고 무거운 밤의 정적에 휩싸인다. 그의 고뇌에 찬 진실어린 심정은 아내의 병의 치료에 대한 염려와 노년기에 대한 비감 어린 탄식을 통해 표출된다. 기만이라는 방법으로 왕위를 장악했던 그는 그 동일한 기만의 방법으로 공격을 받는다. 그는 공포로 인한 심리과정의 말기에 초기의 풍부한 상상력과 예민한 감각이 현저히 둔화된 채 체념적인 발악을 보인다. 그는 아내의 죽음과 인생의 처절한 비감을 다음과 같이 토로한다.

> 지금이 아니라도 언젠가는 죽어야 할 사람이었느니라.
> 언제 들어도 한 번은 들을 때가 찾아오고야 말 소식이었다.—

내일이, 또 내일이, 그리고 또 내일이 찾아와도, 이렇게
하루하루 조작거리는 걸음으로, 정해진 시간의 마지막 순간을
향해 기어갈 따름이니, 우리가 지나온 그 모든 어제라는
나날들은 바보들에게 한 줌 먼지로 되돌아가는 죽음의 길을
비추어 준다. 꺼져라, 꺼져라, 덧없는 촛불이여! 인생은
한낱 걸어 다니는 그림자에 불과한 것, 제 시간이 되면
무대 위에 등장해 뽐내며 시끄럽게 떠들어대지만, 어느덧
사라져 아무 소리도 들리지 않는 가련한 배우.

She should have died hereafter:
There would have been a time for such a word. —
To-morrow, and to-morrow, and to-morrow,
Creeps in this petty pace from day to day,
To the last syllable of recorded time;
And all our yesterdays have lighted fools
The ways to dusty death. Out, out, brief candle!
Life's but a walking shadow; a poor player,
That struts and frets his hour upon the stage,
And then is heard no more. (V.v.17-26)

맥더프가 맥베스를 찾아다니는 동안 맥베스는 시워드의 아들(Young Siward)을 죽임으로써 마녀들의 예언 일부가 사실임을 증명한다. 접전 끝에 마침내 성이 함락되고 빛의 세계가 확립되면서 맬컴의 진영이 입성하게 된다. 발악적이던 맥베스는 맥더프와 마주치자 당황해 한다. 더구나 그는 맥더프가 제왕절개로 출생했음을 알고는 한 가닥의 기대마저 상실한 채, 이중의 의미로 희망을 주고 또한 그것을 깨뜨려 버리는 마녀들의 속임수를 비로소 절감한다. 맥베스는 결국 그의 적수였던 맥더프와 단둘이만 놓이게 된 운명적 상황에서 파멸을 맞이한다. 극의 서두부터 시사되던 피와 죽음의 이

미지는 마침내는 맥베스를 압도하고 만다. 가진 것 전부를 투자하여 얻은 것은 죽음이라는 인생의 아이러니를 그는 철저히 인식하게 되며, 그의 부인의 죽음에 대해 그가 보내는 비문에 그의 최후의 인생론이 함축되어 있다.

한편, 표현주의 기법으로 써진 유진 오닐의 『존스 황제』는 서인도제도의 한 섬에서 일어나는 일로 모두 8장으로 구성되어 있다. 그 중 1장은 존스 황제의 궁전이고 나머지 장들은 숲의 끝이거나 숲 속으로 나타나고 있다. 시간적으로 본다면 1장은 오후, 2장은 황혼, 3장에서 7장까지는 저녁, 그리고 8장은 새벽으로 묘사되고 있다. 1장의 무대는 회색 칠을 한 벽, 하얀 타일이 깔린 마루, 번쩍거려 눈이 부실 정도로 진홍빛을 한 왕관, 오후의 햇빛, 완전한 고요, 그리고 전적으로 밝은 분위기가 그의 과거의 광영을 시사하고 있으며, 2장 이후부터 전개될 환영과 북소리가 등장하는 어두운 숲의 무대와는 현격한 대조를 이루고 있다.

> 황제의 궁전 안에 있는 알현실—넓고 천정이 높은 방으로서 회칠을 한 벽에는 아무 장식도 없다. 마루에는 타일을 깔았다. . . . 이 의자야말로 틀림없는 황제의 왕좌인 것이다. 이 의자는 번쩍거려 눈이 부실 정도로 진홍빛 칠을 했다. 의자에는 밝은 오렌지 빛깔의 방석을 깔고 마루에는 같은 색의 약간 소형의 방석이 놓여 있어 발을 올려놓는 대로 사용되고 있다. 진홍빛으로 된 깔개가 왕좌의 발치에서 두 출입구 쪽으로 깔려 있다.

> The audience chamber in the palace of the Emperor—a spacious, high-ceilinged room with bare, white-washed walls. The floor is of white tiles. . . . This is very apparently the Emperor's throne. It is painted a dazzling, eye-smiting scarlet. There is a brilliant orange cushion on the seat and another smaller one is placed on the floor to serve as a footstool. Strips of matting, dyed scarlet, lead from the foot of the throne to the two entrances. (5)

존스는 키가 크고 골격이 튼튼하며 원기 왕성한 중년의 흑인으로 이목구비는 전형적인 흑인 타입이지만 용모 전체엔 어딘가 특출한 데가 있다. 내부에 잠재해 있는 의지력, 남의 존경을 받게 하는 독립적인 강한 자부심이 얼굴에 나타나 있다. 그의 눈은 날카롭고 교활한 지성으로 생기 있게 빛난다. 태도는 빈틈이 없고 의심이 많으며 회피적이다. 존스는 원주민에게는 은 탄환이 아니고서는 그를 죽일 수 없다는 미신을 주지시킴으로써 황제의 자리를 지켜왔다. 카펜터(Carpenter)는 "이러한 극적이고 상징적인 장치들이 오닐의 작품들을 가장 완벽하게 극적으로 만들었다"(92)고 극찬한다.

존스: (웃어대며) 아, 그 은총알 말인가! 확실히 운수가 좋았지. 하지만 그 행운은 내가 만든 거야. 내가 만든 운이라니까. 그 렘이라는 놈이 사람을 사서 날 죽이려고 했지. 십 피트 거리에서 나한테 겨냥을 했지만 그 녀석이 방아쇠를 당기기 전에 내가 먼저 쐈거든! 알겠나?

스미더즈: 자넨 마술의 힘이 보호하니까 납덩어리 총알로는 자넬 죽일 수 없다고 그랬겠다. 자넨 강한 사람이니까 은총알이 아니면 죽이지 못한다고 그랬지. 정말 굉장한 대포가 아닌가. 그런 게 통하다니 어수룩한 운이지.

JONES: (with a laugh) Oh, dat silver bullet! Sho' was luck. But I makes dat luck, you heah? I loads de dice! Yessuh! When dat murderin' nigger ole Lem hired to kill me takes aim ten feet away and his gun misses fire and I shoot him dead, what you heah me say?

SMITHERS: You said yer'd got a charm so's no lead bullet'd kill yer. You was so strong only a silver bullet could kill yer, you told 'em. Blimey, wasn't that swank for yer—and plain, fat-'eaded luck? (9)

존스는 극도의 실리주의자로 황제로서의 자리가 얼마 남지 않은 것을 충분히 감지하고 도주를 대비한 만반의 준비를 완료했다. 그는 종교문제에 있어서는 원래는 침례교도였지만 원주민들을 통제해서 부를 축적하기 위한 수단으로 원주민들의 의식에 기꺼이 참여했다(15). 원주민들이 그를 추방하려고 하는 낌새를 간파한 존스가 도주를 결심하기에 이를 때 최초의 북소리가 울려 퍼진다.

(멀리 산으로부터 나지막한 북소리가 조그맣게, 그러나 줄기차게 들려온다. 속도는 처음에는 보통 맥박−1분 72−에 해당되나 극이 진행함에 따라 차츰 빨라져서 극이 끝날 때까지 계속된다.) (존스는 북소리를 듣고 놀란다. 북소리를 듣는 순간 이상한 불안의 표정이 떠돈다. 이윽고 억지로 침착한 태도를 취하면서 묻는다.) 뭣 때문에 북은 치는 거지?

(From the distant hills comes the faint, steady thump of a tom-tom, low and vibrating. It starts at a rate exactly corresponding to normal pulse beat−72 to the minute−and continues at a gradually accelerating rate from this point uninterruptedly to the very end of the play). (JONES starts at the sound. A strange look of apprehension creeps into his face for a moment as he listens. Then he asks, with an attempt to regain his most casual manner) What's dat drum beatin' fo'?" (14)

이 북소리는 원주민들의 미신으로, 그들이 용기와 힘을 얻고자 할 때 행하는 종교의식으로서 1장에서부터 시작하여 이 극이 끝날 때까지 계속해서 지속이 되며 무려 20회에 걸쳐 묘사된다. 이것은 대단한 극적 효과를 불러일으키고 있다. 이 북소리 기법은 관객과 등장인물을 하나로 연결하는 탁월한 극적 장치가 된다. 더욱이 이 북소리는 인간의 심장의 고동소리와 같은 비율로 시작하여 각 장을 통해 점차적으로 빨라지고 있다. 오닐은 관객의 심장박동이 북소리의 페이스에 따라 빨라질 것으로 생각했으며, 이 반복적이고 리드미컬한 북소리의 효과는 그가 이 극에서 사용한 가장 강력한 무대

기법 중 하나로 볼 수 있다. 이 북소리는 장을 더할 때마다 더 커지고, 더 빨라지고, 그리고 더 가까워진다. 이것은 관객으로 하여금 원주민들이 실제로 존스를 추적하는 것은 아니지만 추적하는 것처럼 느끼게 하는 심리적 효과를 주기 위한 것이고, 존스로 하여금 내적 갈등을 겪게 한다. 존스의 행동을 지배하는 북의 진동하는 리듬은 존스에게 빠른 속도로 공포를 증가시키고 있으며 이것은 비평가들로 하여금 북소리가 등장인물에게 공포의 효과를 주는 훌륭한 극적 장치가 되고 있다는 사실에 관심을 갖도록 하기에 충분했다(Whitman 149). 또한 카펜터는 "지속적인 배경이 되고 있는 북소리는 유명하다. . . . 육체적 그리고 심리적 결합을 예술적으로 구현하면서 유사 음악적 효과를 발산하며 이 극의 끝에서 존스 황제의 발사와 함께 갑자기 멈춘다"(Carpenter 91)고 말한다.

2장의 무대묘사는 1장과는 현격한 대조를 보이고 있다. 1장의 백색의 밝은 분위기와는 달리 2장의 무대인 큰 숲(Great Forest)은 검은색으로 묘사되고 있다. 시간적으로도 이제는 밤의 시작인데 이것은 존스의 원시적 존재로의 회귀를 암시한다. 즉 어둠의 시작은 그가 본래의 상태로 반전됨을 암시하는 것이다. 무겁게 내리덮은 신비의 큰 숲은 그가 그를 잃는 또는 그 자신을 발견하는, 문자 그대로 그리고 비유적으로 그에게서 문명의 외모를 벗기는 원시적이고 근본적인 힘을 부여하는 장소인 것이다.

> 벌판의 끝. 여기서부터 큰 숲이 시작된다. 무대 전면은 편편한 모래땅이며 서너 개 돌과 나지막한 관목 덤불들이 여기저기 있다. 이 관목들은 무역풍에 쓰러지지 않기 위해서 지면을 기듯이 납작하게 나 있다. 전면 뒤쪽은 세계를 둘로 나눈 것처럼 숲이 까만 벽 모양으로 우뚝 솟아 있다. 주변의 어둠이 차츰 눈에 익어가면서 가까이 있는 나무줄기가 하나하나, 어둠보다도 더욱 까만 큰 원주처럼 서 있는 윤곽을 겨우 분간할 수 있게 된다. 음산하고 단조로운 바람이 나뭇잎 사이를 방황하다가 길을 잃은 듯 공중에서 비명을 내고 있다.

> The end of the plain where the Great Forest begins. The foreground is sandy, level ground dotted by a few stones and clumps of stunted bushes cowering close against the earth to escape the buffeting of the trade wind. In the rear the forest is a wall of darkness dividing the world. Only when the eye becomes accustomed to the gloom can the outlines of separate trunks of the nearest trees be made out, enormous pillars of deeper blackness. A somber monotone of wind lost in the leaves moans in the air. (17)

존스는 이제 구두를 벗으며 길을 잃은 두려움이 그를 지배하고 있다. 지친 태도로 불안감을 달래기 위해 큰 소리로 투덜거리며 숲 속으로 피하고 싶어 한다. 배고픔을 느낀 그는 숨겨 두었던 음식을 찾기 위해 광적으로 움직인다. 이것은 그가 진화의 사다리를 내려가고 있다는 최초의 전조이다. 이 순간 최초의 환영인 조그만 공포의 환영들(Little Formless Fears)이 숲 속으로부터 기어 나온다.

> 그가 돌아보고 있는 동안 형체가 확실치 않은 조그만 공포의 환영들이 깊숙한 숲의 어둠 속에서 살금살금 나온다. 그것들은 까맣고 형체가 없으며, 오직 반짝이는 조그만 눈만이 보인다. 억지로 그 형체를 그린다면 기어다니는 어린아이만한 요충 같다. 소리 없이 그러나 고통스럽게 조심조심 움직이며 한쪽 끝으로 일어서려고 애쓰다가는 실패하면 그대로 쓰러져서 앞으로 구부러진다.

> While his back is turned, the LITTLE FORMLESS FEARS creep out from the deeper blackness of the forest. They are black, shapeless, only their glittering little eyes can be seen. If they have any describable form at all it is that of a grubworm about the size of a creeping child. They move noiselessly, but with deliberate, painful effort, striving to raise themselves on end, failing and sinking prone again. (19)

이 형체가 확실치 않은 조그만 공포의 환영들은 흑인 종족에게만 국한

된 공포의 환영이 아니라 문명인 모두도 소유할 수 있는 공포의 환영들로 볼 수 있을 뿐만 아니라 이것은 후에 이어지게 될 흑인 종족에 관련된 특별한 에피소드와 관련을 맺고 있다. 존스는 음식을 찾기 위해 성냥불을 켜는데 이것은 그가 어느 정도는 자제력을 상실하고 있음을 말해준다. 그러나 그는 이러한 행동이 원주민들에게 그의 위치를 누설하는 어리석은 짓임을 깨닫는다. 그는 2장의 끝 부분에서 조그만 공포의 환영들을 향하여 그 첫 탄환을 발사한다.

> 그는 총을 쏜다. 번쩍하고 불이 나고 커다랗게 여운이 퍼진다. 그리고는 다시 잠잠해지고 다만 박자가 빨라진 북소리가 멀리서 들려올 뿐이다. 형체 없는 생물들은 숲 속으로 뺑소니를 치고 보이지 않는다.
>
> He fires. There is a flash, a loud report, the silence broken only by the far-off, quickened throb of the tom-tom. The formless creatures have scurried back into the forest. (19)

북소리와 더불어 2장에서부터 시작해서 마술 은 탄환의 발사로 끝을 맺는 존스의 여섯 발의 총소리는 앞으로 각 장에 걸쳐서 발생하고 있다. 카펜터는 "북소리와 동시에 일어나는 존스의 여섯 발의 권총 발사는 이 극의 각 장면들을 강조한다. 각각의 발사는 육체적으로 그리고 심리적으로, 그의 어떤 이전의 악행과 어떤 현재의 증오 또는 돌연한 공포에 대한 해방을 극화한다"(Carpenter 91-92)고 말한다. 2장에서는 무대가 되고 있는 큰 숲, 존스의 옷차림새, 세 번의 북소리 묘사, 조그만 공포의 환영들, 숨겨둔 음식을 찾기 위해 켜는 성냥불, 그리고 조그만 공포의 환영들을 향해 발사한 한 번의 총소리 등을 통해서 볼 때 존스의 마음속에 자리한 우울한 생각과 당혹감에 의해 점차 공포심이 일기 시작하고 있음을 알 수 있으나 그는 1장처럼 여전히 자만과 이성을 가지고 있다.

3장에서는 달이 출현하고 있다. 달의 출현은 시간의 경과를 암시하면서 동시에 숲 속에서 무시무시한 효과를 나타낸다. 달빛에 투영되어 모든 것이 비틀어지고 음산하게 보인다. 그러므로 큰 숲은 앞으로 존스의 생각이 보다 더 원시적으로 화하듯이 다양한 변화를 강조할 것이다. 이 극의 매력은 햇빛이 비치는 현실과 달빛이 비치는 환상의 결합에 있다. 그는 실제 정글의 숲을 통하여 그의 과거 그리고 집합 무의식으로 회귀한다. 존스는 소매로 얼굴을 닦으며 파나마모자는 어디선가 잃어 버렸다. 얼굴에 상처가 나고 화려한 제복에는 여기저기 커다란 구멍이 나 있다. 잠시 후 흑인 제프(Jeff)의 환영이 출현한다.

> 그러자 흑인 제프가 뒤에 삼각형 공지에 웅크리고 앉아 있는 모습이 차츰 보인다. 그는 중년으로 마른 갈색 피부의 남자로서 침대차 보이의 제복과 모자를 썼다. 그는 자기 앞의 땅 위의 두 개의 주사위를 굴리고 있다. 자동 인형처럼 규칙적이고 기계적인 동작으로 주사위를 집어 올려 흔들다가 다시 던진다. 누군가 왼쪽에서 조그만 길을 따라 가까이 다가오는 모양이어서 육중하게 저벅거리는 발자국소리가 들린다.

> Then gradually the figure of the negro, JEFF, can be discerned crouching on his haunches at the rear of the triangle. He is middle-aged, thin, brown in color, is dressed in a pullman porter's uniform and cap. He is throwing a pair of dice on the ground before him, picking them up, shaking them, casting them out with the regular, rigid, mechanical movements of an automaton. The heavy, plodding footsteps of someone approaching along the trail from the left are heard. (20)

제프의 동작은 규칙적이고 딱딱하며 기계적인 움직임으로 표현주의 극에서 흔히 발견될 수 있는 것이다. 이것은 현실을 암시하기 위해 사용된 것이 아니고 존스의 과거에 대한 상징으로 제프와 관련된 사건을 암시하기 위해서 사용된 것인데 존스는 과거에 면도칼을 사용하여 제프를 살해했었다. 2장에서와 마찬가지로 이 에피소드도 존스의 권총발사로 끝을 맺는다. 여기서 중요한 사실은 그의 회귀가 부분적으로는 이 발사되는 탄환의 숫자에 의해서 나타내지고 있다는 사실이다.

본래 상태를 향한 존스의 회귀가 4장에서는 보다 직접적으로 잘 나타나고 있다. 그의 유니폼은 누더기로 화했고, 박차도 달아나고, 문명인의 자취도 사라졌다. 점차적으로 그의 옷은 완전히 다 떨어져 나가게 되고 더욱이 그는 코트를 벗어서 반 나신을 하고 있는데 이것은 죄수로서 역할을 하기에 훨씬 적합하게 보이도록 만든다. 다음과 같은 환영의 묘사는 그와 백인 간수와의 관계를 잘 시사하고 있다.

> (간수가 채찍을 휘두른다. 소리를 내지 않고—그 신호로 죄수들은 도로 공사를 시작한다. 곡괭이와 삽을 들어 일을 하지만 소리는 나지 않는다. 그들의 동작은 제3장에 있어서의 제프의 동작과 같이 자동적이다. 뻣뻣하고 느리고 기계적이다. 간수는 엄격한 표정으로 채찍으로 존스를 가리키며 삽을 든 죄수들과 같이 일을 하라고 명령한다. 존스는 최면술에 걸린 것처럼 멍하니 일어난다. 복종하며 중얼거린다.) 네, 나으리! 네, 네! 갑니다.

> (The Prison Guard cracks his whip—noiselessly—and at that signal all the convicts start to work on the road. They swing their picks, they shovel, but not a sound comes from their labor. Their movements, like those of JEFF in the preceding scene, are those of automatons—rigid, slow, and mechanical. The PRISON GUARD points sternly at JONES with his whip, motions him to take his place among the other shovelers. JONES gets to his feet in a hypnotized stupor. He mumbles subserviently). Yes, such! Yes, such! I'se comin'. (23)

1장에서 확인할 수 있는 존스의 황제로서의 자만과 오만과는 대조적으로 전적으로 간수에 복종하는 그를 보게 된다. 이 장면은 노예와 그들 주인 사이의 근본적인 갈등을 나타내고 있으며 백인과의 관계에서 흑인의 위치를 강조한다. 아이러니컬한 점은 그가 군림하는 황제로부터 굴종하는 죄수로 전락한 사실이다. 그는 백인 간수를 죽이려 하나 삽이 없자 권총을 빼들어 그의 세 번째 탄환을 발사한다. 4장에서 볼 수 있는 한 무리의 흑인들과 존스의 동작은 3장에서 제프의 경우처럼 기계적임을 알 수 있다. 존스는 강한 정신적 공포감을 느끼고 있으며 이제 더 이상의 자만심을 찾아 볼 수 없다.

5장에서 존스는 누더기로 화한 복장을 하고 있으며 그의 신체 상태는 원시적인 것으로의 전락, 즉 아프리카에서 막 운반된 노예와 유사한 복장이다. 경매인(Auctioneer)과 농장주(Planter)의 환영이 등장하고 그는 이들을 향해 두 발의 탄환을 발사한다.

> 다 뭣들야, 이 백인 놈들아. 무슨 지랄이야? 뭣 때문에 날 그렇게 보고 있느냐 말야? 날 어쩌자는 거냐? (갑자기 끓어오르는 증오와 공포로 몸을 떨며) 경매냐? 남북전쟁 이전 모양으로 나를 팔려는 거지? (경매인이 농장주의 한 사람에게 존스를 인도하려는 순간 권총을 꺼내 들고－경매인을 보다가 자기를 사려는 자를 노려보며) 네가 날 판다고? 네가 사고? 난 노예가 아냐. 자유로운 검둥이란 말야. 죽일 놈들! (그는 두 발이 동시에 발사될 것같이 생각될 만큼 재빠르게 경매인과 농장주를 쏜다. 그것이 신호인 것처럼 숲의 벽이 사방에서 모여든다. 어둠만이 남아 있고 조용해진다.)

> What you all doin,' white folks? What you doin' wid me, anyhow? (Suddenly convulsed with raging hatred and fear) Is dis a auction? Is you sellin' me like dey uster befo' de war? (Jerking out his revolver just as the AUCTIONEER knocks him down to one of the planters－glaring from him to the purchaser) And you sell me? And you buy me? I show you I'se a free nigger, damn yo'

souls! (He fires at the AUCTIONEER and at the PLANTER with such rapidity that the two shots are almost simultaneous. As if this were a signal the walls of the forest fold in.) (27)

4장에서는 존스가 백인 간수를 죽이는 것을 볼 수 있었는데 곧 이어 5장에서는 역으로 흑인 노예들이 백인 농장주에게 팔리는 노예시장이 이어진다. 이 같은 서로 다른 사건의 병렬을 통해 살인이라는 것이 노예시장과 관련되어 있음을 암시하고 있으며 인간정신의 명확한 반전을 나타내고 있다. 6장에서 큰 숲은 존스를 향하여 닫히고 있으며 이러한 사실은 활동공간이 더 작아지고 있는 것으로 명확해진다. 그리고 이것은 그의 주변의 삶을 제한하고 폐쇄하는 것을 나타낸다.

숲속의 공지. 나뭇가지가 그 위에 덮여서 지상에서 5피트 가량의 높이에서 나지막한 천정같이 되어 있다. 덩굴이 얽혀서 위로 뻗치어 나무줄기에 감겨 있는 모양이 옆에서 보면 아치같이 보인다. 이와 같이 에워싸인 공지는 옛날 노예선 가운데 있는 어둡고 악취에 찬 선실 같다. 달빛은 거의 막혀 있고 희미한 빛이 겨우 나뭇잎 사이로 새어든다.

A CLEARED space in the forest. The limbs of the trees meet over it forming a low ceiling about five feet from the ground. The interlocked ropes of creepers reaching upward to entwine the tree trunks give an arched appearance to the sides. The apace thus enclosed is like the dark, noisome hold of some ancient vessel. The moonlight is almost completely shut out and only a vague wan light filters through. (28)

존스의 회귀의 일면은 몹시 찢어져 겨우 엉덩이만 가릴 정도의 바지만을 입고 있을 뿐이라는 사실에 의해서 나타나고 있다. 이것은 마치 6장에서 다른 흑인들이 입고 있는 것과 동일한 유형의 옷이다. 그는 최초로 그를 원시 흑인과 동일시하기 시작한다. 그는 현실을 알고 있다. 그는 선택의 가능성을 상실한 채 환상과 현실 사이에서 완전히 현혹되고 있다.

7장에 이르러서 무대의 실제적 활동공간은 굉장히 줄어들었고 이것은 세상에 대한 존스의 보다 제한되고 원시적인 관점을 나타낸다. 그는 마치 몽유병 환자처럼 이상스럽게 천천히 걷고 있다. 그는 전적으로 자제력을 상실했고, 밤새도록 그에 대항해서 작용해 온 야릇한 공포의 힘에 의한 희생물이 되고 있다. 7장은 아프리카 정글을 두드러지게 나타내고 있으며 그의 각성된 의식은 그로 하여금 곧바로 아프리카 조상과 제휴하도록 한다. 이 장에서는 콩고 마법사와 악어신의 환영이 출현하는데 이것은 그를 궁극적 회귀로 이끄는 원시 미신이 되고 있다.

> (마법사는 강둑으로 뛰어오른다. 두 팔을 뻗어 강 속에 있는 신을 부른다. 그리고는 천천히 뒤로 물러난다. 커다란 악어 머리가 둑 위로 나타나고 푸르게 빛나는 눈이 존스를 응시한다. 존스는 매혹된 것처럼 악어의 눈을 들여다본다. 마법사는 버젓이 그에게 다가가서 요술지팡이를 그의 몸에 대어 그를 기다리고 있는 괴물에게 가라고 거칠게 명령한다. 존스는 배를 깔고 엎드린 채 계속 신음하며 가까이 간다.) 주님, 자비를 베푸소서! 자비를!

> (The WITCH-DOCTOR springs to the river bank. He stretches out his arms and calls to some God within its depths. Then he starts backward slowly, his arms remaining out. A huge head of a crocodile appears over the bank and its eyes, glittering greenly, fasten upon JONES. He stares into them fascinatedly. The WITCH-DOCTOR prances up to him, touches him with his wand, motions with hideous with hideous command toward the waiting monster. JONES squirms on his belly nearer and nearer, moaning continually). Mercy, Lawd! Mercy! (31-32)

이 마법사의 환영을 죽이기 위해서 존스는 미신적인 원주민들을 겁주기 위해서 만들었고 그리하여 그를 보호해왔던 은 탄환을 사용하지 않으면 안

된다. 결과적으로 그의 미신에 대한 역설적 의존은 내향적이 되고 결국 그를 파괴한다. 그가 죽인 악어신은 그의 본성과 또는 모든 인류의 악의 상징으로 볼 수 있다. 또한 그의 가장 깊숙한 곳에 자리한 자아의 상징으로 악어신의 죽음은 곧 그의 죽음과 동일시된다. 마법사가 사라질 때 존스는 제물의 역할을 하고 있는 자신을 깨닫게 된다. 이것은 이중의 아이러니라고 할 수 있다. 그 첫째 이유는 그가 원주민들을 그의 제물로 사용했기 때문이고, 둘째 이유는 그가 지금에 와서는 가장 원시적인 의식 즉 어떤 미지의 신에게 인간을 희생시키는 의식과 관련지어서 그 자신을 깨닫고 있기 때문이다.

8장의 시간은 새벽이고, 장소는 2장과 동일하다. 북소리는 바로 그 자리에서 치는 것처럼 크게 계속적으로 주위를 진동시키고, 숲 속에서 몇 발의 총성이 나고, 야단스럽게 좋아서 날뛰는 함성이 들린 후 갑자기 멈춘다. 북소리는 존스에게 명백히 영향력을 과시했는데 그 이유는 그가 들어갔던 숲 속의 바로 정확한 그 지점에서 그는 죽었기 때문이다. 또한 이 북소리는 그로 하여금 혼동을 일으키게 하고 스스로 함정에 빠지게 함으로써 미신적 의무를 이행했다. 8장은 아이러니컬한 형태로 끝을 맺는다. 존스는 원주민들에게 그는 납이 아닌 은 탄환만이 그를 죽일 수 있다고 주지시켰다. 원주민들은 밤새 그를 추적한 것이 아니라 은 탄환을 만드느라고 분주했던 것이다. 그는 원주민들에게 미신적 두려움을 부여했고, 원주민들은 그를 죽이는데 그 미신을 실행에 옮겼던 것이다.

제4장

사랑과 죽음과 구원

『리어왕』, 『얼음장수 오다』

유럽의 예술적 도덕적 판박이의 굴레를 벗어나지 못하고 있던 미국 드라마를 독자적인, 나아가 세계적인 드라마로 이끈 유진 오닐(Eugene O'Neill 1888~1953)은 그의 예술세계로의 몰입과정에서 니체(Nietzsche), 스트린드베리(Strindberg), 입센(Ibsen), 그리고 셰익스피어(Shakespeare)에 의해 많은 도움을 받았다. 그 중에서 특히 셰익스피어는 그의 창작에 있어서 가족의 한 구성원이었고 동료였다. 유명한 배우였던 그의 아버지 제임스 오닐(James O'Neill)은 "항상, 심지어 화장실에서조차도 셰익스피어 희곡을 인용했을 정도"(Sheaffer 114)였다. 셰익스피어의 희곡들은 오닐이 그의 아버지 서재의 책들 중에서 열광적으로 탐닉하던 일부였다. 또한 그는 프린스톤(Princeton) 시절에 셰익스피어의 희곡들을 공부했고 아버지와의 내기는 그로 하여금 맥베스(Macbeth)의 모든 대사를 암기하도록 이끌었다. 그는 1920년 한 인터뷰에서 "셰익스피어의 희곡들을 말로 다할 수 없는 흥미와 기쁨을 가지고 탐독했다"(Sheaffer 114 재인용)고 말했다. 셰익스피어는 그에게 신과 같은 존재였고 그는 『햄릿』을 포함하여 셰익스피어 공연들을 관람하였다. 간단히 말해서 셰익스피어는 오닐 가족의 일상생활 그리고 오닐의 성장과 교육에 단단히 묶여있었다. 오닐은 그의 생에서 발생했던 것은 무엇이든지 강하게 자기화했고 셰익스피어는 그 발생했던 것의 중요한 일부였다.

이러한 사실이 가장 잘 드러나고 있는 대표적인 예로 셰익스피어의 『햄릿』과 오닐의 『밤으로의 긴 여로』(*Long Day's Journey into Night*), 『잘못 태어난 자를 비추는 달』(*A Moon for the Misbegotten*)을 들 수 있는데 "과거가 현재를 통제하고 있음"의 내용이 세 극 사이의 강한 주제적 고리가 되고 있다. 오닐은 특히 『밤으로의 긴 여로』와 『잘못 태어난 자를 비추는 달』이라는 그의 마지막 두 자서전적 작품에서 셰익스피어의 『햄릿』을 알고 있음으로 인해 작용되는 심적 압박을 피할 수 없었다. 셰익스피어 작품은 오닐에게 그의 개인적 상황의 실체에 대한 보다 진한 조망을 제공했고 오닐의 과거의 유령들을 다루고 있는 『밤으로의 긴 여로』와 『잘못 태어난 자를 비추는 달』은 그 자체가 과거의 유령들을 다루고 있는 셰익스피어의 『햄릿』의 그림자 속에서 빚어진 극이라고 할 수 있다. 또한 셰익스피어의 『맥베스』와 오닐의 『존스 황제』에서 '공포'(fear)가 그 핵심 주제가 되고 있는데 두 작가 모두 공포를 야기하거나 그 결과로 나타나는 내용으로 첫째, 인간 또는 개인의 내재적 공포, 다가올 미래에 대한 예언, 그리고 과거 사건의 재연을 나타내는 환영(幻影) 둘째, 어둠과 빛의 대조를 이루는 명암의 이미지 셋째, 음향효과 특히 배우와 관객을 하나로 연결시키는 괄목할 극적 기법이 되고 있는 『맥베스』의 노크소리와 『존스 황제』의 북소리를 그 공통된 내용과 기법으로 사용하고 있으며 맥베스가 마녀들의 예언을 신뢰하고 실천함으로써 왕이 되지만 그 예언으로 인해 죽음을 맞듯이 존스 역시 은 탄환 미신으로 황제로서 군림하지만 그 은 탄환에 의해 죽음에 도달하게 됨으로써 두 주인공 모두 비극적 아이러니의 희생물이 된다.

셰익스피어의 『리어왕』(*King Lear* 1605-06)과 오닐의 『얼음장수 오다』(*The Iceman Cometh* 1939)는 위의 예들처럼 외형적으로 시대와 언어의 선택과 표현에 있어서 차이가 있다. 그러나 이 두 작품은 사랑과 구원과 죽음이라는 주제를 이루고 있는 내용 면에서 많은 공통점을 내포하고 있으며 이 두 작품에 공통적으로 표출되고 있는 핵심 주제는 부녀, 부부, 모자 사이의 사랑과 구원과 죽음이 되고 있다.

제1절 부녀, 부부, 모자 사이의 사랑과 죽음

오닐은 그의 후기 대표작 중의 하나인 『얼음장수 오다』(*The Iceman Cometh*)에서, 셰익스피어의 『리어왕』(*King Lear*)에 나오는 사랑의 신랑(the bridegroom of love)을 죽음의 얼음장수(the iceman of death)로 표현하고 있다.

> 래리: 로키, 술 줘. 목말라 죽어도 힉키(Hickey) 술은 안 마시려고 했지만, 마음을 바꿨어! 받을 거 받는 거야. 난 이제 세상일에 관여 안 해. 날 꼬드기려고 얼음장수가 저승사자로 와도! (깜짝 놀라 말을 멈추고, 그의 얼굴에는 미신적 경외가 나타난다) 어떻게 그런 말을! (냉소를 터뜨리며) 맙소사, 꼭 들어맞아. 저승사자가 바로, 히키가 제 집에 불러들인 얼음장수잖아!

> Larry: Set 'em up, Rocky. I swore I'd have no more drinks on Hickey, if I died of drought, but I've changed my mind! Be God, he owes it to me, and I'd get blind to the world nowif it was the Iceman of Death himself treating! (He stops startledly, a superstitious awe coming into his face) What made me say that, I wonder. (With a sardonic laugh) Well, be God, it fits, for Death was the Iceman Hickey called to his home! (715)

이때 오닐은 셰익스피어가 인간의 심리학에서 보았던 것과 똑같은 비꼬는 투의 역설로 재담(才談)을 부리고 있다. '의식이 없어짐'(little death)의 '도래'(coming), 즉 사랑의 절정에서 '죽어감'(dying)에서 그는 위대한 극작가 셰익스피어를 괴롭혔던 것과 똑같은 수수께끼에 의해 당황해 했다. 술집의 농담에서 아직은 '도래'하지 않았지만 '강하게 숨 쉬고 있는'(breathin' hard) 얼음장수는 '용감하게 죽으려고 하는'(die bravely) 신랑, 즉 리어왕(King Lear)이다.

리어: . . . 나는 용감하게 죽을 테다, 차림새 말쑥한 새신랑처럼. 뭣이! 마음을 유쾌하게 가질 테다. 자, 자, 나는 국왕, 군주이다. 그대는 그것을 아는가?
신사: 전하께선 군주, 저희는 전하의 명에 따를 것이옵니다.
리어: 그렇다면 아직 희망이 있다. 자, 그렇다면 어디 잡아 봐라. 달음질을 해야 잡을 게다. 사, 사, 사, 사. [뛰어서 퇴장. 시종들이 그 뒤를 따라간다.]

Lear: . . . I will die bravely.
Like a smug bridegroom. What! I will be jovial:
Come, come; I am a king, masters, know you that?
Gent: You are a royal one, and we obey you.
Lear: Then there's life in't. Come and you get it, you shall get it by running.
Sa, sa, sa, sa. [*Exit running. Attendants follow.*] (IV. vi. 195-200)

사랑과 죽음의 주제는 셰익스피어에 의해서 시작되거나 오닐에 의해서 완결된 것이 아니라 서구 세계에서 치명적인 활과 화살을 가진 큐피드(Cupid)의 은유 속에서 여러 시기를 걸쳐 지속되었다. 『리어왕』에 대한 프로이트(Freud)의 분석 이래로, 커딜리어(Cordelia)에 대한 노왕의 사랑은 부정(父情)이 어떠해야만 하는가를 능가하고 부녀간의 말이 부녀간의 말보다는 연인에 대한 신랑의 말에 보다 가깝다는 사실이 인식되어 왔다(Donnelly 149-155, Pauncz 57-58, Lesser 155-171). 그러나 이 극의 구조와 주제에서 리어의 "신랑"(IV.vi.195) 대사가 얼마나 중요한가가 지적되지 않았다. 4막의 끝 무렵, 군대를 이끌고 프랑스로부터 도착한 커딜리어의 시종(Cordelia's Gentleman)이 정신이 혼란한 왕을 커딜리어에게 데려가기 위해 도버(Dover) 근처 벌판에 도착했을 때, 그녀와 의절함으로써 그녀에게 잘못을 저질렀다는 것을 아는 리어는 그녀가 그를 체포하거나 죽이러 왔다고 두려워한다. 이 대사는 리어의 죄의식과 동시에 사랑의 감정을 드러내는데, 왜냐하면 반어적으로 그는 의식적인 측면에서 그가 죽음으로 처벌될 것을 두려워하고, 반면에 잠재적으로는 그가 죽기를 원하는 것은 다름 아닌 바로 커딜리어의 신랑으로서라는 사실을 감지하기 때문이다. 그러므로 오닐이 의도했던 '이중의 죽음'과 같은 유형의 의미가 리어의 대사에 존재한다. 리어의 신랑 대사는 그가 제정신으로 돌아오기 시작했다는 것을 나타내며, 그가 그의 잘못에 대한 자기 인식과 사랑은 빠져나갈 수 없게 죽음과 결부되어 있다는 고뇌에 찬 이해에 이른다는 점에서 그 절정의 중요성을 갖는다. 이와 마찬가지로 『얼음장수 오다』에서 철물 세일즈맨 힉키도 얼음장수로서의 신랑과 사랑의 종말로서의 죽음의 인식을 경험한다.

커딜리어의 시종이 도착하는 장면에서 정의, 부, 죄, 그리고 나쁜 여성과의 성관계 같은 문제들에 대해 봉사 글로스터(Gloucester) 백작에게 광적으로 설교 중이었던 리어는 그의 왕권을 주장하고 우리가 그의 재치 있는 어릿광대(Fool)로부터 예상할 수 있는 "죽는다"라는 단어를 처음으로 말장난하면서 '잡을 수 있으면 날 잡아라' 게임에서처럼 가장 왕답지 않은 예절로 달아난다. 왕권으로부터 파렴치로의 전환은 신랑의 유쾌함과 그의 절박한 죽음, 즉 "죽음 속의 희망"(life in't)과 무익한 싸움 사이의 역설을 강화한다. 리어의 대사와 행동이 단지 가장 고통스런 광경만을 설명한다고 추정하는 것은 커딜리어를 향한 그의 욕망의 자기인식을 위한 의미를 놓치는 것이다. 셰익스피어의 편집자들은 대체로 "말쑥한"(smug)은 '깔끔한'(spruce) 또는 '아주 깔끔한'(spic and span)을 의미하고, "용감하게"(bravely)는 '멋진 복장으로'(in fine attire)를 의미하며 셰익스피어가 '말쑥한 새신랑'(a dapper young bridegroom)처럼 교수대로 갔던 그레이 경(Lord Grey)을 생각하고 있던 중이었을지도 모른다고 지적하는 것을 제외하고는 신랑 대사의 주석을 피했다. 실제로 리어를 '환상적으로'(fantastically) 장식한 꽃들이 신랑의 이미지를 암시할지도 모르지만 몇몇 현대 편집자들이 지적하듯이 "죽는다"의 성적 함축은 역시 피할 수 없다. 그리고 비록 셰익스피어에게 "말쑥한"(smug)이 '꾸민' (adorned)을 의미했을지라도 지나치게 자아도취적이고 자신감이 강한 "말쑥한"의 함축은 "죽는다"에 대한 성적 또는 문자그대로의 의미가 내포된 것으로 여겨진다. 그리고 폴스태프(Falstaff)의 사랑하기와 싸우기에 대한 혼합된 은유인 "용감하게 봉사하는 것은 망설임을 버리는 것"(to serve bravely is to come halting off) (*Henry IV*, II. iv. 50)에서 셰익스피어는 다시 "용감하게"(bravely)를 그 영웅적 연인-공격자(lover-attacker)가 죽음에 의하지는 않을지라도, 질병 또는 부상에 의해 패배당하리라는 것을 암시하는데 사용한다. 그러나 리어의 대사에는 자랑스럽게 축제 행사를 꾸몄던 비극적 주인공이 곧 죽음을 직면하게 된다는 심오한 아이러니가 있다. 오닐의 경우, 사랑의 장점인 사랑이 증오를 초래하고 죽음은 인간에게 그 끔직한 진실을 감추기 위해 술과 몽상들만을 남긴다는 아이러니가 있다. 르네상스기에 인간은 그를 몰락에 이르게 하는 그러한 역설에 직면했다. 작금의 불신의 시대에 인간은 단지 자신으로부터 그 역설을 숨길 수 있다.

『리어왕』의 "숨겨진 의미는 딸의 사랑에 대한 억제된 근친상간의 요구"(Jones, *The Life and Work of Sigmund Freud* 457-458 재인용)라고 썼던 프로이트는 그보다 20년 전에 '3개의 장식함의 주제'(The Theme of the Three Caskets)에서 신랑 대사를 대단하게 조명하는 방식으로 그 극의 신비적 토대를 설명했다. 세 명의 여자 중에서 그 적임자를 선택하는 동화와 전설의 많은 예들을 인용해 프로이트는 『베니스의 상인』(*The Merchant of Venice*)에서 바사니오(Bassanio)가 "그대 창백함이 웅변보다 더 내 마음을 움직이는구나"(thy paleness moves me more than eloquence III. ii. 106)라고 말한 납 장식함은 『리어왕』에서 "사랑할 뿐, 그것을 입 밖에 내지는 말아야지"(Love, and be silent. I. i. 61)라고 말하는 커딜리어와 일치한다고 지적한다. 그리고 그는 거너릴(Goneril), 리간

(Regan), 커딜리어 세 자매들을 세 운명들과 동일시하면서 "정신분석적으로 볼 때 꿈속에서 무언은 흔한 죽음의 묘사를 말해주고 있다"(Jones, *The Life and Work of Sigmund Freud* 457-458 재인용)고 기록한다. 그러므로 그는 커딜리어를 신랑 대사에 의해서 탄생한 해석인 죽음의 여신과 일치시키고 있다.

침묵을 통한 그녀의 죽음과의 관계에 덧붙여, 셰익스피어는 커딜리어가 어머니와 아내의 두 가지 역할들, 그리고 마침내는 또한 그의 파괴자의 역할을 함으로써 리어의 감성을 채우도록 만든다. 리어의 상황에 대해 '유머러스한' 견해를 통찰력 있게 제공하는 어릿광대가 리어에게 "왜냐하면 당신은 그들에게 회초리를 쥐어주고 바지를 내렸을 때부터 당신은 딸들을 어머니로 삼게 되었습니다"(thou mad'st thy daughters thy mothers; for when thou gav'st them the rod and putt'st down thine own breeches I. iv. 168-170)라고 그의 첫째와 둘째 딸에 관하여 말하는 것과, 마찬가지로 거너릴이 리어에 대해서 "늙어서 망령이 들면 다시 어린애가 된다니까. 늙은이가 망령을 부리면 그냥 구슬리기만 할 것이 아니라 나무라기도 해야 되거든"(Old fools are babes again, and must be us'd/ With checks as flatteries, when they are seen abus'd. I. iv. 20-21)라는 주장은 주시할 가치가 있다. 그리고 리어는 그 시기의 의학적 전문용어로 자신을 표현하면서 그의 온전한 정신 상태를 지키려고 애를 쓴다.

> 아! 이 가슴에서 울화가 치밀어 올라오는구나. 울화덩어리야! 내려가거라, 치밀어 올라오는 슬픔아!
>
> O, how this mother swells up toward my heart;
> *Hysterica passio!* down, thou climbing sorrow! (II. iv. 54-55)

이 대사는 히스테리의 근원이 자궁으로 생각되었을 뿐만 아니라 리어는 그 자신이 그의 어머니-딸을 향한 사랑(love for his mother-daughter)에 의해 위협받는다고 느낀다는 사실을 말해준다. "그의 어머니로부터 처음 여자의 사랑을 받았듯이 늙은이가 그것을 동경하는 것은 부질없다. 제3의 운명신, 침묵하는 죽음의 여신만이 그를 그녀의 팔에 안겨줄 것이다"(Jones, Complete *Psychological Works* 301 재인용)라고 프로이트가 논리적으로 결론지은 것을 셰익스피어가 극을 통해 묘사하고 있다. 커딜리어는 이 침묵하는 여신의 역할을 하는데 그녀가 프랑스로부터 돌아올 때 리어는 처음에 그녀의 호출에 저항한다. 왜냐하면 리어의 충신 켄트(Kent) 백작이 설명하듯이 리어는 커딜리어를 만나고 싶지 않기 때문이다.

한사코 당신의 따님만은 만나보시려고 하시지를 않사옵니다.

by no means/ Will yield to see his daughter. (IV. iii. 40-41)

그러나 숙고 중인 중요한 장면에서 그는 그의 운명을 인식하고 그것을 정면으로 대응하기 위해 나아간다. 이것은 『얼음장수 오다』의 이차적 플롯이 되고 있는 돈 패릿(Don Parritt)의 자살과 유사한데 그 이유는 그의 자살이 그가 지나치게 사랑하는 어머니에 대한 배신으로 인해 죽음이 그의 운명임이 틀림없다는 사실에 대한 각성의 결과이기 때문이다.

리어가 잠을 회복한 후 커딜리어의 보살핌 속에 깨어나 등장할 때 그는 그녀를 알지 못한다. 그러나 "신랑" 대사와 일치하게, 그는 "나는 아노라, 그대가 망령이란 것을. 그대는 언제 죽었는가?"(You are a spirit, I know; when did you die? IV. vii. 49)라는 태도를 취한다. 제정신이 들면서 "나를 무덤 속에서 끄집어내다니, 그대는 나에게 몹쓸 짓을 하고 있다"(You do me wrong to take me out o' th' grave. IV. vii. 45)라고 항의한다. 그는 그가 프랑스에 있고 강박관념에 시달리고 있다고 생각하면서 그의 딸이 그를 독살하기를 원한다고 상상하고 기꺼이 그의 종말을 수용한다. 프로이트에 따르면, 그의 욕망은 커딜리어에 대한 그의 별칭인 이 "축복받은 영혼"(a soul in bliss IV. vii. 46)과의 죽음과도 같은 결혼이지만 대신 그는 "불 바퀴"(a wheel of fire IV. vii. 47)인 세속적인 지옥에 매여 있다. 극작법 상으로 그의 커딜리어와의 재결합은 그와 그녀가 실제로 죽음과 연결되어 있고 켄트 백작의 표현인 "이 거친 세상의 고문대에서"(upon the rack of this tough world V. iii. 313) 그가 더 이상 뻗고 눕지 못하게 될 때, 불가피한 종말의 예보가 뒤따른다. 결국에는 죽은 딸을 나르는 리어의 모습과, 또한 문지방을 가로질러 그의 신부를 나르는 새신랑의 모습을 볼 수 있는데 신랑 대사에는 이러한 두 이미지가 내포되어 있다.

오닐 또한 여성을 남성의 파괴자로 본다. 병들고 술에 취한 힉키는 이블린(Evelyn)이 "밸뷰의 알콜 중독자 수용소의 쓰레기처럼 내던져진 어떤 것, 죽어야 하는데 죽지 않은 어떤 것"(something they threw out of the D. T. ward in Bellevue along with the garbage, something that ought be dead and isn't! 745)처럼 방해가 된다고 말한다. 그는 그의 사랑 얘기를 계속하면서 그녀에게 평화를 주기 위해서 그녀를 살해했기 때문에 그 자신이 평화를 필요했던 사람이었다는 것을 발견한다. 그는 "그녀 때문에 나는 죄책감에 시달리는 개차반이 됐어. 그 고통이 상상이 가!"(Christ, can you imagine what a guilty skunk she made me feel! 745)라고 소리친다. 그는 "그녀가 얼음장수와 함께 침대에 누워 있었던 것에 대하여"(about her being in the hay with the iceman 745) 그녀를 놀림으로써 그녀와의 불가분한 유대로부터 자유로울 수 있었기 때문에 둘 사이의 성교가 사실이기를 희망한다. 힉키가 "내가 깨달은 것은 날 증오하게 만든 그녀를 증오한다는 거였어. . . . 아내의 키스도 고의적인 것 같았어. 날 모욕하려고 얼굴에 침을 뱉는 것처럼 말이야!"(I even caught myself hating her for making me hate myself so much. . . . I got so sometimes when she'd kiss me it was like she did it on purpose to humiliate me, as if she'd spit in my face! 746)라고 설명하는데 이것은 그의 그녀에 대한 사랑이 증오로 바뀌었음을 의미한다. 이블린의 힉키에 대한 진정한 사랑 추구는 커딜리어가 리어에게 그랬던 것처럼 힉키를 타래타래 감았다. 『리어왕』의 첫 장면에서 커딜리어가 아버지 리어에게 다음과 같이 말한다.

> 혹 소녀가 결혼하게 되면 소녀가 결혼서약을 한 낭군께서는 소녀의 사랑의 반을, 그리고 걱정과 의무의 반을 가져갈 것이옵니다. 소녀는 아바마마만을 전적으로 사랑할 생각이라면 결코 언니들처럼 결혼을 하지 않을 것이옵니다.
>
> Happily, when I shall wed,/ That lord whose hand must take my plight shall carry/ Half my love with him, half my care and duty:/ Sure I shall never marry like my sisters,/ To love my father all. (I. i. 99-102)

이러한 그녀의 대답은 노왕 리어를 분노하게 한다. 힉키처럼 리어는 가장 심오한 죄를 저지름이 없이는 소유할 수 없는 가장 사랑하는 여인으로부터 달아나야 하며 그래서 그의 시야와 왕국으로부터 커딜리어를 내쫓는다.

『얼음장수 오다』에서 해리 호프 주점(Harry Hope's Saloon)에 군거하는 몽상가들은 활짝 웃고 있는 해골의 모습이다. 해리 호프의 생일 파티는 리어의 왕국 분리가 그와 사랑하는 커딜리어에게 죽음을 안겨준 것처럼 경야(經夜: 사람을 장사지내기 전에 가까운 친척이나 친구들이 관 옆에서 밤을 새워 지키는 일)에 다름 아니다. 그리고 히키가 "문제의 빌미는 처음부터 있었어. 난 유혹을 어떻게 다루는지 못 배웠거든"(Well, it's all there, at the start, everything that happened afterwards. 743)이라고 슬픈 어조로 자신의 삶에 대하여 하는 말은 리어에게 잘 적용될 수 있다. 힉키가 오직 그만을 간직한 이블린을 사랑하는 데 헌신하는 것처럼 리어도 아버지의 애정의 범주를 너머서 커딜리어를 사랑하는 데 헌신하며, 그리고 사랑은 그들 둘을 파괴했다.

힉키는 그의 긴 고백의 절정에서 그가 총애하는 이블린에게 욕을 했다고 갑자기 폭로하면서 그가 그녀에게 늘 하고자 했던 말이 "자, 네 몽상이 어떤 것인지 이제 알겠니, 이 망할 년아!"(Well, you know what you can do with your pipe dream now, you damned bitch! 747)였다고 이야기하는데 이것은 리어가 딸 커딜리어에게 느끼는 인식으로 연결되고 있는 바, 그가 사랑을 갈망했던 만큼 사랑은 그의 파멸이 되었다. 리어처럼 힉키도 죽음을 기꺼이 받아들이는데 이것은 힉키의 "내가 지금 목숨에 연연하는 줄 알아? 나는 헛된 희망이나 몽상이 없어!"(Do you suppose I give a damn about life now? . . . I haven't got a single damned lying hope or pipe dream left! 750)라는 대사를 통해 확인할 수 있다. 그는 또한 리어 겪은 "이 거친 세상"과, 한때 신디칼리즘 신봉자-무정부주의자(Syndicalist-Anarchist)였던 래리(Larry)가 고통과 연민에 찬 눈으로 자기 자신에게 큰 소리로 속삭이는 힉키를 위한 소원인 "고뇌하는 영혼, 전기의자에서 평온을 찾겠지!"(May the Chair bring him peace at last, the poor tortured bastard! 750) 속에서 고통에 시달렸는데 이 힉키를 위한 래리의 소원은 바로 리어를 위한 켄트 백작의 소원이 되고 있는 바, 그 이유는 리어가 죽은 그의 사랑하는 커딜리어를 그의 팔에 안고 있기 때문이다. 마지막 장면에서 리어가 그의 팔에 죽은 커딜리어를 안고 신랑처럼 들어올 때 그는 죽음의 문턱을 넘어 바로 그녀를 뒤따른다.

이 애를 좀 봐라, 봐, 이 애 입술을

Look on her, look, her lips (V. iii. 308-309)

그렇게 그는 그의 사랑을 교수형에 처했던 그 노예를 살해한 후 용감하게 죽는다. 거의 신같이 그는 자랑한다.

내게도 끝이 굽은 칼로 그런 놈들을 줄행랑을 치게 할 수 있었던 때가 있었느니라.

I have seen the day, with my good biting falchion/ I would have made them skip: (V. iii. 275-276)

지금 그는 커딜리어와 함께 할 준비가 되어 있다. "제발 이 단추를 좀 벗겨다오"(Pray you, undo this button: V. iii. 307)라는 요구와 함께 그는 신성한 죽음의 결혼 속으로 그녀와 더불어 들어간다.

한편 『얼음장수 오다』의 중요한 이차적인 플롯에서 패릿은 그의 어머니인 무정부주의자 로사(Rosa)의 정보를 경찰에 넘기는데 그 이유는 그녀가 함께 했던 연인들에 대한 시기어린 증오와 그녀가 그를 무정부주의 명분에 묶었으며 또한 시종 그녀 스스로 성적 자유를 지지했기 때문이다. 그는 그의 어머니가 창녀라는 말에 몸을 떨면서 그녀가 그녀 자신을 팔면서 생계를 유지할 필요가 없었기 때문에 그녀는 가장 나쁜 사람에 해당한다고 주장한다.

톤크비스트(Egil Tornqvist)는 패릿의 어머니인 로사와 힉키의 아내인 이블린에 대하여 "전자는 정치적으로, 후자는 종교적으로 인간의 궁극적인 선과 고상함에 대한 낙천적 신념을 공유하는 개혁자"(226)라고 말함으로써 그들의 역할이 세상을 정화하는 데 있음을 주장한다. 로사는 아들 패릿의 사랑은 거절하면서도 그를 소유하려고 고집하는 독립적이고 강렬한 여성이다. 패릿은 그녀가 급진운동을 강요하고 성숙한 판단의 자유를 허용하지 않는다고 주장한다. 그는 그녀가 어머니로서 존재하기를 원하며 자유로운 사랑이라는 명분으로 연인들을 과시하는 것을 분개한다. 그녀의 연인이었던 래리도 이러한 이유로 그녀를 노염 속에 빠뜨려 영적인 죽음에 이르게 한다. 패릿과 래리는 그들의 사랑에 대한 그녀의 거절로부터 해방되기 위해서 그녀를 배신한다. 그녀를 사랑하는 일은 그녀의 야망에 대한 완전한 굴복이며 그 대가로 어떠한 이유도 거절되기 때문에 그들의 배신은 방어적 행위다. 엥겔(Edwin Engel)은 "이블린을 과다한 사랑으로, 로사를 부족한 사랑으로 비교"

(286)하고 있다. 두 여성은 무대에 실제 등장하지는 않지만 남성들의 환상 속에 존재하여 항상 이들을 지배하고 이들에게 파괴적 힘으로 작용한다.

어머니를 배신한 죄책감으로 패릿은 자살을 결심한다. 그는 힉키와는 달리 구원이나 희망에 대한 아무런 환상도 가지고 있지 않다. 그는 어머니 로사에 대한 죄의식 때문에 "죽음에 사로잡힌 주인공"(Engel 286)으로 화하게 된다. 그는 죽음만이 어머니에 대한 죄의식으로부터 해방되는 유일한 길임을 자각한다. 힉키처럼, 그는 확신의 부재로 인해 현실을 직시하지 못하고 "모순된 세상에서 인식의 어려움을 통감한다"(Floyd ed. 267-268)는 리취(Dennis Rich)의 견해는 이를 뒷받침한다. 죽음만이 어머니에게 지은 죄로부터 해방될 수 있는 길임을 잘 알고 죄의 대가로서 죽음을 기꺼이 수용한다.

선하든 또는 악하든 간에 『얼음장수 오다』의 모든 여자들은 얼음장수와 바람을 피운 혐의를 받는다. 이 극에서 명백히 어떠한 행복한 정사도 없다. 상품으로서의 사랑이 이익을 위해서 팔린다. 남자들이 공상에 잠기는 이상적인 정사는 모두 술을 통한 느린 죽음, 또는 탄환, 감옥, 의자를 통한 빠른 죽음과 같이 죽음을 초래한다. 이 극에서 해리 호프의 불가능 주점(No Chance Saloon 631)의 사람들은 불가피하리만큼 저항할 수 없는 유혹자와 파괴자로서의 여자의 딜레마에 사로잡혀 있다. 그들은 비록 여자들에게 굴복하는 것이 죽음을 의미할지라도 여자의 성적 매력에 저항할 수 없다. 이 극에서 여성 등장인물들은 세 명의 매춘부들뿐인데 그들은 그들이 비록 행실이 단정치 못한 여자들일지라도 창녀는 아니라는 환상 하에서 산다. 바텐더인 로키(Rocky)와 척(Chuck)은 비록 그들이 그 여자들의 돈을 앗아갈지라도 그들이 바텐더이지 포주는 아니기 때문에 이러한 몽상을 수용한다. 그리고 호프(Hope)와 베시(Bessie), 지미(Jimmy)와 마조리(Marjorie), 래리와 로사, 그리고 힉키와 이블린 사이의 정사는 모두 재앙으로 끝난다.

제2절 기독교적 구원과 죽음

셰익스피어의 『리어왕』의 주제, 전체적 플롯, 언어의 사용, 역설 등이 기독교와 밀접한 관계를 가지고 있어 기독교적 알레고리로 해석된다. 죄를 범한 리어왕이 비참한 고통 속에서 인생에 눈을 뜨고 딸에 의해 새 희망을 갖는 과정은 바로 기독교의 구원의 패턴과 같다. 또한 『리어왕』이 "이교 세계에 대한 기독교 극이다"(Muir ed. 1)이라는 맥스웰(J. C. Maxwell)의 지적처럼 이 극은 수많은 기독교적 내용을 담고 있다. 그 중 의미가 크고 대표적인 예로 에덴동산과 같은 배경을 가진 리어의 영토 묘사(I. i. 63-64), 아담의 원죄에 대한 리어의 인식(II. iv. 219-223), 글로스터 백작 가문의 서자 동생 에드먼드(Edumund)와 형 에드거(Edgar) 사이의 음모와 살해, 그리고 리어 가문의 언니 거너릴(Goneril)의 동생 리건(Regan)의 독살과 같은 카인(Cain) 형제의 살해 모습, 노아(Noah)의 대홍수와 같은 한 길 반의 폭우 묘사(III. iv. 37), 아버지(리어와 글로스터)와 자식(커딜리어와 에드거)의 역할이 전도된 탕아의 우화 묘사, 그리고 최후의 심판과 같은 공적에 따른 보상과 죄과에 따른 처벌(V. iii. 301-303)의 묘사를 들 수 있는데, 다른 무엇보다 큰 비중을 차지하는 기독교적 내용은 그리스도의 상징이 되고 있는 커딜리어를 통한 기독교적 구원이라고 할 수 있다.

가난과 배척과 멸시 속에서 풍족함과 사랑이라는 역설의 주인공인 커딜리어는 그리스도와 같은 구원자의 이미지를 갖춘 인물로 묘사되고 있다.

> 어여쁘신 커딜리어 공주님, 가진 것은 없으시되 지극히 풍족하고, 버림받았으되 극히 귀하고, 멸시 당했으되 극진히 사랑받을 분!
>
> Fairest Cordelia, that art most rich, being poor;
> Most choice, forsaken; and most lov'd, despis'd! (I. i. 249-250)

또한 그리스도가 "사랑의 아들"이 되는 것처럼 커딜리어는 아버지 리어에 "사랑의 딸"이 되고 있다.

우리가 군대를 움직인 것은 어떤 허황된 야심 때문이 아니라,
사랑, 귀중한 사랑, 그리고 연로하신 아버님의 권리 때문이옵니다.

No blown ambition doth our arms incite,
But love, dear love, and our ag'd father's right. (IV.v. 27-28)

마치 그리스도가 십자가에 못 박혀 인류의 죄를 대속(代贖)하여 구원하듯이 커딜리어도 저주받은 사람들에게 참된 인간본성을 회복시켜주는 구원자의 모습을 하고 있다.

당신에겐 따님이 한 분 더 계시니,
그분은 다른 두 따님으로 인해 뒤집어쓰게
된 만인의 저주로부터 천륜의 정을 구해주셨습니다.

Thou hast one daughter,
Who redeems nature from the general curse
Which twain have brought her to. (IV.vi. 202-204)

마지막 5막 3장에서 리어가 커딜리어로부터 사라진 것을 발견한 것은 다름 아닌 바로 운명의 호흡이요 사랑의 호흡이다. 생명의 호흡이 사라질 때 어느 누구도 다시 '오지' 못할 것이다. 그리스도는 천국의 사람들에게 그대들은 "장가가고 시집가는 일이 없으며, 다시 죽을 수도 없나니"(neither marry, nor are given in marriage: for neither can they die any more. Luke 20, 35-36)라고 말한다. 커딜리어가 그랬듯이 영혼이 달아나면 그녀가 환영할 수 있는 것은 단지 천상의 신랑뿐이다. 사후세계에서 리어는 커딜리어와 결합할 수

있다. 이러한 냉혹한 세계에서 그들은 신들에 의해서 '그들을 위한 재미'(for their sport)로 놀림을 당했지만 그들에게 부당하게 주어진 세계에서 리어는 무한한 사랑으로 커덜리어의 구원의 입술을 바라볼 수 있다. 육체적 그리고 정신적 시련을 통해서 리어는 이 세상에서 지나치게 큰 사랑은 죽음 자체를 초래하지만 구원의 아가페적 사랑이 커덜리어의 희생, 즉 그녀의 죽음 속에 존재한다는 사실을 알게 된다.

한편, 오닐이 『얼음장수 오다』를 쓸 때 그의 마음속에 기독교적 숨은 뜻을 가지고 있었다는 사실은 이 극과 신약 사이의 몇 가지 조마조마한 유사점에 의해서 입증된다. 구원자로서 힉키는 열두 신봉자들을 가지고 있다. 그들이 해리 호프의 저녁 파티에서 술을 마시고 무대 위에서 그룹을 이루는 것은 레오나르도 다 빈치의 그림인 '최후의 만찬'을 떠올린다. 히키는 그리스도가 그런 것처럼 그가 처형될 것을 알면서 파티를 떠난다. 세 명의 밤거리 여자들은 세 마리아들의 수에 상응하며 그 세 마리아들이 그리스도를 측은히 여기듯이 세 여자들은 힉키를 동정한다. 또한 호프 주점의 몽상가들 중의 한 사람인 패릿이 몇 가지 면에서 그리스도의 배반자 유다를 닮았다. 그는 등장인물들의 목록에서 열두 번째이고 유다도 신약의 사도들 목록에서 열두 번째이다. 그가 얼마 되지 않는 200달러 때문에 그의 무정부주의자 어머니를 배반하였고 유다는 은화 30전 때문에 그리스도를 배반했다. 그가 멀리 태평양 연안 출신이고 유다는 멀리 유대 출신이다. 힉키는 패릿의 마음과 동기를 간파하고 그리스도는 유다의 마음과 동기를 읽는다. 패릿은 그의 어머니가 그 '운동' 즉 무정부주의 운동을 그만둔 어떤 사람을 기름 속에서 끓여져야할 유다로 간주한다고 말할 때 그 자신을 배반자에 비유한다. 그는 비상계단을 뛰어내려 자살하고 유다는 높은 곳에서 떨어졌거나(Acts 1:18) 목매달았다(Matthew 27:5).

『얼음장수 오다』의 기독교적 의의의 측면에서 이러한 유사점들이 거의 우연한 일치일 수가 없다. 이러한 유사점들은 확실히, 단지 숨은 뜻, 즉 많은 숨은 뜻들 또는 부수적 의미의 단계들 중의 하나에 지나지 않지만 그들은 이 극의 중요 주제와 일관된다. 그리고 그들은 그렇지 않으면 할 수 없는 어떤 특징들을 설명한다. 예를 들면 해리 호프의 생일파티의 약속된 시간으로 한밤중(Matthew 25:5-6)에 대한 강조와 그리고 호프 주점의 불필요하게 많은 몽상가들의 수가 그렇다. 만약에 오닐이 타락과 상관없이 단지 모든 인간이 자신을 지탱하기 위한 한 가지 마지막 환상을 가지고 있다는 사실만을 보여주는 것이 목적이었다면 열두 명보다는 넷 또는 다섯 명의 몽상가들이면 충분했을 것이다. 이처럼 오닐은 숨은 상징들과 다양한 의미의 단계들을 좋아했다. 오닐 역시 셰익스피어와 마찬가지로 그의 『얼음장수 오다』를 통해 기독교적 구원의 주제를 다루고 있다.

> 신랑이 더디 오므로 다 졸며 잘 새, 밤중에 소리가 나되,
> 보라, 신랑이로다.

> While the bridegroom tarried, they all slumbered and slept. And at midnight there was a cry made,
> Behold, the bridegroom cometh. (Matthew 25:5-6)

위 마태복음에서 확인할 수 있듯이, 이 극의 제목이 되고 있는 "얼음장수"가 성서 속의 신랑의 포장이라는 사실과, 그리고 신부는 의미하는 모든 것의 반대를 시사한다는 사실을 알아야만 한다. 상징주의 이론에서 신랑은 항상 영생의 제공자 그리스도이고 신랑을 기다리는 것은 인간의 구원의 희망을 상징한다. 결혼으로 상상되어지는 신랑과의 결합은 모든 기독교인의 삶의 최종 목표이자 의미 구현, 즉 약속의 이행과 희망의 완성이다. 신랑과의 결합은 죽음에 대한 승리요 도래할 세상에 대한 구원이다. 간통으로 상

상되어지는 얼음장수와의 결합은 신랑과의 결합의 풍자임에 틀림없으며 그러기에 남편 힉키에 의해 살해된 이블린은 상징적인 얼음장수의 두 팔에 안겨 망각의 평화를 얻게 된다.

『얼음장수 오다』에 있어 또 하나의 기독교적 구원은 철물 세일즈맨인 힉키의 역할이다. 1막에서 막이 오르자 해리 호프의 주점의 의자에서 잠을 자고 있는 몽상가들은 주기적인 주연들 중의 한 날에 힉키가 그들을 방문하기를 기다리는 중인데 하버드대학교 로스쿨 졸업생인 30대 후반의 윌리 오번(Willie Oban)은 위대한 세일즈맨 히키가 성스러운 부르주아 지폐를 안고 속히 오기를 기도한다고 래리 슬레이드에게 "힉키 아니면 저승사자라도 와야지!"(Would that Hickey or Death would come! 639)라고 말한다. 힉키는 밤거리의 여자인 코라(Cora)에게 웃으면서 "곧 간다고 전해. 구원과 평화를 가져올 최선책을 막 강구했어"(Tell de gang I'll be along in a minute. I'm just finishin' figurin' out de best way to save dem and bring dem peace. 658)라고 말한다. 힉키는 호프 주점의 몽상가들 모두가 놀랄 정도로 진지하고, 더 이상 그들이 알았고 사랑했던 무책임한 주정뱅이가 아니다. 그는 금주를 했고 그들을 병들게 한 것에 대한 엄격한 처방을 제안한다. 술이 주정꾼들의 환상적 생활의 상징이라면 그가 술을 끊은 것은 "그의 비전에 대한 숙명적 명료성"(Rogers 76)의 상징이다. 그는 그들이 부끄러움 속에서 환상을 깨고 그들의 운명과 과거를 수용해서 있는 그대로 그들을 직시한다면 그들도 또한 구원과 평화를 얻게 된다고 말한다. 그는 그들로 하여금 광명으로 나아가 그가 그들에게 약속해왔던 사회적 자격을 취득하도록 설득한다. 그가 팔아야만 하는 것은 상징적 철물이다. 그는 다른 사람들의 일에 참견하고 그들에게 사는 법을 말하는 전적으로 자칭 메시아이고 구세주에 해당하며 그의 구원 프로그램은 일반적으로 정신분석과 유사하다. 그는 그가 찾은 새로운 신조와 생활태도를 바탕으로 그들을 환상의 세계로부터 구출해줄 구원의 사도를 자임한다.

호프 주점의 몽상가들은 그러나 마치 지옥 속에서 배회하는 시신들처럼 새로운 소속을 추구하기 위해 현실세계로 나아가지만 그들이 할 수 있는 전부는 죽음을 기다리는 일뿐이다. 히키가 그들에게 가져다준 구원은 죽음의 평화이다. 그는 인간이 처한 상황과 인간 영혼의 본질에 대한 올바른 이해에 도달하지 못한 "그릇된 메시아이며 맹인나라의 외눈박이 왕"(Tiusanen 283)이다. 차브로웨(Leonard Chabrowe)는 "히키의 그들에 대한 배려는 삶과 죽음의 맥락과 직관됨을 드러내 보이는데 그 이유는 『얼음장수 오다』의 세계에서 환상은 삶과 현실에의 등가물이고 또한 죽음에의 등가물이기 때문이다"(78)고 주장한다. 차브로우의 지적처럼, 호프 주점에서 군거하는 몽상가들의 삶은 지속적 환상이며 이것으로부터 벗어난 현실은 죽음을 의미한다.

제5장

셰익스피어와 키드의 '복수'의 양상

『햄릿』, 『스페인 비극』

근대극에서 거의 볼 수 없는 유혈 복수극은 그 형식의 원류를 따져보면 로마의 극작가 세네카(Lucius Annaeus Seneca 4 B. C.~65 A. D. ?)의 스토아철학의 사상으로 거슬러 올라간다. 세네카도 또한 천벌을 내리는 복수의 여신인 네메시스(Nemesis)가 출현하여 속죄에는 반드시 인과응보라는 깊은 뜻이 가해지고 있는 희랍비극에서 그 영향을 입었다. 희랍비극에서 기원하는 세네카의 복수가 복수를 부르고 피가 피를 부르는 유혈 복수극은 중세 극작가들에게 하나의 모범으로서 지대한 영향을 주었고, 15세기와 16세기에 이탈리아에서 널리 유행하였으며, 프랑스를 거쳐 16세기에 영국의 윌리엄 셰익스피어(William Shakespeare 1564~1616)를 비롯한 엘리자베스 시대의 극작가들에게도 큰 영향을 미쳤다. 이러한 세네카 비극(Senecan Tragedy)의 특징으로는 극의 구조가 합창을 수반하여 5막으로 구분되고, 대부분 무대 밖에서 흉행(兇行)이 벌어지고 무대 위에서 그 상황을 말로 상세하게 전하며, 이것과 병행하여 표현에서도 격정적인 면이 있고, 초자연적 요소와 살해가 수반되며, 살해는 비밀리에 이루어지기에 유령이 출현하는 점 등을 들 수 있다.

세네카풍의 대표적인 유혈 복수극 중 하나인 셰익스피어의 『햄릿』(*Hamlet* 1601 ?)과, 이에 앞서 유혈 복수극의 유행을 촉진했고, 덴마크의 역사가 그라마티쿠스(Saxo Grammaticus 1150 ?~1220 ?)가 쓴 『덴마크 사』(*Danish*

History)에 나오는 "'아믈레스 이야기'(Amleth story)와 함께, 『햄릿』의 '햄릿 이야기'(Hamlet story)의 본래 자료(source materials)가 된"(Todd 15-16) 토마스 키드(Thomas Kyd 1577~1595)의 『스페인 비극』(*The Spanish Tragedy* 1589 ?)은 유혈 복수극이라는 공통점을 가지고 있다. 『햄릿』에 나타난 복수의 근원은 햄릿(Hamlet)의 숙부인 클로디우스(Claudius)가 옥좌의 욕심에 눈이 어두워 형인 햄릿왕의 귀에 사리풀 독액을 부어 형을 살해한 사건이다. 이러한 사실은 햄릿왕의 망령(亡靈)인 유령(Ghost)의 다음 대사에서 확인할 수 있다.

> 그날 오후에도 언제나 하는
> 습관에 따라 나는 정원에서 잠을 자고 있었는데,
> 이렇게 편안히 쉬고 있는 기회를 잡아 네 삼촌이
> 병에 담긴 사리풀 독액을 가지고 몰래 숨어 들어와서
> 그 문둥이처럼 살을 썩어 뭉그러뜨리는 독액을 내
> 귓구멍에 부어 넣었으니 (I. v. 59-64)

유령의 비밀폭로는 햄릿에게 엄청난 충격을 안겨주게 되며, 그는 유령이 떠난 후 극도의 흥분상태에 빠진다. 그는 기진맥진하고, 완전히 제정신이 아니며, 반 마비상태에 이른다. 『햄릿』의 비극적 갈등과 관련해볼 때, 악행에 대해 주인공에게 복수를 강권하는 전형적 역할을 하는 유령의 정체와 해석은 극이 제기하고 있는 문제의 핵심을 이루고 있다고 할 수 있는데, 그 이유는 이 극에서 유령이 "극중 사건을 유도하는 제1의 동기"(Flatter 6)로서의 역할을 하고 있으며, 이 극은 유령의 출현으로 시작되고 유령의 요구가 성취되면서 막이 내리기 때문이다. 브래들리(A. C. Bradley)는 진실 폭로의 관점에서 이러한 유령을 일컬어 "신성한 정의의 사자로서 숨겨진 궁극적 힘의 대행자"(141)라고 말하고 있다.

유령의 충격적인 폭로에 분노한 햄릿은 숙부 클로디우스에 대한 복수를

잊지 않기 위해서 기억의 수첩에 유령의 말을 기록하고 칼에 복수를 맹세한다(I. v. 110-112). 유령은 이렇게 복수를 맹세하는 햄릿에게 암살의 전모와 함께, 암살이 아무리 정당한 이유가 있다고 해도 비열한 짓이며, 유령 자신의 영혼이 편할 수 있도록 클로디우스에 대한 복수를 명령한다. 그러나 유령은 어머니에게는 증오의 마음을 먹거나 해칠 생각을 하지 말고 하늘에 맡겨두라고 했을 뿐 정작 클로디우스에 대한 복수의 방법은 언급하지 않는다.

햄릿이 궁리 끝에 생각해낸 클로디우스에 대한 복수의 방법은 그에게 간접적으로 도전하여 그가 자멸하도록 함으로써 악을 제거하는 것이다. 이러한 간접 도전의 의도는 먼저 '미침'으로 나타난다. 다우든(Edward Dowden) "미침은 절묘한 책임회피의 수단이자 특권을 지닌다. 그는, 그것의 안전하면서도 다른 사람이 이해할 수 없다는 유리한 점을 이용하여, 다른 사람들의 말을 빌려서 그의 모든 마음을 표현하고 그의 말을 쏟아냄으로써 자신을 즐겁게 할 수 있다. 이러한 '가장'(假裝)의 의미와 함께, 그는 신비 속에서 진실을 말하는, 우화에 등장하는 괴상한 의복 즉 알 수 없는 말로 치장한다"(145)고 '미침'의 의미와 그것을 이용한 햄릿의 구상에 대하여 설명하고 있다.

햄릿은 그의 진실 토로의 대상 중 하나인 호레이쇼(Horatio)에게 그 목적을 밝히지는 않지만 그가 '미친 행동'을 할 수 있음을 예고한다(I. v. 178-180). 윌슨(John Dover Wilson)은 "햄릿의 '미친 행동'은 그가 유령을 만난 후 발작적인 흥분 상태에서 나온 것이며, 그는 그것이 앞으로 클로디우스를 향한 복수의 목적에 이바지하리라는 것을 발견하고는 그것을 기발하게 자신에게 정당화 한다"(92)고 '미침'을 수용하는 햄릿의 의도를 지적한다. 햄릿은 괴상한 성격의 소유자처럼 가장한 채 유리한 위치에서 사태를 주시하면서 때를 기다리고자 한다. 그러나 동시에 그는 그가 맡은 임무가 참으로 무거운 것이고 그의 천성에도 어울리지 않는 것이라는 사실을 인식하고는 탄식한다.

세상은 사개가 풀려 혼란에 빠져버렸다. 아, 이 얼마나
귀찮은 일이람, 그것을 다시 제 자리에 맞춰 넣어야 할
운명을 타고나다니. (I. v. 196-197)

뮤어(Kenneth Muir)는 햄릿의 이러한 탄식에 대해 "햄릿이 그에게 주어진 임무를 수용하는 동시에 그것을 거부하는 태도"(23)라고 주장한다. 그는 '가장'의 미로에 사로잡힌 채 스스로 고안한 환상 속으로 도피한다. 그는 유령을 통해서 현실적인 삶을 과거와 연결된 일관성 있는 가치체계 안에서 의미 있는 것으로 수용할 수 있게 되었으나, 복수와 죽음이라고 하는 유령의 부정적인 면도 인식하게 된다. 복수가 과거의 규범을 가지고 현재를 심판하려고 하는 포틴부라스(Fortinbras) 식의 이상이라면, 죽음은 유령에 의해서 햄릿에게 전달된 삶의 불가피한 조건이다. 현재는 과거의 결과이지만 현재가 바로 과거일 수는 없다. 과거가 죽음의 세계라면 현재는 삶의 세계이고 과거가 무한의 경직된 세계라면 현재는 유한의 유동적 세계이다. 과거는 경직된 규범으로 현재를 구속하려고 하는 반면, 현재적 삶은 과거와의 관계를 추구하면서도 동시에 그것을 부정한다. 따라서 과거의 이상과 규범이 가지고 있는 본질적 경직성은 햄릿 자신이 알고 있는 현재적 삶의 체계에서는 그대로 적용될 수 없는데 이것이 햄릿이 직면해 있는 비극적 상황의 바탕을 이룬다.

햄릿이 유령을 만난 후 시간이 경과하면서 흥분이 가라앉자 유령이 악마일지도 모른다는 의문을 제기한다. 결과적으로 유령에 대한 의심은 자연히 복수의 결행을 지연시키는데, 이러한 복수 지연의 원인에 대해서 나이트(G. Wilson Knight)는 "그가 복수할 용기가 없기 때문이 아니고, 유혈 사태에 대한 생각을 증오하기 때문도 아니며, 마치 부러진 다리처럼 그의 '머리가 돌고'(III. ii. 313) 결의가 꺾이어 쓸모가 없게 되었기 때문이다"(23)고 말한다. 그리고 브래들리는 "그가 기질상으로 신경증적인 불안, 급하고 아마도 극단적인 감정과 기분의 변화를 보이고 있다는 사실과, 즐거운 것이든 또는 우울

한 것이든 그가 그를 붙잡고 있는 감정과 기분에 몰두하는 경향이 있다는 사실을 감안할 때, 엘리자베스 시대 사람들은 이러한 기질을 우울증이라고 칭했으며, 햄릿은 그러한 증세를 보이는 것으로 보인다"(87)고 햄릿의 복수 지연의 원인을 엘리자베스 시대적 기준에 따른 우울증으로 설명하고 있다.

햄릿은 극중극을 통한 유령의 언급에 대한 진실성의 확인을 결심하게 된다. 지금까지 서로의 진의를 탐색하면서 표면적으로 대결하고 있던 햄릿과 클로디우스가 정면으로 대결하게 됨을 뜻한다. 클로디우스는 극중극이 진행되고 있는 중에 휘청거리며 퇴장하고 극중극은 "진실성의 시금석"(Mack 120)이 된다. "나는 유령의 말을 천 냥을 주고라고도/사겠네"(III. ii. 280-281)라며 유령의 진실성과 클로디우스의 죄가 증명되었을 때 햄릿은 처음으로 확신을 가진 복수의 화신으로 화한다. 극중극이 끝났을 때 햄릿이 보여주는 유쾌한 모습과 확신에 찬 행위는 그가 순간적으로 유령의 세계와 인간의 세계에 품고 있던 내면적 분열과 갈등에서 벗어났음을 말해준다. 그는 인간의 세계에서는 죄악과 부패로 가득 찬 추악한 모습을 보았고, 유령의 세계에서는 기사도의 이상을 보았다. 그 순간 그는 비텐베르크(Wittenberg)에서 공부한 학자가 아니고 르네상스 시대의 조신(朝臣)도 아니다. 그는 다만 포틴브라스와 같은 기사일 뿐이다. 햄릿의 이러한 태도는 현실적 삶의 세계에 대한 절대적 부정으로 나타나고 그 무서운 파괴력은 어머니 거트루드(Gertrude)의 생명을 위협하는 한편 폴로니우스(Polonius)를 살해하기에까지 이른다(III. iv. 20-23).

이제 유령의 말이 사실로 밝혀진 이상 햄릿은 유령의 정체가 의심스럽다는 구실로 복수를 더 이상 지연시킬 수 없게 되었기에 그는 복수의 결심을 굳힌다. 이 복수는 '완전한 복수'로서 클로디우스를 일시적 고난의 장소가 아닌 구원의 소망이 전혀 없는 지옥에 떨어뜨리는 것과, 반면 천륜에 어긋나는 불효를 어머니에게는 하지 말라는 부왕의 근엄한 충고에 따라 그의 어머니는 클로디우스와의 공모자의 위치에서 벗어나 회개하게 하여 선의 길로 이끄는 두 가지 방법으로 구체화 된다. 그러므로 햄릿이 그의 어머니의 침실로 가는 도중 클로디우스를 쉽게 죽일 수 있음에도 불구하고 그냥 지나친 것은, 기도 중에 죽으면 천당에 간다는 종교적 믿음 때문이며 완전한 복수를 할 수 있는 결정적인 기회, 즉 클로디우스가 만취해서 잠들거나, 정욕에 사로잡혀 날뛰거나, 근친상간의 잠자리에서 음욕을 탐하거나, 놀음판에서 욕설을 늘어놓거나, 또는 그 안에서 구원의 흔적을 찾아볼 수 없는 어떤 행동을 할 때(III. iii. 89-92)와 같은 구원을 전혀 받을 수 없는 끔찍스런 기회를 포착하여 클로디우스를 영원한 벌이 있는 지옥으로 보내기 위해서이다.

한편 클로디우스는 그의 삶과 영혼이 왕비에게 빠져 있는 형편이고 별들이 궤도를 벗어나서 돌 수 없듯이 그도 왕비를 떠나서는 살 수 없는 입장인데, 이러한 왕비가 햄릿을 하루라도 보지 않고서는 못살기 때문에, 그리고 백성들이 햄릿을 지극히 사랑하고 있기 때문(IV. vii. 9-24)에 햄릿의 살해를 보류해왔으나, 이제 극중극을 통해 햄릿이 그의 비밀을 알고 있음이 명백해졌고 게다가 재상 폴로니우스가 햄릿에 의해 살해된 것을 계기로 클로디우스는 햄릿을 살해하라는 칙서를 영국으로 보내기에 이른다(IV. iv. 65-71). 그러나 이 일이 실패로 끝나자 클로디우스는 래어티스(Laertes)와 함께 검술시합을 통한 살해음모를 도모하게 되는데, 그 내용은 햄릿에게는 경기용 검을, 그리고 래어티스에게는 무디지 않은 검을 골라잡도록 하는 것이다. 또한 래어티스는 칼끝에 독약을 칠할 것을 제안하며(IV. vii. 139-146), 더욱이 클로디우스는 만약의 경우를 대비해서 독배(毒杯)(IV. vii. 156-161)를 계획한다.

이제 제5막은 지금까지와는 전혀 다른 분위기에서 시작된다. 이에 대해 리드(B. L. Reid)는 "실로 두 개의 충격이 있다. 하나는 끔찍스러움과 이중으로 때가 안 맞는 희극적인 묘지장면의 등장이고, 다른 하나는 햄릿의 심상(心想), 나아가 거의 본성의 놀랄만한 변화이다"(59)고 제5막의 분위기를 설명하고 있다. 제4막에 이르기까지 이 극은 복수를 요구하는 유령과 자신의 죄를 숨기려는 클로디우스 사이의 부단한 대결의 연속이었지만, 사실상 햄릿의 경우 그 대결은 그의 내면적 의식에 머물러 있었다. 그 결과 폴로니우스는 살해되고 그의 딸 오필리어(Ophelia)는 부친의 갑작스런 죽음과 햄릿의 추방에 따른 충격으로 인해 미쳐서 익사했으며(IV. vii. 163), 햄릿 자신은 복수자에서 살인자로 바뀌었을 뿐만이 아니라, 클로디우스의 살해음모에 의해 영국으로 추방되어 죽게 될 처지가 되지만 다행이 해적의 공격을 받은 덕으로 살아서 돌아와 묘지장면(V. i.)에 등장하여 무덤 파는 일꾼과 죽음에 관한 대화를 나눈다. 무덤 파는 일꾼들은 이중의 의미를 담고 있는데, 하나는 삶의 세계를 구성하고 있는 대중들을 대변하는 것으로서 지금까지 보여준 인간들의 대결과 죽음의 의미를 보편적 삶의 현실과 결부시켜주는 의미를 갖는 것이다. 다른 하나는 중세의 삽을 든 죽음의 사자(使者)들처럼 "그들이 죽음 자체를 나타내고 있다"(Farnham 116)는 해석이다. 이렇게 볼 때, 이 장면에서 햄릿은 복수의 임무를 띤 왕자로서가 아니라 보편적 의미의 한 인간으로 죽음과 만나고 있고 또 그 의미를 받아들이고 있다고 할 수 있다. 그는 처음으로 검은 상복을 벗고 새로운 모습으로 등장하고 있는데, 이것은 "그가 이제 유령의 지배에서 벗어났음을 뜻한다"(466)고 차니(Maurice Charney)는 말한다. 그는 이제 경직된 이상과 규범에서 탈피하여 삶의 보편적 의미를 추구한다.

이제 햄릿은 관념적 속박에서 벗어나 순수한 인간으로서 삶과 죽음의 문제를 생각한다. 아버지와 아들이라는 그와 유령과의 관계가 삶과 죽음이라는 모든 인간들의 문제로 보편화 된다. 그는 제4막까지 유령과 클로디우스 사이에서 방황하고 있었지만 제5막의 묘지장면에서 삶을 지배하는 죽음의 의미를 터득한다. 아울러 그는 그 죽음의 지배를 받고 있는 삶의 의미가 어떤 것인가를 알게 된다. 사실 햄릿은 클로디우스를 처단하기 위한 어떤 구체적 계획을 가지고 있지 않았지만 이제 그는 그가 클로디우스를 응징하는 것을 그의 떳떳한 책무로 수용한다.

선왕을 시역하고, 어머니의 정절을 더럽혔으며, 갑자기 끼어들어 국왕으로 선출될 내 희망을 좌절시켜 버렸는가 하면, 바로 내 생명을 노려 낚시를 던져놓고, 그런 못된 간계를 쓰는 놈-그 놈을 이 손으로 응징하는 것이 떳떳한 일이 아니겠는가? (V. ii. 64-68)

이러한 햄릿의 주장에 대해 에버렛(Barbara Everett)은 "아버지의 죽음에 대한 사적인 복수를 벗어나, 현재적인 욕구에만 사로잡혀 삶을 타락시키고 그 역사적 의미를 부정하는 보편적 악에 대한 거부이다"(118)고 말함으로써 햄릿의 클로디우스에 대한 복수와 관련해 보편적 악의 제거로서의 타당성을 부여한다. 클로디우스로 상징되는 악은 "어느 한 시대의 규범에 반대될 뿐만 아니라 인간성 자체에 반대되는 행위로서의 보편적인 악"(Altick 175)이 되기에, 이러한 보편적 악의 제거, 즉 클로디우스에 대한 복수와 살해는 명분과 정당성을 얻게 된다. 따라서 래어티스와의 검술시합의 제안을 받았을 때 모든 사건 나아가 그의 인생의 종말이 다가오고 있음을 예감하지만 "인간의 삶이란 어차피 '하나'라고 셀 동안도 못 되네"(V. ii. 74)라며 인생에 애착을 갖지 않고 초연한 심정이 된다. 이것은 삶의 의미와 한계 그리고 그 한계 속에서 그 자신의 의미를 자각하고 있는 것으로 볼 수 있다. 셰익스피어가 『햄릿』에서 강하게 암시하는 것은 복수와 생사의 무의미성과, 인간이 취해야 할 참된 태도는 현실의 직관을 통해 있는 그대로의 삶을 영유해야 한다는 것이다.

맥(M. Mack)은 "햄릿이 강적과의 한판 승부를 앞두고 있고 있는 그대로의 투쟁세계를 수용한다. 그 세계에는 우리가 그것을 의식하든지 혹은 못하는지 간에 악은 독도(毒刀)와 독배를 보유하고 있으며 일단 그 투쟁에서 이기면 그 가치는 비길 데가 없다"(106)고 햄릿의 자세와 그가 처한 상황을 설명한다. 결국 클로디우스의 계획에 의해 햄릿과 래어티스 간의 운명의 검술시합이 벌어지게 되고, 래어티스의 독이 묻은 칼에 찔려 독 기운이 전신의 혈관에 퍼져가는 햄릿은 래어티스로부터 이러한 독살극의 장본인이 바로 클로디우스임을 확인하고 그의 입에 독액을 들이부음으로써 그토록 애태워 벼르던 '완전한 복수'를 실행하게 된다.

> 자, 이 근친상간에 살인까지 일삼았던 극악무도한 덴마크 왕아,
> 이 독약을 마셔라. 네놈의 진주가 여기에 있느냐?
> 어머님의 뒤를 따라가라. (V. ii. 330-332)

『햄릿』에 나타난 복수의 세계는 반역과 악의 세계이다. 1막 5장에서 사리풀 독액으로 햄릿왕을 살해한 클로디우스를 "마법과 같은 재주와 반역 불충한 뜻이 담긴 선물을 가진"(I. v. 43) "독사"(I. v. 39)에 비유하고, 그 치명적인 사리풀 독액이 햄릿왕의 귀를 통과하고 있음은 퍽 암시적이며 인간의 연쇄적 몰락을 연상시킨다. 클로디우스에 의해서 햄릿왕의 귀로 침투해 들어간 사리풀 독액은 폴로니우스, 오필리어, 로젠크란쯔(Rosencrantz), 길던스턴(Gildenstern), 거트루드, 래어티스, 그리고 햄릿의 귓속으로 계속 침투되어 덴마크 궁전은, 죽기 직전의 래어티스가 햄릿에게 하는 대사인 "그것은 그 자신[클로디우스]의 손으로 제조한 독약입니다"(V. ii. 333)처럼, 완전히 클로디우스 독약으로 점철된다. "악의 추방 속에 비극은 존재하지 않으며 단지 악의 추방으로 인한 선의 낭비가 비극일 뿐이다"(28)라는 브래들리의 주장을 바탕으로, 우리는 복수의 근원은 과욕으로 인한 반역과 악행이며, 클로디우스라는 한 개인의 잘못된 욕망이 국가는 물론이고 수많은 무고한 사람들의 희생과 비극, 그리고 복수의 피를 초래하고 있음을 셰익스피어의 대표적인 유혈 복수극인 『햄릿』을 통해 확인할 수 있다.

다음으로, 키드의 독창성이 돋보이는 『스페인 비극』에 나타난 복수의 근원은 포르투갈 왕자 발사자(Balthazar)가 스페인의 귀족이자 장수인 안드레아(Andrea)를 전쟁터에서 살해한 것과, 스페인 왕(King of Spain)이 정치적 목적을 이루기 위해 그의 조카이자 호레이쇼(Horatio)의 연인인 벨-임페리아

(Bel-Imperia)를 발사자에게 정략결혼을 시키려고 하고 왕의 이러한 뜻을 간파한 그녀의 오빠 로렌조(Rorenzo)와 발사자가 호레이쇼를 살해한 사건에 있다. 호레이쇼의 살해 사건은 극이 진행되는 제2막 제4장에서 발생하지만 안드레아의 살해는, 『햄릿』의 햄릿왕의 경우처럼, 극이 시작되기 이전에 일어나며 이 극이 유혈 복수극으로 전개되도록 하는 강한 촉매제 역할을 한다.

『스페인 비극』의 구성은 "안드레아의 죽음과 복수, 스페인과 포르투갈의 관계, 그리고 호레이쇼의 죽음과 복수"(Pavel 85)라는 삼중 구조, 또는 "호레이쇼의 사랑과 죽음, 그리고 히에로니모의 복수"(Stilling 27)라는 이중 구조로 분류될 수 있는데, 스페인 왕은 벨-임페리아의 아버지이자 그의 동생이며 카스틸 공작(Duke of Castile)인 사이프리안(Cyprian)에게 벨-임페리아가 호레이쇼와의 연인 관계를 청산하고 발사자와 사귀도록 그녀의 설득을 부탁한다.

> 자 아우님, 그대가 애를 좀 써 주게
> 벨-임페리아가 자기 멋대로 하지 않도록 말이야.
> 젊은 처자들은 친구들의 의견을 좇도록 되어 있지.
> 왕자는 성품이 착하고, 그 애를 아주 사랑하고 있고,
> 만약 그 애가 그를 등한히 하여 그의 사랑을 돌보지 않는다면,
> 그 애는 자신만이 아니라 이 짐까지도 상처를 주는 것이 되네.
> 그런고로, 짐은 왕자를 대접할 터이니
> 이 궁정의 총력을 경주해서 말이야,
> 그대는 그대의 딸의 마음을 사로잡도록 노력하기 바라네.
> 만약 그 애가 거절하는 날이면 이 모든 일이 허사가 되고 마네. (II. iii. 41-50)

한편 스페인 궁내의 의로운 사법관인 히에로니모(Hieromimo)의 아들이자 장수인 호레이쇼는 스페인과 포르투갈과의 전투에 참전하여 발사자에게 죽은, 벨-임페리아의 연인이었던 안드레아의 시체를 찾아 적절한 장례를 치러주고 그를 죽인 발사자를 포로로 잡아온다. 호레이쇼는 안드레아의 대역이

되고 그의 복수의 후원자가 되며 벨-임페리아와 호레이쇼는 복수의 동반자가 된다. 호레이쇼와 로렌조와 발사자는 그리하여 불가피한 대립을 겪게 되며 로렌조는 호레이쇼를 살해할 간책(奸策)을 꾸민다. 결국 호레이쇼는 어느 날 밤 그의 집의 정자에서 "엘리자베스 시대의 극에서 남자를 먼저 유혹하는 최초의 여주인공"(Stilling 27)인 벨-임페리아와 사랑을 속삭이던 중 변장을 한 로렌조, 발사자, 발사자의 하인 서베린(Serberine), 그리고 벨-임페리아의 하인 페드린가노(Pedringano)에 의해 정자에 매달린 채 살해되고 만다. 그리하여 발사자에 의한 안드레아 살해에 이은 이들의 호레이쇼의 살해는 제2의 복수의 동기가 되고 또 다른 새로운 복수와 살해를 예견하게 한다.

호레이쇼: 뭐라고, 나를 죽일 셈인가?
로렌조: 그렇다. 이렇게 하여, 그리고 이와 같이, 이것이 사랑의 열매다. (그들은 그를 찌른다.)
벨-임페리아: 오, 그 사람의 목숨을 살려주고 그 사람 대신 나를 죽여주세요!
오 그를 살려 주세요, 오빠. 그를 살려 주세요, 발사자.
내가 호레이쇼를 사랑했지 그 사람이 나를 사랑한 게 아니에요.
발사자: 하지만 발사자는 벨-임페리아를 사랑한다고.
로렌조: 이 자는 살아서는 언제나 야심만만하고 거만했을지라도,
이제 죽어서야 가장 높은 자리에 올라가 있군.
벨-임페리아: 살인이다! 살인! 도와주세요, 히에로니모, 도와주세요!
(II. iv. 54-62)

살해소동에서 잠을 깬 호레이쇼의 아버지 히에로니모는 아들의 죽음을 확인하고 흥분과 분노를 가누지 못하고 기어코 아들의 복수를 할 것이며 그 때까지 아들의 시신을 매장하지 않을 것이라고 부인과 자신에게 굳은 복수의 맹세를 한다.

보세요. 이 손수건이 피투성이가 되지 않았나요?

내가 복수할 때까지 반드시 내 몸에 그걸 간직할 거요.
보세요. 상처에서 아직도 선혈이 흐르고 있지 않나요?
내가 복수를 끝낼 때까지는 매장하지 않을 거요.
그 때가 오면 불만 속에서도 기뻐하리라.
그 때까지 나의 슬픔은 결코 사라지지 않을 것이요. (II. v. 51-55)

히에로니모는 그 후 어느 날 벨-임페리아로부터 호레이쇼의 살해범이 로렌조와 발사자이며 그들에게 복수를 해달라는 내용의 붉은색 잉크로 쓴 편지를 받는다.

잉크가 없어서 피로 쓴 편지를 받으세요.
불운한 오라버니가 저를 당신으로부터 숨겼습니다.
발사자와 오라버니에게 복수해주세요.
이들이 당신 아드님을 살해했습니다.
히에로니모, 호레이쇼의 죽음에 복수해주세요.
그리고 벨-임페리아보다 더 건강하세요. (III. ii. 26-31)

벨-임페리아의 편지를 받은 히에로니모는 큰 충격에 휩싸여 격분한다. 그러나 그녀의 편지를 믿지 못하고 정체에 대해 의심을 하는데, 그 이유는 편지의 주인이 로렌조의 여동생이고 그 편지가 그의 목숨을 노리고 조작되었을 가능성이 있으며 왕의 조카를 확증이 없이 살인자로 단정하는 일이 용이하지 않기 때문이다. 그래서 그는 그녀의 편지를 확인할 수 있는 증거를 수집할 궁리를 한다. 한편 로렌조는 호레쇼의 살해에 대한 불안감으로 이에 가담했던 자신 이외의 발사자, 페드린가노, 서베린을 불신하기 시작한다. 그는 사건의 비밀을 지키기 위해 페드린가노에게 돈을 주고 서베린을 살해하도록 시킨다. 페드린가노는 다음 차례가 자신인줄도 모르고 로렌조로부터 높은 자리로의 승진을 기대하며 서베린을 살해한다(III. iii. 32). 이리하여 호레이쇼의 살해는 또 다른 살해를 초래하게 되었으며 페드린가노는 서베린을 살해 후 야경꾼(Watch)에게 붙잡혀 호레이쇼의 아버지이자 사법관인 히에로니모에게 끌려가게 된다. 그 후 로렌조는 발사자를 만나 그들의 호레이쇼 살해사건이 히에로니모에게 들통이 날 것이라고 말한다(III. iv. 9-12).

로렌조는 이제 발사자에 대해서조차도 불신을 하기에 이르게 되고, 심부름꾼(Messenger)을 시켜서 감옥에 있는 페드린가노를 안심시키도록 하나 결국 페드린가노는 교수형에 처해지고 만다(III. vi. 104). 그리고 페드린가노의 재판과정에서 그가 로렌조에게 자신의 구원을 재촉하기 위해서 쓴 편지가 형리에게 발견되어 그것이 히에로니모에게 전달되는데, 그 핵심 내용은 서베린의 살해는 로렌조의 사주에 의한 것이고, 발사자를 포함해 그들 세 명이 호레이쇼 살해의 공범이라 내용이다(III. vi. 36-39). 이리하여 히에로니모는 벨-임페리아의 편지가 사실이고 아들 호레이쇼의 살해범들에 대한 확신을 갖게 된다. 그러나 햄릿이 극중극을 통해서 유령의 말이 진실임을 확인하고도 복수를 망설이듯이, 어찌된 영문인지 두 통의 편지를 통해 가슴 속에 품었던 로렌조와 발사자에 대한 의심이 사라지고 복수심도 약해지게 되어 복수가 지연된다(III. xiv. 156-164). 이러한 히에로니모의 '복수 지연'에 대해 로울리(John. J. Lawlor)는 "처음에는 복수의 실행에 대한 자포자기이고, 나중에는 그의 억울함을 천벌(Divine retribution)에 맡겨야 하는 것이 아닌가에 대한 확신이 서지 않아서이다"(98)고 의미 있는 지적을 하고 있다.

이렇게 히에로니모의 로렌조와 발사자에 대한 복수가 계속해서 지연이 되자, 『햄릿』에서 햄릿왕의 유령이 나타나서 햄릿의 느슨해진 복수심을 각성시키듯이, 안드레아의 유령(Ghost of Andrea)이 등장하여 복수의 신(Revenge)을 각성시켜 히에로니모로 하여금 느슨해진 복수심을 부추기도록 한다(III. xv. 13-17). 히에로니모가 열망하는 복수는 이 극의 초반에서 중반까지는 '사적인 복수'가 아니라 신과 왕의 정의 또는 국가의 법률에 의한 "공적인 복수"

(Hamlin 108)이다. 그러기에 히에로니모는 호레이쇼의 죽음에 대하여 왕에게 여러 차례에 걸쳐 정의를 외치며 호레이쇼의 죽음에 대한 정당한 심판을 호소하지만 로렌조를 비롯한 왕의 주변에 있는 사람들의 방해로 뜻을 이룰 수 없다. 3막 13장에 이르러 이제 더 이상 정의와 법률에 대한 어떠한 희망도 기대할 수 없는 사면초가에 처한 히에로니모는 살해된 아들을 위하여 정의의 재판을 구하러 온 노인인 바줄토(Bazulto)를 아들 호레이쇼의 유령으로 착각하는 '정신착란'을 보이는데 이러한 사실은 그가 내뱉는 그의 "혼란스러운 말"(III. xiii. 144)을 통해 확인할 수 있다.

하늘의 복수에 대한 희망은 절망으로 변하고 왕에게 수없이 정의를 호소했지만 아무런 결과를 얻지 못했으며, 왕은 호레이쇼가 죽었는지조차도 모를 정도로 정치적 목적에만 몰두하며 로렌조를 비롯한 신하들의 장막에 가려져 있기에 스페인 왕국은 더 이상 '정의가 없고 정의가 추방된 상황'에 이르게 된다. 결국 진퇴유곡의 딜레마에 빠진 히에로니모가 내릴 수 있는 선택은 기독교적 신앙을 포기하고 그 자신이 직접 아들의 복수를 실행하는 '사적인 복수'이다. 바우어스(Thayer Fredson Bowers)는 "그는 이제 합법적이고 공개적인 복수를 포기하고 비밀스럽고 신뢰할 수 없는 방책을 씀으로써 선한 주인공으로서의 평판을 잃고 완전히 악한으로 전락했다"(77)고 인간성을 상실하고 사적인 복수자로 변신한 히에로니모의 모습을 지적한다.

가눌 수 없는 실망과 좌절에 사로잡힌 채 이제 더 이상 정의와 법률에 의지하는 이성적이고 의로운 공적인 복수자가 아닌 분노와 광기로 가득한 사적인 복수자의 길을 선택한 히에로니모에게, 아이러니컬하게도 그의 복수의 대상인 로렌조가 발사자와 벨-임페리아의 결혼식 전야의 여흥 준비를 부탁한다. 그리하여 그들의 결혼을 위한 축하 여흥의 준비를 맡게 된 히에로니모는 드디어 복수의 신이 부여한 복수의 지혜에 힘입어 극중극을 통한 '철저한 복수'를 계획하기에 이른다. 결국 이 극중극은 실제적 살인사건으로 화하게 되며, 히에로니모가 로렌조를 살해하고, 벨-임페리아는 그녀의 옛 애인인 안드레아(현재는 유령)를 전투에서 살해했던 발사자를 죽이고 자살한다. 이제 히에로니모는 무고한 그의 아들 호레이쇼를 죽인 로렌조와 발사자의 죽음 앞에서 '철저한 복수'에 대한 한(恨)을 풀며, 로렌조의 아버지인 사이프리안 공작을 살해하고 자살함으로써 『스페인 비극』은 '히에로니모의 비극'으로 그 대미(大尾)를 장식한다. 히에로니모의 복수는 신과 왕의 정의와 국가의 법률이 부재한 현실에서 그가 취할 수 있는 최후의 반항이자 도전이다.

> 총독: 왜 내 아들 발사자를 죽였느냐?
> 카스틸: 왜 내 자식들을 둘 다 이와 같이 살해했느냐?
> 히에로니모: 오, 말 잘했다!
> 　　호레이쇼도 나에게 소중한 아들이었다.
> 　　당신의 아들, 또는 당신의 자식들, 또는, 전하, 전하의 자식만큼.
> 　　나의 죄 없는 아들이 로렌조에 의해 살해되었다.
> 　　그리고 로렌조와 발사자에게
> 　　나는 마침내 철저하게 복수했다.
> 　　그들의 영혼에 하늘이 더욱 더 복수해주기를.
> 　　이제까지의 고통보다 훨씬 더 큰 벌을 내려주소서. (IV. iv. 166-175)

결국, 극이 시작되기 전 발사자에 의한 안드레아의 살해와, 극이 시작된 후 이어진 로렌조에 의한 호레이쇼의 살해를 통해, 발사자와 로렌조의 칼끝에 묻어나기 시작한 복수의 피는 서베린과 페드린가노를 차례로 거꾸러트리고, 아들 호레이쇼를 잃은 충격으로 자살한 이사벨라(IV. ii. 37), 로렌조, 발사자, 벨-임페리아, 사이프리안 공작, 그리고 히에로니모로 이어져 스페인 궁정은 살인과 복수의 피로 얼룩지게 된다.

제6장

셰익스피어의 이상(李箱)에 대한 영향

『햄릿』, 『오셀로』, 『맥베스』, 『트로일러스와 크레시더』, 『줄리어스 시저』, 『12월 12일』, 『오감도』, 『지주회사』, 『실화』, 『휴업과 사정』, 『종생기』, 「광녀의 고백」, 『동해』, 『날개』, 「파첩」

Notably throughout the history of literature, the influence of writers who are predecessors and peers impacts the writers of the day. There is also the opinion that the latter's works are only the results of a combination of the former. The influence of writers who are predecessors or peers can be temporary or continuous, but in the case discussed in this paper, we will see how the influence becomes an important, deep, and inward factor for the Korean writers during the Japanese colonial rule.

Novelist Sangseob Yeom's criticism, *Personality and Art* (1922) shows the first influence of William Shakespeare(1564-1616) on Korean writers during the Japanese colonial rule which began in 1910 and ended in 1945. Sangseob Yeom(1897-1963) associated Caesar with the ruler of Korea during Japanese colonial rule and admired Brutus's assassination of Caesar who had ambitions to be the Roman Emperor. He had a high regard for Brutus's assassination of Caesar and Roman People whom he considered as the forerunners of human society because they could find themselves equally and express themselves politically. This opinion formed under the influence of Shakespeare's *Julius Caesar* (1599).

It is notable that *Hamlet* (1601) is the first and the only tragedy of Shakespeare translated into Korean by drama critic Cheol Hyeon(1891-1956) in the 1920s of Korea. Hyeon believed *Hamlet* would be a significant play that would help Korean writers overcome their historical crisis, however, at that time, the most popular literary genre in Korea was novel. Therefore, conscientious and patriotic writers such as Sangseob Yeom and novelist Giyeong Lee(1895-1984) did not read *Hamlet*, but instead read Russian literature—Dostoevsky's *Crime and Punishment* (1866), Turgenev's *The Night Before* (1859-60), Tolstoy's *The Resurrection* (1898-99).

Sang Lee(1910-1937), in a short time of 28 years, left behind 56 poems, 1 full-length novel, 15 short novels, and 35 essays. The influence of not only the above-mentioned Russian and Japanese literature and writers, but also the influence of Akutagaoajigae, Edgar Allen Poe, the Old and the New Testament and Taoism is present in all of his literary works. However, Shakespeare was the most important and influential of all foreign writers for Sang Lee because Shakespeare's works enabled Lee to find a fundamental key in overcoming the oppressions and the dangers of the Japanese colonial rule—an unprecedented historical crisis and a severe era for Koreans. Therefore, it is a very interesting and particular literary event that almost all his works from the first one, full-length novel *December 12* (1930), to the last one, short novel *The Record of Ending Life* (1937), were under the influence of Shakespeare, differentiating him from other contemporary Korean writers of his time.

In order to study Shakespeare's influence on Sang Lee, three approaches of analysis are categorized and examined. The three analytical approaches show that Sang Lee is an antiestablishment as well as a patriotic writer during the Japanese colonial rule. The paper will examine Shakespeare's nonpolitical influence, political influence, and meta-fictional influence in Sang Lee's literature.

Nonpolitical Influence: *Hamlet* is a tragedy that has multiple themes such as the usurpation of the throne of Denmark, revenge of a nephew on his uncle, Oedipus Complex, dilemma of Hamlet due to the weakness in his character, and fatalistic sacrifice of Hamlet to save Denmark from moral corruption. Sang Lee includes these various themes found in *Hamlet* in his own writings.

First, *Hamlet*'s influence on *December 12* is related with protagonist's familial problem. Hero Na(I) in *December 12*, has a contentious relationship with his younger brother, which lasts through his younger brother's son Eop(karma). Eop's hostility to his uncle Na is expressed in the following soliloquy: 'Ghost' in *Hamlet*, 'olive's perfume' in *Olive* (*December 12* 39) The 'Ghost' in *Hamlet* is the 'Ghost' of Hamlet's father, and the 'olive's perfume' in *Olive* is the 'perfume' from Van Gogh's landscape painting, *Olive Orchard*. The 'perfume' is a further figurative expression of the beautiful moral value of human beings. The meaning of 'perfume' is 'peace' or 'reconciliation' represented by the olive's branch. Therefore, the soliloquy expresses Eop's spiritual condition at the crossroads. Eop, like Hamlet, has to decide whether to take revenge on his uncle Na or reconcile with him. It is connected with Hamlet's famous soliloquy, "To be, or not to be, that is the question:"(3. 1. 56). And the self-question, "Madness or belief?"(*A Tree Frog in Specimen Room*

17) in Sangseob Yeom's novel *A Tree Frog in Specimen Room*(1921) is an another variation of Hamlet's soliloquy, which means that he will be mad if he doesn't fight for the independence of his country with belief. In *December 12*, one of the reasons why Eop hates his uncle Na is his father's hatred of his uncle, who embezzled the inheritance and did not leave a bill or a ledger of spending it. The repeated archetypal accidents, such as the animosity between Eop and his uncle Na like Hamlet and Claudius, are the problems of human beings. Based on these parallels, we can be sure Sang Lee was a reader of Shakespeare's works, especially *Hamlet*.

Second, Sang Lee's anthology of 15 poems, *Crow's-Eye View*(1934): *Poem No. 5* is written under the influence of *Hamlet*. It delves into an existential problem related with what he considered his ill-fated birth. In it, there is criticism against immoral sex: Can internal organs be differentiated from a flooded pen?(*Crow's-Eye View: Poem No. 5* 28) In the quotation, 'internal organs' are a metaphor related with his mother's genitalia and a bedroom for sex, and they are filthy like a flooded pen. We can find a similar expression when Hamlet blames and chastises Gertrude: "but to live/ In the rank sweat of an enseamed bed,/ Stew'd in corruption, honeying and making love/ Over the nasty sty!"(3. 2. 92-94). As Sang Lee matured, he began to consider his birth, like Hamlet's, was a damned tragic affair resulting from animalistic sexual urges. He further considered his birth a scandal disgracing his honorable and noble sense.

Third, in his short novel *The Meeting of Spider and Pig*(1936), Sang Lee grapples with a grown-up financial Korean capital market through 'A Financial Transaction Office' in Seoul. There is an expression regarding O, the Head of the Research Department: O was placed on a swivel chair like a wine bottle stopper(*The Meeting of Spider and Pig* 173). In the quotation, 'a swivel chair' symbolizes a dream of worldly wealth and honor which capitalism promises. 'A wine bottle stopper' implies that O's personality is slavishly used for the profit of the financial market as an instrument, and it is an appropriate expression for O, a slave of money. We can find a similar expression used by Hamlet while speaking with Horatio in the grave yard scene: "Horatio! Why,/ may not imagination trace the noble dust of/ Alexander till a find it stopping a bung-hole?"(5. 1. 196-198). Sang Lee had an insight into O's servile spirit from his image placed on a swivel chair haughtily as a protector('stopper') of financial power('wine bottle'), and he used 'a wine bottle stopper,' as an allegorical figuration of 'stopping a bung-hole.'

Fourth, Sang Lee's works include not only the tragic and dark themes of Shakespeare but also other light themes as well. For example, the idea of the relationship between Koangnyeo(a mad woman) and a dark-skinned soldier, one of her clients in his early poem *The Confession of a Mad Woman* (1931), owes much to *Othello* (1604): Chocolate drags her ebony Sabell, and laughs and laughs every moment if only he does fencing under illumination(*The Confession of a Mad Woman* 60). In the quotation, 'ebony' implies dark skin, and 'Sabell' is a metaphor for 'soldier' using a sword in wartime. Hence, 'ebony Sabell' seems to allude to Othello and 'Chocolate,' Desdemona.

Othello can be compared to a darkness missing a light and Desdemona to a light for Othello. To Othello's lieutenant Cassio, Desdemona says "His[Othello's]bed shall seem a school, his board a shrift"(3. 3. 24). From her line, we can interpret that Desdemona plans to use sex to her advantage to make her husband Othello confess his wrong doings at the table. Therefore, this suggests that she is adept at dealing with him. Like Desdemona, Koangnyeo treats widowers and soldiers skillfully and she becomes 'a light' to illuminate her dark-skinned soldier.

Fifth, parallels from *Troilus and Cressida* (1601) can be found in Sang Lee's short novel *Child's Skeleton* (1937), which treats an immoral intimacy between a lewd woman Im, Na's wife and Yun, Na's friend. Na gives up his right as a husband when he bows and says to Yun: "The first comer[Yun]! I want you to ignore and pass me[Na]. . . ." . . . Na had better throw away his honor of the second[Na]now. Na promptly withdraws from a relay(*Child's Skeleton* 147). We can find Cressida in Im: Cressida, without a sense of virtue, suddenly changes her lover from Trojan Troilus to Greek Diomedes during the Trojan War. In the quotation, 'a relay' from the first comer to the second in *Child's Skeleton* is a figurative expression of Im's frequent adultery and an example of her moral gangrene similar to Cressida's relay of kisses from Greek Commander Agamemnon to his generals one by one in *Troilus and Cressida*.

Political Influence: Shakespeare's nonpolitical influence has been thoroughly examined and in the next section, the second approach for analysis, political influence will be examined. The political influence of Shakespeare on Sang Lee is significant because of Lee's sense of crisis during the Japanese colonial rule as a writer of conscience. *Hamlet* inspired him with a spirit of resistance. In his short novel *Lost Flower*(1939), Sang Lee writes the following: Yujeong! if only Yujeong does not dislike I will intend to carry it out tonight, which is not to die from the wound done by one wicked person but to die to be an unfortunate genius of twenty-seven years old(*Lost Flower* 85). In the quotation 'an unfortunate genius' is related with the famous monologue of Hamlet in *Hamlet*: "The time is out of joint. O cursed spit,/ That ever I was born to set it right." (1. 5. 196-197). Sang Lee used 'an unfortunate genius' with Hamlet in his mind when he wrote, "I will intend to carry it out tonight" in spite of dying, which is antiestablishment resistance through verbalism.

This is the dialogue between Hamlet and Polonius in *Hamlet*.

> Ham: What did you enact?
> Pol: I did enact Julius Caesar. I was killed i'th' Capitol.
> Brutus kidded me.
> Ham: It was a brute part of him to kill so capital a calf there. (3. 2. 101-105)

In the quotation, Shakespeare identifies the man 'Caesar' with the 'Capitol' building, which is often noted as a comparison of a standing man to a building. We can find a similar expression in Sang Lee's essay *A Sad Story* (1937): "A young man puts a letter into a postbox letting a young woman stand beside him"(A Sad Story 79). 'A young man' is Sang Lee's alter ego as a man of antiestablishment resistance, and 'a postbox' is a metaphor for the 'Capitol,' namely Caesar's body, and 'a letter' is the dagger. Therefore, 'puts a letter into a postbox' represents the assassination of Caesar and ending Roman Empire. A 'post box' analogy can be found elsewhere. He alludes to this metaphor where man is 'postbox' in his poem *Hemoptysis's Morning* (1933). (*Hemoptysis's Morning* 193) He was inspired by the dialogue between Hamlet and Polonius and he used it as a metaphor for killing the ruler of Korea during the Japanese colonial rule.

There are other examples of 'killing,' as found in *Hemoptysis's Morning*, in other poems such as *The Publication Law* and *Formality* (1935). This 'killing' is, also, found in his poem *Breaking Album* (1937), which examines the process of a country transforming into a wasteland by civil war, where he writes, "where killing lurks around like an owl—nobody knows"(*Breaking Album* 93). This is related with the assassination of King Duncun at night by Macbeth in *Macbeth* (1606), which is expressed through Lady Macbeth's lines: "—Peace!/ It was the owl that shrick'd, the fatal bellman,/ Which gives the stern'st good-night. He is about it"(2. 2. 2-4) Sang Lee was influenced significantly by *Macbeth* when he suggested 'killing,' an affair of turbulent times, in *Breaking Album*.

A further connection to King Duncun's assassination is found in Sang Lee's short novel *Wing* (1936). The protagonist visits a tea room at Seoul Station and says, "I sat, face to face, with nothingness in a box and had well boiled coffee"(*Wing* 36). The quotation is related with Macbeth's line: "Hence, horrible shadow!/ Unreal mock'ry, hence!"(3. 4. 105-106) 'Nothingness' in *Wing* is similar to the 'unreal mock'ry' in *Macbeth*, and is a metaphor for a supernatural ghost which reminds us of the Ghost of Banquo that appears before Macbeth in the banquet hall.

In *Hamlet*, when Hamlet says to Guildenstern that "Denmark's a prison." (2. 2. 243), Sang Lee felt as if Shakespeare was describing the social situation of Korea during the Japanese colonial rule. In addition, in *Breaking Album* when he writes, "How heartless it is—the ivory white naked body of an alluring woman is a very charming filth, because the lamp is dim"(*Breaking Album* 90), he makes another connection to *Macbeth* and what the three Witches say, which is "Fair is foul, and foul is fair"(1. 1. 11). Furthermore, in connection with the political assassination, *Hamlet* and *Macbeth* influenced Sang Lee more than any other plays of Shakespeare because the social situation and the political intrigue, and the assassination in *Hamlet* and *Macbeth* were similar to those of Korea during the Japanese colonial rule.

The Shakespearean influence on Sang Lee progressed from the individual problems as first seen in *December 12* to the super-individualized, national-building problems as seen in *Lost Flower, A Sad Story, Hemoptysis's Morning, The Publication Law, Formality, Breaking Album*, and *Wing* with particular connection to *Hamlet* and *Macbeth*. *Hamlet* and *Macbeth* enabled Sang Lee, a writer of conscience and resistance, to write his works with much imagination and courage to inspire Koreans to overcome the turbulent times with a national spirit.

Meta-fictional Influence: Shakespeare was a pioneer of meta-fiction through the utilization of a play within a play technique in Hamlet and greatly affected other writers. Sang Lee is the only writer of Korea during the Japanese colonial rule that employed this technique, which can be seen in *Closure and Condition*, and *The Record of Ending Life* (1937), *A Sad Story*. His most representative work of meta-fictional influence, *A Sad Story*, which contains an affair related with "the fantastic slave ship drawn by 'a devil'"(*A Sad Story* 81), is a play within a play, and the author of it is a small 'devil' and 'painter,' that is to say another Sang Lee. Just as Hamlet made the play within the play in *Hamlet* as an indirect means of revenge against the King of Denmark Claudius, so Sang Lee used the play within the play technique tactfully in *A Sad Story* as a weapon of resistance against Japan.

PART • 4

오닐과 쇼의 문학세계

제1장

'배후의 힘'과 '생명력'

『수평선 너머』, 『털보 원숭이』, 『느릅나무 그늘의 욕정』, 『밤으로의 긴 여로』, 『인간과 초인』, 『성(聖) 조안』, 『악마의 사도』, 『바바라 소령』

유진 오닐(Eugene O'Neill 1888-1953)의 극작 활동 전반에 걸쳐 그를 사로잡았던 중대한 문제는 인간의 운명을 지배하고 있는 불가사의한 힘인 '배후의 힘'(Force behind)과의 투쟁과 이것의 극복이다. 그는 이 힘을 인간의 힘으로는 어찌할 수 없는 운명, 신, 현재를 이루는 생물학적 과거, 신비와 같은 배후의 힘, 방해하는 힘, 인생을 비극적으로 만드는 인지할 수 없는 힘으로 보았다. 그는 인간의 '배후의 힘'과의 투쟁이 육체적 패배를 가져오는 반면 구원을 성취한다는 사실을 그의 작품을 통해 중요한 주제로 표출하고 있다. 그는 삶의 내적 그리고 외적 현실을 지배하고 있는 '배후의 힘'의 강렬하고 억압적인 힘을 항상 의식했으며, 결국은 그 힘을 극복하려는 인간의 온갖 의지를 통해 그의 비극 정신을 구현하고자 했다. 인간의 자유의지를 방해하는 이 힘은 인간에게 심리적 반응을 일으키게 하여 소외의 근원이 되고 궁극적으로 극복되어야 하는 운명 혹은 그 투영체인 것이다. 그러므로 운명적 존재로서의 이 힘은 그의 비극적 인물들의 분열된 내면 심리를 섬세하게 나타내 주며, 수동적 생존방식으로 인해 그들이 얼마나 억눌린 상황에서 소외된 삶을 영위하고 있는가를 가늠해 주는 척도의 역할을 한다. 이 힘은 그의 작품에서 인물들의 관계단절과 소외의 근원이 되는 신, 자연, 사회, 가족 등 그 모든 것과 관련을 맺고 있으며 부정성을 바탕으로 삶의 비극적 고뇌를 형성하고 있다.

오닐의 작품들은 그 유형은 다르다 할지라도 주인공들의 '배후의 힘'의 극복을 위한 다양한 양상을 심도 있게 표출시키고 있다. 이 힘과의 투쟁과 이것의 극복이 그들의 최종목표이며 인간과 삶의 모순을 해결하는 유일한 통로인 현상인식을 관객들에게 주는 최선의 방법이라 할 수 있다. 현상인식은 불가항력의 질서 속에서 인간의 존재의의를 확인하는 절대조건이라 할 수 있기 때문이다. 오닐은 자연과의 조화를 상실하고 영적인 공허한 상태에 있는 현대인을 지상에도 천상에도 속하지 못한 채 고통을 당하고 있는 절망적 존재로 보았다. 그는 인간이 '배후의 힘'의 손아귀 속에서 노리개로 화하고 마는 현대인과 자연과의 관계를 고찰하였다.

오닐의 비극적 구원관은 '배후의 힘'으로부터의 해방을 의미한다. 이 해방은 기존의 기독교신에의 귀의가 아니라 보다 인간적이고 예술적인 의의를 지닌 자기극복을 뜻한다. 니체(Nietzsche)의 초인철학, 정신분석학, 제반 사회사상, 동양종교, 심지어는 온갖 신비까지 활용하여 잃어버린 신앙의 회복 곧 삶의 의의를 되찾고자 하는 개인적 욕구와, 연극의 원류인 디오니소스(Dionysus) 축제의 우주적 일체성을 되살림으로써 현대의 몰인간적 가치체계 속에서 상실된 정신적 진실성을 재생시키고자 하는 예술적 염원이 그의 두 목표였다면, 이 두 가지를 합치시킨 것이 그의 구원관이다. 따라서 그의 비극목표는 '배후의 힘'의 극복에 근거한다.

한편 조지 버나드 쇼(George Bernard Shaw 1856-1950)에게 있어서 예술은 사회문제의 실상을 폭로하고 당대에 만연된 환상을 각성시켜 그의 사상에 입각하여 사회를 개혁하기 위한 수단이었다. 따라서 그의 극은 교훈적이며 선전적인 사상극이다. 그의 사상은 후기 빅토리아 시대의 전통과 인습에 젖은 부르주아적 사고에 대한 개혁을 주장하는 사회주의 사상과, 우주의 거대한 힘인 '생명력'(Life Force)을 생명체에 부과시켜 초인의 경지로 나아가게 하려는 창조적 진화사상의 두 가지로 압축된다.

쇼는 초인(Superman)을 인류에게 희망을 가져다 줄 인류 최초의 현대인으로 간주했다. 그에 의하면 초인의 창조는 우리 인류 앞에 놓인 가장 위대한 길이며 사회주의자의 혁명보다 더 오랫동안 지속되는 힘든 과업으로서 그가 삶의 철학인 창조적 진화론을 내세우게 된 동기가 된다. 쇼의 창조적 진화론을 이해하는 것은 그의 인간관과 우주관을 이해하는 것이다. 그는 전지전능한 신을 믿지 않는다. 만일 신이 전능하다면 왜 신보다 더 나은 것을 창조하지 않고 그보다 좀 못한 천사를 창조하고 또 그보다 더 못한 인간을 창조했겠느냐고 의문을 제기하고, 만일 그 자신이 신이라면 자기보다 더 나은 것을 창조할 것이라고 주장하며 이 우주의 이면에는 내재된 의지, 즉 '생명력'이 존재한다고 주장한다.

쇼의 창조적 진화론이란 생명체 속에 진화를 추진하는 힘인 '생명력'이 존재하며 이 신비한 힘이 인간을 발전 개체인 초인으로 진화시켜, 보다 나은 세계를 창조한다는 사상이다. 창조적 진화론의 목표인 초인의 창조는 다윈(Darwin)의 진화론과 사회주의 사상의 대두로 인한 서구 기독교사회의 질서의 혼돈 속에서 새로운 정신적 돌파구를 찾아 인류의 최고의 삶을 실현시키려는 시도였다. 지금까지 신에 의존했던 침체되고 무기력한 삶에서 벗어나 인간에게 희망찬 미래를 줄 수 있는 초인으로 진화되어야 한다는 것이 쇼의 기본철학이었다. 그는 『인간과 초인』(*Man and Superman*)에서 우리 인간의 유일한 희망은 진화에 있고, 인간을 초인으로 대체해야 한다고 주장한다(244). 그는 우주 생명체 속에는 창조를 추진하는 신비한 힘이 있다고 보고 이것을 '생명력'이라고 명명했다.

쇼는 우주 속에서 보다 발전된 생명체의 창조를 추진하는 힘인 '생명력'의 철학을 창조해냈다. '생명력'은 완성을 향해 나아가는 힘인 동시에, 우주 속에서 창조적 진화를 추진해나가는 힘을 지칭한다. 쇼는 하나의 완성을 목표로 삼고 지구상에 존재하고 있는 모든 생명체들이 궁극적 완성을 향한 과정에서 더욱 발전된 생명체를 창조하려는 데서 나타나는 필연적인 '생명력'을 말하는 것으로 보다 고차원적인 의미로는 우리가 살고 있는 우주의 존재와 인류의 진화를 가능하게 하는 그야말로 불가사의한 근원적 힘을 말하고 있는 것이다. 그가 쓰는 모든 작품 하나하나에는 언제나 '생명력'을 통한 개혁사상을 수긍시키고 실현에 옮겨 보려는 의도가 밑에 깔려있는 것이다.

'생명력'이란 항상 발전하려는 의지인데 인간에게는 발전을 위해 창조를 수행해 나가는 '생명력'이 있으며 그것을 끊임없이 행사함으로써, 인간은 진보할 수 있다는 것이 쇼의 주장이다. 이 '생명력' 이론은 아주 독특한 그의 철학으로 그를 대표하고, 그의 사상적 핵을 이루고 있다. 이와 같이 오닐의 작품에 나타난 '배후의 힘' 사상과 쇼의 작품에 나타난 '생명력' 사상은 두 작가의 작품의 근간이 되고 있는 가장 핵심적이고 중요한 요소임과 동시에 우리의 영원한 관심사이자 인간존재의 중대한 문제이다. 오닐의 『수평선 너머』(*Beyond the Horizon*), 『털보 원숭이』(*The Hairy Ape*), 『느릅나무 그늘의 욕정』(*Desire Under the Elms*), 그리고 『밤으로의 긴 여로』(*Long Day's Journey Into Night*)에는 '배후의 힘', 그리고 쇼의 『인간과 초인』, 『성(聖) 조안』(*Saint Joan*), 『악마의 사도』(*The Devil's Disciple*), 그리고 『바바라 소령』(*Major Barbara*)에는 '생명력'의 제반 양상이 나타나고 있다.

오닐의 초기 해양극인 『수평선 너머』에서 주인공 로버트(Robert)는 전형적인 몽상가로서 항상 수평선 너머의 꿈을 갈망한다. 한 곳에 안주할 수 없는 방랑벽의 소유자이다. 그는 그가 추구하는 이상세계를 수평선을 가리키면서 꿈을 꾸듯이 묘사하고 있다. 오닐의 이상세계는 미지의 신비로움이 가득한 동경의 세계이다. 그는 이 속에 감춰진 비밀을 탐색하고 영원한 것을 추구하는 인간의 비극을 최종목표로 정하고 있다. 인간의 실상을 단순히 바라보지 않고 이상과 현실의 대립적 이중성을 설정해 놓고 '배후의 힘'과의 투쟁과 이것의 극복과 관련하여 면밀하게 조망하고 있다. 로버트는 오랫동안 꿈꾸어오던 이상을 좇아 수평선 너머의 미지의 세계를 향한 3년 동안의 여행을 위해 농장을 떠나기로 한다. 그러나 출발 전날 밤 형의 약혼녀인 루스(Ruth)가 일시적인 충동에 사로잡힌 나머지 진정으로 사랑하는 사람은 현실적인 그의 형 앤드류(Andrew)가 아니라 로버트라고 말한다(91). 결국 루스는 앤드류와 로버트 형제의 이상을 전도하는 결정적이고 중요한 역할을 한다.

오닐은 인생을 비극적으로 만드는 이 인지할 수 없는 이 '배후의 힘'에 대하여 적나라한 실상을 보여줌으로써 인생의 의미를 더욱 심오하게 각성시키고자 한다(Clark 59). 『수평선 너머』에서 '배후의 힘'의 요소는 자신과 로버트 그리고 루스와의 삼각관계에 대한 앤드류의 "우리는 어쩔 수 없어, 롭(로버트)"(86)라는 말과, 앤드류와 로버트의 관심의 영역을 혼동시켜 본성에 어긋나는 잘못된 선택을 이끌었고 이들 형제의 비극의 운명을 상징하는 루스의 "나는 어쩔 수 없었어요. 어느 여자도 그럴거 예요"(164)와 "어쩔 수 없었어요, 앤디(앤드류)! 나는 어쩔 수 없었어요"(168)라는 말을 통해서 이들의 비극이 단순히 어느 한 개인의 잘못이 아닌 그보다 더 큰 신비로운 운명신의 내재를 시사하고 있으며, 『느릅나무 그늘의 욕정』에서는 이러한 힘은 캐봇(Cabot)의 말을 통하여 "어떤 것"(something 202)으로 표현되고 있다.

로버트가 루스의 진실성이 결여 된 사랑의 고백으로 인하여 루스와의 사랑이 수평선 너머의 신비와 먼 나라의 꿈보다 아름답다고 단언함으로써 전도된 꿈은 급기야는 현실도피의 수단인 '죽음의 소망'(Death-Wish)으로 나타난다. 로버트와 루스는 그들의 딸 메어리(Mary)의 죽음을 부러워한다(148).

결국 산언덕의 검은 그림자는 로버트에게 죽음이 엄습해 올 때 사라지게 되며 죽음은 인생에 대한 각성을 부여한다. 로버트는 마침내 그와 앤드류 그리고 루스가 탐구하고자 하는 정체의 본질을 자각한다. 죽음이라는 희생을 통해 '배후의 힘'을 극복한다. 오닐은 죽어가는 로버트의 대사를 통하여 이러한 사실을 명백히 하는데, 죽음은 평화, 구원, 지복(至福) 그리고 '배후의 힘'의 극복이다. 로버트가 그의 지식을 사용하기에는 너무 늦어버린 죽음의 불가피성을 수용할 때 그 의미는 자명해진다.

극이 처음 시작된 산언덕과 동일 장소에서 갑자기 울려나오는 로버트의 극적이고 희망찬 목소리는 죽음이라는 희생을 통한 '배후의 힘'의 극복의 실현이다. 로버트의 패배를 은연중에 승리로 바꿈으로써 비극으로부터 구원을 도출하는 비극의 역설적 의미를 내포하고 있어 그 시사하는 바가 매우 크다.

인생이란 불가피한 갈등과 긴장을 내포하지만 이러한 고통이 주는 의미는 지속적인 갈등의 과정을 통한 '배후의 힘'의 극복을 위한 성장이다(Falk 7). 비록 주인공은 파멸하더라도 그에게는 위대성이 있기 때문에 인생의 의미를 준다. 희망임과 동시에 고귀함이다(Cargill eds. 104). 삶은 끝나지 않으며 한 경험은 다른 경험의 탄생에 불과한 것(Clark 81)이기에 로버트의 죽음은 정화, 재생, 정체탐구의 실현, 승리, 새로운 시작, 이상의 실현, 현실자각, 자아발견, 평화, 보상, 위안, 자유, 지복 그리고 '배후의 힘'의 극복이다.

표현주의 기법으로 쓴 『털보 원숭이』는 인간을 도구화하고 지배하는 '배후의 힘'에 대한 도전과 투쟁이 강조되어 있다. 주인공이자 증기여객선의 화부(火夫)인 양크(Yank)는 이러한 도전과 투쟁을 통해 그 힘을 극복하고자 부단한 노력을 하고 있다. 과거의 투쟁은 신과의 투쟁이었지만 이제 자신 그리고 자신의 과거와의 투쟁이며, '배후의 힘'의 극복을 위한 투쟁이 되고 있다(Cargill eds. 111). 특히 오닐은 『털보 원숭이』를 통해 삶의 비극적 의미에 대한 인식을 가능하게 함으로써 인간의 내면적 삶을 보다 잘 이해하려고 하였다. 이러한 그의 극적 특징에 대해 프렌즈(H. Frenz)는 작가의 정신적 편력의 참된 표현이라고 평하고 있으며(102), 휘트먼(R. F. Whitman) 역시 『털보 원숭이』 이후 그가 보여준 작품경향을 '배후의 힘'의 극복에 대한 부단한 기록이라고 언급하고 있다(Gassner ed. 142).

양크의 이러한 신뢰에 찬 자아상은 사회가 빚어낸 퇴폐적이고 인위적인 부산물이고, 본성으로부터 소외되어 있는 돈 많고 경박한 사교계의 아가씨이자 선주의 딸인 밀드레드 더글라스(Mildred Douglas)에 의해서 파괴되고 만다. 그녀는 양크를 보는 순간 "나를 나가게 해줘! 오, 더러운 짐승!"(127)이라고 외치면서 기절한다. 당혹과 모욕을 느낀 그는 자부와 긍지를 상실하지만 지금까지의 생각과는 달리 무소속감을 통해 그의 참된 정체탐구를 시작한다. 그녀는 그로 하여금 정체탐구를 통한 주관적 가치를 전환하도록 하는 결정적이고 중요한 역할을 한다. 양크의 마지막 '배후의 힘'의 극복의 양상은 고릴라의 우리를 찾아가는 사실로 나타난다. 그가 고릴라의 우리를 찾은 이유는 과거의 가치 속에서 정체탐구를 실현하고자 하는 증기선의 동료였던 패디(Paddy)가 주장했던 인간의 자연과의 관계상실에 대한 의미를 깨닫고, 자연의 가치를 인식했기 때문이다. 양크가 육체적일 뿐만 아니라 정신적인 우리에 갇힌 반면 고릴라는 육체에 한정되며, 고릴라는 인간사회에서 정체탐구를 추구할 당위성이 없지만 양크는 그렇지 못하다는 점에서 볼 때 그는 고릴라보다 못한 위치에 처해 있음을 알 수 있다. 고릴라는 정체탐구를 추구할 수 있는 확실한 과거와 정글이 있지만, 그는 그러한 과거도 없고 사회의 어느 곳에서도 소속을 거부당했다(153).

양크는 우리의 문을 비집어 열고 고릴라와 친숙해지기 위해서 손을 내밀지만 거절당한 채, 철제 우리를 그의 안식처로 느끼면서 고릴라의 살인적 포옹에 의해 으스러져 죽어간다. 이러한 그의 모습은 경박한 물질주의와 기계화된 문명에 뿌리 뽑힌 정체의 상실과 그로 인하여 소속을 잃은 현대인의 소외의식과 무기력을 암시한다. 오닐이 주장한 신의 죽음과 그에 따른 부조화와 인간소외에 대한 구제책으로서의 과학과 물질문명이 얼마나 무능한가를 형상화하고 있다. 인간은 생물학적 과거를 극복할 수 없는 동시에 물질문명과 과학의 발달도 인간에게 조화로운 정신의 성장에 대한 밝은 미래상을 제시하지 못하고 있음을 보여준다. 양크의 '배후의 힘'의 극복을 위한 부단한 노력은 결국 우리에 갇힌 죽음으로 종지부를 찍게 된다. 그는 우리의 마룻바닥에 쓰러질 때 털보원숭이로서의 자아상과 합치하게 된다.

오닐의 무의식적 자서전이라 할 수 있는 『느릅나무 그늘 욕정』의 주인공인 셋째 아들 에벤(Eben)은 그의 아버지 캐봇(Cabot)처럼 무자비하고 자기중심적이며, 그의 어머니처럼 민감하고 사랑에 굶주린 두 개의 상징적인 마스크를 한 인물이다. 전자의 모습은 에벤의 계모인 애비(Abbie)와 그의 형들인 시므온(Simeon)과 피터(Peter)가 에벤이 캐봇과 꼭 닮았다고 반복적으로 주지시킨 사실을 통해서 확인할 수 있다(166, 170, 182). 후자의 모습은 에벤이 자기가 어머니의 상속인으로 어머니의 피를 받은 자식이라고 주장하는 사실에서 찾아볼 수 있다(162). 에벤이 어머니를 위한 복수를 결행하는 것도 이러한 사실에 기인하고 있다. 혼자만이 주인이 되기 위해 형들의 농장 몫을 사들이고 창녀 민(Min)뿐만 아니라 계모 애비까지도 소유함으로써 캐봇의 물욕과 육욕을 재현한다. 그러므로 에벤은 '배후의 힘'의 극복을 위해서는 이기주의와 오만으로 가득 찬 캐봇의 가면을 벗어 던져야만 한다.

이 극의 주인공들은 그들을 지배하고 있는 신들에 의해 철저히 지배받고 있는데, 오닐이 이 극을 통해 제시하고자 했던 신의 속성은 캐봇의 경우 무정한 징벌의 신이며, 애비는 온화하고 관대하며 모성적인 신, 그리고 에벤은 정의롭고 용서하는 신으로 나타난다는 롱(C. C. Long)의 지적은 함축성 있는 적절한 표현으로 여겨진다(124). 캐봇은 『털보 원숭이』(*The Hairy Ape*)의 우리(cage)처럼, 그리고 『상복(喪服)이 어울리는 엘렉트라』(*Mourning Becomes Electra*)의 마농(Mannon)의 저택처럼 농장이 자기 자신일 뿐 아니라 동시에 감옥으로 남기에 오로지 그곳에 머물면서 "농장의 냉혹한 고독"(Racey in Gassner ed. 61)을 극복하고 그에게 새로운 자각을 통한 공정성을 베푸는 길만이 '배후의 힘'을 극복할 수 있는 유일한 길이다.

오닐의 자서전적 희곡인 『밤으로의 긴 여로』는 4명의 타이론(Tyrone) 가족이 각자의 문제들을 상호충돌하고 변화하면서 극의 주제를 전개해간다. 인색한 아버지 제임스 타이론(James Tyrone), 현실의 추한 자기 모습으로부터 도피하고자 절망적으로 마약에 빠져들어 가는 어머니 메어리(Mary), 방종한 알코올 중독자이며 세상을 냉소적으로만 바라보는 형 제이미(Jamie), 병약한 에드먼드(Edmund)는 서로의 약점에 대해서 끊임없이 비난하고 공격한다. 낮이 지나고 밤이 돌아옴에 따라 서로에 관한 쓰라린 진실을 드러낸다.

카펜터(F. I. Carpenter)는 이 극에서 오닐이 서로 다른 욕구의 세계로 가면서 양 세계의 비극적인 삶을 대조적으로 표현했다고 설명한다. "심리적인 문제를 다루는 이 작품은 각각의 인물들에게 다른 여행이 된다. 어머니인 메어리에게는 안개와 같은 희망 속의 슬픈 여행이며, 제이미에게는 냉소적이고 절망적인 밤으로의 희망 없는 여행이며, 아버지인 타이론에게는 초기의 성공과 방향에서 빗나간 비극적인 여행이다. 다만 에드먼드에게는 예언의 힘을 가진 밤을 초월하는 여행이다. 그리고 극형식상으로는 주인공들의 대조적인 여행의 이야기가 이 작품의 본질이 되고 있다"(162-163)고 매우 설득력 있는 주장을 하고 있다. 메어리는 보이지 않는 환상의 세계로, 제이미는 빈정거림과 절망의 세계로, 타이론은 잘못된 아집의 세계로 가고 있지만 에드먼드는 광명의 세계로 가고 있다. 밤으로 향하는 끝없는 고통의 심리적 여행은 각 등장인물에게 모두 다르게 나타난다. 메어리에게는 과거 수녀원의 세계로, 타이론에게는 잃어버린 예술적 재능에 대한 회한의 세계로, 제이미에게는 냉소와 절망적 신성모독의 세계로, 에드먼드에게는 환상으로의 여행이 그것이다. 여행의 목적은 현재의 비극적 상태를 불러일으킨 과거의 무엇을 찾는 것이다. 이들은 서로 사랑하면서 미워하고, 증오하면서 용서하는 이원적 심리상태를 나타내며 공생적 관계에서 상호책임을 전가한다.

이 극에는 이기심에서 오는 욕구로 인해 가족 간의 이해가 단절된 비극적 상황이 드러나 있다. 모든 사람은 후회할만한 잘못을 저질렀고 또한 행복했던 경험을 지니고 있다. 과거는 현재가 갖지 못한 가능성을 갖고 있기 때문에 동경의 대상이 된다. 현재나 미래는 전혀 의미 없고 과거만이 의미를 지닌다. 이처럼 암담한 상황, 즉 인간의 모든 희망과 꿈이 결국 환상에 지나지 않고 언제나 실패하기 마련인 상황만이 전개된다(Clurman in Gassner ed. 125). 소녀시절의 믿음을 되찾겠다는 메어리의 꿈, 셰익스피어 극 공연의 명배우 인 부스(Booth)의 칭찬에 대한 타이론의 기억, 그리고 에드먼드의 해양생활을 통해 체득한 신비의 경험 등 이 극의 인물들은 한결같이 과거의 세계 속에서 정체를 탐구하고 있다.

이 작품의 거실이 오닐이 설정해온 삶의 현장으로서의 무대 공간, 즉 인간의 삶을 균열시키는 이중구조의 생존현장의 모델을 이룬다면, 네 인물들 또한 그의 모든 주인공들의 원형을 이룬다. 타이론은 자기중심적이고 편협한 독선적 권위자로, 메어리는 불안정한 결혼과 정서적 과민성으로 편집현상에 빠지는 여성상이나 구제기능을 상실한 풍요의 여신(Earth Mother)으로, 제이미는 주인공의 민감한 감성에 작용하는 파괴자 또는 악마로, 에드먼드는 수평선 너머의 꿈을 찾아 무모한 투쟁을 감행하지만 끝내 자기 덫에 걸려 죽음이나 상처 속에 좌절될 수밖에 없는 젊은 영혼의 구도자로, 모습을 바꾸어 나타나며 오닐의 작품세계를 구성해왔다.

타이론 가족의 사람들이 마침내 직면하는 파국은 그동안 그들이 인식해온 과거를 통한 정체탐구의 실상이며, 오닐의 모든 주인공들에게 작용해온 '배후의 힘'의 최종적인 현시이다. 이 힘은 과거와 현재를 운명의 사건의 사슬로 묶는다(Tornqvist 232). 현실을 운명의 틀 속에 가두고 타이론 가족의 사람들을 죽음에의 원망과 공포로 이중구조화 함으로써 인간과 인간의 삶을 마치 『오이디푸스 렉스』(*Oedipus Rex*)의 운명이나 『유령』(*Ghosts*)의 과거처럼 지배하고, 『고도를 기다리며』(*Waiting for Godot*)에서처럼 불모의 절망상태로 만든다. 이 힘은 그동안 오닐의 안티테제가 되어왔던 것들 요컨대 거친 바다처럼 인간에게 잔인하고, 분노한 디오니소스처럼 신비적인 몰각(沒却)의 횡포를 행사하며, 경직된 기독교처럼 삶을 불모화시킬 뿐 아니라, 근대사회처럼 인간성에 무관심하며, 기계문명처럼 인간을 도구화함으로써 마침내는 인간을 생과 사의 혼돈 속에 몰아넣고 파멸시키는 무목적적인 힘으로 작용하고 있음을 확인할 수 있다.

한편 쇼는 그의 작품 『인간과 초인』을 통해서 이른바 그가 주장하는 '생명력'과 진화론에 대한 신념을 확인하고 있다. 즉 인간의 지속적인 개혁과 창조적 진화만이 앞으로 영원히 멸망 없는 인간사회를 이룩할 수 있다는 것이다. 이 작품에서 그는 제반 사회문제를 비롯한 여러 가지 문제들을 개선시켜야 할 필요성을 강조하고 있지만 무엇보다도 이 작품 속의 뚜렷한 핵심은 그의 독특한 철학이라 할 수 있는 '생명력' 사상이다. 이 철학은 다른 작품에서도 산발적으로 논의되고는 있으나 본격적으로 다루어진 것은 『인간과 초인』에서이다. 주된 구성은 우리가 살고 있는 이 우주의 존재와 인류의 진화를 가능하게 하는 불가사의한 근원적인 힘인 '생명력'을 구현하고 있는 보통사람인 앤(Ann)이 돈 주앙(Don Juan)의 화신이라고 할 수 있는 혁명적이며 자유사상가인 존 태너(John Tanner)를 현실적으로 가장 이상적인 그녀의 배필로 삼는다는 내용이다. 자칭 구습에만 얽매이는 자기 자신이 아님을 주장하는 램스덴(Ramsden)과 끊임없이 창조적 진화와 '생명력'만을 강조하는 태너가 대조적인 생각을 갖게 함으로서 그 당시 개혁적 보수파가 가지는 생각과 급진적 진보파인 태너의 생각을 대변토록 하고 있다.

쇼는 여기에서 당시 영국의 사회상으로 보아서 자기가 생각하는 '생명력'과 이상적이고 창조적 진화가 얼마나 어렵고 고된 일인가를 말하고 있으면서 타협적으로 화이트필드 앤(Whitefield Ann)과 로빈슨 옥타비우스(Robinson

Octavius) 그리고 로빈슨 비올렛(Robinson Violet)을 등장시키고 있다. '생명력'의 주체는 남자가 아니라 어디까지나 여자로 앞으로 영원히 '생명력'이 이어지게 하기 위해서는 언제나 용감하고 적극적인 사고를 지닌 혁명적 친구인 태너만이 상대자가 될 수 있음을 상기시킴으로써 다시 한 번 쇼의 초지일관된 '생명력' 사상을 엿보게 하고 있으며 사회 내에 충만한 인습타파를 위해서, 그리고 자유로운 '생명력'과 창조적 진화를 위해서 쇼는 비올렛과 같은 인물을 등장시키고 있는 것이다.

제3막은 쇼의 '생명력' 사상에 대한 철학을 극화한 것으로 여기에 등장하는 돈 주앙, 데블(Devil), 스태튜(Statue), 도나 애나(Dona Ana) 등은 실제인물이라기보다는 생의 비전을 제시하는 대변자들인 것이며, 그들의 주요 갈등은 제 1, 2, 4막에서 보인 것처럼 앤과 태너 사이에 나타나는 심적 갈등이라기보다는 오히려 현실주의자인 돈 주앙과 이상주의자인 데블과의 사상적 갈등인 것이다. 이런 면에서 볼 때 『인간과 초인』은 극 속에 주제와 동기가 상상적인 구조의 삶과 실제적인 구조의 사람을 그린 대표적인 극작이라 하겠으며, 쇼는 결과적으로 사회개혁에 의한 전 세계 발전이라는 구조적 변화에 대한 자신의 신념이 실현 불가능한 것임을 깨닫고 사회적 진보 대신 생물학적 진보를 택한 것이라 하겠으며 태너를 사회개혁가로 등장시키고 있으면서도 오히려 자연섭리에 따른 기질을 발휘케 하여 앤과 결혼하게 만들고 헥터(Hector)가 비올렛(Violet)과 한 쌍의 부부가 되도록 함으로써 결과적으로 '생명력'에 입각한 자유와 평등이 보장되는 정신적 진보와 아울러 사회발전을 가져올 수 있는 초인을 기대해 보도록 하고 있다.

쇼는 여자답지 않은 여자로서의 인습을 벗어버리고, 의지 견고한 독립심을 지닌 '생명력' 사상을 『성 조안』에서 완성한다. 『성 조안』은 이러한 점에서 볼 때 쇼의 후기작품 중에서도 중세라는 시대가 안고 있는 문제를 다룬 걸작 극이다. 전설적 인물인 잔 다르크(Joan of Arc)를 등장시켜 종교 간에 갈등의 희생물이 되는 그녀를 좀 더 발전적 분위기 속에서 묘사한다. 조안은 성녀나 영웅도 아닌 평범한 처녀로서 교육받은 여자는 아니지만 뛰어난 그녀의 용기와 의지로 영국군을 패퇴시키고 프랑스를 승리로 이끈다. 그녀의 '생명력'에서 나온 초자연적인 힘과 기적들의 달성이라는 점에서 독특한 여성의 영광과 비참함을 나타낸 극이다.

쇼 이전에는 조안의 이야기를 다룬 문인들이 연극적 흥미를 가미하고 있지만 쇼는 조안을 비교적 감상적이지 않은 인물로 만들어 대중적 낭만성을 없애려 했다. 그럼에도 이 작품이 흥미를 끄는 것은 결코 조안이 갖는 생명과 공적이 아니라 그녀의 시련과 그 시련에 대한 진술이다. 그러나 쇼는 결국 사회발전에 대한 필연적 명령에 부응해서 현실을 지배하고 자아를 성장 발전시키는 '생명력'을 돕는 것이 가장 중요한 일임을 깨닫도록 하기 위해, 먼저 자유를 얻고 자유를 추구함에 있어 당시의 봉건제도와 강력한 교회중심적 질서, 노예를 데리고 있는 일부 독재자들을 타도하고 사회적 양심을 확대하고 국가적 자유를 도모하여 세상의 모든 이성과 지혜가 모든 사람에게 골고루 이롭게 사용되도록 하며, 자기 뜻에 반대하는 사람이 있더라도 무리하게 강요되어선 아니 됨을 영국 상류계층들에게 경고하고 있는 것이다.

인간과 우주의 힘을 말해주는 '생명력'의 단적인 나타남은 이 극의 막이 열리는 처음부터 로버트(Robert)와 그의 노비 스튜워드(Steward) 사이에 오고 간 산란에 대한 대화에서 잘 나타나고 있다. '생명력'이 때로 웃기는 일 같은 평범한 사건임에도 의미를 붙이면 굉장한 힘의 계시로 보이게 된다는 것이다. 이것은 조안을 따르게 하는 하나의 계기가 된다. 조안은 성 캐서린이나 성 마가렛의 계시에 대해서도 많은 이야기를 하지 않는다. 그러나 보다 더 큰 의지 '생명력'의 근원이 되는 믿음의 힘은 거듭 강조하고 있다. 그녀가 후에 초자연주의자로서의 면모를 잘 나타내어 프랑스 본토에서 영국인을 쫓아내려는 생각을 가진 것도 잃어버린 질서를 이 세상에서 회복시켜 주시려는 하나님의 의지, 즉 '생명력' 때문이다. 절대적 고립상태를 깨달은 조안은 "나는 당신들보다 더 나은 친구들과 조언을 가지고 있다"(194)라는 말을 하며 하늘을 우러러본다. 바로 이 대사는 힘 있고 감동적인 한 구절이기도 하다. 조안이 좌절감과 절망 그리고 깊은 고독 가운데서 순교자로서의 각성에 도달하는 심리과정을 쇼가 그의 독특한 '생명력'의 재생법으로서 잘 표현해낸 명대사인 것이다. 조안이 이 선언을 할 때 그녀의 넋은 육체의 죽음에서 오는 공포와, 현실이라는 때와 공간에서 해방되어 멀고 먼 하늘세계를 뛰어넘는 '생명력'의 비상(飛翔)이 이미 시작되었다고 볼 수 있다.

조안의 특질은 하나님의 계시를 끝까지 믿고 그 신념을 그녀의 유일한 사명으로 인식하고 마지막까지 뚫고 나간 불굴의 의지, 즉 그녀의 독특한 '생명력'의 완성, 바로 그것이었다는 것을 쇼는 문자 예술로서 완성한 셈이다. 육체의 죽음보다도 영혼의 해방으로서의 하나님의 구원을 받아들이게 한 것이다. 그녀가 이런 극한 상황 속에서도 한 신부까지 걱정할 수 있었다는 사실에서 조안이라는 처녀가 지니는 놀라움과 비범한 특질을 볼 수 있다. 죽은 지 500년 이상 된 그녀가 육체를 떠나 영혼으로서 작품 속에 재생된다.

많은 평론가들은 이 극을 활력론의 성경으로 파악하고 있다. 사회주의자로서 창조적 진화를 믿고 그 이상을 나타내고자 한 초인을 완성한 작품으로 본다. 조안은 쇼의 '생명력' 추구의 생기가 넘치는 천재의 한 여인이고, 이 극은 '생명력'의 표현이 가장 두드러진 작품이다. '생명력'을 취급해온 쇼의 문학의 여러 다른 작품 속에서도 초인을 완성시킨 조안은 두드러진 위치를 차지하고 있다. 우리 인간 속에 살아 있는 '생명력'의 보편성을 조안이라는 한 여성의 비극을 통해서 완성했고 그녀가 끝맺음말 속에 되살아 나와서 살아 있는 사람들의 삶을 정리시켜 준다. 여전히 애달픈 인간애와 즐거움의 전율을 함께 지니면서도 어찌하여 죽은 삶을 영위하고 있느냐에 대한 강한 의문을 제기하고 언제까지 인류는 진리에 눈감고 살아가야 하는가에 대한 강한 물음을 쇼는 이 작품을 통해 던지고 있다.

『악마의 사도』는 청교도를 위한 극으로서 단순히 종교적인 극이라기보다는 그의 '생명력' 사상에 근거한 인간의 근본 문제를 다루고 있으며 우리로 하여금 우리의 삶의 현장인 실생활 속에서 종교의 정신을 찾도록 노력하게 한다. 실로 이 극은 과거와는 달리 새롭고 상쾌한 기분에 젖도록 하며 이러한 신선한 분위기는 시대적으로 진보된 사고에 대한 결과라 볼 수 있다. 이 극은 전통과 구습에 얽매인 전시대와 다르게 현실사회를 개화하고 개량해 나가기 위해 극중 인물들을 사회 속에 만연된 종교적 억압에서 탈피토록 하여 지나간 과거의 참회 의식의 방법이 아닌 창조적 진화의 원동력이 되는 '생명력'의 의미를 살리는 것이다.

모든 사람들이 싫어하고 저주하는 사람을 사랑할 수 있다는 사랑의 뉘앙스를 쇼는 바로 자기가 말하는 '생명력'에 근거한 창조적 진화 방법과 함께 인간의 내면 깊은 곳에서 우러나는 윤리적 도덕관으로부터 끌어내기 위해 극과 극을 비유하고 생각하게 함으로써 관객들의 빠른 이해와 계몽적 효과를 노렸던 것이다. 주디스(Judith)가 저주하는 인물이며 온 마을 사람들이 그렇게도 싫어하는 리처드(Richard)이지만 융화와 화합을 이룰 수 없는 사회의 차별의식은 공존공생의 가능성을 없애는 비극임을 말하여 극단적 보수성을 진보적 개혁으로 바꾸어보려는 쇼는 19세기적 전통의 인습적 구속사회와 진보적 개혁의 양자 사이에서 구습타파의 어려움을 실감하면서도 현실주의적 수단을 사용하는 것만이 '생명력'의 명령이라고 생각한다.

리처드가 매사에 반항적 기질을 유감없이 발휘하여 모든 사람의 존경의 대상인 앤더슨(Anderson) 목사에게 도전적 입장을 취하고 사회적 통념과 인식의 개혁을 시도한 것은 모두가 '생명력' 사상과 연결하여 인간발전을 실현하려고 한 것이다. 악한으로 여겨지고 있는 그가 다른 사람의 부인을 구하고 그것도 다정했던 친구사이도 아닌 사람을 위해서 자신의 목숨까지 바쳐가며 앤더슨 목사를 구하려고 한다. 그 이유는 '생명력'에 입각한 사랑의 구원 때문이며 죽음을 뛰어넘을 수 있는 지고의 사랑은 신만이 아닌 인간 내면에도 잠재해 있을 수 있으나 사리사욕만을 행동의 기준으로 삼는 위선적 사회에서는 극히 드문 일로 이것은 어디까지나 쇼가 바라는 하나의 이상이다. 나를 희생시켜 남을 도울 수 있다는 희생적 정신은 사뭇 쇼의 마음 속 깊이 내재해 있는 '생명력'이라는 힘을 목표로 한 신앙심의 발로이고 나만을 생각하는 사회현상에 대한 일대 경종을 울려 공생관계를 이룩하려는 쇼의 간절한 소망을 담고 있는 것이라 하겠다. 무대는 비록 미국으로 하고 있지만 청교도적 정신이 투철한 이민들이기에 영국에서 당한 과거의 고난과 압제를 상기시키고 영국 내의 부패한 사회상을 개혁하고 개선시키기 위해 미국시민인 리처드를 등장시켜 영국의 악정을 신랄히 비난하고 불의를 막기 위해서는 죽음으로도 항거할 수 있음을 보여준다. 즉 모든 생명체에는 보다 더욱 발전하려는 '생명력'에 근거한 의지가 있다는 것을 말하고 있는 것이다. 리처드가 앤더슨목사 대신 교수형을 받게 될 때쯤 해서 영국군과 일부 독일군을 지휘하던 버고인(Burgoyne) 장군이 웹스터브리지(Websterbridge)에 나타나서 만일 리처드 더전(Richard Dudgeon)을 교수형에 처한다면 후세에 딕 더전(Dick Dudgeon)을 일개 범인이 아닌 순교자로 만들어 줄 수도 있음을 이유로 사형집행에 적극 반대한다. 이러한 상황 전개는 쇼의 '생명력' 사상에서 인간이 특별한 의미를 가진 존재로서 '생명력'이 창조한 최고의 생명체이기 때문이다.

쇼는 이와 같은 자신의 이상을 널리 알리기 위해 제 3막에서 악마의 사도라 불리는 딕 더전으로 하여금 이러한 이상을 잉태한 인물이 되도록 하고 있다. 그는 결과적으로 반란군으로 잡히면 거의 틀림없이 교수형에 처하게 된다는 것을 알면서도 성자의 심정으로 돌아가서 인간의 깊은 내면으로부터 무의식적으로 용솟음치는 높은 차원의 숭고한 사랑의 힘에 의해서 스스로를 앤더슨 목사 대신 체포되도록 하여 소위 쇼가 말하는 '생명력'에 입각한 무의식적 충동과 생명의 추진력을 나타내고 있는 것이다.

『바바라 소령』은 영국 상류지배계층들이 자신들의 부유한 사생활을 합리화시키기 위해 구 도덕관과 구 종교관의 틀 속에서 부르짖는 허구성을 비판하고, 경제적으로 빈부 차에서 오는 생활상을 그려 지배계층들이 가지고 있는 안일한 현실 외면적 도피행위는 절대로 용인될 수 없는 일이며 이를 해결하기 위해서는 오직 상류지배계층들이 '생명력'이라는 근원적 사상에 따라 피지배계층들을 이해하는 개혁적 사고방식과 문화적 순화뿐임을 강조하며, 빈부의 중간 입장에서 비판하고 조정을 담당하게 하기 위해 구세군인 바바라 소령을 등장시키고 있다. 이 극은 '생명력'을 통한 유전을 추구하는 동시에 독창적 진화 사상의 전개를 통한 합리적 바탕을 추구한다.

1막의 중심점과 쟁점은 누가 브리토마트(Britomart)의 남편인 앤드류 언더사프트(Andrew Undershaft) 소유의 거대한 군수공장을 유산으로 넘겨받아 '생명력'의 목적인 인간발전을 실현하려는 언더사프트의 의지를 받드느냐에 있다. 언더사프트 가(家)의 대를 이어오는 전통적 가풍에 따르면 친자가 아닌 주워온 아이가 언제나 후계자가 되어야 하는 것이다. 이것은 어디까지나 앞으로 영원히 멸망 없는 내일을 위해서는 한 가정을 초월하여 명석한 두뇌를 가진 자를 찾아내어 그로 하여금 다음 대를 잇게 해야 한다는 쇼의 '생명력'에 근거한 창조적 진화사상을 반영한 것이다. 현실을 살아감에 있어 철저히 현실주의적인 수단을 사용하는 것이 '생명력'의 명령이라고 생각한 쇼는 바바라로 하여금 마음에 일고 있는 종교적 양심과 생존하기 위해서는 꼭 필요한 언더사프트의 부정한 돈 사이에서 비롯되는 마음의 갈등을 일으키게 한다.

브리오마트 부인(Lady Briotmart)이 말한 것처럼 바바라를 흠모해서 구세군에 합류한 커신스(Cusins)는 바바라가 예수의 반대자이며 도덕성을 잃고 악마같이 군림하는 그녀의 아버지 언더사프트를 새로운 신으로 두려워하며 마음에 동요를 보이고 있음을 공박하면서도 자신마저 차츰 언더사프트에게 마음이 빠져들고 있음을 고백한다. 바꿔 말해 현실을 지배하는 힘인 돈과 화약을 외면하는 이상주의에 빠진다면 절대로 이 세상이 구원될 수 없음을 감지한 이들은 언더사프트에게 등을 돌리는 것이 바로 생을 포기하는 것으로 생각하고 언더사프트가 이루어 놓은 업적을 바탕으로 인간세계의 보다 높은 단계로의 비약을 생각하기에 이른다. 이들의 이러한 마음의 변화는 바로 '생명력'의 대행자의 행위인 것이다. 또한 그간 커신스가 보여준 구세군에 대한 견해는 결코 순수한 기독교 신자들이 가지는 견해가 아닌 것이다. 바바라의 확실한 종교적 신념이 마침내 커신스를 그녀에게 끌어들인 것이며 실제 면에 있어서 그녀의 복음주의는 결코 커신스가 가지고 있는 종교적 사랑, 동정, 용서라는 사상에 배치되는 것이 아니라 그녀가 그녀의 종교를 처음 받아들였을 때와 마찬가지로 그의 신념에 일종의 위기가 닥친 것이며 모든 것이 '생명력'에 입각한 현실감에 젖어 들고 있음을 말하고 있는 것이다.

언제나 떳떳하고 독립적인 생활을 역설하는 언더사프트의 생활신조는 진리인 것이며 그것은 곧 그가 믿고 있는 '생명력'의 일부인 것이다. 그는 정직과 성실성이 결여되고 경제적 현실을 염두에 두지 않는 가난한 자들에게 미덕만을 설교하는 커신스와 같은 사람은 그가 어떠한 자유주의자라 하더라도 무가치한 자에 지나지 않는다고 믿고 있다. 그러나 여기에서 중요한 것은 우리 사회에서 도덕적 미덕이야말로 우리사회를 지탱하고 이끌어 가는 강력한 힘으로 '생명력'에 바탕을 두고 있다는 사실이며, 이것은 사회제도의 개혁적 입장에서 한층 더 강조되어야 한다.

쇼의 '생명력' 사상을 근간으로 하는 사회개혁에 대한 점진주의는 힘에 대한 어떤 정신적 불복에 있는 것이 아니라 먼저 교육적 지도과정이 필요하다는 신념에 기초를 두고 있는 것이다. 앞으로도 언제까지나 약자에 대한 강자의 폭력적 위협은 계속 될 것이며 항상 유보상태 하에 있는 것으로 생각하는 쇼는 도덕적 종교가 내세우는 추상적, 낭만적 태도에 의해서는 결코 이 세상의 악을 몰아낼 수 없다고 보고 있는 것이다.

결국 커신스는 바바라를 잃는다하더라도 죽음의 공장인 군수공장의 현실과 힘을 택한다. 바바라는 이제 더 이상 커신스의 생활과 다른 별도의 길을 걸을 수는 없는 처지이다. 그녀는 아버지 앤드류 사프트가 세워 놓은 공장 마을 내에서 비교적 풍족한 생활을 영위하고 있는 남녀 노동자들에게 마음껏 설교할 수 있을 것이며 이렇게 함으로써 그들은 더 이상 한 조각 빵의 선심으로 유혹 당함이 없이 생득권(生得權)을 향유할 수 있다. 이제 언더사프트는 바바라로 하여금 사회에 대한 부정적인 시각을 벗어나 그녀의 새로운 신념과 용기를 회복하게 하고 커신스와 가정을 이루게 함으로써 '생명력' 사상에 따른 인간발전을 실현하고 있는 것이다.

쇼는 이같이 사회적 문제와 더불어 경제적 문제를 다룬 작가로 어느 면으로 보면 아일랜드 출신으로서 영국이 배출한 최초의 본격적인 사실주의 작가처럼 보이나 쇼는 어디까지나 사실주의 자체에 높은 관심을 두었다고 하기보다는 '생명력'이라는 고도의 지성을 바탕으로 사회개량을 주창하는 사상을 발표하여 상하의 화합과 공존을 역설하고 있다.

제2장

여성의 역할

『수평선 너머』, 『느릅나무 그늘의 욕정』, 『털보 원숭이』, 『모든 신의 아이들에게는 날개가 있다』,『인간과 초인』, 『바바라 소령』, 『워렌 부인의 직업』, 『캔디다』

미국의 20세기 전반기의 대표적 극작가인 유진 오닐(Eugene O'Neill 1888-1953)이 활동한 시기는 현대인의 정신적 지주였던 기독교의 권위가 상실 된지 이미 오래였고 인간 존재에 대한 새로운 의문과 더불어 여성에 대한 의식이 무르익던 때였다. 그는 일생동안 다양한 등장인물들을 묘사하는 과정에서 어느 작가보다도 여성에 깊은 관심을 가졌으며, 이상적인 여성을 통해 인간의 근원적 갈등과 고뇌를 극복하려고 노력하였다.

오닐이 제시하고 있는 여성은 남성 못지않게 인간 존재의 비극성을 인식하는 가운데 스스로의 의지에 따라 자신의 목적을 위해 능동적으로 행동한다. 그는 작품 속에서 여성이 남성과의 심리적, 육체적인 관계에서 어떻게 자아인식을 하게 되고, 비극적인 현실에서 어떠한 통찰을 얻게 되는가를 남성적 편견을 뛰어 넘어 객관적으로 제시하려고 노력했다. 남성의 비극적 삶 속에서 여성은 남성의 삶과 죽음, 사랑과 증오, 갈등과 고뇌, 그리고 평화와 구원에 밀접한 관련을 갖고 있다. 남성의 운명을 파멸시켜 비극적으로 이끄는 결정적 원인이 바로 여성에서 기인한다. 외양적으로 여성은 남성에게 삶의 고통을 안겨주지만 실제적으로는 남성에게 현실에 대한 이해, 인생의 지혜, 객관적 가치, 정신적 구원, 그리고 참된 정체의 각성에 대한 계기를 부여한다. 외양적 고통과, 비극적 결말에서의 궁극적 구원은 절망, 어둠, 그리고 부정 속에서 희망, 밝음, 그리고 긍정을 찾고자하는 오닐의 비극관과 일치한다.

오닐의 여성은 지금까지 두 가지의 극히 변별적인 이미지로 대변되고 해석되어 왔다. 그의 작품 속의 여성은 그의 자전적 체험에 근거하여 충족되지 않는 어머니의 사랑에 대한 갈망과 적의에서 나온 '파괴적인 여성상'과 '구원의 어머니상'으로 이해되었다. 물론 이러한 분류는 충분한 객관성과 설득력이 있다. 그러나 한편으로 이와 같은 이분법적인 분류는 다소 지나치게 포괄적이고 틀에 맞춘 듯한 인상을 주는 경향이 있어 자칫 오닐의 각 작품에 등장하는 여성들의 다양하고 구체적이며 독자적인 개성과, 외양과 실제의 차이를 경시하거나 무시하는 우(愚)를 범할 수도 있다.

한편 오닐과 동시대의 극작가인 조지 버나드 쇼(George Bernard Shaw 1856-1950)는 부유와 빈곤의 격차로 인한 참상과, 그리고 새로운 사상과 기존의 사상의 충돌로 인한 모순과 혼돈으로 가득 찬 시기의 인물이다. 그는 극심한 가난을 초래하는 자본주의의 부르주아를 타파하기 위해서는, 사유재산이 인정되지 않고 만인의 균등한 수입이 보장되는 사회주의 채택이 불가피하다는 주장과, 인간 평등, 특히 남녀평등의 문제를 강조하였다.

그 당시는 1972년 메어리 월스톤크래프트(Mary Wollstonecraft)의 『여성 권리의 옹호』(*A Vindication of the Rights of Woman*)라는 저서를 통해 시작된 여성 참정권 운동이 성공적으로 결실을 거두고, 또한 여성교육이 보급되기 시작한 시기였다. 쇼는 『입센의 진수』(*The Quintessence of Ibsenism* 1891)에서 처음으로 '여성답지 않은 여성'(Unwomanly Woman)과 '여성다운 여성'(Womanly Woman)이라는 표현을 사용하여 빅토리아 시대 여성의 일반적인 성격인 '여성다운 여성'과는 상치되는 '신여성'(New Woman)을 제시하였다. 남자에게 선택받기 위해 유순하고 나약한 체하며 복종적인 태도로 살아오던 가부장제하의 '여성다운 여성'과는 달리, '신여성'은 관습에 얽매이지 않고 남성과 동등한 위치에 있음을 확신하고 남성이 여성에 대해 우월한 체하는 것을 거부한다. 남성에게 종속된 존재가 아니라 독립적인 존재로서 명확한 목표 의식을 가지고 떳떳하게 의견을 피력하는 여성이다. 쇼는 생명의 창조적 진화에 있어서 여성의 기능이 남성보다 더 위대하고 중요하다고 생각하여 여성에게 큰 관심을 경주하는 동시에, 여성의 지위 향상을 위해 고심하였다. 그의 관점에서 불합리한 전통과 관습은 인류발전을 저해하는 가장 큰 장애물이었다. 그는 오랜 역사를 통해 억압을 받아온 여성의 편에 서서 여성을 옹호하였으며, 그의 작품들 속에서 전통과 관습에서 탈피, 자신의 의지에 따라 사는 여성을 보여줌으로써 여성의 위상 제고에 크게 기여하였다. 그는 남녀평등의 실현 방안으로 여성에게 향상하려는 진보적 의지인 '생명력'(Life Force)을 부여하여 여성의 중요성과 역할을 보다 확고히 하였다.

제1절 '배후의 힘'과 '생명력'을 대행하는 역할: 루스, 앤

오닐의 이상세계는 미지의 신비로움이 가득한 동경의 세계이다. 그는 이 속에 감춰진 비밀을 탐색하고 영원한 것을 추구하는 인간의 비극을 최종목표로 하고 있다. 그는 인간의 실상을 단순하게 바라보지 않고 이상과 현실에 대한 대립적 이중성을 설정하며 '배후의 힘'과의 투쟁, 그리고 이것의 극복과 관련하여 면밀히 조망하고 있다.

오닐의 초기 해양극인 『수평선 너머』에서 주인공 로버트(Robert)는 전형적인 몽상가로서 항상 수평선 너머의 꿈을 갈망한다. 한 곳에 안주할 수 없는 방랑벽의 소유자인 그는 오랫동안 꿈꾸어 오던 이상인 수평선 너머의 미지의 세계를 향한 3년 동안의 여행을 위해 농장을 떠나기로 결심한다. 그러나 출발 전날 밤, 형의 약혼녀인 루스(Ruth)가 일시적인 충동에 사로잡힌 나머지 진정으로 사랑하는 사람은 현실적인 그의 형 앤드류(Andrew)가 아니라 로버트라고 말한다(91). 결과적으로 루스는 앤드류와 로버트 형제의 이상을 전도하는 결정적이고 중요한 '배후의 힘'을 대행하는 역할을 한다.

오닐은 인생을 비극적으로 만드는 인지할 수 없는 '배후의 힘'에 대하여 적나라한 실상을 보여줌으로써 인생의 의미를 더욱 심오하게 각성시키고자 한다(Clark 59). 『수평선 너머』에서 '배후의 힘'의 요소는 앤드류와 로버트의 관심의 영역을 혼동시켜 본성에 어긋나는 잘못된 선택을 이끌었고 이들 형제의 비극적 운명을 상징하는 루스의 "제가 어쩌란 말예요? 어느 여자라도 그럴 거예요"(How could I help it? No woman could. 164)와, "어쩔 수 없었어요, 앤디(앤드류)! 저는 어쩔 수 없었어요"(Don't Andy! I could'nt help it. 168)라는 말을 통해 드러나는데, 이것은 이들의 비극이 단순히 어느 한 개인의 잘못이 아닌 그보다 더 큰 신비로운 운명신의 내재를 시사하고 있으며, 루스는 이러한 '배후의 힘'의 대행자가 되고 있다. 인생이란 불가피한 갈등과 긴장을 내포하지만 이러한 고통이 주는 의미는 지속적인 갈등의 과정을 통한 '배후의 힘'의 극복을 위한 성장인 것이다(Falk 7). 오닐은 비록 주인공은 파멸하더라도 거기에는 위대성이 있기 때문에, 그것은 인생의 의미, 희망, 그리고 고귀함이 될 수 있다고 보았다(Cargill eds. 104). 삶은 끝나지 않으며 한 경험은 다른 경험의 탄생에 불과한 것(Clark 81)이기에 로버트의 죽음은 정화, 재생, 정체탐구의 실현, 승리, 새로운 시작, 이상의 실현, 현실자각, 자아발견, 평화, 보상, 위안, 자유, 지복(至福)이자 '배후의 힘'의 극복이다.

한편 쇼는 그의 작품 『인간과 초인』을 통해 이른바 그가 주장하는 '생명력'과 진화론에 대한 신념을 확인하고 있다. 인간의 지속적인 개혁과 창조적 진화만이 앞으로 영원한 인간사회를 이룩할 수 있다는 것이다. 이 작품에서 그는 사회문제를 비롯한 제반문제들을 개선시켜야 할 필요성을 강조하고 있다. 무엇보다도 여기서 뚜렷한 핵심은 그의 독특한 철학이라 할 수 있는 '생명력' 사상이다. 그는 이 '생명력' 사상을 이 작품에서 본격적으로 다루고 있다. 이 작품에서는 우주의 존재와 인류의 진화를 가능하게 하는 불가사의하고 근원적 힘인 '생명력'을 구현하고 있는 보통사람 앤(Ann)이, 돈 주앙(Don Juan)의 화신이자 혁명적 자유사상가인 존 태너(John Tanner)를 그녀의 가장 이상적인 배필로 삼는다.

쇼는 이 작품에서 자칭 구습에만 얽매이는 사람이 아님을 주장하는 램스텐(Ramsden)과 끊임없이 창조적 진화와 '생명력'만을 강조하는 태너가 대조적인 생각을 갖게 함으로써, 그 당시 개혁적 보수파인 램스텐의 생각과 급진적 진보파인 태너의 생각을 대변하고 있다. 그는 당시 영국의 사회적 상황으로 보아 '생명력'과, 이상적이고 창조적인 진화가 얼마나 어렵고 고된 일인가를 말하고 있다. 그는 이러한 현실과의 타협을 위해서 화이트필드 앤(Whitefield Ann)과 로빈슨 옥타비우스(Robinson Octavius) 그리고 로빈슨 비올렛(Robinson Violet)을 등장시키고 있다. '생명력'의 주체는 남자가 아니라 어디까지나 앤이며, 앞으로 영원히 '생명력'이 이어지도록 하기 위해서는 언제나 용감하고 적극적인 사고를 지닌 태너만이 그녀의 상대자가 될 수 있음을 상기시킴으로써 쇼의 초지일관된 '생명력' 사상을 엿볼 수 있다. 사회에 만연된 인습타파를 위해, 그리고 자유로운 '생명력'과 창조적 진화를 위해서 쇼는 비올렛과 같은 인물을 등장시키고 있는 것이다.

제3막은 쇼의 '생명력' 사상을 극화한 것으로 여기에 등장하는 돈 주앙, 데블(Devil), 스태튜(Statue), 도나 애나(Dona Ana) 등은 실제인물이라기보다는 생의 비전을 제시하는 대변자들이다. 그들의 주요 갈등은 제 1, 2, 4막에서 보여준 것처럼 앤과 태너 사이에 나타나는 심적 갈등보다는, 오히려 현실주의자인 돈 주앙과 이상주의자인 데블과의 사상적 갈등이다. 이런 면에서 볼 때 이 작품은 상상적인 구조의 삶과 실제적인 구조의 삶을 그린 대표적인 작품이라 할 수 있다. 쇼는 사회개혁에 의한 발전이라는 구조적 변화에 대한 그의 신념이 실현 불가능한 것임을 깨닫고 사회적 진보대신 생물학적 진보를 택한 것이다. 그는 태너를 사회개혁가로 등장시키면서도 오히려 자연 섭리에 따른 기질을 발휘케 하여 앤과 결혼하게 만들고, 헥터(Hector)가 비올렛(Violet)과 부부가 되도록 함으로써, 결과적으로 '생명력'에 입각한 자유와 평등이 보장되는 정신적 진보와 아울러 사회발전을 가져올 수 있는 초인의 도래를 예견하게 하며, 앤은 이러한 '생명력'을 대행하는 역할을 한다.

제2절 구원자로서의 역할: 애비, 바바라

『느릅나무 그늘의 욕정』에 등장하는 인물들은 주변으로부터 단절되고 나아가서는 자아마저 상실하고 방황하는 사람들이다. 이 작품에서는 인간이 가진 원시적인 속성 중에서 물욕에 대한 지나친 이기심이 서로를 차단시키는 원인이 되고 있다. 이 점은 바로 하찮은 농장과 자갈밭을 끝까지 자기 것으로 움켜쥐려는 캐봇(Cabot)과, 그 농장을 죽은 어머니의 피와 땀의 산물이라고 생각하여 가로채려는 젊은 아들 에벤(Eben), 그리고 자기 집 소유가 평생소원인 계모 애비 사이의 갈등으로 표출되고 있다. 이들은 농장을 사이에 두고 물욕이 빚어내는 서로 다른 이기심으로 상호 간에 신뢰를 상실하여 심지어 에벤은 캐봇을 죽게 해달라는 기도를 할 만큼의 잔인한 인간성을 드러내고 있다. 오닐은 이 극을 통해 오늘날 물질문명이 초래한 병폐를 적나라하게 지적하고 있다. 차브로웨(Chabrowe)는 캐봇과 에벤, 그리고 애비 사이의 삼각관계에 대해서, 이 극을 지배하는 운명의 이미지는 돌담이 딸린 농장, 대지와 느릅나무, 그리고 집이라고 설명하고, 이 중 돌담은 아버지에, 대지와 나무는 모성 또는 모성상에, 그리고 집은 모성적 심오함을 갈구하는 아들 역할을 하는 주인공 에벤에 상응한다고 말한다(129).

애비와 에벤은 처음 만난 순간부터 육체적으로 강한 본능적 욕정에 이끌리지만 농장 소유의 문제에 대해서만큼은 첨예한 대립과 적대감을 표시한다. 결국 그는 그녀의 매력과 유혹에 점차 빠져들고 만다. 그 이유는 그녀는 압제력과 잠재력, 그리고 풍요와 사랑의 구현이자 대지의 일부로서 생산력과 모성의 원초적 상징인 느릅나무이기 때문이다(Engel 129). 그와 그녀는 각자의 목적, 즉 그는 아버지 캐봇에 대한 복수를 위해서, 그리고 그녀는 캐봇 소유의 농장을 상속받기 위한 아들의 출산을 위해서 서로의 성적 욕구를 충족시킨다. 이들의 성적 결합의 장소는 다름 아닌 그의 어머니가 거처했던 방이다(195). 이제 에벤은 애비를 통하여 어머니의 망령에 대한 생각이 다소간 치유되고, 이 방의 억압적이고 무덤 같은 분위기가 사라지게 된다. 또한 그는 세상의 장애물과 스스로 대처할 만큼 강한 인간으로 화하게 되고, 돌담과 그 집의 협소한 방의 한계를 초월하는 욕망을 부여받은 도취의 황홀경을 성취한다고 보가드(Bogard)는 지적하고 있다(216).

애비의 참된 사랑의 고백은 묵살된 채, 아이가 캐봇의 자식이 아닌 자신의 아이라는 이유로 그녀가 살해한 것으로 믿고 치안관에게 달려가는 과정에서, 에벤은 아이가 그녀와 그 사이의 죄과에서 출생했기 때문에 그도 공범이라는 인식을 갖게 된다. 결국 그의 그녀에 대한 복수의 욕망은 사랑으로 화한다. 그가 그녀에게 치안관이 오기 전에 달아날 것을 제안하자 그녀는 "나는 나의 벌을 받아야만 해－나의 죄를 갚기 위함이지"(I got t' take my punishment－t' pay fur my sin. 213)라고 말하면서 그들의 사랑에 대하여 후회하지 않는다고 한다. 그도 또한 "나도 그 죄과 중 내 몫을 치러야만 해요! . . . 나도 당신과 함께 하겠어요, 애비－감옥 또는 죽음 또는 지옥 또는 어떤 것이라도! 내가 당신과 함께 할 수 있다면, 나는 외롭지 않을 거예요, 적어도"(I got t' pay fur my part o' the sin! . . . I want t' share with ye, Abbie－prison 'r death 'r hell 'r anythin'! If I'm sharin' with ye, I won't feel lonesome, leastways. 214)라고 말함으로써 그녀에 대한 참된 사랑을 고백함과 동시에 그녀와 함께 어느 곳, 어떠한 형벌이라도 감수하겠다는 의지를 보여주고 있다. 보가드는 그들 사이에 디오니소스적 탐닉의 열기가 사라진 지금 하나의 의지의 대상은 사랑을 통한 상호 간의 의지라고 말한다(224).

애비와 에벤의 이러한 태도는 현실도피가 아니라 적극적인 수용이라는 측면에서 중요한 의미를 부여하고 있다. 두 사람은 필연적인 상실이 있을 때만 사랑은 결실을 맺게 된다는 비극적 아이러니를 수용한다. 그와 그녀는 그들의 사랑이 가져온 결과를 스스로 책임지고 운명을 받아들임으로써 속죄하고자 한다. 비록 사랑이 그녀와 그를 파멸로 이르게 한 것처럼 보이지만, 이들의 재결합을 통해서 오닐은 비극적 삶을 극복할 수 있는 방법이 무엇인가를 보여주고 있다. 그것은 자신의 운명을 피하지 않고 이에 순응하여 사랑을 받아들이고 그 사랑의 결과에 책임을 져야 한다는 것이다. 그들의 근친상간의 죄는 헌신적인 사랑에 의해 정화되고, 죽은 어머니의 영향을 벗어나지 못하고 다른 사람과 화합할 줄 몰랐던 그는 그녀를 통해 마더 콤플렉스(Mother Complex)뿐만 아니라 폭군적인 캐봇으로부터도 탈피할 수 있게 되었으며, 애비는 에벤에게 구원자로서의 역할을 한다. 그들은 진정한 사랑에 의해 평화와 행복을 느낄 수 있게 되며, 앞으로 전개될 고난에 절망하기보다는 진정한 사랑 속에서 기쁨으로 충만해 있고, 진실한 사랑의 확인을 통해 서로의 존재 속에서 삶의 진정한 의미를 발견하며 이를 통해 소외를 극복하여 안식과 평화를 얻게 된다. 그러기에 마지막에 이들이 쳐다보는 하늘은 모든 것이 물질적인 욕망과 욕정으로 출발한 작품의 첫 장면에서 비추던 태양과는 좋은 대조를 이루고 있다.

한편 쇼는 『바바라 소령』에서 전통과 인습에서 벗어난 강한 구원의 의지를 지닌 여성을 보여준다. 이 작품은 영국 상류지배계층들이 그들의 부유한 사생활을 합리화시키기 위해 진부한 도덕관과 종교관의 틀 속에서 부르짖는 허구성을 비판한다. 그는 경제적 빈부 차에서 오는 생활상을 그려 지배계층들이 가지고 있는 안일한 도피행위는 절대로 용인될 수 없는 일임을 지적한다. 이를 해결하기 위해서는 오직 상류지배계층들이 '생명력'이라는 근원적 사상에 따라 피지배계층들을 이해하는 개혁적 사고와 문화적 순화뿐임을 강조한다. 그는 빈부의 중간 입장에서 비판과 조정을 담당하기 위하여 구세군인 바바라 소령을 등장시킨다.

바바라는 신앙이야말로 사회를 구원할 수 있는 커다란 힘이라고 믿는다. 그녀는 사회적 예언자이며 구원자이다. 그녀는 인간과 사회를 구원할 수 있는 존재가 되기 위하여 가장 강력한 정신적 힘을 갖기를 원한다(70). 그녀는 신을 통해서 사람들을 행복으로 이끌려는 사회의 구원자이다. 그러나 그녀의 신앙은 아버지의 물질적인 힘인 돈에 의해 여지없이 무너진다(36). 그녀는 구세군의 신앙으로 인간의 정신을 구원하려 하지만 신앙만으로 이 세상의 어려운 문제로부터 가난한 사람들을 구제하는데 실패한다. 그녀는 정신적 힘이 물질적인 힘에 비해 무력함을 느끼지만 그녀의 의지를 꺾지 않고 더 강력한 힘, 즉 물질적인 힘을 배우기 위해 아버지의 무기제조공장을 방문하기로 결심한다. 그녀의 이런 결정은 다른 사람과 상의하지 않고 스스로 결정한 것이다. 그녀의 사고와 행동은 민주적이라기보다는 전제적이다(72). 그녀는 신의 위치에서 그녀의 행동을 결정하는 것이다. 구원자로서의 그녀의 언행은 그녀가 사회적이고 전제적인 인물임을 잘 시사한다(72-73).

브리오마트 부인(Lady Briotmart)이 말한 것처럼 바바라를 흠모해서 구세군에 합류한 커신스(Cusins)는 바바라에게, 예수의 반대자이며 도덕성을 잃고 마치 악마와 같이 군림하는 그녀의 아버지 언더샤프트를 새로운 신으로서 두려워하며 마음에 동요를 보이고 있음을 공격하면서도 그 자신마저 차츰 언더샤프트에게 마음이 빠져들고 있음을 고백한다. 바꾸어 말해서 현실을 지배하는 힘인 돈을 외면하는 이상주의에 빠진다면 절대로 이 세상을 구원할 수 없음을 감지한 이들은 언더샤프트에게 등을 돌리는 것이 바로 생을 포기하는 것으로 생각한다. 언더샤프트가 이루어 놓은 업적을 바탕으로 인간세계의 보다 높은 단계로의 구원을 생각하기에 이른다. 앞으로도 약자에 대한 강자의 폭력적 위협은 계속되는 것이며 항상 유보상태 하에 있는 것으로 생각한 쇼는 도덕적 종교가 내세우는 추상적, 낭만적 태도에 의해서는 결코 이 세상의 악을 몰아낼 수 없다고 보고 있는 것이다.

바바라는 가정의 안락을 경멸한다. 그녀가 일하는 곳은 이제 가난한 사람들의 피난처가 아니고 무기 공장이다. 그녀는 그녀 자신을 위해서 부유한 공장을 택한 것이 아니라 가난한 사람들을 위해서 이를 택하였다. 그녀는 처음부터 끝까지 구원의 여성인 것이다. 비록 그녀가 정신적인 힘에서 물질적인 힘으로 그녀의 마음을 바꾸었을 지라도 그것은 그녀가 약해서 바꾼 것이 아니라 다른 사람들을 구제하기 위해서 세상에서 가장 강력한 힘의 소유를 원했기 때문이다. 그녀는 세상에서 제일 강력한 힘으로서 물질적인 힘을 주장한다. 그 힘은 돈이다. 이 극의 주제는 힘이라고 할 수 있다. 그 힘의 화신은 그녀의 아버지 언더샤프트(Undershaft)이다. 사회주의자로서 쇼는 경제의 중요성을 강조한다. 그는 그의 경제이론을 주장하기 위해 바바라를 통하여 돈 없이 인간의 정신을 구원한다는 구세군의 믿음을 조롱한다. 그녀는 처음에 아버지의 공장을 죽음의 공장으로 생각했으나 물질적인 힘을 깨닫고, 죽음의 힘으로 간주했던 물질적인 힘의 도움으로 지옥을 천당에, 인간을 신에 가까워지도록 하고, 정신적 어둠의 골짜기에 불을 밝힐 것을 결심한다. 이처럼 쇼는 사회문제를 해결하고 인간을 구원하려는 바바라를 통해 강력한 구원의 의지를 가진 여성을 보여준다.

제3절 객관적이고 독립적인 가치를 주도하는 역할: 밀드레드, 비비

『털보 원숭이』의 양크(Yank)에게는 로버트와는 달리 꿈과 미, 그리고 사랑 등 그 어느 것에 대한 고려도 필요치 않으며 과거에 속하는 모든 것은 무가치한 것이다. 왜냐하면 그는 현재 속에 살고 있고, 정기선 나아가서는 현대 문명세계에서 없어서는 안 될 동력의 일역을 담당하고 있기 때문이다. 그는 그의 힘과 능력, 그리고 현재 세계에서의 만족감을 과시하고 있다(116). 휘트만(R. F. Whitman)은 양크를, 20세기 미국의 산물이며 주관적 가치를 소유하고 강철의 세계에 안주한 기계로 묘사한다(*O'Neill: A Collection for Critical Essays*. John Gassner ed. 150). 그는 강철과 석탄의 고도의 산업사회 속에서 강한 만족감을 느끼고 있다. 그는 과거의 가치를 추구하는 패디(Paddy)가 범선 시절을 동경하는 것을 "몽상"(a dope dream 116)이라고 일축해 버린다. 그는 어떠한 사고나 꿈도 필요로 하지 않고, 물질사회가 빚어낸 퇴폐적이고 경박한 사교계의 아가씨이자 그가 일하는 증기선 선주의 딸인 밀드레드(Mildred)를 만나기 전까지는 엔진의 일부로 기계적으로 적응해 왔다. 그는 기계의 연장이요 화신이라고 보가드는 지적한다(247). 오닐은 꿈이 없는 양크와 같은 인물을 불쌍하고 자기도취적 존재로서 비난하고 있다(Cargill eds. 104).

양크의 이러한 신뢰에 찬 자아상은 밀드레드에 의해서 파괴되고 만다. 그녀는 그를 보는 순간 "오, 더러운 짐승!"(Oh, the filthy beast! 127)이라고 외치면서 기절한다. 그녀는 그로 하여금 당혹과 모욕을 느끼고 자부와 긍지를 상실하게 하며, 지금까지의 생각과는 달리 그의 참된 인식을 위한 정체탐구를 시작하게 함으로써 그에게 객관적이고 독립적인 가치를 갖도록 주도하는 역할을 한다. 그 후 양크는 로댕의 생각하는 사람의 자세를 취한다. 보가드는 이러한 그의 태도는 정체탐구를 위한 각성의 시도로서 획기적인 중요성을 띤다고 주장한다(246). 그의 이러한 시도는 부자연스러운 것으로 여겨지지만 그는 그의 정체에 대해서 재평가하기에 이른다. 밀드레드의 눈에 비친 그의 모습은 단지 동물에 불과하며, 우월감의 상징이었던 근육의 힘은 동물의 신체와 동일할 뿐이다. 그는 이제 감옥으로밖에 여겨지지 않는 현재의 강철과 동력의 세계로부터 탈피하려고 애쓴다.

양크의 마지막 정체탐구의 시도는 고릴라의 우리를 찾아가는 사실로 나타난다. 그는 우리의 문을 비집어 열고 고릴라와 친숙해지기 위해서 손을 내밀지만 거절당한 채 철제 우리를 그의 안식처로 느끼면서 고릴라의 살인적 포옹에 의해 으스러져 죽어간다. 이러한 그의 모습은 물질주의와 기계화된 문명에 의해 정체와 안정을 상실한 현대인의 소외의식과 무기력을 암시한다. 오닐이 주장한 옛 신의 죽음과 그에 따른 부조화, 인간소외에 대한 구제책으로 과학과 물질문명이 얼마나 무능한가를 형상화하고 있다. 인간은 생물학적 과거를 극복할 수 없는 동시에 물질문명과 과학의 발달도 조화로운 정신적 성장에 그 어떤 밝은 미래상을 제시하지 못하고 있음을 보여준다. 그의 정체탐구를 위한 부단한 노력은 결국 우리에 갇힌 죽음으로 종지부를 찍게 된다. 그는 우리의 마룻바닥에 쓰러질 때 털보원숭이로서의 자아상과 합치하게 되며, 바로 이러한 과정에서 밀드레드는 양크로 하여금 객관적이고 독립적인 가치를 갖도록 주도하는 역할을 하고 있는 것이다.

한편 쇼의 『워렌 부인의 직업』에 등장하는 탈관습, 탈여성의 모델인 비비 워렌은 포주(抱主) 워렌 부인(Mrs. Warren)의 딸로서 케임브리지 대학을 졸업한 지적인 여성이다. 그녀는 남녀평등을 위한 초보 단계인 교육을 받아 경제적 독립을 할 수 있는 기본 조건을 갖추고 있는 여성이다. 남자에게 잘 보여 결혼하는 것을 최고의 행복이라 여기는 빅토리아 시대의 여성들과 달리 그녀는 자의식이 강하고 반낭만적이며 남성과 동등한 입장에서 스스로의 생활을 찾는 것을 이상으로 여긴다.

비비의 관심이 결혼보다 일에 있게 된 이유는 고등교육을 통해 단련된 현실을 직시하는 안목에 있다고 할 수 있다. 그녀는 유한계층 여성처럼 치장하고 다니는 어머니 워렌 부인을 못마땅하게 여기며 반항하고 경멸하지만 어머니가 굶어 죽지 않기 위해 포주를 할 수밖에 없었다는 것을 알게 되었을 때 존경을 표한다. 그러나 워렌 부인은 가난에서 벗어난 후에도 포주를 계속하면서 어린 매춘부들을 착취하여 부를 축적하는 탐욕을 부린 사실을 안 비비는 그러한 더러운 돈으로 자신이 교육받고 양육되었음에 수치와 분노를 느끼고 부모에 대한 관습적 의무에 구애받지 않으며 어머니를 떠나 스스로의 인생을 개척한다. 비비는 속물적인 종교－프랭크(Frank)의 아버지인 목사－, 돈과 지위가 보장된 결혼－크로프츠(Crofts)의 유혹－, 낭만과 미의 세계－프래드(Fraed)의 구애－, 쾌락적인 사랑의 열정－프랭크의 구혼－, 사치와 혈육의 정 등의 인습적인 유혹을 모두 물리친다. 그녀는 자신의 능력으로 일하여 명실공이 남성으로부터 독립적인 삶을 선택함으로써 최종적으로 승리를 쟁취한다. 여성의 자유를 억압하는 사회구조에 대항하고 크로프트 같은 남성의 허구를 폭로하며 뛰어난 지성과 정확한 자기 인식으로 여성이라는 틀에 구애받지 않고 강하게 자신의 실체를 추구해 가는 그녀는 쇼의 객관성과 독립성을 겸비한 신여성의 대표이다.

빅토리아 사회의 여성에 대한 인습과 억압에 굴하지 않고 자존심과 독립심을 가지고 자아를 추구해 나가는 비비는 학대받는 다른 모든 여성들도 인간으로서의 권리를 회복해야 한다는 희망의 빛이다. 그녀가 사회악과 위선을 공격하는 것은 사회를 개선하고 발전시켜 더 밝은 미래를 창출하려는 쇼의 비전이라 할 수 있다. 교육을 통해 인간평등, 남녀평등을 달성하려 한 쇼의 신념에 비추어 볼 때, 어머니와 기존 사회에 대한 그녀의 반항은 불가피한 것이다. 그녀는 스스로의 의지에 따라 자신의 길을 개척해 나감으로써 남성과 동등한 인간이 될 수 있다는 것을 보여주는 객관적이고 독립적인 가치를 주도하는 신여성에 부합하는 인물인 것이다.

제4절 참된 자아를 각성하게 하는 역할: 엘라, 캔디다

『모든 신의 아이들에게는 날개가 있다』는 남편과 아내가 서로 끔찍하게 의지하지만 그들의 행복을 방해하는 심오한 소외의식으로 점철된 결혼문제를 다루고 있다. 사랑이 자학적 자기부정의 구실로 사용되는, 짐(Jim)과 엘라(Ella)라는 흑인남자와 백인여자 사이의 이종족의 결합이 빚어내는 소외와 좌절의 문제가 이 작품의 주된 초점이다. 외양적으로 이종족의 결합의 비극으로 보이는 이 작품은 실제적으로 백인 아내 또는 백인사회에서 정체를 탐구하고자 하는 흑인 짐의 비극적 실패와 표류의 양상을 극화하고 있다.

짐과 엘라는 유년시절부터 친분이 있는 사이로 서로를 사랑하지만 그들의 친구들은 그들의 사랑을 조소하며 반대한다. 그녀는 흑인남자와 교제한다는 이유로 백인세계에서 박해를 받게 되고 그 결과 여러 남자를 전전하다가 결국 병에 걸려 인생의 패배자로 전락하고 만다. 그는 그녀의 이러한 문제에 개의치 않고 완강하게 그녀와의 결혼을 희망하고, 그녀도 마침내 그를 받아들인다. 그러나 그의 어머니 해리스 여사(Mrs. Harris)와 누이 해티(Hattie)가 타락한 이종족의 여성과의 결혼을 반대하지만 그는 그녀와 결혼을 강행하고, 그 후 그는 그녀에게 헌신적인 사랑을 받친다. 그녀의 입장에서 결혼은 처음으로 인간적 구출의 의미를 안겨주고 그의 보호가 행복감을 부여하지만 점차 결혼의 의미는 마지막 타락의 상징으로 퇴색되고 만다. 그 이유는 그들의 결혼이 그의 그녀에 대한 영속적 헌신과, 그녀의 그에 대한 부단한 애증에 그 기반을 두고 있기 때문이다.

천박하고 이기적인 엘라에게 서서히 짐에 대한 증오가 증가되고, 그녀는 어떤 대가를 치르더라도 그녀의 우월성을 정립하려 한다. 그에게 내재된 자기 신뢰를 파괴해서 그가 꿈꾸고 있는 변호사시험에 불합격하게 만들고자 한다. 그녀에게는 그와의 결혼, 그에게의 의존, 그리고 그의 사심 없는 사랑, 그 어느 것도 그녀의 마음 속 깊이 내재된 인종적 편견을 지울 수 없다. 한편 짐도 그의 내부에 흐르는 흑인의 유산을 증오한다. 가증스런 자아를 고의적으로 거부하고 새로운 자아상 획득을 위해서 최선의 노력을 한다. 그의 입장에서는 엘라와의 결혼과 변호사가 되는 것이 백인화 성취를 위한 간절한 열망이다. 종족에 대한 강한 수치심에 사로잡혀 있는 짐의 입장에서 그의 이러한 열망이 충족될 수 없을 거라는 두려움은 사회에 대한 끊임없는 사죄와 비굴을 강요하지만 그는 백인세계에서의 노예로의 전락을 수용할 수 없다. 사회가 그의 심적 고통을 치유해 줄 수 없기에 그는 그야말로 열정의 노예이고 인간본성의 어두운 면의 구현이라고 할 수 있다(Carpenter 103). 그는 수치심의 바탕 위에 백인화의 시도를 하기 때문에 실패할 수밖에 없는 운명이다. 그는 마스크가 요구하는 대로 백인으로서가 아니라 흑인으로서 성공해야 한다고 보가드는 지적한다(197).

엘라의 그에 대한 애증의 갈등은 그녀의 신경증세가 광기로 화할 때 절정에 달한다. 그녀는 속박이 풀린 채 증오와 승리감에 충만하여 짐의 가정을 지배해 온 콩고 마스크를 찌르며(197), 이 장면은 이 작품의 극치이자 진실로 비극적인 순간이다. 처음에는 흑인종족의 정체성을 대변하는 원시적 생명력을 상징하는 장식물로 등장하는 콩고 마스크는 짐과 엘라의 자기파괴적인 흑색편견이 심화되면서 차츰 독립적인 성격을 갖는 심리적 주체로 발전한다. 이 작품에서 강조되는 것은 흑색 생명력의 대두와 그것이 핍박받을 경우 야기되는 도덕적 악으로의 전환이다. 분노한 콩고 마스크는 가면이 지닌 정신성과 인격성을 통해 주인공들과 대립하여, 사회적 편견과 심리적 존재로부터 벗어나 진정한 인간이 되고자 하는 두 주인공의 의도를 막고 파멸시키는 악마가 되고 있으며, 엘라는 짐의 가정을 지배해 온 콩고 마스크를 찌름으로써 그의 자아를 파괴하고, 그로 하여금 변호사시험에 통과할 수 없으며, 백인사회에 속할 수도 없고, 그 마스크가 요구하는 대로 흑인종족에 속한다는 사실을 주지시켜 그에게 참된 자아를 각성시키는 역할을 한다.

한편 쇼가 제시하고자 하는 이상적 여성은, 지성과 뛰어난 통찰력으로 위선적인 현실을 간파하고 타인들로 하여금 그러한 현실에 직면하도록 유도

하며 참된 자아를 각성시키는 역할을 하는 여성이다. 『캔디다』에서 주인공 캔디다는 사회주의 이상을 실천한다는 착각 속에 살고 있는 남편 모렐(Morell)을 지탱해 주는 힘의 근원이며, 이상 속에 살고 있는 청년 시인 마치뱅크스(Marchbanks)가 허구적 가면을 벗고 자신의 참된 자아를 각성하는 현실적인 인물로 변모하는 데에 결정적인 역할을 한다. 물러섬이 없는 적극적인 현실 참여적 자세를 가진 주체적 여성의 예를 보여주고 있으며 나아가 여성이 남성보다 우월할 수 있음을 시사하고 있다. 또한 여성이 인생의 동반자로서의 역할뿐 아니라 믿음직하고 사람을 슬기롭게 다루는 어머니 역할도 할 수 있다는 사실을 보여준다.

캔디다는 남편 모렐이 기독교적 사회주의 이상의 실천을 내세우고 있지만 실은 훌륭한 남편이자 목사가 되려는 이중적 속성 사이에 서있는 자기기만적인 사람이라는 것을 간파하고 있다. 그녀는 남편에게 주어진 사회적 신뢰와 존경이 그의 멋진 연설에 현혹된 어리석은 대중들이 입혀 놓은 허상이라는 것을 정확하게 파악하고 있다. 쇼는 여성으로서의 예리한 직관으로 남편의 내면적 진실을 직시하는 뛰어난 현실 감각을 발휘하는 캔디다를 통해, 아내로서의 여성의 희생을 당연시하는 남편 모렐을 비난하고 현실 지배자로서의 여성의 모습을 찬미하고 있다.

캔디다가 마치뱅크스와 맺고 있는 순수한 관계는 성(性)으로부터 분리된 성모(聖母)의 이미지이다. 이것은 남성에게 어머니다운 관용을 보이는 새로운 모습의 신여성이다. 즉 낭만이나 감상에 빠지지 않는 현실적인 신여성, 주체적이고 능동적인 사고를 함으로써 남성과 동등한 입장에 선 신여성에게 또 다른 특질이 부여된 모습이다. 남편 모렐이 없는 어색함을 메우려고 마치뱅크스가 그녀에게 시를 낭송함으로써 간접적인 사랑을 표현하는 동안, 그녀는 불쏘시개를 든 채 다른 생각에 잠겨 있다. 시 낭송이 끝나자 그녀는 마치뱅크스로 하여금 그가 직면하기를 두려워하던 현실, 즉 그 자신도 본능적 욕망을 지닌 존재라는 현실에 용기를 가지고 대면하게 한다. 그는 캔디다의 도움으로 자신의 참된 자아와 자기의 할 일을 발견한다. 그리고 캔디다를 가정뿐만 아니라 사회도 능히 이끌어갈 만한 잠재적 소양, 품성, 그리고 역량을 지닌 여성으로 가슴에 간직한 채 그녀를 떠난다.

작품의 끝 부분에서 모렐이 캔디다에게 모렐 자신과 마치뱅크스 중 한 사람을 택하라고 할 때 캔디다의 현실 감각과 통찰력은 절정에 이른다. 그녀는 두 사람에게 그녀 자신에게 줄 수 있는 것을 제시해보라고 한다. 모렐은 그녀를 보호할 수 있는 강한 힘과 근면함, 지혜와 권위를 제시하는 반면, 마치뱅크스는 허약함과 외로움을 제시한다. 둘 중 약한 쪽을 택하겠다고 전제했던 그녀는 뜻밖에도 모렐을 선택한다. 그녀는 내면적으로 더 약한 쪽이 모렐이며 그가 그녀 자신을 더 필요로 하는 사람이라고 판단했기 때문이다. 쇼는 이러한 약자에 대한 그녀의 책임감과 능동적 태도를 통해, 무능하고 나약하여 보호받아야 할 존재로만 취급하던 종래의 여성에 관한 통념을 깨고, 남자를 돌보고 책임지며 참된 자아를 각성하게 하는 새로운 차원의 여성을 제시하고 있는 것이다.

PART • 5
문학세계의 함의含意

제1장

오닐

제1절 가정비극과 운명비극

1. 가정비극에 나타난 분열과 통합

오닐의 가정비극에 나타난 분열의 원인은『수평선 너머』에서 두 형제와 삼각관계에 있는 루스의 진실성이 결여된 충동적인 사랑의 고백인데, 이것은 로버트와 앤드류 형제가 그들의 본성에 어긋나는 선택을 하게하며 그들의 운명을 전도하는 역할을 한다.『느릅나무 그늘의 욕정』에서 분열의 원인은 부자간의 도가 지나친 증오와 대립과 재산권 다툼에서 시작해서, 캐봇과 그의 셋째 부인 애비의 부부간, 캐봇과 그의 둘째 부인의 아들 에벤의 부자간, 그리고 계모 애비와 에벤의 모자간의 대립과 재산권 다툼으로 이어지는데, 특히 이 중에서 캐봇과 에벤의 부자간, 그리고 애비와 에벤의 모자간의 대립과 재산권 다툼이 그 두드러진 분열의 원인이 되고 있다.『밤으로의 긴 여로』에서 분열의 원인은 타이론, 메어리, 제이미, 에드먼드 모두의 이기주의와, 그리고 타이론의 지나친 물질욕이다. 특히 그의 과도한 물질욕과 완고한 무지, 그리고 방어적인 자존심이 주된 분열의 원인이 되고 있다.

분열의 전개는『수평선 너머』에서 메이오와 앤드류의 부자간의 돌이키기 힘든 갈등과 로버트의 농장경영의 실패로 시작된다. 또한 로버트의 농장경영의 실패는 로버트와 루스의 부부 사이의 결혼생활과 사랑에 관한 극심한 불화로, 그리고 루스의 앤드류를 향한 일방적 사랑은 앤드류에 의한 부정으로 전개된다. 『느릅나무 그늘의 욕정』에서 분열의 전개는 애비와 에벤의 근친상간으로, 그리고 『밤으로의 긴 여로』에서 분열의 전개는 가족 간의 서로에 대한 원망과 비난과 증오로 나타난다.

통합의 계기는 『수평선 너머』에서 로버트의 결핵으로 인한 건강악화로 시작된다. 그리고 제일 핵심적인 통합의 계기는 그와 그녀의 행복의 마지막 희망이었던 딸 메어리의 죽음이다. 『느릅나무 그늘의 욕정』에서 통합의 계기는 애비에 의한 그녀와 에벤 사이에 태어난 유아의 살해인데 그녀는 에벤에 대한 그녀의 사랑을 증명하기 위해 이러한 선택을 하기에 이른다. 『밤으로의 긴 여로』에서 통합의 계기는 제이미와 에드먼드의 형제간 고백과, 타이론과 에드먼드의 부자간 고백이다. 타이론과 제이미 그리고 에드먼드는 자신들의 죄와 실패와 증오의 사실을 고백하며 이것은 극적으로 이루어진다. 특히 형 제이미의 동생 에드먼드에 대한 애증에 찬 고백은 이 작품에서 심리적 갈등을 가장 적나라하게 보여주는 극적 장면이 되고 있다.

통합의 실현은 『수평선 너머』에서 로버트의 죽음과, 앤드류와 루스의 각성을 통해서 이루어진다. 로버트는 앤드류에게 본래의 소속처인 농장으로 돌아와 농장을 사랑하는 창조자가 되어줄 것과 루스를 잊지 말 것을 부탁한다. 로버트는 앤드류와 루스에게 각성과 진실한 사랑으로의 환원을 촉구함으로써 통합을 실현한다. 『느릅나무 그늘의 욕정』에서 통합의 실현은 애비와 에벤 사이에 진실한 사랑의 고백을 통한 상호간의 소속의 완성으로 이루어진다. 『밤으로의 긴 여로』에서 통합의 실현은 형제간 또는 부자간의 진실한 고백과 자기성찰에 근거한 서로에 대한 깊은 이해와 용서와 사랑, 그리고 에드먼드의 초월을 통해서 이루어진다.

다음으로, 세 작품에 나타난 분열과 통합의 세부적인 주제별 공통점과 차이점을 살펴보면 첫째, '사랑'의 경우 『느릅나무 그늘의 욕정』에서 에벤에게 그녀의 사랑을 증명하기 위해서 그들 사이에 태어난 유아를 살해하는 비극적이고 희생적인 애비의 사랑은 통합의 계기가 되지만, 『수평선 너머』에서 로버트와 앤드류 형제가 본성에 어긋나는 선택을 하게하여 그들의 운명을 전도하는 루스의 충동적이고 진실성이 결여된 사랑과, 『밤으로의 긴 여로』에서 제이미와 에드먼드 형제의 어머니 메어리를 향한 '마약'과 '안개'와 '과거'의 벽에 막혀 메아리가 없는 공허한 사랑은 분열의 원인이 된다. 둘째, '죽음에 대한 동경'의 경우 『수평선 너머』에서 루스가 딸 메어리의 죽음에 대하여 "메어리가 더 잘 됐는지 모르죠—죽은 것이"(Mary's better off—being dead. 148)라고 말하자, 로버트가 "그 문제라면 우리 모두도 그게 더 낫겠지"(We'd all be better off for that matter. 148)라고 응답하는데 이러한 그들의 죽음에 대한 동경과, 『느릅나무 그늘의 욕정』에서 애비가 에벤에 대한 그녀의 진실한 사랑을 증명하기 위해서 그들 사이에 태어난 유아를 살해했다는 얘기를 들은 후, 그가 "차라리 태어나지 않았으면 좋았을걸! 지금이라도 죽어버렸으면!"(I wish he never was born! I wish he'd die this minute! 206)라고 고통스럽게 내뱉은 죽음에 대한 동경은 통합의 계기가 되지만, 『밤으로의 긴 여로』에서 에드먼드가 아버지 타이론에게 "저는 항상 나그네가 돼서 아무 짝에도 쓸모없이 죽음을 동경하는 사나이일 뿐이에요"(I will always be stranger who must always be a little in love with death! 153-154)라고 말하는데, 이것은 그가 우주 속에서 부조리하고 무의미한 존재라는 의식과 자기부정을 내포하며, 이러한 그의 죽음에 대한 간절한 동경은 분열의 전개가 되고 있다. 셋째, '물욕'(物慾)의 경우 『수평선 너머』에서 앤드류의 더 많은 큰돈을 향한 끝없는 물욕은 분열의 전개가 되지만, 『느릅나무 그늘의 욕정』에서 세 아들, 특히 에벤과 아버지 캐봇의 부자간, 계모 애비와 에벤의 모자간, 그리고 캐봇과 애비의 부부간의 농장의 소유권을 향한 물욕과, 『밤으로의 긴 여로』에서 가족들에게 정신적 그리고 육체적 고통을 안겨줄 뿐만 아니라 원망과 비난의 대상이 되는 아버지 타이론의 지나친 물욕은 분열의 원인이 된다. 넷째, '갈등'의 경우 『수평선 너머』에서 앤드류와 로버트의 형제간, 앤드류와 아버지 메이오의 부자간, 그리고 로버트와 루스의 부부간의 갈등, 『느릅나무 그늘의 욕정』에서 에벤과 아버지 캐봇의 부자간, 계모 애비와 에벤의 모자간, 그리고 캐봇과 애비의 부부간의 갈등, 『밤으로의 긴 여로』에서 아버지 타이론과 두 아들 제이미와 에드먼드의 부자간, 어머니 메어리와 두 아들 제이미와 에드먼드의 모자간, 제이미와 에드먼드의 형제간, 그리고 타이론과 메어리의 부분간의 갈등 모두 분열의 전개가 된다. 다섯째, '고백'의 경우 『느릅나무 그늘의 욕정』에서 애비와 에벤이 농장과 관련된 재산권 다툼, 대립, 그리고 증오에 벗어나 행하는 진실한 사랑의 고백은 통합의 실현이 되지만, 『수평선 너머』에서 자신이 농부 체질이 아니며 실패자임을 부인인 루스에게 인정하는 로버트의 솔직한 고백과, 『밤으로의 긴 여로』에서 제이미와 에드먼드의 형제간, 그리고 타이론과 에드먼드의 부자간에 과거에 대한 성찰을 통해서 나오는 진정한 고백은 통합의 계기가 된다. 여섯째, '태양'의 경우 『수평선 너머』에서 결핵으로 죽어가는 로버트가 가리키는 수평선 너머에서 솟아오르는 태양과, 『느릅나무 그늘의 욕정』에서 유아살해 죄로 보안관에 끌려가면서 애비와 에벤이 손을 맞잡은 채 초연하고 경건한 자세로 바라보는 태양 역시 통합의 실현이자 희망의 상징이 되고 있다.

오닐의 가정비극에 나타난 분열은 등장인물들의 갈등, 대립, 좌절, 다툼, 원망, 비난, 증오, 이기심, 물욕, 그리고 애욕이라는 다양한 과정을 거쳐서, 초기 극 『수평선 너머』에서는 로버트의 죽음을, 중기 극 『느릅나무 그늘의 욕정』에서는 애비와 에벤의 사랑을, 그리고 후기 극 『밤으로의 긴 여로』에서는 에드먼드의 초월을 통해서 그 통합이 실현되고 있음을 알 수 있으며, 오닐은 이 세 작품에 나타난 분열과 통합의 제반양상을 통해서 인생의 궁극적인 통합의 실현은 진정성 있는 자기성찰과 고백에 근거한, 진실한 이해와 용서와 사랑과 초월을 통한 분열로부터의 해방에 있음을 제시하고 있다.

2. 운명비극

『상복이 어울리는 엘렉트라』는 희랍비극과 견줄만한 비극적 장엄성을 지닌 영원한 비극을 쓰고자 했던 오닐의 원대한 목표의 구현이다. 이 작품은 그가 희랍의 비극작가 아이스큘로스의 대표작 가운데 하나인 『오레스테이아』를 현대화한 것으로, 그는 등장인물들의 운명을 지배하는 제신(諸神)을 현대 심리로 대치하였다. 이 작품의 등장인물들은 심리적 운명성의 틀 속에서 갈등을 겪는다. 심리적 운명성과, 욕정과 증오와 질투로 표출되는 본능과의 대립 속에서 죽음을 맞는다. 그들은 남녀를 불문하고 누적된 심리적 갈등과 압박과 저주의 상태로 운명과 현실의 두꺼운 벽 속에 갇혀 있다. 여기서 야기되는 영원히 화해할 수 없는 갈등은 오닐에게 강한 강박관념과 소외의식으로 작용하여 그의 작품세계에 있어 하나의 중요한 기조를 이룬다.

"가면 같은 얼굴"로 나타나는 『상복이 어울리는 엘렉트라』의 가면성은 철저하게 관념화되어 과거의 덫에 걸린 마농 가 사람들의 심리현실과 공동운명을 현상화 한다. 살아 있는 표정을 가진 그것은 각 인물들의 성격과 용해된 조화를 이룸으로써, 흑백대립에서 발전해온 디오니소스-크라이스트 병치에 사실적인 개연성을 주고 심리적 운명성이 성격 자체까지 지배하는 운명체임을 확인시키고 있다. 고대희랍의 운명개념을 근대의 심리학이론으로 대체하고자 한 작가의 의도에 따라, 고대희랍과 19세기 미국을 일체화하는 마농 성이 "가면 같은 얼굴"의 정체이다. 그러나 여기에는 인간 모두가 심리적 피동체이며 도피구도, 극복방법도 없다는 냉엄한 현상인식이 전제된다.

미국문학에는 구대륙의 정신적 인습과 관련되어 표면에 나타나는 청교도적 이상과, 신대륙의 자연조건 및 자유에의 신념에 결부되어 심층에 자리잡은 관능적 욕구가 있다. 새로운 것의 도래를 위해서는 파괴도지 않으면 안 될 "낡은 백색심리"(Lawrence 70)인 전자와, "낡은 것으로부터 벗어나고자 하는 지배적 욕구"(Lawrence 14)인 후자는 각기 『상복이 어울리는 엘렉트라』에서 마농 성(性)과 마리 성(性)에 대비될 수 있다.

『상복이 어울리는 엘렉트라』에서 마농 성과 마리 성은 죽음과 삶, 육지와 바다, 백과 흑, 의식과 무의식 등 이전 작품들에서 오닐의 세계를 양분했던 상대적인 힘을 종합하고 있다. 그러나 이 작품에서 추구되고 있는 것은 이 두 힘의 조화나 화해가 아닌 그것들과의 정면 대결을 통해 확인되는 상충주체(相衝主體)로서의 자기인식과 대응의 문제이다. 그 결과 이 작품은 『위대한 신 브라운』(*The Great God Brown*)이나 『라자루스가 웃었노라』(*Lazarus Laughed*)와 같은 "희랍의 꿈"의 구현체이면서도, 신비적・제의적이기보다 분석적・실존적인 기조를 갖게 되고, 『존스 황제』(*The Emperor Jones*), 『모든 신의 아이들에게는 날개가 있다』(*All God's Chillun Got Wings*)와 같이 심리적 운명극이면서도, 정화나 해방보다는 극복과 도전이 목표를 이룬다. 구원은 인간 스스로의 선택과 책임에 의해서 심리적 운명성에 대응할 수 있을 때 얻어진다. 구원은 인간의 심리와 의식 속에서만 존재하는 인간의 문제이기 때문이다. 라비니아가, "하나님에게도 누구에게도 용서 같은 것 받을 일 없어. 용서하는 건 내 자신이야!"(174)라고 선언하는 의의가 거기에 있는 것이다.

『상복이 어울리는 엘렉트라』에서 심리적 운명성의 그늘에서 벗어나는 방법은, 오닐의 거의 모든 주인공들이 그렇듯이, 환상과 죽음에로의 도피로 한정되어 있다. 청교도 선민인 그들의 세계는, 고대희랍인들의 세계에서처럼, 코러스격인 마을사람들로부터 끊임없이 주시 당하고 있으며, 그로부터의 이탈이나 도전은 데이비드, 브란트, 크리스틴에서 보았듯이 무참한 죽음에의 파멸만이 예정되어 있을 뿐 아무런 구원에의 가능성도 되지 못한다. 심리적 운명성은 초자연적, 종교적 존재와는 관계없는 것이며, 그것은 자기투쟁이 없이는 허상화 되어버리는 마리 성과 같은 디오니소스적 생명력으로도 구제될 수 없는 심리현실로서, 냉정한 자기대면과 책임이행으로 대응될 수 있을 뿐인 인간의 존재성 그 자체이다.

『상복이 어울리는 엘렉트라』에서 에즈라의 죽음이 그의 청교도적 경직성에서, 브란트의 죽음이 청교도주의와 이교사상의 대결의 필연적 결말로서, 크리스틴의 죽음이 도전적인 분노에서, 오린의 죽음이 마농의 심리현실로서, 각각 이뤄진 것이라면 이것들을 통할(統轄)하는 것은 그들을 분열된 성격으로 만드는 마농 성의 청교도적 죽음의 본능이다. 그들을 그렇게 만드는 것은 원시적 도덕성으로서의 관능적 욕구와 공공적 도덕성으로서의 낡은 백색심리 사이의 갈등과 책임이며, 이를 강제하는 것은 오닐이 희랍적 운명의 근대 심리적 접근으로 추구했던 현대인의 심리적 예속성이다. 이 작품에서의 저주는 마농 성-마리 성으로 표출되는 인간본성의 갈등에서 비롯되어 청교도주의의 염세와 성(性)의 핍박으로 야기되는 죽음의 본능이다. 자기극복만이 유일한 해결의 선택이 될 수 있을 뿐이다.

마농 성과 마농 저택에 비쳐지는 검은 기둥 그림자들처럼 마농인물들의 심리에 철장을 만들고, 실재하지 않는 철장에 갇힌 채 죄의식과 도착에 빠진 마농들은 그것을 과거로부터의 운명으로 받아들이고 있다. 그리고 결국은 반복되는 죽음을 거쳐서야 그 운명이 스스로 만들어낸 덫임을 발견하고 있는 바, 라비니아가 최종적으로 확인하는 것은 과거의 사실로부터 도피할 수는 있어도 스스로 만든 이 심리의 덫으로부터 피할 수는 없다는 인간존재의 실상과 책임이었던 것이다. 오닐이 『상복이 어울리는 엘렉트라』의 중심인물인 라비니아로 하여금 그녀 자신의 개인적 도덕성에서 행동에의 정당한 근거를 발견하게 함으로써 응보의 사슬을 깨뜨리게 하는 것은 이 사실과 관련된다. 그는 그녀가 그녀의 행동에 대하여 전적으로 책임을 지는 인간의 영웅적 면모를 강조함으로써 희랍의 비극정신을 현대비극으로 승화시키고 있다. 그녀는 "부단한 변화, 투쟁, 그리고 과정을 통한 내면적이고, 완전한 인간의 점진적 구현"(Falk, 7)이다. 그녀는 불굴의 자세로 인간의 존엄성을 유지하고, 그녀의 조상들보다 더 장엄한 비극을 떠맡음으로써 인간성을 재획득(Carpenter, 131)한다. 그녀는 비극의 참 주인공이며, 비극적이고 원형적인 인물의 완전한 통일체의 자질을 함축하고 있다.

오닐의 주인공들은 고대 희랍비극처럼 고귀한 인물은 아니지만, 일상의 평범한 인물들을 통해 인간의 존엄성을 보여주고 관객에게 연민과 공포를 불러일으켜 카타르시스를 부여함으로써 고전비극에 기초한 현대비극의 가능성을 입증하였다. 그의 등장인물들은 프로메시우스(Prometheus)처럼 불굴의 장엄한 자기 파괴적 양상을 제시한다. 그는 그들이 외양적으로는 패배를 겪을 지라도, 정신적으로 그리고 궁극적으로는 인간승리와 고양을 성취하게 함으로써 비극의 역설적 의미를 보여주고 있다. 그들이 의지할 수 있는 절대자를 상실한 채 심리적 운명과의 대립 속에서 죽음을 맞이하지만 종국에는 그들이 이러한 과정을 통해 인생의 의미와 인간의 존엄성을 발견하고, 나아가 자아인식을 성취한다. 이같이 그는 그의 인물들을 통해, 무의미에서 의미, 죽음에서 생명, 절망에서 희망, 부정에서 긍정, 어둠에서 밝음, 슬픔에서 기쁨, 그리고 패배에서 승리의 도출이라는 그의 비극관을 설파하고 있다.

희랍비극을 최고의 예술형식으로 생각했던 니체(Nietzsche)처럼, 오닐 또한 근대세계에 결핍되어 있는 정신가치를 극장과 사원이 일체화되어 있던 희랍시대의 연극에서 찾았으며, 그 속에서만이 인간은 삶의 물질적 조건들로부터 해방될 수 있다고 믿었다. 그는 인간이 육신으로서가 아니라 생명의 일부로서 겪을 수 있는 디오니소스적 경험을 현대 관객들에게 전달하고자 부단한 노력을 경주하였으며, 그의 "희랍에 대한 동경" 및 "상상력을 구사한 극장"(Imaginative Theatre)의 진면목을 그의 역작(力作) 『상복이 어울리는 엘렉트라』를 통해 구현하고 있다.

제2절 가면

1. 가면의 역할

가면은 오닐의 극작 전반에 걸쳐 연극의 전통, 실험성, 그의 세계관, 인간심리에의 관심을 표현하는 가장 중요한 수단으로 역할한다. 쉬레이어(Lothar Schreyer)에 따르면 가면은 얼굴뿐만 아니라 인간의 본질을 감추는 인간의 외적 베일이며 특히 무대에서는 생각을 형태와 색깔로 표현하는 시적 발산인 바(Valgemae 121 재인용), 이로 인해 가면이 외부에는 인격 자체로 받아들여지고 있다.

세계 연극사상 페르소나와 내부 자아의 구분, 점진적인 성격의 변화, 그리고 인격의 전이를 나타내는 데 가면이 처음 사용된 작품인 『위대한 신 브라운』은 그가 20년대 보여주었던 독창적인 개성과 창작 의욕을 가장 잘 나타내 주는 작품에 해당된다. 이 작품이 쓰인 것은 그가 이른바 희랍의 꿈(Greek Dream)의 무대화에 열중하고 있던 때이며 이 작품에는 힘차고 도전적이었던 당시의 그의 정신이 야심에 찬 내용과 형식으로 구현되어 있다. 『위대한 신 브라운』에서 가면은 융(Carl Gustav Jung)의 페르소나 논리에 그 일차적인 기능의 근거를 두고 있다고 할 수 있으며, 나아가 가면은 사용자들의 행동에 심리적, 사회적 인과관계를 제공하고 극적 긴장과 갈등을 유도하는 모티브로 활용될 뿐 아니라 그 자체가 정신성의 육화(肉化)로서 작품 안에서 독립된 인격, 고통 받는 극중 인물이 되고 있다. 내적, 외적 또는 의도적, 비의도적 필요성에 의해 요구된 제2 얼굴로서의 가면은 심리학적 개연성을 가졌다는 점에서 가장 사실적이며, 원래의 얼굴과의 차이로 인한 갈등 가능성을 전제로 하고 있다는 점에서 가장 극적인 역할을 한다.

가면의 심리적 측면은 오닐이 인간의 비극적 병폐를 정신분석학적 관점에서 파악한 데서 비롯된다. 그가 특히 관심을 가졌던 것은 현실 속에서 정체성과 소속을 찾지 못하고 정신적 조화를 잃어버린 인간의 내부 분열현상이었다. 이 때문에 가면의 심리적 내용은 주로 두 양상으로 나타난다. 하나는 외부세계와의 대응과정에서 자기를 보호하기 위해 의식적으로 만들어낸 대사회적 얼굴인 페르소나이고, 다른 하나는 페르소나가 강조되면서 지나치게 자신의 본성을 무시하거나 억압하여 경화된 무의식적 요소인 그림자이다. 디온 가면은 전자의 경우를 대표한다.

디온 가면은 스스로 변화하고 발전함으로써 그 존재의의를 확대시키고 파멸에 의해 자신을 구제하는 비극적 완성을 이룸과 동시에 실제상의 주인공으로 작품에 보편적인 상징성과 도덕적인 우위성을 확립하는 중심체이다. 우리는 그것에서 인간존재의 실체와 그 운명의 미스터리를 보게 된다. 기독교의 염세성과 현대물질주의의 불모성 속에서 영혼의 구원과 해방을 얻고자 한 작가의 집념의 산물이자 그 실현을 이교신인 디오니소스에서 찾고자 한 꿈의 연극인 『위대한 신 브라운』에서 디오니소스의 원초적이고 구원적인 생명력을 상징하는 디온 가면은 영겁회귀를 외치며 모든 생의 충동을 수용할 뿐 아니라 숭고한 전체로 완성할 수 있는 힘을 가진 긍정자 차라투스트라(Zarathustra)를 창조한 니체가 진정한 무대의 주인공이자 비전의 중심이라 부름으로써 그 극적 의의를 밝혔던 최초의 주인공 자신이다.

디온 가면은 황홀의 원천인 디오니소스적 생명력의 상징이다. 더욱이 생명의 영원한 순환과 그 속에 감추어진 자연의 감각적, 비합리적인 힘을 표현하는 디오니소스의 충격, 즉 강열한 생명력을 해소함으로써 카타르시스가 오고 여기서 구원이 이루어지는 것으로 간주되었다는 사실(Radice 106)과, 완전성에의 진화로서가 아니라 삶을 그 자체로 확인하는 원형적 회귀로서의 생명력이 있는 연속성을 인식함으로써 고난과 패배가 의미를 갖게 된다는 사실(Kaufmann xxii)을 전제하면, 마지막에는 정화된 생명력 자체로 환원되는 디온 가면의 의의를 더욱 확신할 수 있다. 황홀과 정화야말로 오닐의 목표였다.

오닐은 『위대한 신 브라운』에서, 피들러(Leslie Fiedler)가 언급한 밝은 여주인공과 어두운 여주인공이라는 원형적 주제를 수용하지만, 대부분의 상황에서 그 역할이 전도된 새로운 표현을 창조하기 위해 그것들을 수정한다. 피들러에 따르면, 밝은 여주인공의 기본적 특징은 선, 사회적 수용, 청교도적 가치의 소유, 무성(無性, non-sexuality), 자녀와 모성적 관계, 그리고 참된 지성의 결핍을 들 수 있다. 그리고 어두운 여주인공의 특징은 총명성, 사회적 비수용, 비종교성, 성적 매력, 그녀의 생물학적 아이들이 아니라 성인 남성과의 모성적 관계, 남성들의 숨은 본성을 드러내는 능력이다. 밝은 여주인공은 미덕을 선보이며 주인공이 구원에 이르도록 도와준다. 반면에 어두운 여주인공은 유혹자로 묘사되며, 주인공을 저주로 이끈다(291-336). 오닐은 『위대한 신 브라운』에서 밝은 여주인공과 어두운 여주인공이라는 전통적인 여성 짝짓기를 사용하고 있다. 그는 미국문학에서 흔히 볼 수 있는 밝은 여주인공과 어두운 여주인공에 대한 인습적 표현을 수용하고, 그것들을 변경하여 뒤엎는다. 마가렛은 원래 밝은 여주인공으로 구성되었을지라도, 두 남자들을 파괴하는 데 중요한 역할을 한다. 시벨은 매춘부이고 어두운 여주인공이지만 두 남자들의 구원을 돕고, 그들은 죽기 전에 그녀에게 고백을 하며, 결과적으로 그녀는 그들을 용서한다. 그러나 오닐은 언제나 한 여성이 순전히 어두운 여주인공이거나 아니면 순전히 밝은 여주인공이 되는 것을 허용하는 단순한 극작가가 아니다. 그는 가면의 사용을 통해서 이러한 불확성을 성취한다. 각각의 인물들은 최소한 하나의 가면을 가지고 있고, 이것은 그 여성 또는 그 남성으로 하여금 어떠한 현실적 어려움이 없이 밝게 어둡게 되는 것을 허용한다. 그러나 우리가 이 작품을 확장시켜 본다면, 이 작품이 우리에게 밝은 여주인공은 어둡게 되고, 어두운 여주인공은 밝게 된다는 극성(polarity)을 제시하고 있음을 확인할 수 있다.

오닐은 『위대한 신 브라운』을 통해 어느 누구든 느낄 수는 있으나 현세의 삶에서 이루어지는 사건의 의미로서 이해하지 못하는 신비를 밝히고자 했다. 중요한 것은 이와 같은 표현주의적 관점 뒤에 기독교, 니체, 그리고 융 등의 주된 사상이 동원됨으로써 혼란스러울 만큼 현학적인 구조를 이루고 있음에도 불구하고 이 작품 전체가 이 의도를 통일된 극적 효과로 이뤄내고 있다는 사실이며, 이 의도를 종합하여 대표하고 있는 것이 바로 가면이다. 인간 영혼 내부의 갈등 세력들을 중심으로 작품의 플롯이 구성되어 있고 가면 사용이 주제의 핵심부분을 이루는 작품이라는 점을 전제할 때 이 사실은 더욱 분명해진다. 가면은 오닐의 극적 이상과 실험정신을 나타낼 뿐 아니라 인류공동의 문화유산이라는 사실을 통하여 작품의 시공성을 확대하고 주제와 형식을 대변하는 역할을 한다. 가면은 제의적, 심리적, 도덕적 내용에서 각각 정신, 형체, 기능을 얻게 되고, 이 정신, 형체, 기능을 갖춤으로써 극적 성격체로서 정신적 대립과 갈등을, 그리고 전형적 역할의 전도를 표현하는 결정적 역할을 하여 오닐의 작품세계를 지배하는 핵심체가 되고 있다.

2. 이중 자아와 가면 기법

『위대한 신 브라운』은 인간의 마음속에 일어나는 상반된 흐름(conflicting tides)을 규명하고자 한다. 이중 자아에 의한 내적 갈등의 모습을 시각적인 방법을 통해 묘사하고자 한다. 한 인물이 가면을 썼다 벗었다 하는 일인이역의 가면 기법을 사용하여 내적 자아와 외적 자아의 심리적 갈등을 표현한다. 디온 앤소니와 윌리엄 브라운이 기실은 동일인격의 상호보완적인 이중 자아로 각각 정신성과 육체성을 상징한다. 디온 앤소니의 가면은 이교신앙과 기독교 신앙과의 갈등이라는 철학적인 주제와, 갈등하는 이중 자아가 서로 반대 방향으로 치달을 때 성인(Saint)과 사탄(Satan)으로 변할 수 있다는 심리적인 주제를 성공적으로 표현하고 있다.

『끝없는 나날』에서 존 러빙은 부모가 잇달아 사망하지 이에 실망하여 신을 버리게 되며 그 후 그는 인격적 파탄을 겪는다. 그는 외적 자아인 존과 내적 자아인 러빙으로 분리된다. 존은 그의 선한 면(Faust)을, 러빙은 그의 악한 면(Mephistopheles)을 나타낸다. 존은 부모의 사망으로 인해 신앙을 버렸지만 근본은 선하여 마음속으로는 사랑과 믿음을 되찾으려 한다. 반면, 러빙은 냉소적이고 허무주의적이어서 존으로 하여금 삶과 사랑과 믿음을 포기하도록 유혹한다. 존과 러빙은 오닐이 인간과 그 세계를 구성하는 기본조건으로 파악하여 여러 표현 형태를 통해 주체화해 온 상대적 이중 자아의 도덕적 정석을 이룬다. 그리고 오닐의 정신적 모태였던 가톨릭 신앙 위에 세워진 존 러빙 패턴은 사랑과 생명이라는 기독교적 주제 위에 선과 악의 대결이라는 기본도식을 만든다. 존은 오닐이 자신을 투영체로 그린 정신적 자화상이자, 혼란한 몰가치적 세계 속에서 그의 모든 주인공들이 마침내 대면하게 된 자아의 나상(裸像)이다. 현대의 감성적 불모성을 치유할 수 있는 생명력을 기대했던 디오니소스가 근대사회의 지적, 물질적 가치체계와의 대립에서 오히려 악마화 되는 것을 경험했던 오닐에게 러빙은 일체의 디오니소스성을 상실한 메피스토펠레스(Mephistophelses)로 남게 된다.

『위대한 신 브라운』에서 디온 가면은 "조소적이고, 무모하고, 뻔뻔스럽고, 유쾌하게 남을 적당히 속이고, 육감적인 목신(牧神)의 표정"(the expression of a mocking, reckless, defiant, gayly scoffing and sensual young Pan)을 한 가면이고, 『끝없는 나날』에서 존의 악마적인 증오심이 표출되고 존을 악마의 주창자로 이끌고 유혹하는 존의 메피스토펠레스적 외적 자아인 러빙의 가면은 "존의 얼굴의 특징들을 정확하게 재현한 가면—그의 입술에 냉소에 찬 조롱을 머금은 사면(死面)"(a mask whose features reproduce exactly the features of John's face—the death mask who has died with a sneer of scornful mockery of his lips 493-494)으로, 두 가면 모두 내적 자아와 외적 자아가 부동(不同)한 이중 자아의 모습을 표현하는 공통점이 있으며, 디온의 가면은 시간이 경과할수록 그 모습이 변하지만 러빙의 가면은 변하지 않는 차이점이 있다. 러빙은 오로지 존과 관객에게만 보일뿐 다른 극중 인물들에게는 보이지 않으며 그가 내뱉는 대사도 존의 말로 받아들여진다. 그리고 디온은 가면을 브라운과 마가렛 앞에서는 벗고 쓰고, 부모와 아이들 앞에서는 쓰며, 혼자 있을 때는 벗는다. 『위대한 신 브라운』에서 브라운은 디온이 죽은 후 디온 가면을 착용하며 시벨 앞에서 벗고 쓴다. 마가렛의 가면은 그녀의 모습을 꼭 닮은 것으로, 마치 투명하게 비치는 것 같은 가면인데, 마가렛이라는 개인이 아니라 젊은 아가씨의 추상적인 기질을 표현하고 있다. 그녀는 브라운 앞에서는 벗고 쓰고, 디온과 아이들 앞에서는 쓰며 가면을 쓴 디온만을 사랑한다. 그리고 시벨의 가면은 자포자기한 매춘부의 입술연지를 바른, 눈가가 검은 얼굴의 가면이고, 그녀는 디온 앞에서 벗고 쓰고, 브라운 앞에서는 쓴다. 디온은 그녀를 풍요의 여신(Earth Mother)이라고 칭하고, 그녀는 디온에게 자기 앞에서 가면을 벗을 것을 요구하며, 그녀가 가면을 벗을 경우 브라운은 그녀를 알아보지 못한다.

일인이역(一人二役)의 가면이 사용되고 있는 『위대한 신 브라운』과 이인일역(二人一役)의 가면이 사용되고 있는 『끝없는 나날』에 나타난 공통점은, 종교와 자본주의를 공격하는 문필가였던 존은, 화가였던 디온 앤소니가 브라운 사무소에 재능을 팔아야 했듯이, 엘자와의 결혼생활을 위해 친구인 엘리엇(Eliot)의 사무소에 나가 파우스트적인 변신을 하게 된다는 점이다. 그리고 여기에서 존으로부터 러빙이 분리된다. 아직까지는 존의 내부에 감추어져 왔던 그림자가 악으로서의 성격을 바탕으로, 『위대한 신 브라운』에서 보았듯이, 유혹자이자 악마인 메피스토펠레스로 분화 독립을 이루게 된다. 그러나 똑같이 도전적이고 조소적이며 가면성을 이용하여 반기독교적 입장을 메피스토펠레스적인 성격으로 변화시키고 발전시켰던 『위대한 신 브라운』의 디온과 달리, 『끝없는 나날』의 러빙은 디오니소스적 생명력을 전혀 갖추지 못한 채 보다 철저하게 죽음을 목표로 삼게 된다. 그리고 『위대한 신 브라운』에서는 디온 앤소니라는 한 인물이 내면적인 갈등을 겪으면서 판(Pan)

에서 사탄(Satan)으로, 그리고 메피스토펠레스로 변해가는 과정과, 디온의 자아가 브라운으로 전이해 가는 과정을 표현하기 위해서 가면이 사용되지만, 『끝없는 나날』에서는 존 러빙이라는 한 인물의 이중 자아를 표현하고 있지만 가면이 변한다든지 다른 인물에게 전이되는 일이 없이 이중 자아가 존과 러빙이라는 각기 다른 두 사람에 의해 그 역할이 수행된다. 러빙의 가면은 디온 앤소니의 판가면이나 메피스토펠레스적 가면처럼, 존의 내면에서 현재 일어나고 있는 갈등이나 변화를 표현하는 것이 아니라 존의 이미 죽은 과거의 자아를 의미한다. 존과 러빙은 이렇게 완전히 분리되어 있기 때문에 『끝없는 나날』은 『위대한 신 브라운』에서 디온의 가면과 브라운이 융합되어 디온 브라운이라는 새로운 개체가 탄생하듯이, 존과 러빙이 융합되어 존 러빙의 분열된 자아가 회복될 수 없다. 오직 존과 러빙 둘 중의 하나가 완전히 파멸되어 하나만이 살아남아야 한다. 그리고 『위대한 신 브라운』에서 디온의 창조적인 예술적 재능을 빼앗는 악의 존재처럼 등장하는 브라운과 달리, 『끝없는 날들』에서 존은, 브라운과 비슷하게 사회적으로 성공한 사업가이지만, 사랑과 선을 구현하고 있다. 브라운이 결국 디온 가면에 굴복하여 자아분열로 인하여 파멸하지만 존은 그의 사면(死面)인 러빙을 물리치고 미래의 행복한 삶을 기약할 수 있다.

오닐은 그의 주인공들이 서로 상충하는 이중 자아로 인하여 갈등하는 모습을 시각적으로 묘사하고자 일인이역의 가면 기법과 이인일역의 가면 기법을 사용하여 내적 자아와 외적 자아의 심리적 갈등과 대립을 표현한다. 그리고 이러한 갈등과 대립의 궁극적인 극복은 가면으로부터의 해방과 구원의 성취에 있다고 할 수 있으며, 오닐은 그의 『위대한 신 브라운』의 '대지의 여신'의 이미지의 소유자인 시벨과, 『끝없는 나날』의 성모 마리아의 이미지의 소유자인 엘자를 통해, 각각 디온과 브라운, 그리고 존에게 이해와 용서를 향한 화해의 통로를 제시하고 있다.

제3절 사상

1. 동양사상

『백만장자 마르코』의 주제는 현대 서구문명과 사회에 대한 풍자와 비판이다. 오닐은 주인공 마르코와 그의 행적과 업적을 통해 동양과 서양을 대조시킨다. 마르코는 외향적 물질주의자요 쿠카친 공주는 내성적 신비주의자다. 마르코는 13세기 이태리인이었지만, 오닐의 의도는 그를 통해 20세기 미국인, 구체적으로는 그 미국인의 이윤추구를 위한 상업정신을 보여주고자 한 것이다. 그러므로 이 작품은 미국의 물질주위와 상업주의를 묘사하고 풍자하며 나아가 미국문명에 이어져 내려오는 비극적 요소와 동양의 가치를 대응시켜보자는 데 있다(Winther 203). 오닐은 마르코가 동양문화에 미친 부패적 영향과 미국사회의 타락과 영혼 부재를 묘사했다(Stroupe 382). 그도 그러한 의도를 나단에게 보낸 편지에서 그가 노리는 것은 "백만"(1 million)에 해당하는 미국적 상응물을 애써 얻는 것이라고 말한다(Goldberg 164 재인용).

오닐의 동양사상의 배경은 불교, 힌두교, 도교, 유교로 이루어져 있고, 이것들이 그의 세계관 형성의 기본 요소가 되었다. 따라서 그의 작품에 나타난 비극세계는 이러한 동양사상의 여러 요소를 지닌 신비주의 세계이다. 그는 자신을 "가장 굳건한 신비주의자"(Quinn 199 재인용)라고 칭했듯이 동양사상을 신비주의로 받아들였다. 동양의 여러 사상 중에서도 특히 도교에 열중했던 것도 원초적 조화에서 신비주의의 진수를 보다 강하게 느꼈기 때문이다. 서구 사실주의에서 출발하여 표현주의를 거쳐 그의 실험 의욕이 극도로 발휘된 20년대의 작품들에 특히 동양사상의 색채가 강렬하고 이 시기를 지나 그의 완숙한 내면세계로 접어들면서 동양사상의 경향이 서양사상과 융화되거나 현실도피의 환영으로 변화되었다는 사실도 이를 증명한다.

오닐은 『백만장자 마르코』에서 삶과 죽음 그리고 인간존재의 고통과 좌절에 대해서 노장사상을 근거로, 불교의 해석도 제시하면서 이 문제들에 대한 해결책을 찾고 있다. 이와 같이 동양사상의 요소가 작품의 비전과 강도를 깊고 복잡하게 하고 있다. 무엇보다 이 작품 속에서 뚜렷한 대조적 관계는 고대 중국 사상에서 말하는 음과 양의 관계이다. 모든 현현(顯現)은 음과 양이라는 두 역동적인 극(極)으로 이뤄져 있는데 전자는 어둡고, 수동적이고, 여성적, 그리고 감성과 직관을, 후자는 밝고, 능동적이고, 남성적이고, 지성과 이성을 그 속성으로 한다.

쿠카친 공주와 마르코의 상반적 성격은 이 동양사상에 의한 음과 양의 관계로서 직관적 정서와 실용적 이성에 상응한다고 설명할 수 있다. 동양인 쿠카친은 여성이요, 수동적이고, 정신적이어서 음상(陰象)에 해당하고, 서양인 마르코는 남성으로 이성적이고, 적극적이어서 양상(陽象)에 해당한다. 마르코는 세상의 부귀를 신봉하고, 쿠카친은 그것을 초월한다. 전자는 생명의 가치를 소홀히 하지만, 후자는 생명에 대한 관용을 최상의 미덕으로 여긴다. 한 사람은 대담하고 적극적인데 비해, 다른 한 사람은 소극적이고 내성적이다. 돈과 보물만 탐하는 사람과 아름다움과 사랑이라는 정신적 가치를 믿는 사람과의 대조와 갈등이 이 작품에서 주된 갈등으로 표출된다.

이 음과 양의 원리는 동양사상의 기본개념이어서 『백만장자 마르코』에서는 유교와 도교적 배경을 이룬다. 유교의 육경(六經: 禮, 樂, 詩, 書, 易, 春秋) 가운데 『변역(變易)의 서』가 양극의 상대적 관계를 강조한 것에 비해, 도교의 『도덕경』은 그것을 상보(相補)하고 조화시키며 나아가서는 통일시키는 힘의 탐구로 발전되었다. 노자는 삼라만상의 배후에 그것을 통일하고 화합시키는 궁극적 실체가 있는데 그것이 "도"라 하였다. 따라서 도의 길에 순응하고 천지의 자연의 순리를 따르는 자는 전 세계를 다루는 법을 알게 된다고 『도덕경』은 가르친다. 이러한 동양사상을 오닐이 신비주의 사상으로 수용한 이유는 그것이 논리적 사고로 추론되는 것이 아니라 정서와 직관으로 감동을 일으키기 때문이었다.

우리들은 비극적 상황, 즉 불행이나 시련과 좌절 속에서 진정한 소망이 무엇이며, 삶의 가치가 무엇인가를 새로이 깨닫게 된다. 그리고 그런 과정에서 의지가 단련되고 인격이 수련되며 보다 나은 인간으로 발전한다. 오닐은 그가 관조한 삶의 비극적 상황에서 동양사상으로부터 이러한 지혜를 깨달았고, 그 깨달음을 표현하고자 했다. 그는 인간의 삶 속에 잠재한 파괴적이고 부정적이며 비관적인 요소를 폭로할 뿐만 아니라, 나아가 고통, 좌절 그리고 불행마저도 가치가 있다고 강조한다. 그는 근본적으로 비극적 관념론자이지만, 그것의 제시를 통해 보다 더 향상된 세계, 아름다움, 사랑, 그리고 안락한 삶을 갈망하고 제시하고 있다. 물질의 세계는 그것이 아무리 확대되더라도 결국에는 인간을 협소하게 만든다(Carrel 320). 그러한 의미에서 미국문학에 수용된 동양사상은 오늘날 미국인의 건전한 도덕적 그리고 종교적 정신성에 기여하게 되었다고 할 것이다. 오닐은 『백만장자 마르코』를 통해서 그러한 명제를 제시한다. 이와 같이 그는 삶의 비극적 실존을 해결하기 위해 동양사상에서 고도의 영성과 더불어 깊은 예지를 탐구하였다. 나아가 그가 궁극적으로 추구하고자 한 것은 동양과 서양, 음과 양의 화합이요, 그것은 구체적으로 두 개의 역동적인 가치인 물질주의와 신비주의, 현상의 변화와 본질의 보존, 실천적 경험과 직관적 지혜간의 화합을 통한 조화로운 인생에 대한 비전의 제시이다.

2. 니체 사상

오닐의 작품에 면면히 흐르고 있는 니체 사상은 바로 그의 작품의 주제를 배양하는 결정적인 계기가 되었다. 그는 니체가 말한 신의 죽음에서 인간의 비극은 시작되었다고 보았다. 기독교 사상에 정면으로 반기를 든 니체의 영향을 받은 그는 혼란과 방황 속에서 자신의 신을 탐색하게 된다.

선원생활의 경험을 토대로 한 오닐의 초기 해양극들에는 니체의 사상이

여과 없이 반영되어 있다. 그리고 실험정신이 넘쳐흐르는 중반기 작품은 니체의 사상 즉 차라투스트라의 설교를 강도 높게 설파하고 있다. 또한, 그의 말기 작품들은 그가 겪은 인생의 모든 경험들이 니체의 사상과 한데 어울려 삶을 관조하는 입장에서 냉정하게 묘사되고 있다. 특히 이 시기의 작품들은 그로 하여금 더욱더 훌륭한 평가를 받게 하는데 기여하고 있다. 그의 위대성은 당시의 미국 연극계의 상업적 치중에 반발하여 인간 모두의 공통 관심사를 작품의 주제로 삼으면서 니체를 통해서 접하게 된 고대 희랍 비극과 같은 위대한 작품을 써보려는 일관된 자세에 있다고 할 수 있다.

오닐은 그의 인생 체험을 그의 작품 속의 등장인물들을 통해 표출시킴으로써 그를 포함한 모든 인간들을 이해하려는 부단한 노력을 경주하였다. 그는 그의 아내 아그네스 볼튼에게 죽음은 삶의 끝이 아니라 단지 연속인 동시에, 일시적 고난의 장소이거나 아니면 지옥 그 자체이다(Boulton 202)고 인식하는 양면성을 보여준다. 결국 그가 도달했던 것은 죽음의 문제였다. 죽음의 공포야말로 인간의 모든 비극과 불행의 근원인 것도 그 때문이며, 그가 구원을 죽음의 공포로부터 벗어나는데서 찾게 되는 것도 그 때문이었던 것이다. 그는 보다 완전한 구원을 얻기 위해 새로운 신을 찾게 된다. 종교라면 기독교의 배경을 떠날 수 없던 그가 이 필요에서 탄생시킨 것이 기독교 신의 몸에 희랍 신화와 니체 사상으로 단장하고 현대인의 불행을 정신분석의 입장에서 파악했던 라자루스였던 것이다. 예수로부터 받은 생명의 영속성에서 출발하는 그의 구원론은 디오니소스를 바탕으로 한 니체의 초인사상을 수단으로 삼고 정신분석학 상의 병폐를 대상으로 하여 인간 스스로 기꺼이 "티끌"이 되어 우주와 일체를 이루면서 완성된다. 예수가 자신의 죽음을 통해 인류의 죄와 악을 대속(代贖)했다면 라자루스는 그 후의 인간들에게 삶의 환희를 주고자 한다. 그 표현이 바로 라자루스의 웃음이다. 이러한 관점에서 볼 때 『라자루스가 웃었노라』는 어려서 신앙을 상실한 이후 오닐이 줄

기차게 추구해온 집념의 총결산이다고 할 수 있을 것이다.

『라자루스가 웃었노라』의 중요한 주제 가운데 하나인 영겁회귀 사상이 니체와 오닐에게 반드시 같은 내용을 가지고 있었던 것은 아니다. 니체에게 그것은 무조건적이고 무한히 반복되는 만물의 순환적 흐름으로 맨 처음과 동일한 순서와 형태로 똑같이 반복되는 모든 사건의 질서이다. 오닐의 그것은 생물학적 수상 개념(隨想 槪念)으로서의 인간의 순환적 재생을 의미하는 것으로, 계절의 순환에 관련된 죽음과 재생 신화에 유사한 측면을 가지며 인간심리에 반영되는 하나의 현상으로 파악되고 있다. 니체의 경우보다 원시적인 오닐의 그것은 변화의 공포로부터 벗어나 자연 존재 자체와 밀접한 관계를 유지하고자 한 고대인들의 바람과 동질의 내용을 담고 있다(Day 301).

영겁회귀에 대한 라자루스의 신념은 그러나 본질적으로 니체의 영향을 반영하고 있으며 차라투스트라의 또 다른 반향을 보여준다(Chabrowe 50). 라자루스의 영겁회귀는 우주의 자궁으로 돌아가듯 보다 기본적 원초성으로 영혼이 귀환하고, 보다 높은 형태로 되살아나는 반복과정을 의미한다. 시간이 지날수록 젊어지다 마침내 "무한성의 자궁"(371)으로 귀환하는 최후까지 그가 구현하는 것은 긍정과 웃음으로 현상화 되는 영겁회귀이다. 자신의 존재를 긍정할 때 이 세계의 모두를 긍정하게 된다는 니체의 긍정은 영겁회귀의 긍정을 의미한다. 또한, 영겁회귀가 요구하는 생의 최고 긍정은 해방과 구제의 성격을 지니고 내적 삶에 대해 중요성을 가져다주며 영생의 지식이 될 뿐 아니라 과거의 모든 것을 구제함으로써 결정적인 승리를 축하하게 된다. 그리하여 영겁회귀의 긍정이자 곧 초인이 된다. 니체에 따르면 초인은 자신의 존재가 우주 속에 깊이 함입(陷入)되어 있는지 깨닫고 긍정 속에서 현재, 과거, 미래에 존재하는 모든 것들을 또한 긍정하게 되는 존재인 것이다.

오닐이 『라자루스가 웃었노라』를 극화한 목적은 니체 사상의 실현이다. 그는 그의 차라투스트라인 라자루스를 이 험난한 세상에 대처할 희망적인 인물로 제시한다. 라자루스가 죽는 순간까지도 희망은 존재한다. 니체의 영겁회귀 사상에 의해서 강화된 희망이다. 그는 라자루스를 통해 인간들에게 미래의 지평을 열어주고 있다. 그는 이 세상 모든 것들이 죽음에서 되돌아오는 것, 즉 재생을 하면 라자루스와 같은 모습이 될 것임을 암시하고 있다. 라자루스는 니체의 초인일 뿐만 아니라 디오니소스의 재창조이다. 그는 이 작품에서 라자루스를 통해 니체가 미래에 도래하기를 갈망하는 초인의 모습이 어떤 것이며, 모든 것을 초월하는 신의 구현체인 라자루스에게 무한한 초인적인 잠재력이 내재하고 있음을 보여주고 있다. 라자루스는 자신이 신의 아들임을 주장하지 않는다. 모든 인간들이 그들 속에 내재한 비인격적 신성을 발견하도록 계도(啓導)한다. 무자아(無自我) 속의 자유를 깨닫게 한다.

일체의 인간적인 감정과 반응으로부터 벗어난 주인공 라자루스는 디오니소스가 겪는 삶과 죽음의 고통의식을 체현(體現)하는 비극적 주인공은 아니다. 그는 개념화된 디오니소스의 의의를 신화적, 종교적 예증으로 반추하는 추상적 인물이 되고 있다. 그동안 오닐의 모든 주인공들이 겪어온 이중성의 고통은 물론 좌절, 회의, 분노, 도전, 희생 등 모든 투쟁 과정으로부터 초월해 있는 그는 다양한 사유체제를 종합한 니체류의 초인이다. 생명력을 지키기 위해 악마화조차도 불사하는 투쟁 끝에 죽음을 겪었던 디오니소스가 육체성으로서 보다 정신성으로 정화되어 구현되고 있는 라자루스는 디오니소스의 비극적 의의를 체현하는 대신 니체의 성찰에 힘입어, 죽음에의 공포에서 비롯되는 정신분석학적 증상과 병폐를 치유의 대상으로 삼는 현대적 의미의 초인이 되고 있다.

제4절 제의적 접근

오닐에게 있어서 극장은 암울한 삶을 영위하고 있는 현대인에게 영적 재생의 방법을 제시하고 오염된 삶을 정화시켜 주는 진지한 구도의 전당이었다. 그가 그의 작품을 통해 끊임없이 추구한 것은 현대인의 내면세계의 분열이나, 사회와 가정의 화해할 수 없는 갈등을 비관적으로 보여주는 것이 아니라, 비극의 정화력에 대한 확고한 신념을 가지고 새로운 정신세계를 창조해 내는 성스러운 임무를 수행하는 일이다. 그는 그의 작품을 통해서 옛 신(Old God)의 죽음에 따라 새로운 신(New God)으로 등장한 과학과 물질문명의 실패로 인한 현대인의 질병을 치유하고, 죽음의 공포를 벗어나 원시적 신앙을 회생시키며 인생의 의미를 찾을 수 있는 대안으로, 제의를 통한 신앙적 본능의 부활을 위한 다양한 양상을 표출하고자 했다. 그러기에 그의 작품 속에 드러난 개인 또는 종족과 관련된 공포의 환영과, 북소리와 총소리와 같은 음향, 전체성의 상징인 자연과의 합일을 보이는 황홀경에 도취된 사랑, 그리고 고백은 각각 성인식 제의, 디오니소스적 제의, 기독교적 제의를 고양시키는 중요한 기법과 내용이 되고 있다.

『존스 황제』는 흑인 노예 출신의 존스가 한 섬의 황제가 되어 권력을 행사하다 원주민들의 반란에 부딪치자, 준비된 계획에 따라 도주하여 어두운 밀림 속으로 뛰어들지만 길을 잃고 방황한 끝에 이튿날 새벽 원주민 추장의 총에 사살되기까지 숲 속에서 겪는 도피과정을 보여준다. 이것은 극도의 불안과 공포에 사로잡힌 존스가 문명 상태에서 원시 상태로, 황제에서 흑인으로, 그리고 다시 한 인간으로 환원되는 과정이다. 이러한 주제는 다양한 성인식 제의의 형태, 즉 공간적 배경의 숲, 북소리와 총소리의 뛰어난 청각 효과, 어둠과 밝음이 교합되어 이루어내는 시각 효과, 무대장면의 효율적인 전환, 반복되는 독백과 함께 등장하는 환영들로 인하여 점증되는 공포, 현실과 환상의 대립 처리 등의 탁월한 무대 기법을 통해서 표출되고 있다.

『느릅나무 그늘의 욕정』은 제목에서 암시하듯 느릅나무 밑에서 증오, 욕망, 그리고 사랑이 빚어낸 살인이 뒤엉켜 펼쳐지는 욕망의 파노라마로 볼 수 있다. 첫 번째 욕망은 소유욕이다. 아버지, 배다른 삼형제, 그리고 계모가 농장에 대한 강한 소유욕으로 가득 차 서로 다툰다. 또 다른 욕망은 사랑이다. 애비는 에벤에 대한 진정한 사랑을 증명하려고 그녀의 영아를 살해한다. 이 극에서 디오니소스적 제의는 바로 에벤과 애비가 영아살해의 죄과를 기꺼이 받아들이는 용기와 초월적 태도, 그리고 그 비극적 장엄성에 기인하며, 애비가 지은 죄를 함께 나누고자 하는 에벤의 자기희생적 자세와, 사랑을 위해 영아살해를 하고 그에 따른 응분의 대가를 감수하면서 에벤과의 사랑에 대해서 후회하지 않는 애비의 황홀과 도취의 사랑에서 고찰될 수 있다.

『밤으로의 긴 여로』에서 등장인물들은 각자의 애증의 사실들을 고백한다. 그리고 그 고백은 아버지 타이론과 아들 에드먼드 사이에서, 형 제이미와 동생 에드먼드 사이에서 극적으로 이루어진다. 에드먼드가 고해신부가 되고 타이론과 제이미가 참회자가 되어 서로의 진정한 이해와 용서를 구한다. 에드먼드는 타이론과 제이미가 그들의 잘못을 고백할 때 그들을 이해하고 긍정하면서 기쁨을 얻는다. 오닐은 그의 자서전적 희곡인 이 작품에서 기독교적 제의의 형태인 고백을 통해 등장인물들, 나아가 현대인들의 갈등을 치유하고 화합을 이루고자 하는 그의 작가적 의도를 보다 효과적으로 표출하고 있다.

오닐이 극장의 기능을 사원의 효과에서 찾으려고 했다는 점을 주목할 때, 결국 그는 그의 작품을 통해, 정신적인 갈등으로 방황하는 현대인에게 연극을 통한 화합의 처방을, 그리고 물질의 노예로 전락하여 신앙과 영적 소속을 상실한 현대인에게 제의를 통한 원시적 신앙의 회생과 신앙적 본능의 부활을 제공하고자 했다. 오닐은 『존스 황제』에서 북소리, 흑인 제프와 백인 간수 그리고 주술사의 환영, 그리고 은제 총알을 통해서 존스의 변화과정을 보여주는 성인식 제의를, 『느릅나무 그늘의 욕정』에서 에벤과 애비가 현상적 욕망을 극복하고 전체성의 상징인 자연과 조화를 이루며 황홀과 도취의 사랑을 통하여 보여주는 디오니소스적 제의를, 그리고 『밤으로의 긴 여로』

에서는 고해신부의 역할을 하는 에드먼드에게 타이론과 제이미가 하는 고백을 통한 기독교적 제의를 표출하고 있으며, 제의는 오닐의 작품세계에서 주제를 강화하는 핵심적이고 중요한 장치가 되고 있다.

제5절 콤플렉스와 갈등과 구원

1. 마더 콤플렉스와 부자갈등의 극복

신을 부정하고 일생동안 니체(Friedrich Wilhelm Nietzsche)에 심취했으며, 그의 해결되지 않는 내적 갈등을 극화하고 정화하여 궁극적으로 모든 인류의 진정한 자아와 정신적 고향을 찾기 위해 부단한 노력을 경주하였던 오닐의 작품세계에 나타난 두드러진 특징 세 가지를 들면 첫째, 오닐의 예술적 창작은 작가이기 이전에 한 인간으로서의 일종의 고해와 살풀이 그리고 자아 치료의 방편이었으며, 그의 일생을 통해 강박관념처럼 그를 따라다녔던 가족관계가 직접 또는 간접적으로 그의 작품 속에 자서전적인 요소로 강하게 자리 잡고 있고 둘째, 『느릅나무 그늘의 욕정』의 죽은 어머니와 아들 에벤, 『밤으로의 긴 여로』의 어머니 메어리(Mary)와 두 아들 제이미(Jamie)와 에드먼드(Edmund), 『상복이 어울리는 엘렉트라』의 어머니 크리스틴(Christine)과 아들 오린(Orin), 그리고 『얼음장수 오다』의 어머니 로사(Rosa)와 아들 패릿(Parritt)의 관계처럼, 그의 극 특히 그의 자서전 또는 자서전적 경향의 극에 등장하는 아들들은 거의 한결같이 어머니를 향한 강한 마더 콤플렉스에 붙잡혀 있으며 셋째, 아버지가 가족 특히 어머니를 고통에 빠뜨리는 원인을 제공하고 이것이 결과적으로 부자간의 갈등과 증오, 그리고 복수의 요인으로 작용한다는 사실이다.

『느릅나무 그늘의 욕정』에서 첫째, 마더 콤플렉스는 지금은 고인이 된 에벤의 어머니와, 어머니의 영향력이 그의 현실적인 행동이나 지각에 크게 미치는 무의식의 감정에 사로잡힌 그녀의 아들 에벤 사이에 나타나고 있으며, 모성애는 '너그러운 신'인 두 그루의 느릅나무로 상징되고, '모신'과 '풍요의 여신'은 창녀 민, 특히 계모 애비를 통해 구현되고 있다. 그리고 에벤의 마더 콤플렉스는 '모신'의 구현인 애비의 강한 모성과 지극한 헌신적 사랑을 통하여 극복되고 있다. 둘째, 부자 갈등은 농장의 소유와 유산 상속의 투쟁으로 전개되는데, 농장의 원소유주가 그의 어머니였는데 아버지 캐봇이 그것을 빼앗았고 지금은 자기 것으로 생각하는 아들 에벤과, 끝까지 그 농장을 움켜쥐려는 아버지 캐봇 사이에 나타나고 있다. 그리고 그 갈등은 에벤이 '모신'의 구현인 애비, 특히 그녀의 헌신적인 사랑을 통하여 새로운 인간으로 거듭나서 농장에 대한 소유욕과 부자 갈등에서 완전히 벗어날 수 있게 되고, 캐봇이 그가 농장을 벗어날 수도 없고 벗어나기를 원하지도 않는다는 인식에 도달하게 되어 다시 옛날처럼 그 자신의 신에 귀의함으로써 극복되고 있다. 그리고 그러한 마더 콤플렉스와 부자 갈등의 양상은 상호간에 밀접한 관련이 있기에, 서로 독립되어 존재하는 것이 아니라 마더 콤플렉스가 부자간의 갈등과 증오, 그리고 복수로 연결되어 일어남을 확인할 수 있으며, 마더 콤플렉스와 부자 갈등의 근원은 오닐이 주장한 "배후의 힘"(Quinn 199 재인용)의 작용이라고 할 수 있다.

인간은 비극적 상황, 즉 콤플렉스, 갈등, 증오, 그리고 복수를 통해서 진정한 삶의 의미와 가치가 무엇인가를 새로이 깨닫게 된다. 그리고 그런 과정에서 지혜가 열리고 진정한 자아를 발견하며 보다 성숙한 인간으로 변모한다. 이와 같이 오닐은 그의 무의식적 자서전인 『느릅나무 그늘의 욕정』을 통해, 그의 필생의 화두였던 마더 콤플렉스와 부자 갈등을 극복하고, 욕망을 넘어 화해와 사랑이 충만한 초월을 향한 여로를 가고자 하였으며, 그러한 열망을 이 극의 중요한 주제로 표출시키고 있다.

2. 구원의 어머니상

오닐이 그의 작품에서 제시하고 있는 여성들은 인간 존재의 비극성을 인식하는 가운데 스스로의 의지에 따라 그들의 목적을 위해 능동적으로 행동한다. 그는 그의 여성들이 남성들과의 심리적 그리고 육체적인 관계 속에서 어떻게 각성과 성찰에 이르게 되고, 남성들을 비극적인 현실에서 구원으로 인도하는가를 조명했다. 그의 남성들이 모성에 대한 갈망으로 내적 갈등을 느끼며 좌절하는 "강박관념의 희생자들"(Engel 19)인데 반해, 여성들은 현실에 대한 냉정한 인식을 가지고 있다. 그의 여성들은 어려운 현실 속에서도 남성들이 각성을 통해 구원을 얻을 수 있도록 모성적 역할을 한다. 보가드는 이러한 여성들을 "남성에게 정신적으로 안정과 평화를 주는 모성적인 속성을 지닌 '보존자'"(1967)로, 허조그(Herzog)는 "육체적으로 풍만하고 강인하며 모든 것을 받아들이는 헌신적인 어머니와 같은 '자비심 많은 여성'"(20)으로 지칭한다.

『기묘한 막간 희극』과 『잘못 태어난 자를 비추는 달』은 오닐의 자서전적 체험에 근거하여 충족되지 않는 어머니의 사랑에 대한 갈망이 표출된 작품이다. 『기묘한 막간 희극』의 니나는 가부장제 사회의 여성들과 달리 남성중심사고를 탈피하여, 모성 콤플렉스에 사로잡힌 그녀의 남성들에게 어머니신의 역할을 수행한다. 그녀는 남성들에게 그녀가 가지고 있는 생명력을 제공하여 그들이 성숙하고 완전한 남성들이 되고, 독립된 개체로서 진정한 삶의 현실로 복귀하며, 구원을 얻도록 인도한다. 『잘못 태어난 자를 비추는 달』의 조시는 오닐이 그린 완벽한 여성으로서 대지의 어머니와 성모 마리아가 결합된 전형적인 여성이 되고 있다. 타이론의 연인으로서의 삶을 원했던 그녀는 그가 그의 어머니에 대해 죄의식을 갖고 있다는 그의 고백을 듣고 연인관계를 포기하고 대지의 어머니로서의 역할을 한다. 그녀는 어머니로서의 연민과 사랑으로 그의 죄를 용서하며, 그가 정신적인 안정과 평화를 체득하여 구원을 얻을 수 있도록 인도한다. 니나와 조시 모두 모성에 대한 강한 열망으로 갈등의 심연에서 고뇌하는 남성들을 진정한 삶의 현실로 복귀하게 하며, 궁극적으로는 구원을 성취하는 어머니의 역할을 충실하게 수행하고 있다.

오닐 작품에 나타난 비극성은 인간이 고통스런 삶이라는 현실의 한계를 초월하여 내면의 각성을 통해 정신적 구원에 이르기 위해서는 반드시 자기 부정의 과정을 거쳐야 한다는 데 있다. 그는 구원에 이르는 노력이야말로 그 자체가 인생의 의미이자 가치라는 사실을 그의 작품을 통해서 중요한 주제로 표출시키고 있다. 그의 작품에서 남성들이 삶과 투쟁하면서 자기 부정의 과정을 거쳐 구원에 이르도록 하는 데에 항상 여성들, 특히 모성이 중요한 역할을 하고 있다. 오닐의 다양한 작품을 고찰하는 가운데 하나의 관련된 축이 있음을 발견할 수 있는데, 그것은 해를 거듭함에 따라 그의 작품에 등장하는 여성들의 자아가 확대되어 남성과의 긍정적인 관계로 작용을 하면서, 여성들은 남성들이 스스로 '배후의 힘'을 극복하여 현실에 적응할 수 있도록 객관적인 안목을 고양시키고 있다는 사실이다. 여성들은 남성들이 구원에 이르도록 각성을 촉구하고 진정한 삶의 현실로 복귀할 수 있도록 방향성을 제시해 주는 조력자 역할을 한다. 오닐의 『기묘한 막간 희극』과 『잘못 태어난 자를 비추는 달』에서 전자의 니나는 생명력을 통해서 마더 콤플렉스에 시달리는 남성들이, 그리고 후자의 조시는 연민과 용서와 사랑을 통해 정신적 갈등으로 고통을 겪는 타이론이, 진정한 삶의 현실로 복귀할 수 있도록 하는 구원의 어머니상을 구현하고 있다.

인간은 내적 성찰을 통해서만 참된 삶의 가치를 발견할 수 있다. 현실의 수용을 통한 자아발견이 바로 진정한 자기 구원이다. 오닐은 그의 작품에 등장하는 주인공들의 다양한 삶을 통해 부단히 자아탐구를 시도하고 있다. 이러한 자아탐구 과정에서 여성들, 특히 모성은 남성들이 절망 속에서 희망을, 어둠 속에서 밝음을, 부정 속에서 긍정을, 패배 속에서 승리를, 슬픔 속에서 기쁨을 도출할 수 있도록 전통과 가면의 굴레를 넘어 구원의 길로 인도하는 결정적이고 중요한 역할을 수행하는 바, 오닐은 그의 『기묘한 막간 희극』의 니나와, 『잘못 태어난 자를 비추는 달』의 조시를 통해 이러한 주제를 강화하는 구원의 어머니상을 제시하고 있다.

제6절 죽음과 초월

1. 진정한 자아 찾기와 죽음

오닐의 작품에 표방되고 있는 중요한 주제 중 하나는 종교적 신념을 상실하고 방황하고 고뇌하는 인간의 모습이다. 그의 작품은 물질주의를 기초로 한 현대사회의 비극적 현실 속에서 소외된 자들의 비극이 그 주조를 이루고 있다. 그의 작품 전반에 걸쳐 그를 사로잡았던 중대한 문제는 이러한 소외감을 극복하기 위한 진정한 자아 찾기이다. 오닐은 인간이 소외의 희생자인 동시에 진정한 자아 찾기의 꿈을 간직하고 있다는 사실을 그의 작품을 통해서 표출시키고 있다. 그의 주인공들이 『수평선 너머』의 로버트처럼 꿈과 이상, 질서와 조화를 수평선 너머에서 찾는 이상주의자와, 『털보 원숭이』의 양크처럼 무모하리만큼 사회질서에 도전하고 투쟁하는 현실주의자라는 두 유형으로 나누어지고, 그 사이의 대립이 작품의 주제를 이루는 것도 이에 바탕하고 있다. 진정한 자아 찾기는 그들의 투쟁의 최종목표이고 인간과 삶의 모순을 해결하는 유일한 통로인 현상인식을 줄 수 있는 최선의 방법이라 할 수 있다. 현상 인식은 불가항력의 질서 속에서 인간의 존재의의를 확인하는 절대조건이기 때문이다.

오닐의 작품에 나타난 비극성은 운명과의 투쟁이다. 인간은 진정한 자아 찾기를 위해 끊임없이 투쟁하지 않으면 안 되고 이러한 투쟁 속에서만이 자신의 진정한 자아 찾기를 완성할 수 있다. 이 때문에 운명과의 자기 파괴적인 투쟁은 지대한 의미를 내포한다. 자아 찾기의 최종 목표는 자아로부터의 이탈이 아닌 운명과의 투쟁 그 자체이며 운명에 대한 냉철한 인식과 자기해방이라 할 수 있다. 오닐은 행복의 동경, 삶의 안정된 자리확보 혹은 그곳으로 귀환하고자 운명과 투쟁하는 주인공들의 진정한 자아 찾기의 제반 양상을 그의 작품을 통해 설파하고 있으며, 죽음은 진정한 자아 찾기의 완성이 되고 있다. 『수평선 너머』의 로버트는 루스의 진실성이 결여된 사랑의 고백으로 야기된 잘못된 선택과 위치전도로 인한 일련의 고통과 시련이라는 진정한 자아 찾기의 과정을 거치면서 결핵에 걸려서, 『털보 원숭이』의 양크는 밀드레드의 충격적 대사에 의해서 야기된 조화의 상실로 인한 소외와 좌절이라는 진정한 자아 찾기의 과정을 거치면서 우리에 갇혀서, 죽음을 맞는다.

드라이버(Driver)는 오닐의 죽음에 대한 태도를 "죽음에 대한 두려움, 죽음에 대한 낭만적 사랑, 그리고 죽음에 대한 태연한 체념으로 분류하고, 오닐은 후자의 두 경우를 결합함으로써 죽음에 대한 두려움을 일소했다"(Gassner ed. 120 재인용)고 주장한다. 오닐의 작품에서 "소속과 평화는 죽음의 부산물이며, 삶은 그 대조적 특성인 고독과 투쟁에 의해서 특징 지워지기 때문에 죽음은 형벌이 아니라 보상"(Tornqvist 18)이 되고 있다. 진정한 자아를 상실한 인물들에게서 고찰될 수 있는 마지막 도피구는 죽음의 평화이다. "인간의 마지막 희망, 절망적이지 않은 유일한 희망은 죽는 것이다"(452)라는 보가드의 지적은 이를 잘 뒷받침하고 있다. 그러기에 『수평선 너머』의 로버트와 『털보 원숭이』의 양크의 죽음은 외양적 측면에서 명백한 비극적 사건이지만, 궁극적 측면에서는 삶의 긴장과 소외와 시련으로부터의 해방이고 축복이며 진정한 자아 찾기의 완성이자 자아실현이 되고 있다. 그들은 죽음을 통해 진정한 자아 찾기를 완성하고 암울한 현실의 삶을 되돌아보며 마침내 부조리한 인간의 조건을 겸허하게 수용한다. 오닐은 이러한 미해결의 부조리한 인간의 조건을 받아들임으로써 실존적 비극세계를 설파한다.

오닐에게 있어서 비극은 그 자체가 삶의 의미인 동시에 희망인 것이다.

오닐의 비극관은 진정한 자아 찾기를 위한 운명과의 투쟁에 따른 절망 속에서 도출되는 희망이다. 우리는 시련, 소외, 그리고 좌절의 극복과, 죽음의 수용을 통해 진정한 자아 찾기를 완성할 수 있다. 우리가 모든 세속적 욕망을 포기하고 자신의 꿈이 포함하는 패배를 수용하며 영적 믿음으로 귀의할 때 진정한 자아 찾기가 가능하다. 전도와 조화의 상실에 따른 시련과 소외로부터의 해방을 위한 진정한 자아 찾기와 그로 인하여 야기된 죽음은, 그 자체가 인생의 의미이자 가치이며, 오닐은 그의 『수평선 너머』와 『털보 원숭이』를 통해 이러한 사실을 그 중요한 주제로 표출시키고 있다.

2. 초월

가족 간의 갈등과 증오가 함축된 오닐의 자서전적 작품인 『밤으로의 긴 여로』에 나타난 특징은 가족 간에 이해와 사랑보다는 독특한 꿈과 의지의 대립으로 인해 서로 융화를 이루지 못한다는 사실이다. 이러한 환경에서 각각의 인물들이 빚어낸 비극적인 문제들을 스스로 해결할 능력이 거의 없다는 것이다. 그리고 이들 작품에서 표출된 중요한 주제는 가족 간의 갈등이다. 이러한 갈등의 성격에서 가장 중요한 요소는 심리적 운명성이라고 말할 수 있다. 그것은 부모와 자식 간의 관계에서 부모의 사랑의 결핍이 자식에게 심리적인 갈등과 방황을 야기하게 하고 종국에는 운명에 휩싸이도록 하는 것을 의미한다. 그러한 비극의 원인은, 좀 더 정확한 표현을 빌면, 사랑의 부족 보다는 사랑의 전달의 부족이다. 그의 자서전적인 작품의 인물들은 이러한 사랑의 전달의 부족과 서로가 서로에게 만족할 만한 사랑의 불가능성 때문에 저주와 증오의 심리적 갈등을 겪는다.

『밤으로의 긴 여로』에 등장하는 주인공들은 이러한 갈등과 증오로 인하여 야기된 소외감을 탈피하기 위하여 각자 나름의 안식을 위한 소속을 추구하게 되는데, 이것은 외면적 소속과 내면적 소속의 두 양상으로 나타난다.

먼저 외면적 소속은 『밤으로의 긴 여로』에서 메어리는 수녀원의 생활과 소녀시절, 타이론은 예술적 재능에 대한 회환의 세계, 제이미는 냉소와 절망에 의한 술의 세계, 에드먼드는 바다에서 느낀 신비한 체험으로 묘사된다. 다음으로 내면적 소속, 즉 구원은 『밤으로의 긴 여로』에서 에드먼드의 과거의 성찰을 통한 초월로 묘사된다. 에드먼드는 메어리, 타이론, 제이미에게 이해와 용서와 사랑을 부여함으로써 구원을 성취한다.

오닐의 자서전적 작품세계에 있어서 가족 간의 갈등과 비극은 숙명적인 것이며 등장인물들이 영위하는 삶은 절망적인 것처럼 보인다. 그러나 인간은 이러한 갈등과 비극을 통해서만이 가장 진실하고 고귀한 인생의 의미를 터득할 수 있다는 것이 그가 보는 비극관이다. 인간은 자신의 내적 성찰을 통해서만 인생의 심오한 세계를 발견할 수 있다. 인간이 참된 구원을 위해서 추구해야 할 대상은 외재적 현상이 아니라 바로 자기 자신이다. 죽음에 이르는 병은 소외의식이나 근심이 아니라 자기실현 의지의 결핍이다. 인간의 삶은 본질적인 의미가 정해져 있는 것이 아니라 인간이 실제로 그 삶에 부여하는 의미만이 존재할 뿐이다. 그러므로 자기 나름의 가치를 창조하고 자신의 존재이유로서 채택하고자 하는 의미를 자신의 우주에 부여해야 한다. 신이 없는 세계에서 구원의 통로를 차단당한 인간들이 서로를 통해 구원을 얻기 위해 필요한 것은 현실의 수용과 과거의 성찰을 통한 초월이다.

제2장

셰익스피어와 오닐

제1절 과거의 유령

현대 극작가들이 그러하듯이, 셰익스피어와 같은 어휘적 그리고 문학적 천재성과 탁월성의 부족 때문에, 오닐의 극적 그리고 감성적 탁월성은 셰익스피어의 부분적인 흉내에 의존한다. 오닐은 더듬거리며 말하지 않는 시인인 셰익스피어를 알고 영향을 입었으며 관계를 맺었다. 오닐과 셰익스피어 사이 관계가 있다는 사실은 긴 토론을 요하지 않는다. 오닐의 극적 특질이 불가피하게 셰익스피어를 포함하고 있다는 사실은 충분한 배경을 가지고 있다. 유명한 배우였던 그의 아버지 제임스 오닐(James O'Neill)은 항상, 심지어 화장실에서조차도 셰익스피어 희곡을 인용했을 정도이다(Sheaffer, *O'Neill: Son and Artist* 114). 셰익스피어의 희곡들은 오닐이 그의 아버지 서재 책들 중에서 열광적으로 탐닉하던 일부였다. 또한 그는 프린스톤(Princeton) 시절에 셰익스피어의 희곡들을 공부했다. 아버지와의 내기는 그로 하여금 맥베스(Macbeth) 모든 대사를 암기하도록 이끌었다. 그는 1920년 한 인터뷰에서, 그는 셰익스피어의 희곡들을 "말로 다할 수 없는 이익과 기쁨과 함께 탐독했다"(Sheaffer, *O'Neill: Son and Artist* 114 재인용)고 말했다. 셰익스피어는, 그와 드라마를 공부했던 하버드 대학(Harvard University)의 조지 피어스 베이커(George Pierce Baker) 교수에게 신과 같은 존재였다. 오닐은 『햄릿』을 포함하여 셰익스피어 공연들을 관람하였다. 간단히 말해서 셰익스피어는 오닐 가족의 일상생활과, 그리고 오닐의 성장과 교육에 단단히 묶여있었다. 오닐은 그의 생에서 발생했던 것은 무엇이든지 강하게 자기화했고, 셰익스피어는 발생했던 것의 일부이다. 또한 중요한 사실 중의 하나는 메어리가 셰익스피어의 어머니 이름이었고 그의 동생의 이름이 에드먼드였다는 것이다. 오닐과 셰익스피어 모두 극작가인 동시에 배우였고, 모두 결혼상의 문제가 있었으며, 술을 좋아했다. 그들은 임종 전에 극작을 중단했다. 『햄릿』은 셰익스피어에게 심리적으로 필요한 작품이었다(Jones 115-143). 같은 이유로 오닐은 『밤으로의 긴 여로』와 『잘못 태어난 자를 비추는 달』을 써야만 했다.

과거가 현재를 통제한다는 사실은 오닐의 『밤으로의 긴 여로』와 『잘못 태어난 자를 비추는 달』과, 셰익스피어의 『햄릿』 사이의 가장 강한 주제적 고리이다. 과거의 유령들에의 회귀, 환상의 파괴, 인생의 진전에 따른 실망, 그리고 무엇이 될 수 있었는가에 대한 직감적인 이해 등 이러한 내용들이 세 작품들에 공유되어 나타난다. 그 결과로, 등장인물들은 햄릿, 제이미, 그리고 에드먼드가 그러하듯이 죽음을 열망하거나, 또는 타이론의 술과 메리의 모르핀이 그러하듯이 삶 속의 죽음(death-in-life)을 열망한다. 즉 모든 인물들은 밤(night)으로 여행 중이며 그들의 여행은 고통으로 가득하다. 인생의 무거운 짐을 떠맡기 위한 역할의 필요성이 이것과 관련된다. 햄릿의 기묘한 작전, 제이미의 "큰형"(big brother) 행동, 그리고 조시의 바람기와 같이, 일부 인물들은 진실이 아닌 "겉치레"(seem)로 화장한다. 각각의 인물들은 내적 어떤 것을 숨기고, 이것은 결과적으로 강화된 근심 또는 광증 또는 술 또는 모르핀으로 표출된다. 그것이 표출될 때 그것은, 햄릿의 어머니에 대한 징벌, 햄릿의 네 번의 독백들, 오필리어의 노래들, 조시에 대한 제이미의 고백, 그리고 타이론의 에드먼드에 대한, 에드먼드의 타이론에 대한, 제이미의 에드먼드에 대한, 메리의 세 명의 남자들에 대한 긴 자기 드러내기와 같이, 갑작스럽고 구체적으로 표출된다.

오닐은 그의 예술세계에 깊이 몰입한다. 이러한 과정에서 그는, 내면세계, 주관에 대한 본능적 신뢰, 감성, 니체와 스트린드베리(Strindberg)와 입센(Ibsen)에 대한 몰입, 그리고 셰익스피어에 대한 흡수에 의해서, 도움을 받는다. 셰익스피어는 그의 창작에 있어서 가족의 한 구성원이었고 동료였다. 오닐은, 특히 『밤으로의 긴 여로』와 『잘못 태어난 자를 비추는 달』이라는 그의 마지막 두 자서전적 작품에 있어서, 셰익스피어의 『햄릿』을 알고 있음으로 인해 작용되는 심적 압력을 피할 수 없었다. 셰익스피어 작품은 오닐에게 그의 개인적 상황의 실체에 대한 보다 진한 조망을 제공했다. 오닐의 과거의 유령들을 다루고 있는 『밤으로의 긴 여로』와 『잘못 태어난 자를 비추는 달』은, 그 자체가 과거의 유령들을 다루고 있는 셰익스피어의 『햄릿』의 그림자 속에서 쓰였다. 햄릿과 마찬가지로 오닐은 그의 유령들을 직면할 용기를 가졌다. 『밤으로의 긴 여로』와 『잘못 태어난 자를 비추는 달』을 끝으로 오닐은 더 이상의 작품을 쓰지 못했다. 그는 "이제 남은 것은 정적뿐" (The rest is silence. V. ii. 363)이라는 햄릿의 유언을 남길 수 있었다.

제2절 **'배후의 힘'**

1. 『햄릿』, 『상복이 어울리는 엘렉트라』

『햄릿』에 나타난 '배후의 힘'의 원인은 클로디우스가 선왕을 살해한 사건과 유령으로 등장한 선왕이 햄릿에게 그 전모를 밝히고 클로디우스에 대한 복수를 지시하는 사실이다. 그리고 『상복이 어울리는 엘렉트라』에 나타난 '배후의 힘'의 첫째 원인은 청교도적 원죄로 선대 에비브 마농이 동생 부부인 데이비드와 마리 사이의 사랑을 사련(邪戀)으로 간주하고 애욕, 증오, 분노. 질투심, 그리고 복수심에 차서 이 두 사람을 추방하였으며, 에즈라가 마리의 간절한 도움의 손길을 거절한 사실이다. 둘째 원인은 크리스틴이 남편 에즈라의 성적 횡포와 독선에 대해 갖는 분노이다. 셋째 원인은 크리스틴의 간청에도 불구하고 남편 에즈라와 딸 라비니아가 아들 오린을 출정시켜 그녀에게 안겨준 심각한 고통이다. 넷째 원인은 라비니아의 엘렉트라 콤플렉스와 오린의 오이디푸스 콤플렉스이다. 『햄릿』에 나타난 '배후의 힘'의 구현은 선왕의 급사(急死), 내우외환에 직면해 있는 덴마크의 삼엄한 국가상황, 그리고 햄릿이 입고 있는 "검정색 옷"(I. ii., I. ii. 77)에서 고찰될 수 있다. 그리고 『상복이 어울리는 엘렉트라』에 나타난 '배후의 힘'의 구현은 죽음의 그림자가 드리워진 "부조화한 백색가면"(5) 같은 마농 저택, 마농인물들이 공통으로 소유한 "가면 같은 얼굴"(93), 그리고 라비니아가 입고 있는 "검정색 옷"(10, 109)에서 고찰될 수 있다.

『햄릿』에 나타난 '배후의 힘'의 작용은 첫째, 햄릿이 극중극을 준비하고 이를 통해 유령의 말에 대한 진실을 확인하며 클로디우스에 대한 철저한 복수를 다짐하는 사실이다. 둘째, 이에 대항하는 클로디우스, 또는 클로디우스와 레어티스가 햄릿를 제거하기 위해 음모를 계획하는 것이다. 『상복이 어울리는 엘렉트라』에 나타난 '배후의 힘'의 작용은 크리스틴과 브란트의 에즈라에 대한 강한 복수심, 두 사람 사이의 간통, 그리고 에즈라에 대한 독살 공모이다. 『햄릿』에 나타난 '배후의 힘'의 결과는 '죽음'이다. 거트루드는 클로디우스의 독배, 클로디우스는 레이티스의 독도와 본인의 독배, 레어티스는 본인의 독도, 그리고 햄릿은 레어티스의 독도에 의해 죽음을 맞이한다. 그리고『상복이 어울리는 엘렉트라』에 나타난 '배후의 힘'의 결과는 죽음과 유폐다. 크리스틴은 그녀의 부탁에 의해 공모자 브란트가 구해준 독약으로 남편 에즈라를 독살하고, 라비니아와 오린은 그들의 아버지 에즈라 살해의 공범이자 어머니 크리틴의 정부인 브란트에 대한 복수로서 브란트를 살해하며, 이에 충격을 받고 양심의 가책을 느낀 크리스틴은 자살을 하고, 어머니 크리스틴의 자살에 충격과 죄의식을 느끼고 누나 라비니아에 대한 구애를 거절당한 오린도 자살을 하며, 마지막 남은 라비니아는 자신의 손으로 벌을 받고 마농 가의 죽은 자들과 함께 그들의 비밀을 지키겠다며 그녀 자신을 마농 가에 유폐시킨다.

『햄릿』과 『상복이 어울리는 엘렉트라』 두 작품에 나타난 두드러진 공통점을 살펴보면 첫째, 전자에서 선왕의 유령이 아들 햄릿에게 자신이 사리풀 독즙에 의해 독살을 당했다(I. v. 59-64)고 사인(死因)에 대해 폭로한 후 "효심이 있다면 이 말을 그대로 참고 묵살하지 말아다오"(I. v. 81), "이 아비를 잊지 마라"(I. v. 91)라고 복수를 촉구하자, 햄릿이 "자, 숙부, 여기에 적어 두었다. 이제 이것은 내 좌우명,/ '잘 있거라, 잘 있어. 나를 잊지말아다오'라고 했겠다./ 나는 이제 그렇게 하기로 맹세했다"(I. v. 110-12)라고 무릎을 꿇고 그의 칼자루에 한 손을 얹으며 기도를 드리고 맹세하는 대사와, 후자에서 에즈라가 숨을 헐떡거리며 약을 찾자 그의 부인 크리스틴이 그녀가 그녀의 정부 브란트에게 부탁해서 미리 준비한 환으로 된 독약을 그의 혀 위에 얹고 물 컵을 그의 입에 들이밀자 그는 "저년 짓이야! 약 탓이 아니야!"(63)라고 소리치며 쓰러지고, 아버지의 마지막 모습을 목격한 라비니아가 어머니 크리스틴에게 "[아버지를] 어머니가 죽인 거나 다름없어! 그래서, 아담[크리스틴의 정부]과 자유롭게 합칠 수 있을 거라고 생각했겠지! 하지만 안 될 걸요! 내가 살아 있는 한 그렇게는 안 될 거예요! 이 죄의 대가를 받게 하고야 말겠어요!"(64)라고 복수심에 차서 통렬히 질책하는 대사와, 라비니아가 깔개 위에 있는 작은 상자를 손에 쥔 채 어머니 크리스틴에 대한 의심의 빛이 무시무시한 공포의 빛, 그리고 확신의 빛으로 바뀌며 전율하는 듯한 큰 소리를 내면서 아버지의 시체에 양팔을 걸치고 "아버지! 절 내버려두지 마세요! 돌아와 주세요! 어떻게 하면 좋은지 가르쳐 주세요!"(64)라고 탄원하듯 비통한 목소리로 외치는 대사와, 백부 에이브가 아버지와 어머니를 쫓아내서 결국 아버지를 자살하게 만들었고, 사촌형 에즈라가 어머니의 간절한 도움의 손길을 거절하여 어머니가 가난 속에 병사하게 되었다고 생각하는 브란트가 백부 에이브와 사촌형 에즈라를 포함한 마농 가에 대한 강한 원한과 복수심을 간직한 채 에즈라의 딸 라비니아에게 하는 "난 어머니 죽음에 대한 복수를 어머니 유해에 맹세했다구"(27)라는 대사는 모두 억울하게 죽은 아버지, 또는 어머니에 대한 복수를 다짐하는 맹세가 되고 있다. 둘째, 과거의 현재 통제이다. 전자에서는 동생 클로디우스에 의해 죽은 선왕의 유령의 세계, 즉 과거의 세계가 선왕의 아들 햄릿의 세계, 즉 현제의 세계를 통제하며, 후자에서는 에이브가 동생 부부인 데이비드와 마리에게, 그리고 에즈라가 그의 부인 크리스틴과 그의 숙모 마리에게 행한 과거의 세계가 브란트와 크리스틴, 그리고 라비니아와 오린의 현재의 세계를 통제하고 있다. 셋째, 대립과 죽음이다. 전자의 클로디우스의 배신과 후자의 에이브와 에즈라의 배신과 독선으로 인하여, 전자에서는 유령과 햄릿의 클로디우스와의 대립과, 또는 유령과 햄릿의 클로디우스와 레어티스와의 대립이, 후자에서는 에이브, 에즈라, 라비니아, 오린을 중심으로 한 마농 성과 마리, 크리스틴, 브란트를 중심으로 한 마리 성의 대립이 전개되며, 이러한 대립의 결과로서 전자에서는 거트루드, 클로디우스, 레어티스, 햄릿의 죽음이, 후자에서는 데이비드, 마리, 에즈라, 브란트, 크리스틴, 오린의 죽음과 라비니아의 자기 유폐가 초래된다. 넷째, 전자에서 햄릿이 착용하는 "검정색 옷"(I. ii., I. ii. 77)과, 후자에서 라비니아가 착용하는 "검정색 옷"(10, 109)은 모두 죽음을 상징하는 '배후의 힘'의 구현이 되고 있다. 다섯째, 전자에서 햄릿이 아버지에 대한 복수로서 클로디우스를 독도로 찌르고 그의 입에 독배를 부어 클로디우스를 살해하는 광경을 목도한 레어티스가 햄릿에게 하는 "그[클로디우스]는 당연한 벌을 받은 것이 옵니다./ 그것은 자신의 손으로 제조한 독약이옵니다"(V. ii. 332-33)라는 대사와, 후자에서 동생 오린과 공모하여 오린으로 하여금 어머니 크리스틴의 정부 브란트를 살해하게 한 후 라비니아가 크리스틴에게 가혹한 어조로 내뱉는 "그 사람[브란트]은 자신이 저지른 죄악에 대해 정당한 대가를 치른 거예요. 그것이 응보라는 거죠"(122)라는 대사와, 남편 에즈라를 살해한 후 라비니와 오린에 의해 브란트가 살해되자 심한 죄의식과 양심의 가책에 시달린 크리스틴이 서재로 뛰어 들어가 자살하는 것으로 생각되는 총소리를 들은 라비니아가 부들부들 떨면서 소리치는 "이것이 응보야! 아버님, 아버님이 내리신 보복입니다!"(123)라는 대사는 모두 클로디우스, 브란트, 그리고 크리스틴의 죽음이 결국 배신과 복수의 응보에 의한 '배후의 힘'의 결과임을 말해준다.

『햄릿』과 『상복이 어울리는 엘렉트라』 두 작품에 나타난 두드러진 차이점을 살펴보면 전자에서, 정작 숙부이자 국왕인 클로디우스에게 억울하게 죽은 선왕이자 아버지의 복수를 해야 할 복수자인 햄릿은 말로는 클로디우스에 대한 복수를 맹세하고 다짐하면서도 실제로 유령의 말의 진실을 확인하기 위한 극중극을 제외한 복수에 대한 어떠한 구체적인 계획을 수립하거나 행동을 취하지 않는 반면, 거꾸로 복수의 대상자인 클로디우스는 햄릿의 영국행과 검술시합 등 햄릿을 살해하기 위한 치밀한 계획을 세우고, 클로디우스가 죽은 것도 햄릿의 클로디우스 살해 계획의 성공이 아니라 "클로디우스의 햄릿 살해계획의 실패"(Gottschalk 170)에 따른 결과라고 하는 편이 더 타당한 반면, 후자에서 백부 에이브와 백부의 아들이자 사촌형인 에즈라에 대한 복수로서, 에이브의 동생 데이비드와 그의 부인 마리의 아들 브란트는 에즈라의 부인이자 그의 사촌 형수인 크리스틴과 공모하여 에즈라를 독살하고, 에즈라와 크리스틴의 딸 라비니아와 아들 오린은 공모하여 그들의 오촌이자 어머니 크리스틴의 정부인 브란트를 살해한다.

『햄릿』과 『상복이 어울리는 엘렉트라』 두 작품에 나타난 두드러진 공통점이자 차이점을 살펴보면 첫째, 두 작품 모두 배신과 복수를 다루고 있다는 측면은 공통점이지만 전자에서는 선왕의 아들 햄릿이 숙부이자 국왕인 클로디우스에 대한 아버지의 복수를 맹세하고 실행하지만, 후자에서는 백부 에이브와 백부의 아들 에즈라에 대한 복수로서, 에이브의 동생 데이비드와 그의 부인 마리의 아들 브란트가 에즈라의 부인이자 그의 사촌 형수인 크리스틴과 공모하여 사촌형 에즈라를 독살하고, 에즈라와 크리스틴의 딸 라비니아와 아들 오린이 그들의 오촌이자 어머니 크리스틴의 정부인 브란트를 살해하며, 크리스틴과 오린은 죄의식과 양심의 가책으로 자살하고 라비니아는 스스로를 유폐하는 것은 차이점이다. 둘째, 첫째의 경우처럼 두 작품 모두 배신과 복수를 다루고 있다는 측면은 공통점이지만, 전자에서 햄릿의 클로디우스에 대한 복수는 아버지 죽음과 관련된 사적인 복수의 의미가 있지만 동시에 어느 한 시대의 규범에 반대될 뿐만 아니라 인간성 자체에 반대되는 행위로서의 "보편적 악"(惡)(Altick 175, Everett 118)의 제거라는 공적인 복수의 의미도 갖는다. 그러나 후자에서 크리스틴과 브란트의 에즈라 독살과, 라비니아와 오린의 브란트 살해는 사적인 복수의 성격이 짙다.

인간은 서로 대립적인 여러 조건들로 이루어진 상충(相衝)의 세계에서 살고 있으며 제의적(祭儀的), 심리적, 도덕적 한계 속에서 상대적 이중성(二重性)의 희생물이 되어 있다. 인간은 이러한 이중구조 속에서 자유의지를 빼앗긴 채 선택을 강요당하거나 자기도 모르는 사이에 어떤 '배후에 있는 신비로운 운명의 힘,' 즉 '배후의 힘'에 의해 이루어진 선택의 희생물이 된다. 그리고 인간의 삶은 그 선택의 결과로 생겨난 무목적적 사건에 지나지 않는다. 결국 '배후의 힘'은 인간에게 '운명이라는 심리적 반응을 주는 힘'이고 인간의 '운명을 지배하는 신비스러운 힘'이며 인간이 '자신을 상대도 겪는 정신적 구속감'이다. 그러기에 인간은 이 '배후의 힘'의 굴레에 갇힌 자신을 파괴하지 않는 한 결코 구원을 얻지 못하며 인간이 자신의 존재의의를 찾기 위해서는 이 힘과 끊임없이 투쟁하지 않으면 안 되고 이 투쟁 속에서만이 존재이유를 발견할 수 있게 된다. 결론적으로 '배후의 힘'으로부터의 진정한, 그리고 궁극적인 해방, 즉 구원은 그 힘에 대한 냉철한 인식과 투쟁을 통한 그 생대관계 속에서의 '자기 확인'이고 '자기 해방'이며 자신으로부터의 이탈이 아니라 자신 스스로에 의한 '자기 극복'이다. 그리고 셰익스피어와 오닐은 이러한 사실을 각각 『햄릿』과 『상복이 어울리는 엘렉트라』를 통해서 그 중요한 주제로 제시하고 있다.

2. 『오셀로』, 『모든 신의 아이들에게는 날개가 있다』

'배후의 힘'은 신적 질서를 인간조건의 최고 통제기능으로 보았던 고대 희랍시대는 물론, 인간의 성격과 능력의 불완전성을 비극의 동기로 보았던 르네상스시대, 환경과 유전을 인간의 피운명적 조건으로 보았던 근대 자연주의시대에 강조되었던 운명관이고, 인간에게 운명이라는 심리적 반응을 주는 것이며, 자기 확인을 향한 비극적 투쟁의 본질이고, 인간이 자신을 상대로 겪는 정신적 구속감이다.

셰익스피어의 『오셀로』와 오닐의 『모든 신의 아이들에게는 날개가 있다』에는 이종족에 대한 편견과 인종차별적 감정에 연유한 '사회가 용인하지 않는 흑인과 백인의 결혼'이 '배후의 힘'의 근원이 되고, 이 힘과의 투쟁과 그것의 극복에 의한 구원의 길이 제시되어 있다. 이 두 작품에 나타난 비극성은 '배후의 힘'으로 상징되는 운명과의 투쟁이며, 여기에는 이 힘과의 투쟁을 통해 얻게 되는 새로운 인생의 의미와 이 힘으로부터의 해방을 위한 제반 양상이 심도 있게 나타나 있다. '배후의 힘'과의 투쟁은 자기 해방 즉 구원을 위한 장엄하고 자기 파괴적인 투쟁이 되며 인간은 심리적, 도덕적 한계 속에서 상대적 이중성의 희생물이 되어 있는 탓으로 그 굴레에 갇힌 자신을 파괴하지 않는 한 결코 이 힘으로부터 해방될 수 없다.

셰익스피어의 『오셀로』와 오닐의 『모든 신의 아이들에게는 날개가 있다』

는 인간의 욕망과 그것을 좌절시키는 현실과의 불화를 다루고 있으며 이들의 관계는 서로가 용납하지 않는 상극관계이다. 주인공들은 '배후의 힘'으로부터 해방을 위해서 끊임없이 투쟁하지 않으면 안 되고 이 힘과의 투쟁 속에서만이 자기의 참된 정체를 탐구할 수 있다. 이 때문에 이 힘과의 자기 파괴적인 투쟁은 지대한 의미를 내포하며 그 최종적인 목표는 자기로부터의 완전한 이탈이 아니라 이 힘과의 투쟁 그 자체이며, '배후의 힘'으로부터의 해방은 이 힘에 대한 냉철한 인식과 그 상대관계 속에서 도출되는 자기해방이고, 이 힘으로부터의 진정한 해방을 위해서는 분리된 자아의 죽음과 해체(Wilber 42)가 불가피하다.

'사회가 용인하지 않는 흑인과 백인의 결혼'이 그 '근원'이 되고 있는 '배후의 힘'은 『오셀로』에서 '이아고'를 통해 '작용'하고, '손수건'으로 '구현'되고 있으며, 오셀로의 데스데모나 살해와 그의 자살 그리고 이아고의 고문에 의한 처형이라는 '죽음'을 통해서 그 힘으로부터 '해방'이 이루어지고 있다. 그리고 『모든 신의 아이들에게는 날개가 있다』에서 또한 '사회가 용인하지 않는 흑인과 백인의 결혼'이 '배후의 힘'의 '근원'이 되고 있으며, '해리스 여사, 해티 그리고 엘라'를 통해서 '작용'하고, '콩고 가면'으로 '구현'되고 있으며, 흑색성의 상징이자 시각화된 악의 원천인 '콩고 가면의 엘라에 의한 살해'와, 짐과 엘라의 '흑백의 구분이 없는 유년시절 동심의 세계로의 회귀'를 통해서 그 힘으로부터 '해방'이 이루어고 있는 바, 『오셀로』와 『모든 신의 아이들에게는 날개가 있다』 두 작품 모두에서 '사회가 용인하지 않는 흑인과 백인의 결혼'이 공통적으로 '배후의 힘'의 '근원'이 되고 있으며, 특히 전자에서 시어머니가 며느리에게 결혼선물로 준 손수건과, 후자에서 누이가 오빠에게 결혼선물로 준 콩고가면은 '배후의 힘'의 구현체로서, 종교정신과 마력이 깃들어 있으며 흑인의 종족적 과거와 정체성을 함축하고 있는 '흑색성'의 상징으로 각 작품에서 매우 중요한 극적 장치가 되고 있음을 알 수 있다.

『오셀로』와 『모든 신의 아이들에게는 날개가 있다』에 나타난 '배후의 힘'은 외양적으로는 충격, 분노, 어둠, 차별, 비난, 조소, 거부, 대립, 갈등, 소외, 고통, 부정, 실망, 구속, 죽음에 이르게 하는 비극의 초래자이지만, 궁극적으로는 수용, 회귀, 밝음, 이해, 인정, 평등, 각성, 성찰, 긍정, 희망, 소속, 해방, 정화, 초월, 구원에 이르게 하는 조력자가 되고 있다는 중요한 사실을 도출할 수 있다. 우리는 이 '배후의 힘'으로부터의 해방을 통해 암울한 현실의 삶을 되돌아보고 마침내 부조리한 인간의 조건을 겸허히 수용하게 되며, 셰익스피어와 오닐은 각각 『오셀로』와 『모든 신의 아이들에게는 날개가 있다』를 통해 이러한 '배후의 힘'의 제반 양상을 그 중요한 주제로 제시하고 있다.

제3절 **'공포'의 양상**

공포를 야기하거나 그 결과로 나타나는 내용 중에서 환영의 경우 『맥베스』에서는 단도의 환영, 두 차례에 걸친 유혈이 낭자한 뱅코우의 유령, 맥베스의 운명을 예고하는 환영 1·2·3, 그리고 뱅코우의 유령과 동반한 여덟 명의 그의 왕관을 쓴 후손들의 환영으로 나타났으며, 『존스 황제』에서는 조그만 공포의 환영들, 흑인 제프, 백인 간수, 노예 경매인과 농장주, 그리고 콩고 마법사와 악어신의 환영으로 나타났다. 전자의 환영 중에서 단도 그리고 뱅코우와 그의 후손들의 환영들은 맥베스의 내재적 공포에 기인한 것이고, 맥베스처럼 무장을 한 머리의 환영 1과 피투성이 어린 아이의 환영 2와 손에 나뭇가지를 들고 왕관을 쓴 아이의 환영 3은 다가올 미래에 대한 예언이 되고 있으며, 말을 한다. 그러나 후자의 환영들은 존스 또는 흑인 종족의 과거 사건의 재연이다. 집합 무의식이자 본래상태로의 회귀이고, 말을 하지 않는다. 그 중 조그만 공포의 환영들은 모든 인간이 공유할 수 있는 공포의 환영으로 볼 수 있다. 맥베스는 환영 2와 환영 3의, 여자의 몸에서 태어난 자로 맥베스와 맞설 자는 없으니 인간의 힘은 일소에 부치라는 말과 버남 숲이 던시네인(Dunsinane) 언덕까지 이동해 올 때까지는 결코 패망하지 않을 것이라는 말에 전적으로 의지함으로써, 그리고 존스는 원주민들에게 은 탄환이 아니고는 그를 죽일 수 없다는 미신을 주지시킴으로써 각각 왕과 황제의 자리를 지켜왔다. 그러나 존스는 철저한 실리주의자로 황제의 자리가 얼마 남지 않은 것을 간파하고 도주를 대비한 만반의 준비를 완료하지만 맥베스는 그렇지 못하다.

음향 효과는 『맥베스』에서 천둥, 벨, 노크, 늑대, 발걸음, 음악, 여자의 비명, 나팔, 전투, 공격신호 소리로, 『존스 황제』에서는 북소리와 총소리로 나타났다. 덩컨 왕이 살해된 후 점점 커지면서 지속적으로 들려오는 노크소리와, 인간의 심장의 고동과 같은 비율로 점점 커지고 빨라지고 가까워지는 것처럼 지속적으로 들려오는 북소리는 각각의 주인공의 발각의 공포에 대한 증가하는 내적 갈등을 잘 표현해주고 있을 뿐 아니라 동시에 관객들도 마찬가지로 무의식적으로 주인공과 일치된 감정을 느끼도록 하여 육체와 정신을 예술적으로 결합시키는 훌륭한 극적 장치가 되고 있다. 그리고 여섯 발의 총소리는 존스의 점진적인 본래상태로의 회귀를 나타내고 있다.

명암의 이미지는 각각 어둠의 세계와 빛의 세계로 대조를 이루고 있다. 『맥베스』에서는 I막에서부터 천둥과 번개와 안개로 시작된 긴장과 불길함이 감도는 어둠의 세계는 결국, V막에 이르러 순리에 역행한 맥베스의 죽음으로 종지부를 찍고 빛의 세계로 화한다. 『존스 황제』에서는 존스의 백색의 궁전과 화려한 옷차림새가 그의 과거의 광영과 빛의 세계를 보여주지만 2장부터는 어둠의 세계인 큰 숲이 시작되어 결국 존스의 죽음으로 빛의 세계가 도래한다. 전자의 경우는 시뻘건 피가 묻은 단도의 환상과 맥베스의 손에 묻은 덩컨 왕의 피는 죽음의 상징인 어둠의 세계에 공포를 가중시키고 있으며, 후자의 경우 달빛 역시 큰 숲에 그 공포의 분위기를 더하고 있다. 결국 맥베스는 마녀들의 예언을 신뢰하고 실천함으로써 왕이 되지만 그 예언으로 인해 죽음을 맞는다. 존스 역시 은 탄환 미신으로 황제로서 군림하지만 그 은 탄환에 의해 죽게 된다. 이와 같이 각 작품의 주인공인 맥베스와 존스 모두 비극적 아이러니의 희생물이며 이들은 죽음을 통한 구원을 이루고 있다.

일반적으로 『맥베스』는 성격비극, 『존스 황제』는 표현주의 극이라고 말한다. 비록 이 두 극이 시대적으로는 많은 차이를 보이고 있지만 공포라는 주제를 표현하는 내용과 기법 면에서 적지 않은 유사점을 내포하고 있다. 그러나 전자의 환영은 말을 하지만 후자의 환영은 말을 하지 않는 사실은 그 두드러진 차이점으로 지적될 수 있다. 특히 『맥베스』의 노크소리와 『존스 황제』의 북소리는 배우와 관객을 하나로 연결시키는 괄목할 극적 기법이 되고 있음을 확인할 수 있다.

제4절 사랑과 죽음과 구원

사랑과 구원과 죽음의 주제를 『리어왕』과 『얼음장수 오다』보다 더 암울하게 극화한 작품을 상상하기가 힘들다. 『얼음장수 오다』는 세일즈맨 힉키의 죽음에 관한 극이며 등장인물들의 삶을 유지시켜주는 자아상들이 그들이 만든 환상으로 밝혀질 때 초래되는 죽음을 주제로 다루고 있다. 그들의 활동무대는 뉴욕 서쪽 상가의 5층 하숙집 지하에 위치한 해리 호프 주점이다. 래리의 "불가능 살롱, 밑바닥 술집, 종착역 카페, 해저 식당"(No Chance Saloon, Bedrock Bar, The End of the Line Cafe, The Bottom of the Sea Rathskeller 631)이라는 표현은 이곳을 적나라하게 묘사해준다. 이러한 호프 주점의 세계는 "기계화되고 영적인 요소가 사라진 동물적인 세계의 상징이며 신이 죽은 세계"(Bogard 415)이다. '얼음장수'라는 제목과 관련해서 표면적으로 '얼음장수'는 힉키가 그의 아내 이블린을 얼음장수와 침대에 남겨두었기 때문에 그의 아내가 안전하다는 그의 야한 농담에서 언급되고 보다 심오한 측면에서 '얼음장수'는 점차 "죽음과 관련된 보다 심오한 의미"(Presley 207)를 갖게 된다. 오닐은 그의 『얼음장수 오다』를 통해 "시체 보관소"(de Morgue wid all de stiffs on deck 653)처럼 우리의 삶은 죽음 자체와 같은 지옥에서 살아지고 있고 "브라스 밴드를 연주하는 바보들의 향연"(the Feast of All Fools, with brass bands playing 623)처럼 사람들은 내일을 꿈꾼다고 말하고 있다. 그리고 그들의 피 속의 알코올 함유량은 치사 수준에 육박한다. 힉키는 그의 아내 이블린에 대한 그의 사랑이 환상이었다는 사실에 대한 깨달음으로 인해, 또한 그녀가 그가 사랑했던 유일한 여자이지만 그녀에게 마음의 상처를 주지 않기 위해 그녀를 살해해야만 했다.

마찬가지로 셰익스피어도 『리어왕』을 통해 우리의 삶을 "지옥의 불 바퀴"(a wheel of fire IV. vii. 47)와 "이 거친 세상이라는 고문대"(the rack of this tough world V. iii. 312)에 비유하여 '죽음' 같은 인생의 '곤혹'(perplex)을 보여준다. 리어는 그의 금지된 사랑의 딜레마와 금기에 마음을 빼앗기는 딜레마로 인해 잠재의식으로 지옥과 광기 그리고 죽음 속으로 더 깊이 떠밀려간다. 켄트 백작의 "만사가 음울하고 암담하며 죽음과 같사옵니다"(All's cheerless, dark, and deadly. V. iii. 289)라는 대사는 이를 잘 뒷받침하고 있다. 이처럼 셰익스피어와 오닐은 각각 『리어왕』과 『얼음장수 오다』를 통해, 극도로 진지한 농담을 수단으로 모든 인간이 일생동안 부단히 고뇌하고 남녀노소 빈부귀천 할 것 없이 모두에게 한 번은 반드시 주어지는 인간의 마지막 유일한 희망인 죽음의 주제를 사랑과 구원에 관련시켜 역설적으로 설파한다.

『얼음장수 오다』의 '진실과 환상,' 『리어왕』의 '자식들의 배은'이라는 우리가 알고 있는 일반적인 주제 못지않게 중요한 주제가 두 극 모두에 나타난 사랑과 구원과 죽음이다. 전자의 힉키는 죽음의 평화를 가져오는 얼음장수이고 "아직은 도래하지 않았지만 가쁘게 숨 쉬는 얼음장수"는 후자의 "용감하게 죽으려고 하는 신랑" 즉 리어왕이다. 사랑하지만 침묵하는 딸 커딜리어의 아버지 리어에 대한 진정한 사랑과 커딜리어에 대한 아버지의 범주를 넘은 리어의 헌신적 사랑, 아내 이블린의 남편 힉키에 대한 맹목적인 사랑과 이블린에 대한 힉키의 헌신적 사랑, 아들 패릿의 어머니 로사에 대한 과다한 사랑과 로사의 패릿에 대한 부족한 사랑도, 그리고 구원자 그리스도의 상징인 커딜리어와 자칭 메시아이자 구세주인 힉키의 기독교적 구원도, 모두가 궁극적으로 외양적 또는 실제적 파멸과 희생, 즉 죽음을 통해서 완성된다는 사실을 도출할 수 있으며, 셰익스피어와 오닐은 각각 『리어왕』과 『얼음장수 오다』에서 이러한 사랑과 구원과 죽음을 그 중요한 주제로 제시하고 있다.

제5절 셰익스피어와 키드의 '복수'의 양상

『햄릿』의 복수의 근원은 클로디우스가 형인 햄릿왕의 옥좌가 욕심이 나서 그가 낮잠을 자고 있을 때 사리풀 독액을 그의 귀에 부어 그를 살해한 사건에 있고, 『스페인 비극』의 경우는 안드레아가 전쟁터에서 발사자에 의해서 살해되고, 스페인 왕이 그의 정치적 목적을 이루기 위하여 벨-임페리아를 포르투갈의 왕자 발사자에게 정략결혼을 시키려고 하고 이것을 실천하려는 로렌조와 발사자가 그녀의 연인인 호레이쇼를 살해한 사건에 있다. 그리고 "'아물레스 이야기'와 함께, 『스페인 비극』이 『햄릿』의 본래 자료가 된다" (15-16)는 토드(Loreto Todd)의 주장처럼, 『햄릿』과 『스페인 비극』 두 극은 많은 공통점을 내포하고 있다. 첫째, 극이 시작되기 전에 이미 햄릿왕이 클로디우스에 의해서, 안드레아가 발사자에 의해서 살해되었고, 그들은 유령의 형태로 등장하여 햄릿과 히에로니모를 비롯한 내부 극(inner play)을 이끄는 등장인물들에게 커다란 영향력을 행사하는 외부 극(outer play)의 주인공이 되며, 실제로 두 유령은, 유령의 등장과 함께 시작되어 유령의 요구가 충족되면서 막을 내린다고 해도 과언이 아닐 정도로 극 전체를 지배하는 매우 중요한 역할을 한다. 둘째, 햄릿이 아버지 햄릿왕의 유령의 말을 듣고, 그리고 히에로니모가 아들 호레쇼의 죽음을 확인하고, 각각 흥분과 분노와 개탄에 차서 복수를 맹세하지만, 햄릿은 극중극을 통해서 유령의 말의 진실성을 확인하고도, 히에로니모는 실제 살해 목격자인 벨-임페리아가 그에게 보낸 붉은 글씨로 쓴 편지와 감옥에 갇힌 페드린가노가 로렌조에게 구원을 요청하는 편지를 통해 아들 호레이쇼의 살해범들에 대한 구체적이고 사실적인 정보를 입수하고도 복수를 지연시켰다. 그리고 '복수 지연'의 중요한 이유는 햄릿의 경우, 유령의 정체, 즉 유령이 신이 보낸 선한 유령인지 아니면 악마가 보낸 악한 유령인지에 대한 확신이 없고, 복수의 대상이 "신권에 의한 왕"(anointed king)(Todd 84)이기 때문이다. 히에로니모의 경우, 복수의 대상이 왕의 조카이자 다음 왕의 가능성이 있는 사람이고, 신과 왕의 정의와 국가의 법률에 의한 '공적인 복수'에 대한 기대 때문이다. 그리고 두 경우 모두 살인은 기독교적으로 큰 죄악이기에 보다 더 확실한 증거와 신중함이 요구되기 때문이다. 셋째, 햄릿과 히에로니모가 각각 '완전한 복수'와 '철저한 복수'를 의도했다는 사실을 그 두드러진 공통점으로 들 수 있다.

차이점으로는 첫째, 극중극의 사용은 두 극 모두에서 찾아볼 수 있지만 『햄릿』의 극중극은 유령의 말에 대한 진실성의 확인이 그 목적이지만, 『스페인 비극』의 극중극은 실제적 살해가 벌어진다. 둘째, 『햄릿』의 햄릿왕의 유령(Ghost)과, 『스페인 비극』의 안드레아의 유령과 복수의 신(Revenge)이 모두 비밀 폭로와 느슨해진 복수심을 부추기는 점에서는 같으나, 전자의 햄릿왕의 유령은 명령적이고 조언적인 자세를 취하는 반면, 후자의 안드레아의 유령은 과거의 사건을 설명하는 회상적인 자세를, 그리고 복수의 신은 미래의 사건을 예언하는 예상적인 자세를 취한다. 셋째, 햄릿과 히에로니모 모두가 계속적으로 말로는 복수를 외치면서도 정작 복수에 대한 확신도 없이 복수를 지연시켰던 점은 공통점에서 언급한 바와 같으나, 햄릿은 복수에 대한 어떤 특별한 계획도 없이 오히려 클로디우스의 함정 속에 빠져들어 결국 그가 클로디우스를 살해한 것도 "햄릿의 계획의 성공에 의한 것이 아니라 클로디우스의 계획의 실패의 결과"(Gottschalk 170)라고 하는 편이 낫은 반면, 히에로니모는 극중극을 통한 '철저한 복수'의 계획을 세웠다. 넷째, 햄릿이 열망하는 복수는 아버지를 살해한 클로디우스에 대한 '사적인 복수'에서 "신의 재판의 대행자"(agent of divine justice)(Todd 89)로서 인간의 보편적 악을 제거하는 '공적인 복수'로 변하는 반면, 히에로니모가 열망하는 복수는 사법관으로서 확증에 의한 '공적인 복수'의 길을 가고자 하지만 왕의 무지와 무관심, 그리고 복수의 대상자인 로렌조의 방해에 따른 신의 정의와 국가의 법률의 부재로 인하여 '사적인 복수'로 변한다. 다섯째, 햄릿의 '미침'은 처음에는 단지 유령의 요구를 시험하고, 나아가 클로디우스에 대한 복수를 가장하기 위한 편리한 방편으로서 '거짓 미침'으로 시작하지만 급기야는 "미침 또는 최소한 정신적 불안정의 징후"(Todd 93)로 변화하고, 히에로니모의 '미침'은 스페인 왕국에 더 이상 정의가 존재하지 않음에 대한 절망과 개탄에서 빚어진 '정신착란'이다. 여섯째, 『햄릿』의 복수의 주체는 아들이고 『스페인 비극』에서는 아버지라는 사실을 그 두드러진 차이점으로 들 수 있다.

다음으로, 세네카 비극과 비교해볼 때, 『햄릿』과 『스페인 비극』과 마찬가지로 세네카의 비극 『타이스티즈』(*Thyestes*)와 『아가멤논』(*Agamemnon*)에도 유령이 등장한다. 또한 『스페인 비극』에서 대사와 무대장면의 반복(repetition)이 문체상의 특징을 이루고 있는데 이것은 세네카 문체(Senecan Style)의 수사적 모방이라고 할 수 있다. 그러나 세네카 비극에서는 신 대신 인간이 복수를 하는데 반해, 『햄릿』에서는 햄릿이 레어티스와의 검술시합에 대하여 우려하는 호레이쇼에게 모두가 신의 섭리와 운명을 떠날 수 없다고 "참새 한 마리 떨어져 죽는 데도 각별한 섭리가 있는 법이네"(V. ii. 215-216)라고 말한다. 그리고 『스페인 비극』에서도 히에로니모는 호레이쇼의 복수와 관련하여 그 복수와 복수의 시간을 하늘에 맡긴다고 말한다.

> 히에로니모, 하늘의 뜻을 기다려라. 인간이 하늘의 시간을 정하지는 못하니까. (III. xiii. 4-5)

이러한 햄릿과 히에로니모의 대사들은 세네카 비극과는 달리 오히려 기독교적 색채가 강하다. 하지만 세네카 비극과 마찬가지로, 두 극 모두 신의 대행자로서의 '공적인 복수'이든, 아니면 '사적인 복수'이든 간에 결국은 인간에 의한 인간에 대한 복수로 종지부를 찍게 된다는 점에서는 일치를 보인다. 그리고 세네카 비극에서는 주인공의 복수 행위를 중심으로 단일한 구성을 이루고 증거만 나오면 즉각적인 복수가 단행되는 것과는 달리, 두 극에서는 "다양한 단계"(Scragg 88)의 구성을 이루고 '복수 지연'을 다루고 있는데, 이것은 작가의 창안으로 볼 수 있다.

결국 이와 같은 다소간의 차이점에도 불구하고 『햄릿』과 『스페인 비극』 모두 복수가 복수를 부르고, 피가 피를 부르는 세네카풍의 유혈 복수극의 진수를 보여주는 훌륭한 본보기가 되는 극들이고, "극적으로 글을 쓴 영국 최초의 극작가"(Smith 163)라고 호평을 받는 키드의 『스페인 비극』에 사용된 유령, 극중극, 복수의 지연, 비극적 요소와 희극적 요소의 결합, 그리고 무운시 등의 무대기법은 르네상스기의 셰익스피어, 그리고 그의 동시대의 극작가들뿐만 아니라 후래(後來) 극작가들에게도 지대한 영향을 주었으며, 특히 셰익스피어와 키드 두 극작가의 천재(天才)는 다른 작가들의 추종을 불허하는 개성 있고 친숙하며 살아 있는 인물을 창조하는 탁월한 능력에 있다고 할 수 있다.

제6절 셰익스피어의 이상(李箱)에 대한 영향

The representative writers who were influenced from Shakespeare during the Japanese colonial rule are Sangseob Yeom and Sang Lee. In case of Sangseob Yeom, *Personality and Art* owes much to *Julius Caesar*, and *A Tree Frog in Specimen Room* to *Hamlet*. Sang Lee is the most representative case of being influenced by Shakespeare. Sang Lee, who had a strong sense of the times in Korea, was interested in *Troilus and Cressida* and *Julius Caesar* because these plays dealt with the theme of the satire of turbulent age. He, who has also a strong sense of morals, was interested in drawing parallels with his writings and Shakespeare's *Hamlet* and *Macbeth* because these plays dealt with the usurpation of the crown and the political assassination.

Shakespeare's influences on Sang Lee's works are remarkable: *The Confession of a Mad Woman* owes much to *Othello, Child's Skeleton* to *Troilus* and *Cressida, Breaking Album* and *Wing to Macbeth*. *Hamlet*, especially, exerts a great influence on Sang Lee's many works like *December 12, Crow's-Eye View: Poem No. 5, The Meeting of Spider and Pig, Lost Flower, A Sad Story, Hemoptysis's Morning, The Publication Law, Breaking Album, Formality, Closure and Condition*, and *The Record of Ending Life*.

Therefore, it is not a farfetched claim to say that *Hamlet* was the most influential play of Shakespeare on Sang Lee. In order to overcome colonial nihilism and defeatism, Sang Lee needed Hamlet as a mythical archetype of 'unfortunate genius' in his antiestablishment novel *Lost Flower* because the 'unfortunate genius' suggests what kind of character will best overcome hardship easily. In *The Record of Ending Life* we can find another Hamlet who is described as "a fresh, unequalled, and majestic Hamlet doing himself proud"(*The Record of Ending Life* 242). This Hamlet is not a skeptical, hypersensitive, irresolute, and speculative character but an embodiment of revolutionary will. Ultimately, Sang Lee had an intense aspiration to change the 'unfortunate prince' Hamlet into a fresh, unequalled, and majestic hero.

Sang Lee will be remembered as a lonely Korean modernist and genius who tirelessly struggled with himself to overcome the Japanese colonial rule, the turbulent times of Korea, with Shakespeare's works to inspire him continuously.

수감생활과 결핵으로 인해 28세의 짧은 생을 살았지만 56편의 시, 1편의 장편소설, 15편의 단편소설, 그리고 35편의 수필과 같은 방대한 작품을 남긴 이상(李箱 1910-1937)은 한국의 일제 강점기 작가 중에서 셰익스피어의 영향을 지속적으로 받은 거의 유일한 작가이다. 셰익스피어의 작품들 중에서 특히 왕권의 탈취와 정치적 암살이 핵심적 사건이 되는 『햄릿』과 『맥베스』와, 사극 중에서는 난세의 풍자극인 『트로일러스와 크레시다』와 『줄리어스 시저』가 그에게 많은 영향을 주었다. 그리고 앞의 네 작품 중에서도 그에게 제일 중요한 작품은 두말할 나위 없이 『햄릿』이었다.

셰익스피어의 『햄릿』은 실로 이상의 많은 작품들, 즉 비정치적 경향의 작품들인 장편소설 『12월 12일』, 시집 『오감도』 「시 제5호」, 단편소설 『지주회사』와, 정치적 경향의 작품들인 단편소설 『실화』, 수필 「슬픈 이야기」, 시 「객혈의 아침」, 시 「출판법」, 시 「파첩」, 시 「정식」, 그리고 메타픽션(극중극) 경향의 작품들인 단편소설 『휴업과 사정』, 단편소설 『종생기』, 수필 「슬픈 이야기」 등에 지대한 영향을 끼쳤다.

또한 셰익스피어의 『오셀로』는, 이상의 비정치적 경향의 초기 시 「광녀의 고백」에, 『트로일러스와 크레시다』는 비정치적 경향의 단편소설 『동해』에, 『맥베스』는 정치적 경향의 작품들인 시 「파첩」과 단편소설 『날개』에 영향을 주었다.

한국의 일제 강점기의 천재적 작가였던 이상은 그가 직면한 식민지적 허무주의 또는 패배주의를 초극하기 위하여 고뇌하였으며, 셰익스피어의 작품은 그에게 커다란 영향을 주었고 의미심장했다. 그가 필요로 했던 것은 그의 반체제적 정치소설 『실화』의 주인공인 "불우(不遇)의 천재"의 신화적 원형으로서의 햄릿이었다. 그것은 매사에 회의적이며 과민한 자의식을 소유하고 우유부단한 사색형의 햄릿이 아니라, 소설 『종생기』의 "위풍당당 일세를 풍미할 만한 참신무비의 햄릿"이었다. 그는 햄릿을 "참신무비"의 지도자, 혁명의 화신과도 같은 "불우의 영웅"으로 변신시키고자 하였던 것이다.

이상은 그에게 부단한 영감을 안겨준 셰익스피어의 작품들, 특히 『햄릿』과 함께, 일제강점기의 허무와 좌절을 극복하기 위해 고군분투했던, 식민지 출신의 "불우의 천재"로서 우리 곁에 영원히 함께 할 것이다.

제3장

오닐과 쇼

제1절 '배후의 힘'과 '생명력'

오닐이 기독교신의 권위와 힘을 부정한 이래 대변해왔던 세계는 기독교신의 절대의지에 의한 합목적적인 질서나 어떤 종교적 가치체계의 의도적인 배치가 아니라 무목적인 질서에 의한 자연과학적 또는 생물학적 인간관계의 현상화였다. 따라서 인간은 이와 같은 세계를 구성하는 자연 또는 환경에 대한 대응체로서의 특성을 갖게 되고 이 특성은 인간을 심리적 반응체로 만든다. 그리고 이 관계 속에서 '배후의 힘'이 대두된다. 이 힘은 비극의 원인을 근대 심리학적 요인에서 찾되 거기에 고전적인 운명감을 주고 주인공의 희생을 통해 원초적인 생명력의 재생을 기하고자 했던 그의 비극목표를 반영한다. 그의 작품세계는 인생의 보이지 않은 힘으로 작용하고 있는 이 힘을 외면하거나 예속되어 버리는 나약한 인간의 모습과 동시에 이 힘과의 투쟁으로 얻어지는 새로운 인생의 의미를 시사하고 있다. 그의 작품세계는 이 힘의 다양한 역할과 양상을 심도 있게 제시하고 있다.

'배후의 힘'은 인간이 자신을 상대로 겪는 정신적 구속감을 의미한다. 이러한 힘의 극복을 위한 노력은 자기해방 즉 구원을 위한 장엄하고 자기 파괴적인 투쟁이 된다. 인간은 심리적, 도덕적 한계 속에서 상대적 이중성의 희생물이 되어 있는 탓으로 그 굴레에 갇힌 자신을 파괴하지 않는 한 결코 이 힘을 극복할 수 없다. 오닐의 주인공들은 공허, 무의미, 환상, 불화, 좌절, 죽음으로 가득 찬 상황에서 인생의 의미를 찾기 위해 노력한다. 비극이란 죽음과 좌절이라는 필연성에 있는 것이 아니라 이를 극복하려는 정신의 승리에 있는 것이다.

『수평선 너머』에서 '배후의 힘'은 바다와 농장 그리고 이상과 현실로 나타나고 있다. 이 힘은 루스를 통해 시인의 기질의 소유자인 로버트와 흙의 아들인 앤드류의 이상을 전도하는 역할을 한다. 이 힘에 의한 이상과 현실의 갈등은 로버트의 죽음을 통하여 극복되고 있다. 『털보 원숭이』에서 '배후의 힘'은 화부선실과 철제우리로 나타나고 있다. 이 힘은 밀드레드를 통하여 양크의 주관적 가치를 전환하는 역할을 하고 있다. 이 힘에 의한 인위와 자연의 투쟁은 양크의 본래상태로의 회귀를 통하여 극복되고 있다. 『느릅나무 그늘의 욕정』에서 '배후의 힘'은 두 그루의 느릅나무, 돌담, 어떤 것, 에벤의 죽은 생모 즉 과거의 힘으로 나타나고 있다. 이 힘은 에벤으로 하여금 성숙한 인간이 되도록 인도하는 역할을 하고 있다. 이 힘에 의한 편안한 신과 가혹한 신, 애비와 에벤 사이의 증오와 사랑의 대립은 에벤의 자각을 통하여 극복되고 있다. 『밤으로의 긴 여로』에서 '배후의 힘'은 안개, 모르핀, 술 그리고 과거로 구체화 되고 있다. 이 중에서 과거는 현재를 구속하고 지배하는 하나의 중요한 '배후의 힘'으로 등장하고 있음을 확인할 수 있다. 이 작품에서도 이 힘은 현재를 구속하고 지배하여 등장인물들이 서로를 비난하고 사과하고 용서하고 이해하게 하는 역할을 하고 있다. 이 힘에 의한 등장인물들 사이의 과거와 현재의 회한은 에드먼드의 초월을 통해 극복되고 있다.

오닐의 작품에 나타난 비극성은 '배후의 힘'으로 상징되는 운명과의 싸움이다. 비록 이 싸움에서 패할지라도 인생을 포기하지 않고 힘든 싸움을 계속하는 과정 그 자체에서 그는 인간의 생존의 가치를 인정하려는 것이다. 그의 작품은 인간의 욕망과 그것을 좌절시키는 현실과의 불화를 다루고 있다. 이들의 관계는 서로가 용납하지 않는 상극관계이다. 인간은 이 힘의 극복을 위해서 끊임없이 투쟁하지 않으면 안 되고 이 힘과의 투쟁 속에서만이 자기의 참된 정체를 탐구할 수 있다. 이 때문에 이 힘과의 자기 파괴적인 투쟁은 지대한 의미를 내포한다. 최종적인 목표는 자기로부터의 완전한 이탈이 아니라 이 힘과의 투쟁 그 자체이다. 실제로 이 힘의 극복은 이 힘에 대한 냉철한 인식과 그 상대관계 속에서 도출되는 자기해방이다.

한편 쇼는 생명의 원동력, 우주의 의지를 '생명력'이라 하였다. 원래 다윈의 진화론의 영향을 받은 그는 개인의 의지를 인정하지 않고, 오로지 환경의 영향을 받은 자연선택의 학설에 반발하여 우주 가운데는 '생명력'을 완전히 파악하고 실현시킬 수 있는 인물을 초인이라 규정하였다. 이러한 '생명력'으로 인해서 미생물이 인간으로까지 발전하며 궁극에는 신의 경지에까지 도달할 수 있다고 그는 믿었다. 말하자면 인간에 내재하는 '생명력'을 실현시키기 위해 꾸준히 노력한다면 인간도 초인의 위치뿐만 아니라 신의 경지에 도달할 수 있다는 것이다. 생은 자기형성을 위해서 수많은 시험을 해온 일종의 힘이라는 것, 또한 그것은 원시적인 힘을 점차로 높은 개성으로 쌓아 올리는 힘이 되었으며, 그리고 현상적인 개성이란 전능하고 전지하고 잘못이 없고 따라서 완전한 자의식, 즉 신이라는 것이다. 그는 이 '생명력'이 비록 생명의 원동력이며 또한 맹목적인 충동이기는 하지만 총명한 지식과 결부됨으로써, 인간을 부단히 진화시켜 마침내는 초인의 경지에까지 올리게 되는 힘이라고 보았다.

『인간과 초인』에서는 쇼의 끊임없는 주장인 '생명력'이 인류의 향상을 위해서 어떻게 작용하는가를 추적하고 자유와 평등이 보장되는 사회적 발전이 영속적으로 지속되는 이상적 사회를 설정하여 인류에게 더욱 큰 발전을 가져올 수 있도록 하기 위해서는 '생명력'이 개인의 의지력과 협동하는 것임을 말하고 있다. 『성 조안』에서는 그 당시 사회와 종교에 대한 회의와 상류계층 권력자들의 무자비한 권력남용에 대한 공격을 내용으로 하는 인간의 근본문제를 부각시키고 있으며 '생명력' 사상에 바탕을 둔 자유를 잃기보다는 차라리 죽음을 선택하겠다는 그의 절규는 모든 사람이 인간된 삶을 누릴 권리가 있다는 쇼의 이상을 유감없이 발휘하고 있다. 『악마의 사도』에서 쇼는 특히 그의 '생명력' 사상에 근거한 죽음을 뛰어넘을 수 있는 지고의 사랑이 신만이 아니라 인간의 내면에도 흐르고 있음을 나타냄으로써 희생정신을 요구하는 그의 이상을 그리고 있다. 그리고 『바바라 소령』에서는 주인공의 한사람인 언더사프트는 '생명력'의 대행자로서 자신이 군사력을 움직이는 힘도 이러한 '생명력'의 일부임을 말하고 자신은 언제나 '생명력'에 의해 사고하고 행동한다는 것을 보여주고 있다.

쇼는 낡은 종교인 신을 버리고 자기만의 종교인 '생명력'을 신봉하였다. 그는 천국이란 우리들 마음속에 있으며, 우리는 더 이상 그것을 찾으러 돌아다닐 필요가 없고, 신이란 보다 풍요한 삶을 향하여서 우리가 발전시켜 나가는 정신 속에 있는 것으로 보았다. 우리는 비록 죽지만 우리들이 신인 것이며 만일 인간이 자기 자신을 구원할 수 없다면 다른 어떤 것이 자신을 구해줄 것이라고 생각하는 것은 잘못된 것이라고 그는 믿었던 것이다. 사실 그는 인간이 '생명력'을 발전시키면 궁극에 이르러 신의 경지에 도달한다고 믿었다. 이것이 이른바 그의 초인사상인 것이다.

자신 속에 내재해 있는 신성을 '생명력'을 통해 구현시킴으로써 범인의 단계를 벗어나 초인이 되고, 이들이 모여 사는 곳이 바로 지상의 낙원이 된다는 것이다. 그러기에, '생명력'에 의한 창조적 진화를 거듭함으로써 초월적 우주와 인간의 합일을 통해 아담(Adam) 이래로 잃어버렸던 낙원을 되찾게 되고, 이로써 인간은 구원된다고 쇼는 믿었다.

쇼의 주인공들의 주요 정신능력이 이성이라기보다 의지인 것은 바로 이러한 그의 신념 때문인 것이다. 합리적으로 생각한다고 자부하며 현실감각을 잃어버린 사람들에게 사실을 사실로서 제시하려고 노력했던 그는 사랑의 능력을 상실하고 목적의식을 갖지 않고 살아가는 세상 사람들에게 각성을 촉구하고 삶을 긍정하며 삶의 기술을 가르쳤던 성실한 작가였다. 목적 없이 표류하는 것을 경멸하고 경고하며 영원히 새로운 그 무엇을 창조해내는 '생명력'의 이론을 창출하고 그의 이론대로 그의 일평생을 고상한 목적에 헌신했던 그는 자신의 운명에 책임을 지고자 한 사회의 구원자였던 것이다.

쇼가 창조적 진화이론을 강하게 내세우게 된 동기는 물질문명의 와중에서 방황하는 현대인들에게 정신적 차원에서 좀 더 성숙하고 현명한 복지사회를 지향하는 그 자신의 복음을 전하려는 데 있다. 말하자면 그는 우주와 인간의 본질과 의미를 재검토하면서 더 높은 단계로 창조적 진화를 통찰하였고 또 우주적 진화의 완성에 대한 인간의 책임을 확신하였다. 이제 인간은 신에 의존하던 유아기적인 의식 상태와 무기력한 삶의 태도를 탈피하고 정신적으로 더 성숙된 새로운 삶의 방식을 가진 초인으로 진화해야 한다고 생각했다. 그의 사상은 절대적인 진리 추구라는 예술관을 바탕으로 하고 있다. 따라서 그는 19세기 사실주의 작가들이 현실을 있는 그대로 무비판적으로 묘사하는 창작태도를 반대하고 인생과 우주의 본질을 규명할 절대적 실체를 극을 통해 제시하고자 했다. 그는 인간과 우주의 본질을 규명할 새로운 절대적 실체로서 '생명력'을 제시했던 것이다.

오닐 작품의 가장 핵심적이고 중요한 사상을 이루는 '배후의 힘'은 인간의 힘으로 어찌할 수 없는 운명, 신, 현재를 이루는 생물학적 과거, 신비와 같은 배후의 힘, 보이지 않는 힘, 방해하는 힘, 그리고 정신적 구속감이다. 쇼 작품의 가장 핵심적이고 중요한 사상을 이루는 '생명력'은 생명의 원동력, 우주의 내재적 의지, 맹목적인 충동, 향상과 진화와 발전 그리고 완성을 향하는 힘, 창조적 진화의 원동력이자 신비한 힘, 자아를 완성시키고 마침내 신의 경지에 도달하게 하는 힘, 인류의 진화를 가능하게 하는 불가사의하고 근원적인 힘, 인간과 우주의 본질을 규명할 새로운 절대적 실체이다. 결국 이 두 힘이 외양적 관점에서 전자는 이상의 전도, 가치의 전환, 현재의 구속, 고통, 갈등, 대립, 파멸, 죽음, 절망, 패배, 어둠, 슬픔 그리고 부정 등 비극으로 이끄는 '나쁜 힘'으로, 후자는 창조적 향상, 진화, 발전, 완성으로 이끄는 '좋은 힘'으로 서로 다르게 보인다. 하지만 궁극적 관점에서 이 양자는 모두 구원, 정화, 재생, 새로운 시작, 이상의 실현, 회귀, 현실자각, 자아의 발견과 성찰과 실현, 평화, 보상, 위안, 자유, 해방, 지복(至福), 초월, 지고한 사랑, 이상사회, 참된 권리의 향유, 초인, 희망, 승리, 밝음, 기쁨, 그리고 긍정으로 이끄는 '조력자'이자 '좋은 힘'이 되고 있다는 중요한 사실을 도출할 수 있다.

제2절 여성의 역할

오닐과 쇼의 작품 속에서의 핵심적이고 중요한 문제인 여성의 역할은 첫째, 여성은 "'배후의 힘'과 '생명력'을 대행하는 역할"을 한다. 오닐의 『수평선 너머』에서 '배후의 힘'은 바다와 농장 그리고 이상과 현실로 나타나고 있다. 루스는 시인의 기질의 소유자인 로버트와 흙의 아들인 앤드류의 이상을 전도함으로써 '배후의 힘'을 대행하는 역할을 하고 있다. 이 힘에 의한 이상과 현실의 갈등은 로버트의 죽음을 통하여 극복된다. 그리고 『인간과 초인』에서 쇼는 그의 끊임없는 주장인 '생명력'이 인류의 향상을 위해서 어떻게 작용하는가를 추적하고, 자유와 평등이 보장되고 발전이 영원히 지속되는 이상적 사회를 설정하여 인류의 더욱 큰 발전을 위한 '생명력'과 개인의 의지력과의 결합의 필요성을 설파하고 있으며, 앤은 이러한 '생명력'을 대행하는 역할을 한다. 이와 같이 '배후의 힘'은 인간의 힘으로 어찌할 수 없는 운명, 신, 현재를 이루는 생물학적 과거, 신비와 같은 배후의 힘, 보이지 않는 힘, 방해하는 힘, 그리고 정신적 구속감이다. 또한 '생명력'은 생명의 원동력,

우주의 내재적 의지, 맹목적인 충동, 향상과 진화와 발전 그리고 완성을 향하는 힘, 창조적 진화의 원동력이자 신비한 힘, 자아를 완성시키고 마침내 신의 경지에 도달하게 하는 힘, 인류의 진화를 가능하게 하는 불가사의하고 근원적인 힘, 인간과 우주의 본질을 규명할 새롭고 절대적인 실체이다. 결국 이 두 힘이 외양적 관점에서 전자는 이상의 전도, 가치의 전환, 현재의 구속, 고통, 갈등, 대립, 파멸, 죽음, 절망, 패배, 어둠, 슬픔 그리고 부정 등 비극으로 이끄는 '나쁜 힘'으로, 후자는 창조적 향상, 진화, 발전, 완성으로 이끄는 '좋은 힘'으로 서로 다르게 보인다. 하지만 궁극적 관점에서 이 양자는 모두 구원, 정화, 재생, 새로운 시작, 이상의 실현, 회귀, 현실자각, 자아의 발견과 성찰과 실현, 평화, 보상, 위안, 자유, 해방, 지복(至福), 초월, 지고한 사랑, 이상사회, 참된 권리의 향유, 초인, 희망, 승리, 밝음, 기쁨, 그리고 긍정으로 이끄는 '조력자'이자 '좋은 힘'이 되고 있다는 중요한 사실을 도출할 수 있다.

둘째, 오닐과 쇼의 여성은 '구원자로서의 역할'을 한다. 전자의 『느릅나무 그늘의 욕정』의 애비는 캐봇 노인 소유의 농장을 상속받기 위한 아들의 출산을 목적으로 에벤과의 육체적 결합을 추구하지만 결국 에벤으로 하여금 세상의 장애물과 스스로 대처할 만큼 강하고 성숙한 인간으로 인도하는 구원자로서의 역할을 한다. 후자의 『바바라 소령』의 바바라는 정신적인 힘에서 물질적인 힘으로 그녀의 마음을 바꾸었는데, 그것은 그녀가 세상에서 가장 강력한 힘의 소유를 원했기 때문이며, 그녀는 사회에 산재한 어려운 문제를 해결하고자 하는 변함없는 구원자이다. 그녀의 문제해결 방법은 변하지만 처음부터 끝까지 그녀가 인간과 사회를 구원할 수 있다는 믿음은 변하지 않는다. 그녀는 사회문제를 해결하고 인간을 구원하려는 강력한 구원의 의지를 가진 여성이다.

셋째, 여성은 '객관적이고 독립적인 가치를 부여하는 역할'을 한다. 『털보 원숭이』의 밀드레드는 강철과 석탄, 증기와 동력 그리고 속도라는 현재의 세계에서 만족하며 안주하고 있는 양크에게 "오, 더러운 짐승!"(127)이라고 외침으로써 그의 신뢰에 찬 자아상을 파괴하고 자부와 긍지를 상실하게 만들고, 그로 하여금 지금까지의 생각과는 달리 무소속감을 통해 그의 참된 위치에 대한 정체탐구를 시작하게 함으로써 그에게 객관적이고 독립적인 가치를 부여하는 역할을 한다. 그리고 『워렌 부인의 직업』의 비비는 속물적이고 인습적인 유혹을 모두 물리치고 독립적인 삶을 선택하고, 여성의 자유를 억압하는 사회구조에 대항하며 남성의 허구를 폭로할 뿐만 아니라 뛰어난 지성과 정확한 자기 인식을 바탕으로 사회가 만든 여성의 틀에 구애받지 않고 자아를 강하게 실현하는 바, 그녀는 자존심과 객관성과 독립성을 겸비한 신여성의 대표이다. 그녀는 학대받는 다른 모든 여성들의 희망의 빛이며, 스스로의 의지에 따라 자신의 길을 개척함으로써 여성도 남성과 동등한 인간이 될 수 있다는 것을 보여주는 객관적이고 독립적인 가치를 주도하는 여성이다.

넷째, 여성은 '참된 자아를 각성하게 하는 역할'을 한다. 『모든 신의 아이들에게는 날개가 있다』의 엘라는 짐의 가정을 지배해온 콩고 가면을 찌름으로써 그의 자아를 파괴하며, 그는 변호사시험에 통과할 수 없고, 백인사회에 속할 수도 없으며, 그 가면이 요구하는 것처럼 흑인종족에 속한다는 사실을 주지시켜 그에게 참된 자아를 각성시키는 역할을 한다. 그리고 『캔디다』에서 캔디다는 지성과 뛰어난 통찰력으로 위선적인 현실을 간파하고 타인들로 하여금 그러한 현실을 직면하도록 유도하고, 사회주의 이상을 실천한다는 착각 속에 살고 있는 남편 모렐을 지탱해 주는 힘의 근원이며, 이상 속에서 살고 있는 청년 시인 마치뱅크스로 하여금 허구적 가면을 벗고 현실적이고 참된 자아를 각성하는 인물로 변모하는데 결정적인 역할을 한다.

이와 같이 오닐은 '배후의 힘'으로부터의 해방을 위한 정체 탐구와 구원의 노력이야말로 그 자체가 인생의 의미이자 가치라는 사실을 그의 작품을 통해 중요한 주제로 표출시키고 있다. 그의 비극관은 한마디로 정체탐구를 위한 '배후의 힘'과의 투쟁에 따르는 자기부정과 절망 속에서 도출되는 긍정이자 희망이요 구원이다. 그의 작품세계에 있어서 비극은 숙명적이며 등장인물의 삶은 절망적인 것처럼 보이나 그의 주인공들은 공허, 무의미, 환상, 불화, 좌절, 그리고 죽음으로 가득 찬 상황에서 인생의 의미를 찾기 위해 노력하고, 비극적 운명과의 싸움에서 패할지라도 인생을 포기하지 않고 정체탐구를 계속한다. 이 과정에서 여성은 '배후의 힘'의 대행자, 구원자, 객관적이고 독립적인 가치의 주도자, 참된 자아를 각성시키는 인물로서 다양하고 중요한 역할을 한다.

오닐의 작품에 나타난 비극성은, 인간이 외면적 소속을 탈피하여 내면적, 정신적 구원에 이르기 위해서는 반드시 외면적 소속을 부정하는 노력을 거쳐야만 한다는 것이다. 그는 이러한 구원에 이르는 노력이야말로 그 자체가 인생의 의미이자 가치라는 사실을 그의 작품을 통해 중요한 주제로 표출시키고 있다. 한 마리의 새가 비상하기 위해서는 외양적으로는 알을 깨는 부화의 진통을 겪어야 하지만 실제적으로 그 고통은 비상의 즐거움을 부여하는 것이기 때문에 부화의 진통에 해당하는 갈등과 죽음을 야기하는 인물 즉, 여성은 외양적으로는 비극의 초래자처럼 보이지만 궁극적으로는 구원과 각성에 이르는 희망을 제시해주는 조력자가 된다. 한마디로 오닐의 작품에 나타난 여성의 실제적인 역할은 '배후의 힘'을 극복하기 위한 정체탐구 과정에서 야기되는 절망 속에서 희망과 각성과 구원을 도출하는 역할이다. 즉, 여성은 어둠, 부정, 슬픔, 패배 속에서 밝음, 긍정, 기쁨, 승리를 도출하게 하는 중요한 역할을 하고 있다.

한편 쇼에게 있어서의 예술은 그의 사상에 입각해 사회문제의 실상을 폭로하고 당대에 만연된 환상을 각성시켜 사회를 개혁하기 위한 수단이었다. 따라서 그의 작품은 교훈적이고 선전적인 사상극이다. 그의 사상은 후기 빅토리아 시대의 전통과 인습에 젖은 부르주아적 사고에 대한 개혁을 주장하는 사회주의 사상과, 우주의 거대한 힘인 '생명력'을 생명체에 부여하여 초인의 경지로 나아가게 하려는 창조적 진화사상의 두 가지로 압축된다.

자연의 순리 속에서 한 생명을 창조하는 여성의 기능이 남성보다 더 위대하고 중요하다는 사실을 깨달은 쇼는 사회제도와 관습과 전통에 의해 예속과 차별 상태에서 살아가는 여성을 옹호하는데 앞장섰으며, 남녀평등에서 시작된 그의 사상은 여성에게 향상하려는 진보적 의지인 '생명력,' 자유와 권리, 그리고 가정적뿐만 아니라 사회적 존재 의의, 그리고 보다 강력한 힘을 주는 것이었다. 그는 여성이 '생명력'을 통한 창조적 진화를 수행하여 단순한 '생명력'의 대행자에서 탈피하고 '생명력' 그 자체가 됨으로써 남성보다 먼저 초인이 될 수 있다고 보았다. 그는 여성이 성장을 거듭하여 자기 의지대로 행동하고, 자신의 문제뿐만 아니라 사회와 국가의 문제를 해결하는 다양한 차원의 완전하고 이상적인 여성을 묘사하고자 했다.

쇼의 작품 속에 묘사된 '여성답지 않은 여성'은 언제나 작품의 중심에 서서 창조적이고 불요불굴한 힘을 소유한 인물이다. 그러한 신여성은 종래의 여성과는 다른 사회적 지위와 창조력을 가진 것이 특징이고 기존 사회와 필연적으로 갈등을 겪게 되나, 이는 파괴나 부정을 위한 것이 아니라 언제나 "더 좋은 세상"(C. A. Carpenter 404)을 전제로 한 창조적 진화를 위한 갈등이며, 바로 이 점에서 그의 신여성관은 '생명력' 사상과 밀접하게 연관된다. 그의 여성은 독립적 주체로서 힘찬 '생명력'을 가지고 이상적인 사회를 이룩하는데 중심적 역할을 하는 신여성이다. 한마디로 그의 작품 속에 나타난 여성은 사회제도의 모순과 부조리를 폭로하고 비판하는 그의 사상을 효과적으로 전달하는 대변자일 뿐만 아니라, 전통과 관습을 탈피하여 강한 의지를 지닌 활기찬 '생명력'의 대행자로서, 구원, 객관적이고 독립적인 가치, 그리고 참된 자아의 각성을 주도하는 중요하고 핵심적인 역할을 한다.

20세 전반기 동시대의, 미국과 영국의 대표적 극작가 중 한 사람이었던 오닐과 쇼 각각의 작품에 나타난 여성의 역할을 정리해 볼 때, 두 작가의 작품들이 그 주제와 내용, 그리고 외양과 실제의 면에서, 구체적이고 전적으로 일치하는 것은 아니지만 대략적인 큰 맥락에서, 첫째는 외양적으로 '파괴적인 여성상'과 '구원의 어머니상'의 양상으로 대분(大分)될 수 있고, 둘째는 남성보다 여성이 보다 결정적이고 중요한 역할을 담당하고 있으며, 셋째는 그 역할에 있어서 여성이 남성을 주도(主導)하고 있다는 사실을 그 공통점으로 지적할 수 있다. 그러나 오닐의 여성은 쇼의 여성에 비해, 상당 부분 감성적이고 나약하며 이기적인 면이 강하고, 외양적으로 갈등과 죽음, 절망과 파멸 그리고 비극의 초래자처럼 보이지만, 궁극적으로는 정체탐구와 각성과 구원에 이르는 희망을 제시해주는 조력자가 되고 있는 반면, 쇼의 여성은 오닐의 여성에 비해 대부분 이성적, 반낭만적, 이지적, 독단적, 전제적이고 생기발랄하며, 그 역할에 있어서 작품의 시작과 끝, 그리고 외양과 실제에서 거의 변함이 없이 일관된다는 점에서 그 차이점을 지적할 수 있다.

인용 및 참고 문헌

김세근. 『가면으로부터의 해방』. 서울: 반석출판사, 1995. Print.

니그, 빌터. 『프리드리히 니체』. 정경석 역. 왜관: 분도출판사, 1973. Print.

야스퍼스, 칼. 『니체와 기독교』. 박준택 역. 서울: 박영사, 1980. Print.

조용재. 『드라마 총론』. 익산: 원광대학교 출판국, 1996. Print.

터너, 빅터. 『제의에서 연극으로』. 이기우·김익두 옮김. 서울: 현대미학사, 1996. Print.

Ackroyd, Peter. *Shakespeare: The Biography*. London: Vintage Books, 2006. Print.

Adelman, Janet. *Suffocating Mothers: Fantasies of Maternal Origin in Shakespeare's Plays—Hamlet to the Tempest*. New York: Routledge, 1922. Print.

Alexander, A. *Poison, Play and Duel*. London: Routledge & Kegan Paul, 1971. Print.

Alexander, Doris. "*Lazarus Laughed* and Buddha," *Modern Language Quarter*, 17(1956): 357-365. Print.

______. "Psychological Fate in *Mourning Becomes Electra*." PMLA, Vol. LXVIII. No. 5 (December 1953). Print.

______. *The Tempering of Eugene O'Neill*. New York: Harcourt, Brace & World, Inc., 1962. Print.

Aldernan, Harold. *Nietzsche's Gift*. Athens, Ohio: Ohio University Press, 1997. Print.

Altick, Richard D. 'Hamlet and the Odor of Mortality.' *Shakespeare Quarterly*, Vol. 5. 1964. Print.

Anikst, Alexander. "Preface to Russian Translation of O'Neill." *Eugene O'Neill Critics: Voices from Abroad*. eds. Horst Frenz & Susan Tuck. Carbondale: Southern Illinois UP, 1984. 153-59. Print.

Asselineau, R. "*Desire Under the Elms*: A Phase of O'Neill's Philosophy" in Ernest G. Griffin. ed. Eugene *O'Neill: A Collection of Criticism*. New York: McGraw-Hill Inc., 1976. Print.

Baker-White, Robert. *Ecological Eugene O'Neill: Nature's Veiled Purpose in the Plays*. Jefferson: McFarland, 2015. Print.

Barlow, Judith E. *"Long Day's Journey into Night: From Early Notes to Finished Play,"* *Modern Drama* 22 (March 1979). 19. Print.

______. *Final Acts: The Creation of Three Late O'Neill Plays.* Athens: Georgia UP, 1985.

Bentley, Eric. *Bernard Shaw.* New York: Laughlin, 1947. Print.

Ben-Zvi, Linda. "Exiles, *The Great God Brown*, and the Specto of Nietzche" *Modern Drama*, Vol. X X IV, No. 3 (September 1981). Print.

Berkowitz, Gerald M. *American Drama of the Twentieth Century.* London: Longman, 1992. Print.

Berlin, Norman. *Eugene O'Neill.* London: The Macmillan Press, 1982. Print.

Berst, Charles A. *Bernard Shaw and the Art of Drama.* Urbana: University of Illinois Press, 1973. Print.

Bevington, David. *Shakespeare.* Oxford: Blackwell Publishing, 2002. Print.

Bigsby, C. W. E. *Modern American Drama*, 1945-1990. Cambridge UP, 1992. Print.

Black, Stephen A. Rev. "Letting the Dead Be Dead: A Reinterpretation of *A Moon for the Misbegotten.*" EON 1. 11 (1987): 52. Print.

Bloom, Harold. Ed. "Introduction." *William Shakespeare's Othello: Modern Critical Interpretations.* New York: Chelsea House Publishers, 1987. 1-5. Print.

Bogard, Travis. *Contour in Time: The Plays of Eugene O'Neill.* rev. ed. New York: Oxford UP, 1988. Print.

______. "Introduction." *The Later Plays of Eugene O'Neill.* ed. Travis Bogard. New York: The Modern Library, 1967. Print.

Bogard, Travis and Bryer, Jackson R. ed. *Selected Letters of Eugene O'Neill.* New York: Yale UP, 1988. Print.

Boulton, Agness. *Part of a Long Story.* Garden City, N. Y.: Doubleday & Co., 1958. Print.

Bowen, Crosswell. II. 3. 1946, "The Black Irishman," *PM.* Reprinted in Oscar Cargill: N. Bryllion Fagin: William J. Fisher. eds. Print.

______. *The Curse of the Misbegotten: A Tale of the House of O'Neill.* London: Rupert Hart-Davis, 1960. Print.

Bowers, Fredson Thayer. *Elizabethan Revenge Tragedy, 1582-1642.* Grocester: Peter Smith, 1959. Print.

Brown, Ivor. *Shaw in His Time.* London: Nelson, 1965. Print.

Bugelski, B. R. *An Introduction to the Principles of Psychology.* Indianapolis: The

Books-Merril Co., 1973. Print.
Bradley, A. C. *Shakespearean Tragedy*. 1904: rpt. London: Macmillan St. Martin's P, 1971. Print.
Campbell, Lily B. *Shakespeare's Tragic Heroes*. London: Methuen & Co. LTD., 1961. Print.
Caputi, Anthony. *Modern Drama*. New York: W. W. Norton, 1966. Print.
Cargill, Oscar: N. Bryllion Fagin: William J. Fisher. eds. *O'Neill and His Plays: Four Decades of Criticism*. New York: New York University Press, 1961. Print.
Carpenter, Frederic I. *Eugene O'Neill*. New Haven: Twayne Publishers, Inc., 1964. Print.
______. *Emerson and Asia*. Cambridge: Harvard UP, 1930. Print.
Carrel, Allexis. *Man, the Unknown*. New York: Harper and Row Publishers, 1939. Print.
Chabrowe, Leonard. *Ritual and Pathos: The Theater of O'Neill*. Lewisburg, Pa.: Bucknell University Press, 1976. Print.
Charney, Maurice. "*Hamlet* without Words." *A Journal of English Literary History*, Vol. 32 (1962). 466. Print.
Chothia, Jean. *Forging a Language: A Study of the Plays of Eugene O'Neill*. Cambridge: Cambridge UP, 1981. Print.
Clark, Barrett H. *Eugene O'Neill: The Man and His Plays*. New York: Dover, 1926. Print.
Clurman, Harold. "Long *Day's Journey into Night*" in Cargill, Oscar. Fagin, N. Bryllion. Fisher, William J. eds. *O'Neill and His Plays*. New York: New York UP, 1964. Print.
Day, Cyrus. "*Amor Fati*: O'Neill's Lazarus as Superman and Savior," *Modern Drama*. Vol. III, No. 3 (December 1960). Print.
______. "The Iceman and the Bridegroom." *Modern Drama*, Vol. I, No. 1 (1958). Print.
Donnelly, John. "Incest, Ingratitude and Insanity: Aspects of the Psychopathology of *King Lear*," *Psychoanalytic Review* 40, 1953. Print.
Dowden, Edward. *Shakespeare: A Critical Study of His Mind and Art*. London: Routledge & Kegan Paul LTD., 1967. Print.

Driver, Tom F. "On the Late Plays of Eugene O'Neill." John Gassner. ed. *Eugene O'Neill*. New York: McGraw-Hill Inc., 1965. Print.

Engel, Edwin A. *The Haunted Heroes of Eugene O'Neill*. Cambridge: Harvard UP, 1953. Print.

Esslin, Martin. *The Theatre of the Absurd*. Harmondsworth, Middlesex: Penguin Books Ltd., 1968. Print.

Evans, Gareth Lloyd. *The Upstart Crow: An Introduction to Shakespeare's Plays*. London: J. M. Dent & Sons, 1982. Print.

Everett, Barbara. "Hamlet: A Time to Die." *Shakespeare Survey*, Vol. 30 (1977). 118. Print.

Falk, Doris. *Eugene O'Neill and the Tragic Tension*. New Brunswick, N. J.: Rutgers UP, 1958. Print.

Farnham, Willard. *The Shakespearean Grotesque: Its Genesis and Transformations*. Oxford: At the Clarendon Press, 1971. Print.

______. "The Paradox: O'Neill," *Modern Drama*, Vol. VI, No. 3 (December 1963). Print.

Fiedler, Leslie. *Love and Death in the American Novel: Revised Edition*. New York: Stein & Day, 1966. Print.

Flatter, Richard. *Hamlet's Father*. London: William Heineman Ltd., 1949. Print.

Floyed, Virginia (ed.). *Eugene O'Neill at Work*: Newly Released Ideas for Plays. New York: Frederick Ungar Publishing Co., 1981. Print.

______. "The Enduring O'Neill: Which Plays Will Survive?" EON 1.1 (1977): 2-15. Print.

______. *The Plays of Eugene O'Neill: A New Assessment*. New York: The Ungar Publishing Co., 1987. Print.

Frazer Sir J. G. The Golden Bough: A Study in Magic and Religion. Volume 1. London: Macmillan, 1941. Print.

Frazer, Winifred D. *Love as Death in the Iceman Cometh: A Modern Treatment of an Ancient Theme*. Gainesville: The University of Florida Press, 1967. Print.

Frenz, Horst. *Eugene O'Neill*. New York: Frederic Ungar Publishing Co., 1971. Print.

Frenz, Horst and Tuck, Susan. (ed.). *Eugene O'Neill's Critics: Voices from Abroad*. Carbondale: Southern Illinois University, 1984. Print.

Freud, Sigmund. *The Interpretation of Dreams* in *Basic Writings of Sigmund Freud.* ed. & tr. A. A. Brill. New York: The Modern Library, 1966. Print.

Garrard, Greg. *Eco-criticism.* 2nd ed. London: Routledge, 2012. Print.

Gassner, John. *Eugene O'Neill.* New York: McGraw-Hill Inc., 1965. Print.

______. *The Theatre in Our Times.* New York: Crown Publishers, Inc., 1954. Print.

______. ed. *O'Neill: A Collection of Critical Essays.* Englewood Cliffs: Prentice-Hall, Inc., 1964. Print.

Gelb, Arthur & Barbara. *O'Neill.* New York: Harper & Row, 1962. Print.

Grene, Nicholas. *Bernard Shaw: A Critical View.* London: Macmillan Press Ltd., 1984. Print.

Goethe, Johann W. von. *Faust.* tr. Philip Wayne. Harmondsworth: Penguin Books Ltd., 1980. Print.

Goldberg, Issac. *The Theatre of George Jean Nathan.* New York: Simmon and Schuster, 1936. Print.

Gonnon, Paul W. E*ugene O'Neill's Long Day's Journey into Night.* New York: Monarch Press, 1965. Print.

Goodbody, Axel. "Eco-critical Theory: Romantic Roots and Impulses from Twenty-Century European Thinkers." *The Cambridge Companion to Literature and the Environment.* ed. Louise Westling. Cambridge: Cambridge UP, 2014. 61-74. Print.

Gottschalk, Paul. "Hamlet and the Scanning of Revenge." *Shakespeare Quarterly*, Vol. 24 (1973). 170. Print.

Goyal, Bhagwat S. T*he Strategy of Survival: Human Significance of O'Neill's Plays.* Ghaziabad: Vimal Prakashan, 1975. Print.

Hall, Calvin S. & Gardne Lindzey. *Theories of Personality.* 3rd ed. New York: John Wiley & Sons, 1987. Print.

Hamlin, William M. *Tragedy and Scepticism in Shakespeare's England.* New York: Palgrave Macmillan, 2005. Print.

Herzog, Callie Jeanne. *Nora's Sisters: Female Characters in the Plays of Ibsen, Strindberg, Shaw, and O'Neill.* Ph. D. dissertation. University of Illinois at Urbana-Champaign, 1982. Print.

Horton, Rod & Edwards, Herbert W. *Background of American Literary Thought.* 3rd ed. Englewood Cliffs, N. J.: Prentice-Hall, 1974. Print.

Hugo, Lean. *Bernard Shaw: Playwright and Preacher.* London: Methuen & Co. Ltd., 1971. Print.

Jamison, Kay Redfield. *Touched By Fire.* New York: Free Press, 1994. Print.

Jackson, Esther M. "O'Neill the Humanist." *Eugene O'Neill: A World View.* Ed. Virginia Floyd. New York: Ungar, 1979. Print.

Jones, Ernest. *Hamlet and Oedipus. Garden City:* Doubleday Anchor Books, 1949. Print.

______. *The Life and Work of Sigmund Freud.* New York, 1957, III. Print.

______. *Complete Psychological Works.* London, 1958, VII. Print.

Jung, Carl G. *The Practice of Psychotherapy.* tr. R. F. C. Hull. Princeton, N. J.: Princeton University Press, 1967. Print.

Kaufman, R. J. ed. *G. B. Shaw: A Collection of Critical Essays.* New Jersey: Prentice-Hall, 1965. Print.

Kaufmann, Walter. "Introduction," *Thus Spoke Zarathustra*, tr. Walter Kaufmann. New York: Viking Press, 1966. Print.

Knight, G. Wilson. *The Imperial Theme.* 1931; rpt. London: Methuen & Co. Ltd., 1976. Print.

-----. *The Wheel of Fire.* 1930; rpt. London: Methuen & Co. Ltd., 1977. Print.

Kott, Jan. "Hamlet and Orestes." *PMLA*, Vol. 82. 1967. Print.

Krutch, Joseph Wood. "Desire Under the Elms" in Anthony Caputi ed. *Modern Drama.* New York: W. W. Norton & Co., 1966. Print.

______. *The American Drama Since 1918.* New York: George Bragiller, Inc., 1957. Print.

Kyd, Thomas. *The Spanish Tragedy.* Ed. Philip Edwards. London: Manchester UP, 1959. Print.

Lawlor, John J. "The Tragic Conflict in *Hamlet.*" *RES* 1. 1950. 97-113. Print.

Lawrence, L. H. *Studies in Classic American Literature.* Harmondsworth: Penguin Books, Ltd., 1983. Print.

Lee, Sang. *A Sad Story. The Complete Works of Sang Lee* Vol. 1: *Novel.* Seoul: Taeseong, 1956. Print.

______. *Breaking Album. The Complete Works of Sang Lee* Vol. 2: *Poetry.* Seoul:

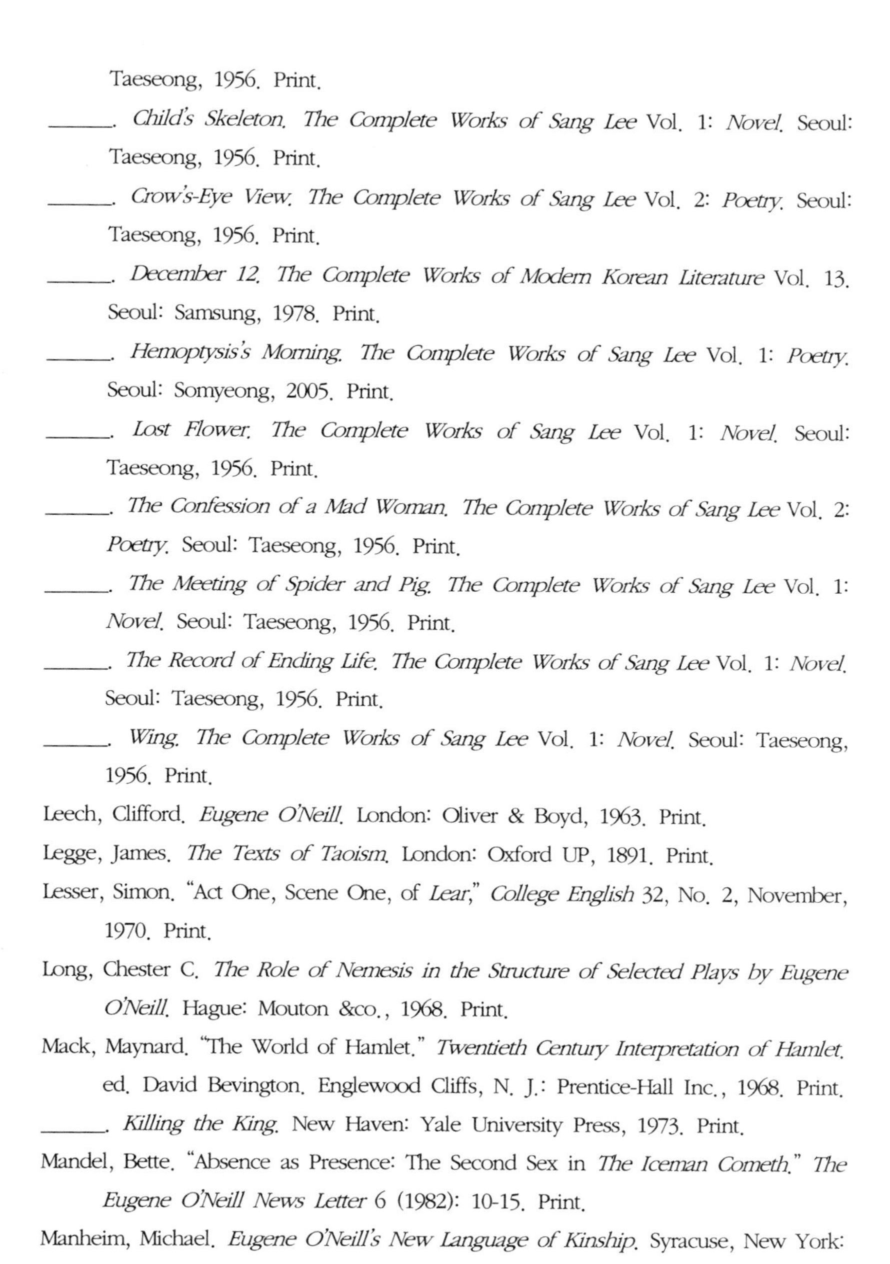
Taeseong, 1956. Print.

______. *Child's Skeleton. The Complete Works of Sang Lee* Vol. 1: *Novel.* Seoul: Taeseong, 1956. Print.

______. *Crow's-Eye View. The Complete Works of Sang Lee* Vol. 2: *Poetry.* Seoul: Taeseong, 1956. Print.

______. *December 12. The Complete Works of Modern Korean Literature* Vol. 13. Seoul: Samsung, 1978. Print.

______. *Hemoptysis's Morning. The Complete Works of Sang Lee* Vol. 1: *Poetry.* Seoul: Somyeong, 2005. Print.

______. *Lost Flower. The Complete Works of Sang Lee* Vol. 1: *Novel.* Seoul: Taeseong, 1956. Print.

______. *The Confession of a Mad Woman. The Complete Works of Sang Lee* Vol. 2: *Poetry.* Seoul: Taeseong, 1956. Print.

______. *The Meeting of Spider and Pig. The Complete Works of Sang Lee* Vol. 1: *Novel.* Seoul: Taeseong, 1956. Print.

______. *The Record of Ending Life. The Complete Works of Sang Lee* Vol. 1: *Novel.* Seoul: Taeseong, 1956. Print.

______. *Wing. The Complete Works of Sang Lee* Vol. 1: *Novel.* Seoul: Taeseong, 1956. Print.

Leech, Clifford. *Eugene O'Neill.* London: Oliver & Boyd, 1963. Print.

Legge, James. *The Texts of Taoism.* London: Oxford UP, 1891. Print.

Lesser, Simon. "Act One, Scene One, of *Lear*," *College English* 32, No. 2, November, 1970. Print.

Long, Chester C. *The Role of Nemesis in the Structure of Selected Plays by Eugene O'Neill.* Hague: Mouton &co., 1968. Print.

Mack, Maynard. "The World of Hamlet." *Twentieth Century Interpretation of Hamlet.* ed. David Bevington. Englewood Cliffs, N. J.: Prentice-Hall Inc., 1968. Print.

______. *Killing the King.* New Haven: Yale University Press, 1973. Print.

Mandel, Bette. "Absence as Presence: The Second Sex in *The Iceman Cometh.*" *The Eugene O'Neill News Letter* 6 (1982): 10-15. Print.

Manheim, Michael. *Eugene O'Neill's New Language of Kinship.* Syracuse, New York: Syracuse UP, 1982. Print.

Maxwell, J. C. in Kenneth Muir. ed. *King Lear: The Arden Shakespeare*. London: Methuen, 1972. Print.

Michel, Pierre. *Notes on "Mourning Becomes Electra."* Harlow, Essex: Longman Group Ltd., 1981. Print.

Mincoff, Marco. "The Structural Pattern of Shakespeare's Tragedies." *Shakespeare Survey*, Vol. 3. 1950. Print.

Moreno, Antonio. *Jung, Gods and Modern Man*. Notre Dame, Ind.: University of Notre Dame Press, 1970. Print.

Muir, Kenneth. *Shakespeare: Hamlet*. London: Edward Arnold Ltd., 1975. Print.

Mullett, Mary, Nov. 1922, "The Extraordinary Story of Eugene O'Neill," *American Magazine*, 118. Print.

Myers, Andrew B. "Hysteria Night in the Sophomore Dormitory: Eugene O'Neill's *Days without End*." Columbia Library Columbus, 28, No. 2 (Februarry 1979), 3-13. Print.

Nethercot, Arthur H. "Madness in the Plays of Eugene O'Neill." *Modern Drama*, Vol. XVIII, No. 3 (September 1975). Print.

______. *Man and Superman. The Shavian Portrait Gallery*. New York: Blom, 1966. Print.

Nietzsche, Friedrich. *The Birth of Tragedy in Basic Writings of Nietzsche*. ed. & tr. Walter Kaufmann. New York: The Modern Library, 1968. Print.

______. *Thus Spoke Zarathustra*. tr. Walter Kaufmann. New York: Viking Press, 1966. Print.

______. "Twilight of the Idol" and "The Anti-Christ." tr. R. J. Hollingdale. Harmondsworth: Penguin Books Ltd., 1975. Print.

O'Neill, Eugene. *A Moon for the Misbegotten*. New York: Vintage Books, 1974. Print.

______. *All God's Chillun Got Wings* in *The Plays of Eugene O'Neill* II. New York: The Modern Library, 1982. Print.

______. *Beyond the Horizon* in *The Plays of Eugene O'Neill*. Vol. I. New Work: Random House, 1955. Print.

______. *Desire Under the Elms* in *Selected Plays of Eugene O'Neill*. New York: Randem House, 1967. Print.

______. *Long Day's Journey into Night*. New Haven: Yale UP, 1956. Print.

______. *Marco Millions* in *The Plays of Eugene O'Neill*. Vol. II. New York: The Modern Library, 1982. Print.

______. *Mourning Becomes Electra* in *The Plays of Eugene O'Neill*. Vol. II. New York: The Modern Library, 1982. Print.

______. *Nine Plays by Eugene O'Neill*. selected by the author, introduction by Joseph Wood Krutch. New York: The Modern Library, 1959. Print.

______. *Selected Plays of Eugene O'Neill*. New York: Random House, 1967. Print.

______. *Seven Plays of the Sea*. New York: Vintage Books, 1972. Print.

______. *Strange Interlude* in *Selected Plays of Eugene O'Neill*. New York: Random House, 1967. Print.

______. *The Emperor Jones in Selected Plays of Eugene O'Neill*. New York: Random House, 1967. Print.

______. *The Great God Brown, Days without End* in Vol. I. *The Plays of Eugene O'Neill*. 3 Vols. New York: The Modern Library, 1982. Print.

______. *The Hairy Ape* in *Selected Plays of Eugene O'Neill*. New York: Random House, 1967. Print.

______. *The Iceman Cometh* in *Selected Plays of Eugene O'Neill*. New Yor: Random House, 1967. Print.

______. *The Plays of Eugene O'Neill*. 3 Vols. New York: Random House, 1955. Print.

O'Neill, Joseph P. "The Tragic Theory of Eugene O'Neill." *Texas Studies in Literature and Language*, Vol. IV, No. 4(Winter 1963). Print.

Pauncz, Arpad. "Psychopathology of Shakespeare's *King Lear*," *American Image* IX, 1952. Print.

Pavel, Thomas G. *The Poetics of Plot: The Case of English Renaissance Drama*. Manchester: Manchester UP, 1985. Print.

Porter, Thomas. *Myths and Modern American Drama*. Detroit, Mich.: Wayne State University Press, 1969. Print.

Presley, Delma E. *American Literature 42*. November, 1970. Print.

Quinn, Arthur Hobson. *A History of the American Drama from the Civil War to the Present Day*. New York: Appleton, 1936. Print.

Racey, Edgar F. "Myth as Tragic Structure in *Desire Under the Elms*" in John Gassner ed., *O'Neill: A Collection of Critical Essays*. Englewood Cliffs: Prentice Hall,

Inc, 1964. Print.

Radice, Betty. *Who's Who in the Ancient World.* Harmondsworth: Penguin Books Ltd., 1978.

Raleigh, John Henry. "The Nature of O'Neill's Achievement: A Summary and Appraisal" in John Gassner ed., *O'Neill: A Collection of Critical Essays.* Englewood Cliffs: Prentice Hall, Inc, 1964.

______. *The Plays of Eugene O'Neill.* Carbondale: Southern Illinois University Press, 1965. Print.

Ranald, Margaret L. *The Eugene O'Neill Companion.* Connecticut: Greenwood Press, 1984. Print.

Reid, B. L. "The Last Act and the Action of Hamlet." *The Yale Review*, Vol. 54 (1964). 59. Print.

Rich, Dennis in Virginia Floyd. ed. *Eugene O'Neill at Work: Newly Released Ideas for Plays.* New York: Frederick Ungar Publishing Co., 1981. Print.

Righter, A. *Shakespeare and the Idea of Play.* London: Chatto Windus, 1964. Print.

Robinson, James A. *Eugene O'Neill and Oriental Thought: A Divided Vision.* Carbondale, III.: Southern Illinois University Press, 1982. Print.

Rogers, David. *The Plays of Eugene O'Neill.* New York: Monarch Press, 1964. Print.

Scofield, Martin. *The Ghost of Hamlet.* Cambridge: Cambridge University Press, 1980. Print.

Scragg, Leah. *Discovering Shakespeare's Meaning.* London: The Macmillan Press, 1988. Print.

Scrimgeour, James. "From Loving to the Misbegotten: Despair in the Drama of Eugene O'Neill." *Modern Drama*, Vol. XX, No. 1(March 1977), 57-69. Print.

Shakespeare, William. Jenkins, Harold. ed. *The Arden Shakespeare: Hamlet.* London: Methuen & Co Ltd., 1982. Print.

______. A. R. Humphreys. ed. *Henry IV: The Arden Shakespeare.* London: Thompson Learning, 2000. 1st, ed. 1960. Print.

______. *Julius Caesar: The Arden Shakespeare.* ed. T. S. Dorsch. London: Methuen, 1979. Print.

______. Kenneth Muir. ed. *King Lear: The Arden Shakespeare.* London: Methuen, 1972. Print.

______. *Macbeth.* ed. Kenneth Murir. London: Muthuen, 1977. Print.
______. M. R. Ridley. ed. *Othello: The Arden Shakespeare.* London: Methuen & Co. Ltd., 1977. Print.
______. John Russell Brown ed. *The Merchant of Venice: The Arden Shakespeare.* London: Methuen, 1977. Print.
______. *Troilus and Cressida: The Arden Shakespeare.* ed. Kenneth Palmer. London: Methuen, 1976. Print.
Shaw, George Bernard. *Plays Unpleasant.* Middlesex: Penguin Books, 1980. Print.
______. *Plays Unpleasant.* Middlesex: Penguin Books, 1974. Print.
______. *Major Barbara.* New York: Random House, 1952. Print.
______. *Man and Superman.* New York: Penguin Books Ltd., 1982. Print.
______. *The Quintessence of Ibsenism.* London. Constable and Company Ltd., 1949. Print.
Sheaffer, Louis. *O'Neill: Son and Artist.* Boston: Little, Brown & Co., 1973. Print.
Siever, W. David. *Freud on Broadway.* New York: Hemitage House, 1955. Print.
Silk, M. S. & Stern, J. P. *Nietzsche on Tragedy.* Cambridge: Cambridge UP, 1981. Print.
Skinner, Richard D. "*Desire Under the Elms*: Dragons of Youth" in Anthony Caputi ed., *Modern Drama.* New York: W. W. Norton & Company, 1966. Print.
Smith, G. Gregory. ed. *Elizabethan Critical Essays.* 2 Vols. Oxford UP, 1904. Print.
Smith, Madeline C. and Richard Eaton. "The Truth About Hagan." Eugene O'Neill Review, 18: 1 & 2 (Spring/Fall 1944). Print.
Smith, Warren S. ed. *Bernard Shaw's Plays.* New York: Norton, 1970. Print.
Spivack, Bernard. "Iago Revisited." Ed. Alfred Harbage. *Shakespeare The Tragedies: A Collection of Critical Essays.* New Jersey: Prentice-Hall, 1964. 85-92. Print.
Stamm, Rudolf. *The Shaping Powers at Work.* Heidelberg: Carl Winter Universitatsverlag, 1967. Print.
Stilling, Roger. *Love and Death in Renaissance Tragedy.* Baton Rouge: Louisiana State UP, 1976. Print.
Stone, Merlin. *When God Was a Woman.* San Diego: Harcourt Brace, 1976. Print.
Stroupe, John M. "Eugene O'Neill and The Problem of Masking." Lock Haven Review, 12(1971), 71-80. Print.

______. "O'Neill's *Marco Millions*: A Road to Xanadu," *Modern Drama*, 12(1970). Print.

Tiusanen, Timo. *O'Neill's Scenic Images*. Princeton: Princeton UP, 1968. Print.

Todd, Loreto. *Hamlet: York Notes*. eds. Prof. A. N. Jeffares & Prof. Suheil Bushrui. Hong Kong: Sing Cheong Printing Co. Ltd., 1983. Print.

Tornqvist, Egil. *A Drama of Souls: Studies in O'Neill's Super-naturalistic Technique*. New Haven: Yale UP, 1969. Print.

Tripp, Edward. ed. *The Meridan Handbook of Classical Mythology*. New York: New Meridan Library, 1970. Print.

Turco, Alfred. *Shaw's Moral Vision: The Self and Salvation*. Ithaca and London: Cornell University Press, 1976. Print.

Unger, Leonard. ed. *American Writers: A Collection of Literary Biographies*. Vol. III. New York: Charles Scribner's Sons, 1974. Print.

Valency, Maurice. "A Dream Play: The Flower and the Castle," *Modern Drama*. ed. Anthony Caputi. New York: W. W. Norton, 1966. Print.

Valgemae, Mardi. "O'Neill and German Expressionism." *Modern Drama*, Vol. X, No. 2(September 1967. Print.

______. *Accelerated Grimace: Expressionism in the American Drama of the 1920s*. Carbondale, III.: Southern Illinois University Press, 1972. Print.

Vena, Gary A. "The Role of the Prostitute in the Plays of Eugene O'Neill." *Drama Critique* 10 (1967): 83-91. Print.

Waith, Eugene M. "Eugene O'Neill: An Exercise in Unmasking" in John Gassner ed., *O'Neill: A Collection of Critical Essays*. Englewood Cliffs: Prentice Hall, Inc, 1964. Print.

Watts, Harold H. "Myth and Drama," *Myth and Literature: Contemporary Theory and Practice*. ed. John Vickery. Lincoln, Neb.: University of Nebraska Press, 1966. Print.

Wells, Robin Headlam. *Shakespeare's Humanism*. Cambridge: Cambridge UP, 2005. Print.

Whitman, Robert F. "O'Neill's Search for a 'Language of the Theatre'" in *Eugene O'Neill*. ed. John Gassner. Englewood Cliffs: Prentice Hall, 1964. Print.

______. *Shaw and the Play of Ideas*. Ithaca and London: Cornell UP, 1977. Print.

Wilber, Ken. *No Boundary.* Boston: Shambhala. 2001. 42-55. Print.

Wilhelm, R. *The I Ching or Book of Changes.* Princeton: Princeton UP, 1976. Print.

Wilkins, Frederic. "The Pressure of Puritanism in O'Neill's New England Plays." *Eugene O'Neill: A World Views.* ed. Virginia Floyd. New York: Frederic Ungar, 1979. Print.

Wilson, Edmund. "Eugene O'Neill as a Prose Writer." *O'Neill and His Plays: Four Decades of Criticism.* eds. Oscar Cargill et al., New York: New York UP, 1961. 464-67. Print.

Wilson, John Dover. *What Happens in Hamlet.* 1935; rpt. Cambridge: Cambridge UP, 1976. Print.

Winther, Sophus Keith. "*Desire Under the Elms*, A Modern Tragedy" in Anthony Caputi ed. *Modern Drama.* New York: W. W. Norton & Co., 1966. Print.

______. *Eugene O'Neill: A Critical Study.* New York: Russell & Russell, 1962. Print.

______. "O'Neill's Tragic Theme: *Long Day's Journey into Night*," Arizona *Quarterly* 13 (Winter, 1957). 102.

Woolcott, Alexander. "*Beyond the Horizon.*" *O'Neill and His Plays: Four Decades of Criticism.* eds. Oscar Cargill, N. Bryllion Fagin, and William J. Fisher. New York: New York UP, 1970. Print.

Woolf, S. J. "O'Neill's Plot a Course for the Drama." *Conversation with Eugene O'Neill.* ed. Mark W. Estrin. Jackson: UP of Mississippi, 1990. 116-120. Print.

Yeom, Sangseob. *A Tree Frog in Specimen Room. The Complete Works of Korean Literature.* Seoul: Hakwon, 1996. Print.

Zamir, Tzachi. *Double Vision: Moral Philosophy and Shakespearean Drama.* Princeton: Princeton UP, 2007. Print.